U0439931

林慶彰 總策畫
民國時期稀見期刊彙編
第一輯

臺北帝國大學研究年報 第十七冊

政學科研究年報③
（法律政治篇）

臺北帝國大學文政學部

政學科研究年報

第三輯

臺北帝國大學文政學部
政學科研究年報 第三輯

第一部 法律・政治篇

目次

國家目的論の考察

堀　豐　彦

目次

はしがき

――問題の意義――

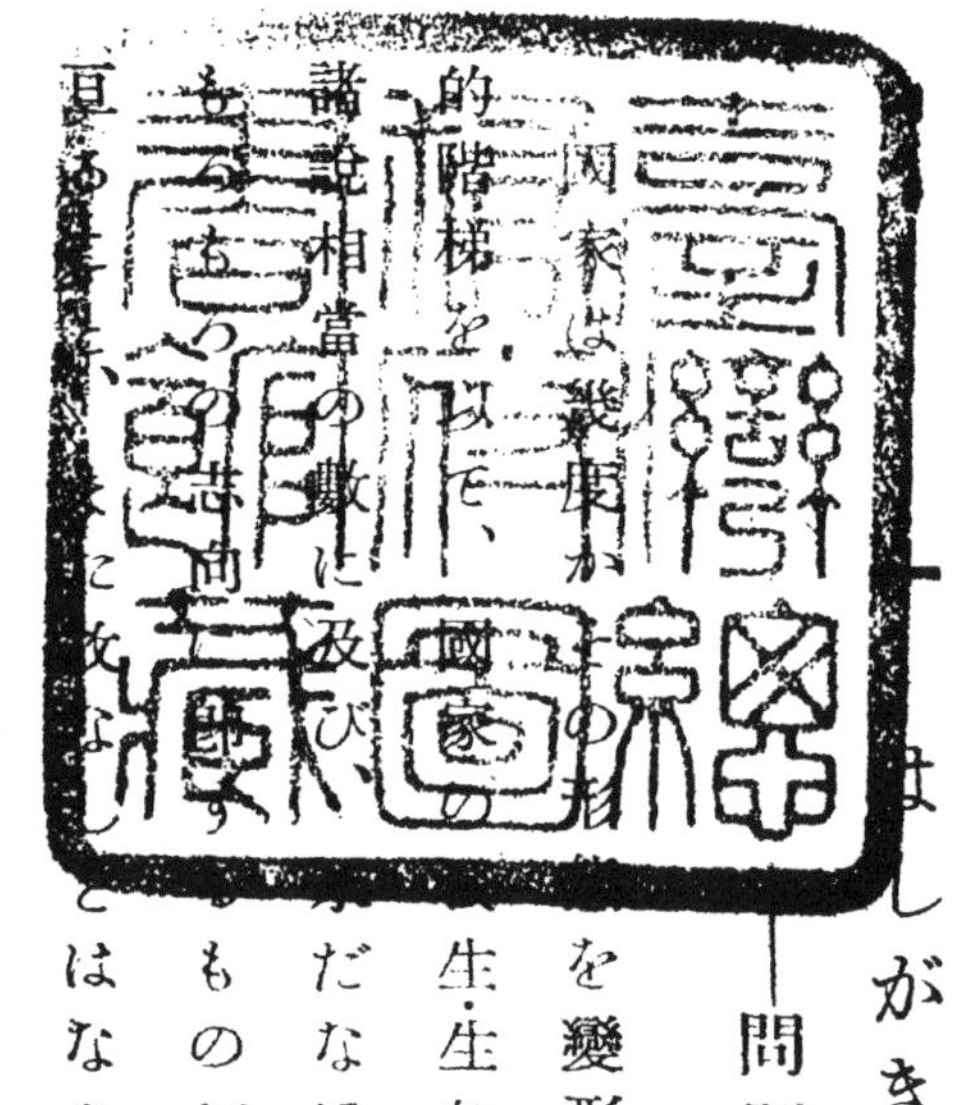

國家は幾度か其の形[illegible]を變形した。しかも、人類の社會進化の如何なる歴史的階梯を以て、國家の發生・生起の時期となすか、卽ち國家の始源に關しても、諸說相當の數に及び、未だなほ歸一せず、且又、國家觀成立の基礎・立場にも、もろもろの志向[illegible]するものがある。國家の本質に就き、學者の見解の多義に亙る[illegible]よしとはなさない。國家に關する學說見解の汗牛充棟の姿にも拘らず、近時に於て止目に價するものは蓋し、多元的社會觀に基礎付けらるる多元的國家觀と、これに對蹠的なる單元的國家觀との二者であり、特に兩者の對蹠的なる形相に近代的なる意義が存する。

人のよく知れる如く多元的國家觀と呼稱せらるるものも、その基礎は固より單一ではない。コーカー(Coker)はその基調に從ひこれを三形態に分別した。卽ち第一、國家は社會に於ける他の重要なる集團に優越的、乃至先行的なるものに非ずとする說、第二、國家は他國家との關聯に於て獨立ではないとする說、第三、國家は對內的に法に優越的に非ずとする說である。註1 併しこれとても、多元的國家觀と呼ばるるものに、諸種の形態のものの存在する事を示す所の一つの卑近なる例證である。併しこの小稿は今日最も通用の見解となれる所の、單元的國家觀に對して多元的國家觀の辨證を企圖せんとするものではなく、寧ろ、實は、多元的國家觀に卽して本稿、庶幾の課題に從事せむことを豫想してゐるものである。

そこで、吾々は單元的國家觀を端的に國家全體社會觀となし、諸形態に亘る所の多元的國家觀を極めて端的に一括して國家部分社會觀となしてこの小稿の論述を進めよう。

國家の本質を如何なるものとして定立す可きかに就ける論證は、由來、國家論の基礎的課題の一つである。國家の本質に就ける究明は、國家自體の本質に就ける理解を得んが爲である事は固より斷るまでもない自明の事である。この事は他面、國家が人類の構成する社會の一種であるが故に、必然に國家と爾餘のもろもろの社會との區別の標識を何處に、また如何なる點に於て求む可きかの攻究を自ら含有するのであり且又しなければならない。斯樣に、言はば兩面の攻究が相添ふに非らざれば、その完きを期し難いのである。所が、國家本質論に就ける世の多くの論究に於て、特に最も通用の立場、見解となれるものに於て吾々の經驗する事は、玆に謂ふが如き意味の兩面の論究が、全然皆無なりとは固より斷じ得ないのであるが、その事が積極的に企圖せられ、含有せられて居るとはなし難いものがあると考へられる。併し或はその事は、國家の本質論の討議・解明の内に自づから包含せられてある可き當然の課題なるが故に、換言すれば、國家の本質を考察する場合には、其企圖自體が既に國家の眞正の形相を理解す可き任務を具有するものであるが故に、其企圖によつて構成せらるる所の國家の本質なる概念の把握は、既に國家が社會の一種として爾餘の一切の社會より區別せらるるの契機を討ね盡したるものとなす可きであるとの理由や理解の故に、吾々が特に兩面の攻究と謂ふが如くに、事象を言はば事更に分別的に考へ且つ取扱ふとするやうな必要を認めないものであると考ふる可きものであるかも分らない。或はまた、そもそも、所謂通説にありては、國家は一切の社會を包攝し包括・含有する所の全體社會となさるるが故に、其立場よりしては、國家と社會一般との區別の契機の定立と云ふが如き課題は、特に吾々が考ふるが如き重要なる價値や意義を持たざるものであるかも分らない。斯様な事が上に謂ふ所の兩面の併存を、特別に說述せざるの概あらしむるものであらうか。併乍ら惟ふに、國家本質論に就ける論究である限り、吾々の謂ふ所の兩面の攻究の缺く可からざる所以は明瞭である。所謂國家全體社會觀――既に周知の如くにこのものが政治學上の通說であるが――は、この點に就て、多元的國家觀に於ける程、その事象への究明並に解明を立論上必要とせざるものであるとの理由は、此場合凡そ意義乏しきものと云はねばならない。言ふ迄もなく、國家の本質なる概念の構成に當つては、國家が社會の一種として爾餘の社會一般より區別せらるるの契機は必然に檢討せられねばならないからである。換言すれば、國家が一社會として社會一般より異る所の要因に就ける解明は、國家本質論の內に於て重要なる意義を有す可きであるからである。

國家を爾餘の國家ならざる社會より區別する要因として、通常一般に擧げらるるもの、卽ち該諸要因は取りも直ほさず國家の本質の構成要素であると一般的になさるるものを、一般的意味に於て一應簡單に顧慮して論究を進むるの必要があるであらう。それら要因を要約すれば大略下記の三者である。

即ちそれは第一、國家が地域社會であると言ふ事、第二、國家が法の規制する社會であると言ふ事、第三、國家が强制的統制社會であると言ふ事、を以て通常答へられ、その內就中國家權力の特質として、それが所謂主權たるの特性を帶びる事に於て顯著であるとなされ、玆に國家を國家ならざる社會一般より區別する所の國家の本質の重點が置かれる。[註2] 而して此等のことは極めて通念となれる見解であつて、事新しく取立てて論議するの要なきものであるとして、片附け去つて差支ない程度のものであるかも分らない。併乍ら、現在最も通用となれる國家觀の國家本質論にありて、事體を如上の通りに定立して、問題を措定する事を以て今なほ、一般的なりと言はねばならないのであり、尠く共これが現狀なのである。これ、吾々が或は既に陳腐なる見解と看做さるるものを態々採り上げて考察論究の基底となし、また爲さざるを得ない所以である。

轉じて惟ふに、以上の諸要素は一般的意義に於て、國家なる社會の本質・特徵を指示し解明するに、或は大して事缺がないであらう。就中第一に國家が地域社會なりと言ふ事は確に國家の社會的性質上の顯著なる特徵であつて、國家を國家ならざる社會より峻別する最も重要なる要素なりとさへ言はれるのである。

併乍ら、國家は過去の事實として多く地域社會であつたが、然しそれは必らずしも、恒に然りとは言ひ難い。希臘や羅馬の都市國家は國家概念に必らずしも土地・地域を必要とはしなかつた。[註3]且又、之を原理的に考察しても、國家と土地との關係は唯、其組織乃至秩序が一定の地域的妥當性を有すと言ふに過ぎない。「組織の妥當性卽ち該地域内に在るものが其組織に屬し且つ支配せらるると云ふ事は、國家のみの獨占的特性ではないのである」。[註4]組織の妥當性に聯關して考察すれば、土地・地域の國家に於ける意義は、例へば信仰乃至信條の宗教團體に於けるの意義に類型的であつて、要之、一種の社會的組織的要素に外ならないのである。しかも亦、所謂通說に位置する學者の見解にしても、土地・地域を以て國家の不可缺的要素として必らずしも明瞭に定立せざるものすら存する。[註5]吾々は必らずしも斯樣なる見解を支持する者ではないが、事體斯くの如しとすれば、單に地域社會と云ふ點に於て國家を他の社會より區別する契機を求め、これを一般原理として提唱する事はなし難いとしなければならない。尠くとも、斯く斷ずるに一理の存する事は考へねばならない。

第二に國家が法の規制する社會であると言ふ事を以てしても、なほ此課題に對する解決は計り難い。社會は一般に自己を組織立て且つ、自己の構成員を規律し統制する所の規範を具備する。此點に於ては獨り國家と法との關係のみに留まらないのであつて、宏大なる組織を有する所の社會にして夫々一定の規範を具有せざるものはない。教會、組合、會社、學校等いづれも皆一定の規制を備へて構成員の行動を律し、その服從を命じて居るのである。隨つて、法に聯關して或は法を契機となして、直ちに以て國家が爾餘の社會一般に對して特異性を具有するとはなし難いのである。唯此場合、國家の法が國家ならざる社會の規範に對して、聊か特異性を認めらる可き點は國家が地域社會であると云ふ點と相聯關して生ずると考へ得られる。元來國家と言はず爾餘の諸々の社會の規範並にそれに基く所の統制は本質的意味に於ては、而して尠く共直接的には、夫々當該社會の目的の範圍内に於てのみ妥當する事を以て原則的となす。換言せば、各社會の規範は原則的には各自の構成員のみを其標識・對象となして居るのであるからして、直接的且つ本質的には自己の構成員に對してのみ妥當性を有し、效力を及ぼし得るものたる事は事理の當然である。然るに一定地域内の人類がさまざまなる目的追求の爲に組織する所の諸々の社會は、同上地域の擴がりの内に相互に錯綜して併存するが故に、其相互關係は必らずしも恒に諧調的ではない。しかも自己の構成員以外の者によつて、其規制及秩序を破壞・蹂躙せらるる事も屢々實現するのである。しかも亦、各個の個人に取つても、人は、夫々の動因、志向の下に可能なる限り、同時的に、幾重にもの各種の社會に關與して、これを組成し、存立せしめて居るのであつて、個人と社會との關係は極めて多義的形相を呈するのである。斯る事象に對して、國家の規範たる法は國家が地域社會たるの性質上、一定地域内の全人員に對して本來普遍的に妥當するものであり又あらねばならない。茲に國家に於ける法と國家以外の諸々の社會に於ける規範との間に、聊か本源的なる相違が認められるのである。但し此場合法が一定地域内の全人員に對して普遍妥當性を有す可きであると言ふ要請の意義に就いて、誤解してはならない。即ち謂ふ所の妥當性とは、一定地域内の全人員に對して彼等が該領域内に居住するの故を以て且又その事に於て、彼等が當該國家の構成單位を形成する所の人員たるの故を以て、生起するのであつて、該地域内の全人類が夫々組成する所の諸々の社會に對して、なほまた當該國家構成員の社會生活の全層面に對して、其效力が恒に必らず支配的に波及し又は波及す可しとの意義ではないのである。國家の構成員としての立場に於て加へらるる所の拘束或は效果が、間接的に國家の構成員が國家以外に組成する社會に波及する事は固よりあり得るのであるが、その事と、茲に述ぶる事とを漫然混同す可きではない。斯る間接的なる關聯にありては、國家も亦他の社會より影響せらるる事は、あり得るのである。尙茲に附言すれば、上述の事體からして國家の法が他社會の規範に對して普遍的に絕對的優越性並に先行性を有すと論斷したり、或は國家の所謂全體社會說を基礎付けようなどと、企圖する事は、早計であり且つおよそ吾々の意圖とは遠く乖離するのである。隨つて、國家が地域社會であると言ふ點よりして——國家は固より全體社會ではないが——他の部分社會たる各種多數の社會に於ける夫々の規範とは、聊か其性質を異にする所があると言ふ點を、假に認容するとしても、法規範の拘束的效果は絕對乃至最高ではなく又、あり得ないのであるからして、隨つて茲に基礎を求めて國家と他社會一般との區別を策する事も出來難いと考へねばならない。

第三に國家の統制權力が所謂主權たるの性質を帶びると言ふ點は、屢明の如く最も普通、通用と成れる點であるが、問題はしかく簡單ではない。此點に就ける多くの論議は兎も角として、近時斯る意味に於ける概念的措定が國家の概念的必要である事を否定する學說が現はれたのであるからして、國家主權否認說の當否・是非の批判は不問に附すとしても、斯る事體の存在を眼前の事實として考ふれば、本點に基因して此課題を解決し定立する事は、言はば一方的解決に類し、客觀的根據に充分立脚せるものとは定め難い嫌ひがある。國家主權否認說は今日は最も强硬に多元的國家論者に依つて說述せられて居るが、主權概念を以て國家の本質と解せざるものは所謂多元的國家論者ならざる所の公法學者間にも存在するのであり、しかも、其等論者の本領の分野が公法學即ち法律學の立場であるだけ、特別に此場合注目に價するものがあると考へなければならない。[註6]

吾々は以上、國家の本質的構成要素として一般に擧示せらるるものに即して、國家をして爾餘の諸々の社會より區別せしむる要素乃至契機の發見定立に努めたのであるが、所謂一般に擧示せらるる要因を以てしては、當面の課題の解決に對してなほ不整備であると言ふ結論に到達したのである。固より所謂一般的通說に於て提示せらるる、夫々の要素が該課題に對して何等の意義をも有せずと論斷するのではない。

然らば、國家を國家ならざる社會より區別する要素、即ち、吾々の解する、正當なる意義に於ける國家の本質を、何に於て求む可きであらうか。此命題に答ふる窮極なるものは國家の社會としての目的並に機能であり、且つあらねばならないと考へる。此場合、謂ふ所の目的と機能とは同義語では固よりない。凡そ社會の存在にして目的なくして之を考ふる事は出來ない。全體社會乃至共同社會の存在にしても尙且つ嚴格なる語の意義に於ては、目的の所在を認識し得るのであるからして、況んや部分社會乃至目的社會の生起並に存在に關しては、目的の所在・介在が其存在の第一義的先行的要因たるは、蓋し自明の事象であらねばならない。社會の、就中目的社會の機能と其目的とは深き內的聯關を有し、何れを以て先存的となすかは簡單に一概に決定し難いものがあるが、併し、事體に即するに非らずして、意義に即して考察すれば、社會の生起、存在に關し目的の機能に對する論理的先行性が認識せられ、是認せらるるであらう。約言すれば、目的あつて社會は生起し、該目的達成の爲に各社會は夫々の機能を賦與せられて遂行するのである。併し事體に卽して具體的に考察すれば、社會に於ける目的と機能との深き聯關及相關關係からして、社會に於て目的の存する所に其社會の機能が在り、機能の存する所に目的が在ると云ふ現實を人は理解把握するであらう。

國家は一種の目的社會であるが故に、必然に國家目的を有する。人類はそれ自體目的主體であるが故に人類としての窮極的目的を有するのである。之を假に人間目的と呼稱するとすれば、謂ふ所の人間目的は人としての窮極的目的を表象するものなるが故に、人類に取つては第一義的目的である。此故に謂ふ所の國家目的は人類に取つては、第二義的目的たるに過ぎない。今中次麿教授が嘗て明確に述べられたる如く、人間目的は「各人の自己的滿足に於て成立するが、國家目的は國家が集團現象であるが故に、各人の自己的滿足に於て其妥當的成立を認容する譯にはゆかない。玆に於て國家目的は各人の人生目的の普遍的把握に於て抽出されなければならない。[註7]」

由來、國家目的論に關しては二つの立場が對蹠的に考へられ、屢々問題となる。第一、國家はそれ自體、自己の目的を具有して人間目的より制約せらるるものに非らずと觀る立場であつて、これを玆にては便宜上、國家自體目的說と呼ばふ。第二、國家を以て目的主體となす事を拒否して、國家は他の目的の手段に過ぎないと觀る立場で、之を前者に準して國家自體手段說と命名しやう。

そもそも吾々が考察せむとして取扱ふ所の國家目的なる概念の意義は、國家は一種の目的社會であるが故に國家それ自體の存立の爲に、國家自體に本質的に備つて居る可きものと思惟せらるる所の目的である。しかも吾々の考ふる所よりすれば、國家それ自體に本質的關係を具有し、實にそれ故に、國家それ自體を他の國家ならざる社會一般より分別する契機と成る所のものとしての意義に於て、把握せらるる可き國家に就ける目的の意である。卽ち社會としての國家に國家たるの本質を賦與する所の目的なのである。

斯る理解よりして前揭の二つの立場乃至見解を考ふれば、第一說卽ち國家自體目的說は、國家なる社會が人間生活を前提として初めて意義を生ずべきものたる所以を失念せる缺陷乃至誤謬があり、而して第二說、國家自體手段說は國家が自づから目的を有する所の目的社會たる事を忘却せるの嫌ひがある。此故に國家目的は人間目的自體ではないが、人間の窮極目的と矛盾する事は許容せられない。随つて國家目的論には二種の內容的制約が存する。卽ち國家目的それ自體の定立と、國家目的と人間目的との關係とを明瞭にする事の、二者である。註8

さて、國家自體目的說は概して形而上學的概念の嚮導の下に、國家を觀念しようとする傾向の人々に依つて多く支持せられ、それは延て國家絕對主義乃至國家全體主義の立場に鞏固なる支柱を得たの觀がある。國家觀に於けるこの志向の影響・感化は第十八世紀後期及第十九世紀に於て、漸次隆昌への道程を辿りつゝあつた所の法律學的國家觀へ及んだのである。惟ふに、それは、同時期に於て歷史學派の擡頭と共に中世紀以來の勢力たりし自然法的なる政治乃至國家思想が漸く衰頽し、其處に所謂法人說が現出したのであり、それらの結果として經驗的實證主義的志向が經んぜらるるの傾向を呈し、思辨的形式論理的研究が盛大となつた。斯る志向の濃厚を極めたる時運に際會して、近世に於ける法律學の興隆、延ては法律學的國家觀の隆盛が實現したのである。それが當代の志向であつた所の思辨的志向と相合體して、國家絕對主義は其處に新らたなる結實を見るに至つたのである。ヘーゲル・及ヘーゲル學派に依る文化國・家觀はこの事の最も典啓的なるものである。此類型に屬する國家自體目的説は一種の觀念的形態に於ける意識的なる概念構成に據るものであり、それはそれとして自づから妥當する分野を占據する。併乍ら其立場・分野は經驗科學の夫れとは自づから分別せらる可きものであらう。一般に人間の觀念的・精神的構・造の分析を以て社會科學的理論を解明せんとする事は、固より可能であり、且つそれは社會科學的理論に取つて一つの前提とも考ふる事が出來、玆に一定の構造的原型を區別する事は可能であると共に屢々有用でもある。然乍ら、一般に人間の精神的構造を以て窮極的なるものと看做して、これにあらゆる社會的現象を解明する基礎を求めようとする見解は、社會的なる經驗科學の立場より見る場合、恒に必らずしも妥當なりとは思惟し難い。此等の點に人は充分なる反省と留意とを持たなければならない。玆に取扱はる可きものは――經驗科學の分野に於ける論究、考察であるからして――具體的に言へば、かの國家全體社會説の立場からして採らるる所の國家目的自體説に對する批判である。此場合にあつても意識的にか、無意識的にか、或る派の學者は屢々形而上學的原理の演繹の下に於けるに非らざる限り、理解し難い、類ひの解説をなす事があり、しかも先驗的に國家全體主義の立場よりして、前科學的に事象を解明説述する者が尠くない。

吾々は斯る思惟・立場の上に構成せらるる見解、思想に對して今や多く闢説し又批判するの暇を持合はさないのである。其處で之に對して、人類の社會、就中目的社會——國家も一種の目的社會である——が如何にして構成生起せらるるかを根源的に探求し、社會の構成單位としての個人の意義を堅持し、合せて人はそれ自體、目的主體たるの意義並に事實を思合はせなければならないと言ふ事を、吾々は答へよう。更に尚、人類は諸々の種類の社會を同時的に組成して生活するの社會的經驗的事實を考慮す可きであると言ふ事を附言しよう。然らば、此場合、國家目的自體説の採る可からざる所以が明瞭となるであらう。

これに對して、國家自體手段説は、之を端的に言へば、國家を以て人間目的達成の手段となすものである。其處で若し、この意味を最も廣く普遍的に解釋するならば、人類が諸々の目的を契機として構成する所の諸々の目的社會は畢究、人類が人間目的の達成實現の爲に諸々の志向、利益、目的等を內包として構成するものであり、斯くして人類は能ふ限り完全に、その窮極目的たる人間目的の具現に向つて努力する譯であるからして、斯樣な謂はば廣般なる意味から考ふれば、人類が國家を構成し、國家に賦與する目的なるものは要するに、人間目的たる人類の窮極的目的達成の手段として考ふる事が出來るであらう。斯様な思惟よりすれば、國家目的も更に又、國家それ自體をも、目的に對する手段として見る事が出來るであらう。

併し斯くの如き形式的概念措定に於て事體を觀念するならば、それは單に國家に限定せず、社會一般に關しても亦同斷であつて、人は當面の課題たる、國家を國家ならざる爾餘の社會より區別して觀念するが爲の、實體的意義を把握し難いであらう。

轉じて、人種の構成する多種多様の目的社會にありて夫々の契機となる所の目的は、夫々各自體いづれも人間目的と相矛盾する事を許されぬものであり、又あらねばならない、が、それにも不拘、各種諸々の社會は恒に悉く諧調的關係を呈するものではなく、屢々對立し、侵略し、抗爭する。これは各自の目的相互間にありても同斷である。斯かる事象の據つて以て生起する所以は、畢究人間目的なるものが人類の窮極目的たるの言はば當然の歸結である。卽ち人間目的なるものは悠久であつて、その完全なる姿に於ては具現せられざる可き一つの永遠に課せられたるものに外ならないからである。斯く與へられたるものではなく、永遠に課せられたるものへ對する具現の手段が各般に亘り、而して時として或は屢々錯綜し相剋することのあるは、蓋し止むを得ない事象である。吾々が此小稿に於て論究し究明を必要とするとなす所の國家目的とは、既述の所に於て明瞭なるが如く、人類が國家を構成し之に賦與して、その達成を計らんとする目的を謂ふのである。特定國家の特殊的必要の爲の目的では固よりないのである。隨つて此意味に於ける國家目的は、社會としての國家の存在と共に一般的に、國家に固定的に且つ本質的に具備さる可き事を原則的となす所の目的を指示するのである。

イエリネツク(Jellinek)は國家目的論を大別して、(一)絶對的國家目的論(Die Lehren von absoluten〈Staats〉Zweck〈en〉)[註9](二)相對的國家目的論(Theorie der relativen Staatszwecke; Die relativen Theorien)[註10]となし、前者を更に二分して、(イ)擴大的國家目的論(Die Lehren von den expansiven Staatszwecken)[註11](ロ)限定的國家目的論(Die Lehren von den limitierenden Staatszwecken)[註12]となした。

絶對的國家目的論は國家目的の絶對的一般性を主張するものであり、相對的

國家目的論は、國家に其本質に依つて固着せる活動の制限を認識し、かくて現存國家的制度及機能に特色ある目的表象を探求する事を本體となす。卽ち國家に普遍的目的の遍在を否定し、各國家はその社會狀態の如何に依つて異るものとなして、各個の國家目的乃至國家機能を相對的目的論の立場より考察す可きものと說くものである。此對立の所在は先きに指摘せるが如き國家目的なる概念に就ける意義的內容に於ける、異同の存在に、その生起の素因がある。絕對的國家目的論は社會としての國家が、本質的に具備す可き所の、一般的なる國家概念の構成要素としての目的を對象として居るに對し、相對的國家目的論は、その歷史的發展階梯、社會的要因及事情、組織的乃至制度的構成要素等々を多かれ少なかれ異にせる所の各個の特定國家の、夫々の具體的活動の基準並に指針と成る可き所の個別的特殊的目的を對象となして居るのである。隨つて、斯る意義に於て成立する相對的國家目的論は、當面の課題たる、國家の社會的特性換言すれば、國家を他の國家ならざる社會一般よりの分別を表象するに足る、社會としての國家の固定的本質的目的の解明には、用なきものである。

先に示せる如く、絕對的國家目的論は二種に區分せられる。

擴大的國家目的論は、要約すれば、國家は人間生活に對して全面的支配の權能を有する事を主張するものであつて、かの國家目的自體說の立場に立つものである。國家目的は最も廣義に之を定立するとしても、人間目的に對しては第二義的であり、而して國家の權能は之をも亦最廣義に考ふるとしても、國家構成員の社會的文化的生活の全層面に及ぶものではない。更に具體的に言へば、國家は法の規制する範圍内に於てのみ自己の構成員の社會生活に關與し、干涉し、統制し得るのであつて、其限度を越へては國家の統制力は效力なき事を以て原則的となすのである。法は言ふ迄もなく、人間生活の全層面に亙つて規制するの權能效力を有するものではない。しかも亦現實的にみて、法の規制する所、その權能は客觀的には强大であるとしても、これは恒に必らず主觀的にも同樣に强力であるとはなし難いのである。況んや法の干涉を許容せざる領域が人間生活には存在するのであるから、絕對的國家目的論にも此場合、從ふ事は出來ない。故に玆に採上ぐ可き國家目的論は限定的國家目的論であると言ふ歸結を得るのである。註13

〔註〕

（註1） F. W. Coker, Pluralistic Theorie and the Attack upon State Sovereignty (in "A History of Political Theories, Recent Times," ed. by C. E. Merriam & H.E.Barns, 1924. p. 89.)

（註2） この意味の一般通説の見解の典據は枚擧に暇なく、事更に參考文獻を擧示するの必要はない程である。

（註3） 古代希臘の國家は周知の如く所謂都市國家（Stadtstaat; City-State）であつた、これは領土的國家（Land-od-Flächenstaat）を意味しなかつた。彼等の國家概念は住民の總計乃至總括概念であつた。彼等に對しては土地・地域の國家に對する意義は、何等重要なるものではなかつた。古代希臘を去つて羅馬時代に進んでも、當代の國家概念にありても、土地・地域の意義は前者と同斷であつた。此間の消息に關しては例へば次記のものを參照。

G. Jellinek, Allgemeine Staatslehre, 3. Aufl. 5. Neudruck, 1922, ss. 129—130 ff.

なほ、イエリネツクに從へば、一定の土地・地域を以て國家の本質的構成要素となす所の學說は、極めて近世の事に屬すると說かれる。即ち彼の語る所に依れば「古代の影響の故に近代の國家觀に於ても、なほ國家に關して、國家につける人的要素のみを問題となし、十六世紀より十九世紀に至る間、國家に一定の地域が本質的に存するとの國家定義を下すものはなかつた」と言ひ「余の知れる限りに於ては、市民的社會としての國家を一定の地域に結付けて、定立したるものは Klüber が最初の人であつた」と述べて居る。——Jellinek, a. a. O. s. 395.——

因みに、Klüber の如上の見解が說述せられし論著は下記のものであり、而してその公刊が一八一七年であつた事を想合すれば、イエリネツクの言說を理解するに便であらう。即ち、

Klüber, Johann Ludwig (1762—1837), Oeffentliches Recht des deutschen Bundes, 1. Aufl. 1817. § 1.

更に又、古代希臘の國家に於て、土地・地域は其國家概念中、何等積極的意義を占めなかつたと言ふ論據に立ちて、古代希臘の國家に就ける、言はば一般通念たる都市國家（Stadtstaat）なる名稱を冠する事を、積極的に拒否して、これを種族國家（Stammstaat）と呼稱す可きであると提唱する學者に、古代希臘及希臘學に關する一大權威者、Willamowitz-Moellendorf がある。吾々は玆にはその見解を紹介する暇を持たない。唯その典據を指示するのみ。

U. v. Willamowitz-Moellendorf, J, Kromayer und A. Heisenberg: Staat und Gesellschaft der Griechen und Römer bis zum Ausgang des Mittelalters, 2. Aufl. 1923. ss.27——99; ss. 153——102.

（註4） 高田保馬博士　國家と階級　昭和九年　八四頁

（註5） 例へば下記の如し。

W. F. Willoughby, An Examination of the Nature of the State, 2. ed. 1922, p. 4.

G. Jellinek, Allgemeine Staatslehre, 3. Aufl. 5. Neudruck, 1922, s. 177. ff.; s. 395 ff.

（註6） 主權を以て國家の本質と解せざる著名なるものは、例へば下記の如し。

一 Leon Duiguit. 其論據は不明瞭であるが、國家主權に對しては否定的見解を取る。元來彼は權利を一般に否認して居り、之に代ふるに法的地位の語を以つてする。

レオン・デュギイ著・木村龜二氏譯「國家變遷論」五一頁——一二六頁參照 L. Duguit, Law in the Modern State, Engl. tr. by Frida & Harold J. Laski, 1919, Chs. I & II.

二 Hans Kelsen 彼に於ては國内法秩序は國際法秩序を根本として存立して居るものであるが故に、國際法は優位的全體秩序で國内法は國際法よりの授權により、其下位に立つ部分秩序である。これは彼と共に著聞なる見解であつて、事更なる說述を必要としないであらう。斯る見解を取る彼が所謂主權を以て國家の本質と解せざる事は言ふまでもない。彼の數多くの著作はこれを明瞭に說述して居る。例へば H. Kelsen, Der soziologische und der juristische Staatsbegriff, 1922; Hauptprobleme der Staatslehre, entwickelt a. d. Lehre v. Rechtssatze, 1911等。

三、H. Krabbe 彼の法主權說も亦一般的意味に於ける國家主權說への一種の否認說と解し得られる。

Krabbe, Die Lehre der Rechtssouveränität, 1906. derselbe, Die Moderne Staatsidee, 1922.

四、下記の如き公法學者も主權を以て國家の本質と解せざりし事は注目に値する。

Laband, Staatsrecht des deutschen Recht Bd. I. ss. 107――108.

Jellinek, Allgemeine Staatslehre. (op. cit.) ss. 427――428.

（註7）今中次麿教授　政治學上卷　國家篇　一〇〇頁　大正十三年再版

因みに、教授は筆者が「人間目的」と表象せるものを「人生目的」と呼稱せらるるが如し。なほ本稿は同教授の該書に教へらるる所、多し。

（註8）同上、一〇〇頁―一〇一頁參照

（註9）Georg Jellinek, Allgemeine Staatslehre, 3. Aufl. 5. Neudruck, 1922, s. 242 ff.

（註10）Derselbe, a. a. O. ss. 249――250; s. 250 ff.

（註11）Derselbe, a. a. O. s. 242 ff.

（註12）Derselbe, a. a. O. s. 246 ff.

（註13）今中次麿教授、前揭、一〇一頁―一〇三頁、參照

蠟山政道教授、政治學の任務と對象、大正十四年、四〇九頁―四一四頁參照。

二　國家目的論に關係ある學說

從來多くの政治學者によつて國家目的論は取扱はれて來たのであるが、それは概して政治機能の內容的性質と言ふ點に基調を置くと言ふのが一般的であつた。しかも夫等の企圖は最も普通に、國家を所謂全體社會と爲すの立場に於て試みられて居るが故に、政治機能が問題と成る場合、先づ以て偏に國家活動乃至國家機能の具體的內容を決定するの基準或は標識を底礎することを以て、其任務となすの形態を採るものであつた。イエリネックの定立する相對的國家目的論の表象する所も正しく然りであつた。卽ち國家機能の物理的心理的並に社會的性質を顧慮しつゝ、それが各時代、各場合に於ける外部的還境の異同變化に呼應して、如何に其具體的內容を異にして體現せらるるか、或は精々體現せらる可きかと言ふ事を觀察する事を任務となすのである。[註14] 玆にては吾々が國家目的なる概念によつて表象するが如き意義が問題とならないのは、相對的國家目的論の形式•構造からしては蓋し事理の當然である。他面また斯る場合の根抵と成る所の國家觀が、先づ言はば原則的に單元的國家觀卽ち國家全體社會觀で

[illegible]して、國家と爾餘の諸々の社會との區別に就きて究明する事は問題として[illegible]義を持たない。そこにては國家目的觀は國家機能は、偏に政治的なる社會を排他的に專占するのである。隨つて國家目的乃至國家機能の定立究明は偏に國家存在理由の立證(Rechtfertigung)の役割をすら演じ得るのである。

然乍ら多元的國家觀、延ては、政治現象の妥當領域を國家にのみ限定せざる立場を採る場合にありては、國家の社會的特性、即ち謂ふ所の意義は既に屢說せるが如く國家をして國家ならざる社會一般より區別するの契機の究明定立は當然に問題として、重要なる意義を有するのであり、且つ有せざるを得ないのである。然るに吾々の固より寡聞なる、また淺き涉獵の故にか、此種の立場の論者に依つて、或は國家の全體社會に非らざるの所以を論證し、或は國家主權の權威を否認し、或は國家を以て他の社會と全く、或ひは多かれ少かれ、並存的平等的水準に位置する社會なりと說述し、或は又かくて政治現象を廣く社會一般に亘りて普遍的に把握理解せむとするもの等々、[註15] 多岐多種に及び。しかもそれらはいづれも各自の主張見解に於て偏に積極的なるを恆とする事を知るのであるが、併乍ら斯くの如く兎角、反駁と批判とに傾くのみの見解にありては、事象に對して未だなほ言はば一面的にして且つ、なほ消極的解明と評さねばならない。茲に於て政治的概念の獨占を國家にのみ認識せざるの立場よりして、廣く社會の集團現象を觀察せんとするの意圖をして、より高くより廣き成果を齎らすが爲には、國家の爾餘の社會一般より異れる所の特性を社會的意義に於て剔抉し把握して、擧示せざれば其整備を語り得ないのである。これ吾々が其必須を繰返して述べ來れる所以に外ならない。

然るに在來の學説にして國家目的論に纒れるものは如何なる種類・形態のものであつたであつたらうか。吾々は如上の意味からして、古來存する國家目的論に纒はる學説を一應顧慮し、而して、これらをいささか檢討する事は强ち無要の業ではあるまいと思ふ。以下吾々の考察に供する學説は本課題に對して古來典啓的學説として揭げられしものを選ばうとするのである。夫等は由來斯くの如き意義を荷つて廣く認められし學説であるが故に、吾々は多少の煩を厭はず考察檢討しようと思ふ。

I　警察國家觀(Die Lehre des Polizeistaates)

このものの特徴とする所は國家が人間生活の殆んど全領域に全面的に關與干涉し、警察的强制の形式に於て殆んど無制限的干渉を行ふの點に存する。併乍ら此國家觀を始源的に顧慮すれば、本來單に國家權力の專制的濫用と言ふが如きものではなくして、人生の福祉の增進、實現達成と言ふ人類に取つて一つの根源的なる根强き理念·欲求に基因するものである。斯る思想は遠く希獵時代より存在し、進んで羅馬時代、更に中世紀の政治乃至國家學説の根抵は、おほむね此見解に基調を有したとも言ひ得る。一般の福祉を增進し國民の文化を向上せしむる目的を以つて、特に經濟生活が國家活動の任務として重要視せらるるに到つた事とともに、他面第十六·七世紀に於ける宗教革命や市民的內亂によつて、制止せられた所の徐々たる發展の內に、中世國家は漸進的に近世國家へと變形推移し來たつたのである。玆に於ては軍隊、即ち常備的兵團を設置し維持するの必要が、國王や領主をして自己を租稅の財源たらしむる事を强要した。斯樣な事體の永續と擴大とは國民全般の福祉に最も深く依存する。隨つて國民全般の安寧福祉と經濟的利益との增大を策する事は、國家活動の第一義的重要事となつたのである。そこで經濟生活の繁榮に對する基本的なる前提は治安と秩序とである。犯罪を豫防し・治安攪亂を禁止し、犯人を告發・逮捕して法廷へ交附する等々の事を、國家は最早個人や任意の團體にのみ委ねる事は出來なくなつた。國家は自己の機關、手段によつて如上の必要に呼應する諸々の設備施設を創り、且又夫等設備に委任せられたる任務の遂行の爲に地方的官憲を督勵しなければならなくなつたのである。

宗敎改革以降國家は敎會と對等の地位を獲得した。從來國家は一方に於ては敎育、他方に於ては救貧事業に於て、敎會と一致協働し來たつたのであるが、今や敎會は此種領域に於て新らたに擡頭せる要求に應じ得なくなつた。其處で敎會の代りに國家が、無論漸進的發展に於てではあつたけれども、國民の經濟的並に精神的文化の保護、促進を自己の任務として引受るに至つた。斯くして國家は徐々に國民の全般的文化生活を其活動範圍に引取り、而してこの新らしき國家責務が「善良なる警察の組立と維持」と言ふ表現の内に約說せられるに立到つたのである。[註16]

警察國家觀の主張に從へば國家は國民の福祉增進の爲には何事をも行ひ得る。國家權力の唯一の制約限界は福祉に反する事である。しかも謂ふ所の福祉の概念並にそれに或は最も近接なる聯關を有する效用なる概念は、極めて多義であり不明瞭であり、加ふるに主觀的思惟に依據する事强く、隨つてこのものからは、あらゆる可能なる意義が推論·演繹され又結論せられる。各時代に於て一般的安寧幸福の名目の下に、最高の又最重要なる個人の財寶に對する無制限的なる干渉が行はれた。洵に安寧幸福說は恒に國家の乃至政治機能の活動力の妥當領域を無制限的ならしめようとする事を企圖する傾向を藏ずる。この事は國家專制主義の昔ながらの見解の一つであり、此故にこそ、このものは第十八世紀の啓蒙的專制主義時代に最も廣く支持せられ、根本的に構成せられたのである。クリスチイアン·ウォルフ(Christian Wolff. 1679—1754)の學說は之を示す。彼は福祉の完全なる達成を以て人類の最高目的となし、其觀點からして各人の隣人に對する行爲を見る可きものであると爲した點に於て、正しく此種の見解を樹立せしめたるものであつた。此故に彼は自然法說から發足し乍ら國家萬能論に至るの道を拓いたのである。

警察國家觀の近世に於ける、先づ最初の結實ともみる可きものは、ウォルフの影響の下にヨハン·ハインリッヒ·ゴットリーブ·ユスティ(Johann Heinrich Gottlieb von Justi, 1720—71）が公刊せし「警察學原理」(Grundsätze der Polizeiwissenschaft, 1756）であつた。爾來國民一般の安寧福祉の名の下に於ける個人的權限、利益、自由等に對する侵害も合法的にして妥當であるとの主張見解が漸く多く現出するに至つた。[註17] 併乍ら此等の警察國家觀の見解は君主的專制主義に於てのみならず、衆民政的專制主義に於ても、所謂幸福主義的理論(Die eudämonistische Theorie）を支持するの志向を有し、かのヤコビン黨員すら公安を公式的に最高の國家目的として解明したのであつて、是等は實際的には言はば無制限的なる多數者專制支配を表明するものに外ならなかつた。加ふるに近世共產主義者の第一人者たりしフランソア・ノエル・バブーフ(François Noël Babeuf, 1760—97）とその追從者達は、熱狂的にも現存社會を監獄に變形せしめようとの計畫を「一般の福利」(bonheur commun）の故に提唱した程であつた。併し斯樣な幸福主義的志向の最も濃厚にして、最も典啓的なるものは第十九世紀に於てイギリスの功利主義學說と結付き、遂にジエレミー・ベンザム(Jeremy Bentham, 1748—1832）によつて「最大多數の最大幸福」を以て、あらゆる社會的設備の、隨つて國家に取りても、最高唯一の目的として說述せられたのであり、これは人の良く知れる所である。[註18]

以上示すが如く、此志向の卽する立場よりみれば、國家は人民の福祉增進の爲には何事をも爲し得、又爲し得なければならないとなさるる譯である。然乍ら國民の福祉の何んたるかは概して恒に夫々の時代及場合に於ける權力者、爲政者の主觀的觀念に從つて定まるものであつて、極めて偏頗的であり、結局これは國家權力の萬能を說くものである。個人は單に私法的權利を享有するのみで、公法の範圍に於ては國家活動の客體たるに過ぎない譯である。

要するに警察國家觀はかの擴大的國家目的論の立場に立脚するものである。此意味に於てこの國家觀は國家目的に關して支持し難い。しかも吾々が問題としつゝある所の國家目的論の本然的意義、卽ちそれに基いて國家と國家ならざる社會一般とを分別する契機の定立と言ふ意義に卽して警察國家觀を考ふれば、福祉の增進は必らずしも國家のみの唯一の目的ではなく、人類の社會にして社會的公益を主眼として構成せられたる各種社會にして、福祉を無視するものはなく、且つあり得ない。加ふるに先述の如く福祉の何んたるか、或は福祉の内容に至つては極めて多義に亘り到底客觀的標識を得るが如き事は期待出來難い。ベンザムは此故に多數決主義を採擇して此見解を衆民的ならしめたのであるが、多數決主義に依つて國家目的を決定するとすれば、各人の意思は恒に動搖し福祉の何んたるかを決定し難く、隨つて國家活動の方針も恒に動搖して一定するを得難いであらう。バブーフの如く社會を監獄と認めんとするに至つては「一般の福祉」も決して各人の人間目的と調和する筈はない。斯くの如く幸福主義の立場からしては國家目的論の內容的決定は定立し難いと言はねばならない。洵に警察國家觀の完成をみた所の第十七・八世紀に入りては、經濟學からも法律學からもこれに對する反對は喧しく、遂にこの立場はフランス革命によつて克服せられた。然るに革命後の反動時代には各國に再び警察政治の橫行をみたのであるが、かく新らたに生起せる警察國家觀は以前の夫れの如く人民の福祉增進、或は國家統一を標識となせるものではなく、專ら個人生活就中政治上の自由主義運動を抑壓する爲のものであつた。然しこの種のものも、漸次法治國家主義の擡頭確立と共にその姿を後退し始めたのである。

II　法治國家觀(Die Lehre des Rechtsstaates)

法治國家觀の理念も亦古來存在するのであるが、近世この國家觀の提唱樹立の有力なる素因となりしものは既述の如く、フランス革命後の反動政治時代に再興せる警察政治に對する反動としてであつた。法治國家觀は警察國家觀とは言はば對蹠的に、その目的の故に個人に對する國家の力に嚴格なる制限を設置す可き事を說くものである。その爲に三種の形式が考へられた。治安、自由、國家の法目的の三者がこれである。此三者は根本に於ては合致するものである。卽ち治安は法の作用に俟つ可く、自由は主觀的法を、而して法は客觀的法を前提として成立するのである。尤も自由を唱ふるものには相違するものがある。例へば精神的自由を最高となすもの(Spinoza)、或は私法的全領域に於ける自由を唯一のものとなし、其保護と認可とを以て國家目的となすもの(Locke)の如くである。

併乍ら法治國家觀に於ける最も近世的に意義深き理說は客觀的法の樹立並に維持、換言すれば法秩序の確立を唯一の國家目的として提唱する類のものであつた。斯る立場の見解がカント(Kant)によつて採擇せられ支持せられ、彼の影響の下に第十八世紀末から第十九世紀にかけて多數の支持者を得て、國家目的論に關する最も有力なる學說となつたのである。玆に國家權力の增大に對する法の效力の萎縮、而してそれに深く聯關する所の個人の無防禦なる事體に對して、獨占的法目的に就ける見解が生起成立した譯である。此見解は歷史的には國家絕對主義の學說及その實踐に對する有力なる抗議として理解す可きものであり、其主張せられし目的は國家・個人間に嚴然たる境界線を劃す可き事を提唱するものであつた。隨つてこれは國家を個人より導く所の近世自然法說の上に立ち、國家を個人的利益に奉仕せしめようとする事によつて、イギリス議會と王位との間の至上權に關する爭鬪に最初の意義深き役割を占めた事であつた。やがてスチユアルト王朝の廢朝をみ、人權宣言の發布となり、其後に於てロックが財產、生命、自由の保護確保を以て唯一の國家目的であると表明し、法規及法强制に依る個人の制約を例外となして、個人生活の自由を以て原則とする所の自由主義的政治理論を基礎付けたのであつた。ロックの學說は重農主義者や、アダム・スミスの經濟的自由主義に影響を及した。此等の思惟志向は延て歐洲大陸にも有力なる反響を及し、其處に於ても無制限的なる統治權力の擴大化に對抗する抵抗を喚起するに、貢獻する所が大であつた。遂にカント及其學派によつて當代勢威を逞しくせる警察國家觀に對する抗議として、國家は法の下に於ける一團の人類の結合に外ならないものであると言ふ事、しかも法は人類の共存を保障する以外何等の機能を有せざるものであると言ふ事、隨つて國家はかの福祉政策を抛棄して、唯、法の實現を計る可きであると言ふ見解が樹立せられたのである。[註19]

此志向の見解はフイヒテ(Fichte, 1762—1814)がカント(Kant, 1724—1804)に時間的には先じて極めて徹底的に敍述した。又、フンボルト(Karl Wilhelm von Humboldt, 1767—1835)に於ても同樣主張せられた。[註20] 此志向の見解は第十九世紀の經過中幾分緩和せられたる形式となつたが、併し國家を能ふ限り最小限度の保護的活動に限定せんとする志向を自由主義的政治理論の基礎と定めたのである。同樣の類型的表現がイギリスの學界に於ても現はれ、國家の行政活動の漸進的擴大に對する抗議の形態として現出した。ミル(J. St. Mill, 1806—73)やスペンサー(H. Spencer, 1820—1903)の社會的政治的學說がこれを示して居る。[註21]

要するに法治國家觀の概念は、國家に於ける最高權威を人に求めずして、規範そのものとしての法に賦與せんとする事を根本觀念とする。ラバンド(Paul Laband, 1838-1919)の定義に從へば法治國家の徵表は「國家が國民に對して法規に準據せざれば、作爲·不作爲を要求する能はず、命令禁止をなすを得ず」と言ふ所

に求められる。[註22]

法治國家觀は上の如く國家目的を法の實現及維持に存すると主張するものであるが、謂ふ所の法の實現乃至維持と言ふ概念には次の如き内包が存在して居る。

卽ち治安と自由と法との三概念の諧調するの點に、國家目的を置く事を本義として居るのである。此點からして、各人の生命、財産及自主的自由に對する最大限度の保障を目的となし、その限度に於ては政治權力の統制は最小限度に限定せらる可き事が要請せられる。しかもその自由は治安に害なき程度に於て認めらる可く、この程度を越へざる場合には國家の干渉、統制を許容するが、其場合の干渉乃至統制は法の許容する限度に規制せらる可きである。これに對して法の規範性は隨つて外部的强制の規範たるに止まる可きである。卽ち謂ふ所の法の内容は人間行爲の外部的關係に對する强制的自由の規範たる事を要請せられるのである。此故に治安の見地から立てられし法として、各人は各人の外部的關係に於て制約せらるる以外、國家よりの强制から自由であらねばならない。その爲には、支配者又は行政官の意思に基因する統制に非らずして、法に基因する統制によつて、最も良く各人の自由が保障せられると言ふのが法治國家觀の主張見解の内容である。

抑々規範概念の上で法概念が外部的强制の規範として定立せらるるに至つたのは、法と宗教、法と道德との區別が明瞭に識別せらるるに至つた結果としてであつた。人の良く知れる如く古代より中世紀迄は神法、自然法、人定法等につける凡ての規範は等しく法と考へられ、同時に凡ての規範は神に淵叢を有するものと思惟せられた。法を宗教的並に道德的要素から眞に分別したのはカントであつたが、尠く共法と宗教・道德を區別して觀念するようになつたのは宗教革命の貢獻であつた。斯くして法は最早宗敎的乃至精神的規範ではなく、社會生活の外部的關係に於ける規範たる事が明瞭となつて來たのである。時代は更に進み、警察國家觀の一基調をなせるマーカンチリズムが衰微し、自由放任主義の主張が擡頭すると共に、他方モンテスキュー(Montesquieu, 1689—1755)や重農學派の論者達によつて法の實證主義的基礎付か行はれた。かくて正しき語の意味に於て法治國家の法概念が確立をみたのは、既述の如くカント(Immanuel Kant, 1724—1804)に於てであつた。[註23] 玆に外部的强制規範としての法概念が確說せられたのである。カントは法の概念を次の如く述べた。

「法の概念はそれが法に照應する結合關係に關する限りは……第一には、その諸行爲が事實として相互に(直接又は間接に)影響し能ふ限りに於ては、個人と個人との外部的な且又實踐的なる關係にのみ關する。併し第二には、法の概念は例へば好意若くは薄情なる行爲に於ける如く、希望に基づく所の恣意の關係を意味するのではなく、自他の恣意の相互關係を言ふのである。第三には、この恣意の相互關係にあつては、恣意の實質、卽ち各人がその意欲する對象と共に目指す所の目的は、全く考察に入り來たらぬのである。例へば或る人が彼自らの商賣の爲に私から買入れる商品に就いて、利得を見出し得るか否かは問題ではなく、唯、兩方の側の恣意關係が單に自由なりとして見られる限りに於て、兩者の恣意關係に於ける形式のみが問題となるのである。而してこれによつて兩者中の一方の行爲が他方の自由と普遍的法則に從つて一致し得るかと言ふ事が問題なのである。故に法は一人の恣意が他人の夫れと自由の普遍的法則に從つて調和し得るが爲の諸條件の總和である」と。註24

茲に初めて斯る意味に於て、法と宗敎・道德とが分別せられて、各人の行爲の外部的關係に於ける自由としての法の概念が確立せられたのである。斯様なカントの法概念は同時に又、外部的强制規範であつた。卽ち彼は「法は强制する權能と結合せられて居る」と言ふ項に於て次の如く述べた。

「或る活動の妨碍を除去するに對して提起せられる所の抵抗は、其活動を促進するものであり、これと調和する。さて、不法たる諸々のものは普遍的法則に從ふ自由の妨碍であり、强制は併乍ら自由に加へられる所の妨碍、若しくは抵抗である。隨つて若し或る一定の自由の行使その事が普遍的法則に從つて自由の妨碍であるならば(卽ち不法であるならば)、それに對して提起せられる强制は自由の妨碍の阻止として、普遍的法則に從ふ自由と合致するものであつて卽ち正當である。玆に於て法は同時に、矛盾の原則に基いて、法を侵犯するものに强制をなす權能と結合せられてゐるのである」と。[註25]

法治國家に於ける法の概念に就けるカントの所説を前提として、次に彼が國家概念を如何に定立したかを顧みよう。

カントに從へば、「國家(Ein Staat (civitas))は法律法則の下に於ける一團の人間の結合である。この法律法則が法則として、ア・プリオリに必要である限り、卽ち外部的權利の概念一般から自づから生起するものである(制定法ではなく)限りは、其形式は國家一般の形式である。換言すれば國家は共同體への夫々の現實的なる結合に對する規準として役立つ所の純粹法律原理に從つて、如何にある可きかと言ふ理念の內にあるものである。」[註26]

斯樣にカントは國家を理念の內にある國家と觀た。即ち國家は法的理念として觀られたのである。加之、國家の主權に關しても同斷であつて、それはなほ理念に基く所の法の主權論であつて、意思に基く主權論ではなかつた。曰く、「共同體一般の概念より生じたる國家に於ける三權(立法司法行政を指す——筆者)は結合したるア・プリオリに理性より發生せる民族意思と客觀的實踐的實在性を有する主權者の純粹理念との間の、それ丈けの數の關係である。此支配者(主權者)は併し最高の國家權力を表象し、且つこの理念に國民意思に基く現實性を失へる所の、自然人を缺除する限りに於ては單なる一(全國民を表象する)思惟的存在(Gedankending)である。」と。[註27]

洵に彼に於て「純粹に自由なる理念として」國家が確立せられたのであつた。かくて意思よりも理念を、權力よりも法を、優越的となす所の思想が漸次發達して自由主義と個人主義とを基調とする立憲的政治理論としての法治國家の思想が益々鞏固なる發展を遂げつゝ進展したのである。然るに第十九世紀に於ける自由放任主義は、國家强權の專恣を抑制するには大に役立つたけれども、他方社會の一面にはその尠からざる禍痕を生じ、加ふるに又、新らしく擡頭せる社會的經濟的要因に基く社會的實力的諸事情に對しては、克く其效力を發揮し難かつた。

第十八世紀の後期イギリスに發端をみた産業革命はやがて歐洲大陸に漸次波及した。産業革命の文化史的重要性は、單に産業の技術的方面に於ける變革進步にのみ存せずして、之によつて封建的社會諸關係を崩壞せしめ、資本主義社會を建設せる點に極めて重要なる意義を有する事は周知の事實である。玆には手工業の滅亡に替る機械生産による工場制度が生じたのであるが、それは生産力の急激且つ異狀なる增大を齎すと共に、勞働大衆の增大を結果し、産業界は産業革命以來發展せる機械生産の爲に、一八一六年には早くも生産過剩に依る重壓が感せられ經驗せられた。[註28] 失業者の急激なる增大が其處に生じ、其結果、もとより諸國に於て夫々の社會的情勢により遲速はあつたが、勞働者の團體的結成が生じた事であつた。

斯くの如き社會情勢の變化と共に思想の分野に於ける新らしき現象として、實證主義がラショナリズムに代つて勢力を獲得しつゝあつた。其處にては合理主義的觀點が歴史的乃至現實主義的觀點に取つて代らむとする情勢を生じた。言ふ迄もなく歴史的な又は現實主義的見解を所持する人々が、それ以前に存在しなかつたと言ふのでは固よりない。唯近代に於て此意味の新しき觀點が愈々支配的となつたのは、第十八世紀後期から第十九世紀へかけての轉換期に於てであつたと言ふ事は否定し難い。玆にては先づ最初に合理主義的國家理論並に合理主義的社會理論に對する反動は、反動主義的政治的立場の代表者、卽ち自由主義の反對者の間からであつた。當代の所謂「科學の反革命運動」がこれであつた。この志向は諸々の方面に廣き深き影響を與へ、當代の達識ある人々に、國家乃至政治學者、歴史學者は固より更に法律學や哲學の分野に於ける人々の間に迄、この新觀點が採擇せられたのである。例へばド・ボナール(De Bonald, Louis Gabriel Ambroise, Vincomte de, 1754—1840) ハルラー(von Haller, Karl Ludwig, 1768—1854) サッカリヤ(Zackariä, Karl Solomo, 1769—1843)、ザヴィニー(Savigny, Friedrich Karl von,

1779—1861)、其他シュライエルマッハー(Schleiermacher, Friedrich Ernst Daniel, 1768—1834)等の如き當代の新鋭なる人々に依つて、この新しき精神態度は新しき基礎の上に立てられたのである。此等の人々に抱かれし指導的觀念は國家、社會或は歴史の本質に關する根本問題につけるものであつた。それは國家乃至社會に於ける支配的實力關係の表現に外ならなかつた。註29

斯くの如き志向が、當時社會の層面に於て社會的支配力として有力と成りつつあつた所の經濟的實力的時代的志向と合體して、契約自由或は人格自由等の原則は次第に制約を見ざるを得なくなり、法治國家觀も其主張の貫徹に難澁を覺ゆるの實情に立到つた。かの自由の實現も最早單なる自由主義の立場からのみは貫徹し難くなり、また治安の保障も單なる權利の不法的侵略に對する擁護の立場からは貫徹し難くなつた。加ふるに法や理念よりも、權力乃至は實力の優越を主張する實力説の思潮が、經濟的實力説に基礎を置く立場と結合して進展し來ると、益々法治國家觀は强力なる抵抗に遭遇するに立到つた。

斯樣な立場の一つの主要なるものは社會主義の夫れであり、此見地から當代の狀態に對する態度は自由主義的立憲主義の市民的社會を以ては、現存の而して視野の及び得る範圍の將來の狀勢に對して、適正なる國家並に社會狀態としては非實體的なるものとして認識せられたのである。併し社會主義は其理論を從來とても、本源的には自由主義的なる市民的合理主義的なる社會哲學から採擇したのであつたが、新しき階梯に到達せる社會主義は近代の歷史的現實主義的志向の精神によつて、自己の內容を充當しようとしたのである。これが歷史的なる所謂科學的社會主義であつた。[註30] 此見地からしては自由は固より拒否されたるものではないが、それよりも第一義的重要性として、生存の可能、進んでは生存の公正の爲には、固より自由の最終的貫徹は留保しつゝ、自由の制限を主張したのである。

飜つて自由の概念の意義を顧みるに、人は其多樣多義性を知らねばならない。曰く、精神的自由、肉體的自由、政治的·法律的·經濟的自由、社會的乃至國家的自由等々の如くである。其處で法治國家觀の目標となし又庶幾する所の自由は、政治的法律的·經濟的自由、卽ち形式的自由並に公民的自由を主幹とするのである。謂ふ所の此種の自由は要するに、衆民政主義の發達を意味し、內容的に、聊か之を點檢すれば、人格、生命、財產等を始めとして、其他の私生活上の自由、信教、言論の自由、社會的乃至政治的生活上の自由等々を内包する。

以上を顧れば、治安と自由と財産の保護と言ふ國家目的論に、獨乙ラショナリズムの齎したる法規範の理念、しかも人間生活の外部的規範としての法規範の理念等が結付き、更にイギリス流の個人主義的自由主義の思潮が合體して、法治國家觀の内容が形成せられたものと考へ得る。併乍ら既述の如く法治國家觀は有力なる反對乃至抵抗に遭遇したのであり、且又治安の保障のみが自由ではあり得なくなつたのであつて、法治國家觀も玆に試煉に際會したのである。[註31]

III 文化國家觀(Die Lehre des Kulturstaates)

カントに基礎付られし、自由の理念としての國家はフィヒテに傳つて更に發展した。併乍ら、後者に於てはカントの理念とルソー(J. J. Rousseau, 1712—78)の普遍意思の理念とが結合せられし爲に、個人主義的志向が稀薄となり集團主義的志向が加味せられた。[註32]

カントの國家目的に就ける自由がフィヒテの汎在的なる集團主義の立場を經由して、ヘーゲル(G. W. F. Hegel, 1770—1831)に傳へられてからは國家は固より自由の觀念を離れては存在するものではないが、自由は道德的根據を有す可しとの立場からして、自由よりも道徳の實現を以て國家目的となす可しとの見地が樹立せられた。自由も法も、随つて國家も道徳に根ざし、それが人類の倫理的文化に對する意義に於て理解せられたのである。玆に於て倫理的文化の創造、維持、發展の爲に人類の活動を可能ならしめ、之を確保し達成する事を以て最高目的とする事に、國家存在の意義を認めようとする國家目的論が生じたのである。これが文化國家觀であつた。

玆に於ては最早自然法の如くに個人に對する法及國家の效用が問題とせらるるのではなく、その倫理的乃至文化的價値が問題とせられる。法及國家は自然法に於ける如く最早、利益に對する個人の自然的努力から機械論的必然性を以て、現はるる構成物として出現するのではなく、寧ろ倫理的なる目的と目標との自由になされたる設定より成る所産として出現するのである。法や政治や國家が宗教からのみならず、人間の感性的本性からも解放せられて始めて、法や政治や國家は眞に道徳の自主に基く事が出來るのである。斯る思惟は獨乙觀念主義哲學に於ける法·政治及國家に就ける堅き根本的確信であり、而して斯る態度は最もよくヘーゲルに於て現はれて居るのである。此意味に於てヘーゲルは文化國家觀の最も良き祖述者であつた。固より彼は其創始者ではなく、プラトン(Platon)が國家を以て最高の道德となし、次いでアリストテレス(Aristoteles)が倫理の達成實現を以て國家の責務と說き、此意味に於て政治學は倫理學の序曲であるとなしたが如きは、何れも文化國家觀の見地に立脚せるものであつた。なほ中世紀の宗敎の優勢時代には神意乃至神の國の實現が法や政治や國家の任務として考へられ、其處にも亦等しく文化國家の思想が顯在したのである。これがヘーゲルに於てはその組織的なる哲學體系の下に於て、法は眞の道德への序曲として現れて居ると言ふ事に依つて法と道德との關係は當初より明瞭であつた。しかも彼に從へば倫理的理性の實現は國家に於て眞に其目標に達し、その頂上に到達するのである。そこで、若し法が倫理的理性の第一階梯であるとすれば、國家は其最終階梯であつて、國家に於てそれは最頂點に到達する。斯様に彼に取つては國家は道德的文化的なる存在として現れて居るのである。なほアリストテレスの場合に等しく、ヘーゲルに對しても、國家は個人よりも先きなるものである。個人はその理性やその全智力は固より、自らの一切の價値、自らの一切の精神的實在性を唯、國家に於てのみ且つ國家を通じてのみ受取ると說述せられたのである。故に彼にあつては國家は絕對的客觀的精神の體現に外ならなかつた。卽ち國家は神を具現し、倫理的理性を具現せるものとして觀られたのである。隨つて國家はそれ自體倫理的乃至理性的自由を示現するものであり且又あらねばならない。蓋し斯くの如き自由が倫理的理性や道德の根抵を成せるものであるからである。

飜つて倫理生活は歷史的文化生活である。其處で自由が——倫理的自由が——道德の原則であるとすれば、自由は又、歷史的文化發展の原則である。國家を以て一つの倫理的構成體なりと觀た事に於て、彼は國家を以て一つの歷史的構成體、歷史的文化發展に於ける一つの構成體として觀たものである。斯くして彼の國家學•政治學は彼の歷史哲學に堅く結付いてゐる。自由の見地は全體の歷史的文化を支配するが故に、これは又國家を支配するのである。寔に歷史の進展は自由の概念の進展そのものに外ならない。玆にヘーゲルにありて、進展の法則として辨證法が考へられたのである。註33

ヘーゲルに從へば人の良く知れる如く、國家は道德的理念の最高の現實體である。謂ふ所の道德的理念の現實化の過程は發展的秩序に於て相互に一致する三つの要素、即ち家族、市民的社會及國家に依るのであつた。彼は道德的理念の實現形態としての家族・市民的社會・國家を說明して次の如く述べた。即ち曰く、「倫理的實體が獨立に存在する自己意識とその概念とを共に保持する場合、それは家族(Familie)及民族(Volk)である。[註34]」

「この理念の概念は唯、精神として、即ち自己を知るもの並に現實的なるものとしてのみ存在する。それは蓋し精神は自己自身の客觀化であり、その諸契機の形式を貫く運動であるが故である。精神は隨つて次の如くである。

A 直接的且つ自然的なる倫理的精神、即ち家族(Die Familie)である。――この實體性はその統一を喪失し、分裂して、相關的なるものの狀體に移りゆく、かくして、

B 市民的社會(bürgerliche gesellschaft)即ち獨立的個人としての成員の形式的普遍性に於ける結合となる。この結合は成員の要求によつて生じ、而して人及財產の確保手段としての法制により、且又彼等の特殊的並に共通的利益の爲の外部的秩序によつて確保せられる。

C この外部的國家は實體的普遍並にこれに捧げられし公共生活の目的及現

實性とに於て――卽ち憲法に於て自己を復活し而して統一せられる。」と。註35

轉じてヘーゲルの家族に關する思想の發展行程を理解する爲にはヘーゲル哲學の方法の根幹たる、矛盾の根本法則の概念に歸して之を考へねばならない。卽ち反對物の一致と言ふ概念である。二つの反對物とは此場合にては、個人と集團とである。個人は集團に對しては卽自的存在であり、集團は個人に對しては對自的存在である。而して個人及集團の直接的且つ自然的なる綜合は卽而對自的なる存在である所の家族である。これは直接的である。と言ふのは、この綜合は素朴的にして且又自然的に形成せられたるものであるからである。卽ちそれは愛(Die Liebe)である。個人は家族に於て彼が對自的なる人ではなく、自らその一員を成す所の集團の部分であると言ふ感情、卽而對自的に存在する、あるものに協同して居ると言ふ感情を有する。これが卽ち愛である。故に愛に基礎づけらるる家族は、個人と集團との自然的なる綜合なのである。

次いで市民的社會を論ずるに際しては、ヘーゲルは特に、近代の文明國に於ける國家形態に於ける人間社會を見て居るのである。彼に對しては人民や國民やは等しく擴大せられし家族であつて、それは自然的始源を有するか或は家族共同體の結合したるものかである。具體的なる人は市民的社會の一原理である。具體的に言へば、自己に對して特殊的目的であり、諸々の種類の要求の聚合であり、自由と必然との結合である所のものは個人である。併し一個人が他の特殊なる個人と關係する限りに於ては、それは具體的人となる。斯様にして市民的社會の構成に於て實現せられる所の、社會の原理が示現するのである。

併乍ら、ヘーゲルに取つて市民的社會は未だ國家ではなかつた。このものは個別的要求の滿足と個別的利益の保護の爲に作られたる所の個人の集團にすぎなかつた。彼に於ては市民的社會は家族と國家との間に生ずる媒介的差別體である。

ヘーゲルにありては、この市民的社會が家族や國家と同様に倫理實現の一型式なのである。抑々、彼に取りての道德的理念は彼の法律秩序の規範としての倫理(Sittlichkeit)であつて、これは恒に團體規範である。其規範の示顯は第一に基本的形式に於ては家族に現はれ、第二に市民的社會に現はれ、而して第三に卽ち最終階梯に於て國家に體現せられ、しかもこの倫理は國家に於て完成すると說かれた。併しこの規範は恒に團體的規範であるとなされ、普遍的存在とはなされなかつた。其處で彼に對して普遍的存在を取るものは、客觀的精神である。この後者は道德(Moralität)・法 (Recht)・及倫理 (Sittlichkeit) の三つの形態に於て社會に顯現するのである。これらのうち、道德は客觀的精神の內的存在であり、法は其外部的表現であり、而して倫理は道德が單に內的存在に留まらずして更に發展し、卽ち道德的發展によつて、客觀的なる道德にまで到達したるものである。隨つて倫理は客觀的道德として、道德と法との合體の上に成立するものであつた。

ヘーゲルに於ては家族にあつては孝順(Pietät)が其根幹をなして、其處には法の發現が薄く又、その發現に俟つの必要が低い。これに對して市民的社會にあつては私利がその窮極的目的と成るが故に、其處には道德の實現は少くして、法の實現が大であり且又法の實現、活動に依存す可き事が多大である。此故に家族及市民的社會にあつては未だ眞に道德の完成が成就せられず、且又、理性的自由の理念はそれらの階梯に立てる團體に於ては、全き保障を期待し難い。茲に於て、道德と法との絕對的合體としての國家が必要と成り、その體制の成立が要請せられる。而して國家は倫理的理念の具現體であるとなされるのである。即ち客観的精神は國家に於てその最高・最終の發展階梯に到達するのである。斯様に實現せられたる倫理が家族や市民的社會や國家に、その地位を見出すのは團體を經由してである。團體は家族と共に市民的社會の中に、國家の基礎を形成する。かくして權力的であり、普遍的なるものと、特殊的なるものとの完全なる綜合としての國家が、倫理的にして且つ神的なるものを完全に實現するのであると、ヘーゲルは説述した。

かくて彼は國家に就き次の如く述べた。

「國家の本質は卽而對自的なる普遍者であり、而して意思の理性的なるものである。併し自己を知るもの、自己を働かすものとしては、正しく主觀性であり、現實體としては一の個體である。國家の作用一般は個人の聚合としての個性の極限に於ては、二重の事柄から成る。卽ち一方に於ては多くの個人を人格として保持し、そしてその事によつて法を必然的現實性と成す。而して次に國家は各人がさし當りは自己を顧慮するが、併し正しく普遍的側面を有する所の、彼等の福祉を促進し、家族を保護し且つ市民的社會を指導する。他方に於て然し國家は兩者(家族と市民的社會—筆者註)と孤立的中心たらんと努力する個人の全心情、全活動とを普遍的實體の內へ還元する。而して此意味に於て國家は、自由なる權力として自己の權力に從屬せしめられて居る諸領域に干涉し、それらを實體的內在の內に保留するのである。」註36

なほ、彼に依れば國家は家族及市民的社會並に個人の意思及活動を再び實體的存在に齎らし、斯くしてその無拘束的權力によつて、それらのものを本來の實體的統一の中に支持する爲、從屬的範圍を打破するのである。普遍的なるものと、特殊的なるものとの綜合、隨つて特殊的なるものの普遍的實體への融合は、明らかに倫理的なるものの實現である。故に國家を定義づけるならば、それは倫理的理念の具現體であると言ふのである。

卽ち曰く

「國家は倫理的理念の現實體――倫理的精神である。卽ち示顯的な、それ自體明瞭な實體的意思であり、自己を思惟し、知識し、且つ、その知識するものを、しかもそれを知識する限りに於て完成する所の意思である。」註37と。

斯くヘーゲルに取つては國家は倫理的理念の現實體である。しかも國家に於て倫理的理念はその最高の、而して同時に完全なる具現をみると言ふのである。

寔に直接的には國家は卽自的に存在し、間接的には個人に依つて存在する。併し個人は國家に依つてのみ、その實體的自由を享有し、國家に於てのみ自由である。なんとなれば、個人の意思が普遍的意思と融合せらるるのは、國家に依つてのみであり且つ、國家に於てのみであるからである。彼は之を次の如く述ぶる所があつた。

「國家は習俗に於て直接的存在を有し、個人の自己意識、その知識及活動に於て仲介せられたる存在を有する。かくて個人の自己意識は、それへの信念を通じて自己の活動の本質、目的並に所產としての國家に於て實體的自由を有する」。と。[註38]

これがヘーゲルの國家理論の下に存する所の根本概念である。しかもそれは彼の哲學體系の窮極であり、また彼の政治理論の發足點である。蓋し彼にあつては後者は前者の發展そのものに外ならないからである。

國家が倫理的理念の最終的完成的なる現實體であるとすれば、國家は最早單に實在すると言ふ事のみを以て正當性を具有する譯である。隨つて國家は卽而對自的に目的そのものであり、絕對的且つ不動的なる自己目的に外ならない。

故に此處にては最早個人的欲求に關する國家權力の問題は問題とはならない。それは個人がその最大の自由を享有し得るのは、國家内に於て且又國家に依つてのみであるからである。玆に於ては個人は唯絶對に國家に服從する場合に於てのみ自由であり、且又その場合に於て最大量の自由を獲得し得る譯である。此處では、政治的服從の問題は既決的であつて、問題としての意義をすら具有しないのである。斯る理解の上に立つて、吾々はヘーゲルの次の言説を讀まねばならない。

「國家は實體的意思の現實體として、これを普遍性にまで高揚せられし特殊の自己意識に於て有し、卽而對自對に理性的なるものである。この實體的統一は自由をして、その最高の法を達成せしめる絶對不動の自己目的であり、またこの窮極目的は國家の構成員たることを最高義務とする個人に對する最高の法である。」[註39]

これに次いで彼は、國家と個人との關係は市民的社會と個人との夫れの如きものとは質を異にす可き所以を說述したのである。卽ち「若しも國家が市民的社會と混同せられ、而してその使命が財產及個人的自由の確保並に保護にありとされるならば、個人そのものの利益が個人を結合せしめる窮極的目的となり、隨つて國家の構成員となる事は言はば任意なる事となる。――併乍ら國家は個人に對して全く異る關係を有する。卽ち國家は客觀的精神であるからして、個人は國家の構成員である事に於てのみ、それ自身客觀性、眞理及倫理を有する」[註40]と言ふのである。玆に至つては國家の始源も、その存在理由も就中それらの個人に對する意義などは、最早問はる可き必要はないのである。國家は單に實在すると言ふ事それ自體のみで、正當性を有し、個人は國家に對しては意思の自由を留保としてすら有する事なく、個人は唯國家の構成員たる事により最も正しき、同時に最も大いなる自由を獲得するものである所以が確說せられるのである。

此故なればこそ、ヘーゲルに取つて「國家は具體的自由の現實體」[註41]なのである。これは個人は國家の構成員である事により、而してその故にのみ自由であり且つあり得る事を表象する。具體的自由とは彼に於ては次の如く規定せられる。「具體的自由とは個人的個別性及其特殊的利益が完全に發展し、且つその權利が對自的に(家族及市民的社會の體系に於て)承認を得ると言ふ事、並にそれらのものがそれ自體を通じて或は普遍者の利益に推移し、或は知識と意思とを以て普遍者の利益を、しかも自己の實體的精神として承認し、且又普遍者の利益の爲に自己の窮極目的として働くと言ふ事を本質となす。隨つて普遍者は特殊的利益、知識及意欲なくしては妥當する事なく、實現する事もなく、尙又個人は單に斯る特殊なるものの爲に、私人として生活し、又同時に普遍者に於て又普遍者の爲に意欲しないとか、又この目的を意識せる活動をなさないとか言ふ事はない」と。而して續けて彼は曰ふ。「現代國家の原理はこの驚く可き强味であり深味である所の主觀性の原理をば、個人的特殊性の獨立的極限にまで完成せしめ、而して同時にそれを實體的統一の中に還元し、斯くして主觀性の原理そのものの內に、この統一を保持しなければならない。」と。[註42]

以上ヘーゲルの文化國家觀に就き他の場合に比して、より多く闡說したのであるが、文化國家觀の立場に立つものは固より彼獨りに留まらない。國家目的論而して政治的職能の指標の決定に關して、之を文化的發展の觀念に於て基礎付けようとするもの、就中道德的見地を高調する所の倫理的なる政治理論は、今もなほ國家觀として最も著名なるものの一つたるを失はないのである。吾々が文化國家觀に就き警察國家觀及法治國家觀に就けるよりも長きに亘つて闡説し來たり、又なほ少しく言及しようと庶幾するの所以は此故である。且又、特に本稿の如く多元的國家觀の立場に卽して、本稿の規定するが如き意義に於て、國家目的論を取扱ひ、加へて政治的職能の指標・定立に資せんとするの意圖に對しては、單元的國家觀の最も基本的見解、尠く共、その思想的乃至哲學的基礎概念の構成に對して、その根本的機構を呈するものとして、文化國家觀は最も根本的且つ重要なる役割と意義とを占據するものと考へらるるが故である。

既に述べし如く、希臘正統哲學者の政治理念に培はれし國家目的論は、文化國家觀の見地に立つものであつたが、近世に於て文化國家觀の發達完成の爲に最も良き地盤となつたのは、民族主義的志向であつた。この點に於て由來民族主義的集權國家の爲に、諸々の志向と勢力とが集約的であつた所の獨乙に於て、その良き發達をみた事は洵に適はしき機緣であつた。これを示す爲にヘーゲルの外に此立場を取る人々を手近に求むるとすれば、例へばホルツェンドルフ(Franz von Holtzendorff, 1832—1910)[註43]、ショウレンベルガー(J. Schollenberger)[註44]等であり又既にヘーゲルと時代を等しくしては、ヘルバルト(Johann Friedrich Herbart, 1776

—1841)[註45]、やクラウゼ(Karl Christian Friedrich Krause, 1781—1832)[註46]、の如き人々も倫理的文化發展の內に國家目的の觀點を置いて居るのである。この意味に於て此等の人々も亦、文化國家觀の立場に立てるものであると言ひ得よう。更に又、人はエルドマン(J. E. Erdmann, 1805—92)[註47]をも此意味に於て忘却してはならないであらう。彼は普く知られたる如く最も公平にヘーゲルの衣鉢を繼ぐものの一人であつたからである。その他、アーレンス(Franz Heinrich Ludolf Ahrens, 1809—81)やレエーデル(K. Röder)等をもこの系統の內に加へる事が出來よう[註48]。

さて、ヘーゲル的文化國家の思想が、元來集團主義的な民族主義的なる獨逸民族の間に廣き勢力を占たのは、深くあやしむるには當らないのであるが、その影響が本來個人自由の觀念の甚だ鞏固にして、個人人格の權威を堅持して讓らざるイギリスに於てすら極めて徹底的となり、しかもこの國に於てヘーゲル的文化國家觀の或る意味に於ては最も志操堅固なる後繼者を出したのである。茲には其現象の據つて以て來たれる淵叢とも稱す可きものに對する考察は試みないが、左樣な現象がこの國に生起したと言ふ事は確に注目に値すると言はねばならない[註49]。これは一つの社會的情勢を擧示するのみならず、この國にしてなほ且つ事體斯くの如しと言ふ事は、押して以てこの思惟・學說・志向の深さ、廣さを語るものである。斯る意味に於て、以下、簡單にイギリスに於けるヘーゲル的文化國家觀の大綱を附言し、其發展の跡をたづねようと思ふのである。

この國に於ては、グリーン(Thomas Hill Green, 1836—82)、ブラドッレー(Francis Herbert Bradley, 1846—1924)、ボザンケット(Bernard Bossanquet, 1848—1923)等の如き當代の達識ある人々に此立場の國家觀は支持せられ、加ふるに既にこの國に於て一定の勢力を占めつゝあつたルソー(J. J. Rousseau)の學說と結付いて、文化國家觀は、より良き發展をすら示したの觀があつた。[註50] ルソーの意思及自由に就ける道德的觀念は獨逸觀念哲學者に於ける夫れと同樣なる形態を示したるものであり、しかも國家を以て自然的なる組織體とし、普遍意思の客觀體であり、あらゆる權利の淵叢として肯定强調せる事は、これ又イギリスの觀念論者に於ても引繼がれて高調せられたのである。併乍ら屢々言はるるが如く、獨逸人は本來、集權主義的志向に傾き、イギリス人は元來、個人主義的志向に富むのである。茲に兩者の法や政治や國家に於ける觀念形態には本源的相違が伏在してゐる。端的に言へば、ヘーゲル的國家絕對主義はイギリス傳統の自由主義にはそぐはない。

此故にか、この國の觀念哲學者は獨逸クラチシズムの攝取に當つて、ヘーゲルよりも寧ろカントに從ふ事を以て一般的となして、個人的自由の諸觀念に對する關心と國家權力の抑制に就ける理念とをなほ留保したのである。

聊々この國に於ける觀念主義は功利主義者の唯物的個人主義に對する反動を主體とする。即ち觀念主義の本領として思惟・理性の權威を認め、思惟を功利主義に於けるが如く單に效用に向けられた所の悟性とはなさず、隨つて單にその主觀性を助長する事を目指せる、個人的なるものとはなさないのである。故に彼等は法、政治及國家をば利益に對する個人の自然的努力より機械的に現出するものとしては、觀念せずして夫等を廣く深く人類の倫理的文化に對する意義に於て理解せんとするのである。偶々當代はかの自由放任主義に基く所の政策の不備からして、社會的不秩序と經濟的重壓とを經驗しつゝあつた。茲に於て個人的自由並に契約につける機械論的概念が棄てられて、全體的責任或は全般的統制につける觀念が採擇せらる可き必要が意識せられた。これが茲に政治的文化が道德的根據に於て基礎付けらる可き所以と考へられたのである。斯くして個人と國家との合體、倫理と政治との自同が、この國に於ける觀念主義學派の基調となつたのである。

トーマス・ヒル・グリーンは國家は一ツの自然的生成物であり、隨つてその目的は本質的に倫理的であると言ふ所から出發した。故に個人的權利は契約に依つて所得せるものではなく、それは自由なる道德的意味の必然なる條件であつて、一般的なる道德的意思が法の内に凝結して宿る事に於て表現せられる。國家構成員の共同目的の意識的發現が主權を創り出すのである。だから、國家が明らかにこの一般的に是認せられたる道德的理念に抵觸しないとするならば、その場合には個人は無條件に之に服從す可きであると言ふ。併し彼はこの理念をヘーゲルの如く極端にまで進展せしめなかつた。彼は法的權利と道德的權利とを區別して、法は恒に道德的理想を不完全にしか體現しないものとなし、自由に對する障害を排除する事よりも、國家の行動を制限する事を撰んだのであつて、グリーンの政治理論はこの意味に於ては、言はば功利主義と新ヘーゲル學派の觀念主義との混淆に立てるものの如くであつた。

ブラッドレーに至るとヘーゲル的文化國家の思惟は餘程濃厚に取入れられた。即ち彼は國家を以てそれ自體、目的となし、絶對的主權力を具備するものと觀たのである。しかも國家を以て道德的有機體と看做し、國家の意思が社會的公正の原則を表明するものと考へた。隨つて國家の個々の構成員はその人格を國家に負ふものである。蓋し彼等の人格は國家の諸制度及國家の精神の所産であるからである。此故に各個人は國家の內部に於て、各自の立場に盡瘁す可き道德的責任を有する。國家は斯樣に意識的道德的個人より成る所の意識的道德的有機體であると言はれるのである。彼はまさしく新ヘーゲル學派の典型的代表者の一人であつたと言はなければならない。

併乍ら斯る立場はボザンケットに於て徹底せしめられた。玆にてはイギリス固有の傳統的志向とも稱す可き個人本位的乃至個人主義的志向が止揚せられて、集權主義的な絕對主義的志向が顯現したのである。其處には倫理主義や論理主義に卽する合理主義が、心理學的概念の演繹並嚮導に裏付けられ、强化せられて徹底せる文化國家觀となつたのである。ボザンケットはルソーの普遍意思を文化國家觀の理念に結付けて、ヘーゲルの學說の內容を一層徹底せしめ、個人と社會との間には何等の相剋が介在する事があり得ない旨を主張した。彼に對しては國家は人格と意思とをそれ自體具有する一つの有機體であつて、國家は個人の人格及意思を剩す所なく包攝して個人に超在するものである。國家は普遍意思の現實體として個人的意思に對しては、絕對的優越性を有する事を論證定立するのである。斯樣な規定が成立するが爲には、國家は正しくヘーゲルの夫れの如く倫理的理性を具體化して居り、國家にありては倫理的理性や道德の根柢をなせる原則以外の如何なる原則も、有效ではなく且又あり得ない事が理解せられなければならない。彼に依れば「社會及國家の窮極的目的は個人の夫れと等しく最善の生活の實現に存する。[註51]」故に、國家の目的は社會の目的であり、また個人の目的であり、それは意思の基本的論理によつて決定せられると言ふのである。[註52]

彼は斯る見地から進んでヘーゲルに等しく、國家は個人的道德の法則からは拘束せらるる事なく、且つ國家はそれ自體がその構成員の上に課す所の權利及義務の體系からして制約せらるる所なき事を論じ、斯くして彼の形而上學的國家觀は獨逸に於ける先達の夫れの如く、玆に於ても國家の個人に對する超在を說き而して國家を以て最大最高の全體社會であると結論したのである。斯くして國家は諸々の特殊社會を自己の內部に其一部分として包攝する所の、完全なる全體社會であるとするのである。

抑々ボザンケットはルソーの「普遍意思」(Volonté général) の概念によつて表象せられし所は、自ら謂ふ所の「眞正意思」(Real Will) なる概念によつて一層明瞭となると說いた。彼に於ては個人の單なる意思は「現實意思」(Actual Will) と呼ぶべく、眞正意思は客觀的意思であつて、卽ち意思それ自體であり、此故に各個人の主觀的意思たる現實意思の、あらゆる本性を自づからその內に含有するものである。斯くの如き意思が國家の意思であるとなして、その兩者の自同に關しては彼は心理學的解明を以て說述したのである。

〔註〕

(註14) G. Jellinek, Allgemeine Staatslehre, 3. Aufl. 5. Neudruck, 1922 ss. 253—256.

(註15) 例へば下記の如きもの。

H. J. Laski, Studies in the Problem of Sovereignty, 1917; Authority in the Modern State, 1919; Grammar of Politics, 1925.

R. M. MacIver Community, A Sociological Study, 1917; The Modern State, 1926; Society, its Structure and Changes, 1391.

G. D. H. Cole, Self-Government in Industry, 1917; Social Theory, 1920.

(註16) Edgar Loening u. O. Loening, Polizei (in Handwörterbuch der Staatswissenschaften, 4. Aufl. 1925 Bd. 6. ss.

885—886.)

警察國家觀に就ける參考文獻としては下記の如きものがいい。

Wolzendorff, Die Grenzen der Polizeigewalt, 1905.

O. Ma[illegible], Deutsches Verwaltungsrecht, 2. Aufl. 1914.

R. v. Mohl, Die Polizeiwissenschaft nach den Grundsätzen des Rechtsstaates, 2Bde. 2, Aufl. 1844. (bes: **Bd. I.** Einleitung)

（註17） O. Mayer, op. cit. 1.Aufl. s. 38ff.

Fleiner, Institutionen des deutschen Verwaltungsrechts, 2. Aufl. 1912, s. 31ff.

Murhard, Der Zweck des Staates, 1832, s. 178ff.

Jellinek, op. cit. s. 243 ff.

（註18） Jellinek, op. cit. ss. 243—244.

（註19） Jellinek, op. cit. ss. 246—248.

なほ、Locke と佛、英の經濟學徒との關係に就ては下記の（一）及（二）を、此段のフキジオクラットの社會及國家理論に關しては（三）を、Jellinek は參考文獻として推した。

（一） Hasbach, Die allgemeinen philosophischen Grundlagen der von Fr. Quesnay u. A. Smith begründeten politischen Oekonomie. (Schmoller--Staats-u. Sozialwissenschaftliche Forschungen, X2 1890. s. 50ff.)

（二） E. Biermann, Staat u. Wirtschaft, 1905, s. 21 ff.

（三） B. Güntzberz, Allgemeine Darstellung der Gesellschafts-u. Staatslehre der Physiokraten, 1907 (Staats-u. Völkerrechtl. Abhandlungen, hrsg. von Jellinek u. Anschütz, VI. 3)

（註20） J. G. Fichte, Grundlage des Staatsrechts nach den Prinzipien der Wissenschaftslehre, 1796 WW III. s. 151 ff.

I. Kant, Metaphysik der Sitten, 1797.

K. W. v. Humboldt, Ideen zu einem Versuche, die Grenzen der Wirksamkeit des Staates zu bestimmen.

（註21） J. S. Mill, On Liberty, 1859.

H. Spencer, Social Statics, 1850; Justice and the Man versus the State, 1884.

（註22） P. Laband, Das Staatsrecht des deutschen Reichs, 3 Bde, 1876—82.

（註23） I. Kant, Metaphysik dre Sitten (I. Teil, Metaphysische Anfangsgründe der Rechtslehre) 1797.

（註24） I. Kant, op. cit. (I. Kants Werke Bd. VII. 1916, s. 31. hrsg. von E. Cassirer)

（註25） Kant, op. cit. ss. 32—33.

（註26） Kant, op. cit. s. 119.

（註27） Kant, op. cit. s. 146.

（註28） M. Beer, A History of British Socialism, vol. I.1920, p. 168ff.

（註29） W. Sombart, Sozialismus und Soziale Bewegung, 9. Aufl. 1920, ss. 54—55.

（註30） W. Sombart, op. cit. ss. 56—57.

（註31） 今中次麿教授政治學（前揭）一〇七——一〇八頁、參照

（註32） J. G. Fichte, Grundlage des Naturrechts nach den Prinzipien der Wissenschaftslehre, 1796.（全集第三卷、一六四頁——今中教授、政治學說史（現代政治學全集第四卷）三四二——三四三頁、引用

（註33） K. Sterenberg, Politische Theorien in ihrer geschichtlichen Entwicklung vom Altertum bis zur Gegenwart,

1922, ss. 105—106.

（註34） Hegel, Grundlinien der Philosophie des Rechts. (Sämtliche Werke, hrsg. von G. Lasson, Bd. VI. 2. Aufl. 1920, s. 139. § 156)

（註35） Hegel, op. cit. s. 139.§ 157.

（註36） Hegel, Enzyklopädie der Philosophischen Wissenschaften im Grundrisse, (Sämtliche Werke, hrsg, von G. Lasson, Bd. V. 3. Aufl. 1905, s. 443.)

（註37） Hegel, Grundlinien der Philosophie des Rechts. (op. cit. s. 195, § 257)

（註38） Hegel, op. cit. s. 195. § 257.

（註39） Hegel, op. cit. s. 195, § 258.

（註40） Hegel, op. cit. ss. 195—196. § 258.

（註41） Hegel, op. cit. s. 202. § 260.

（註42） Hegel, op. cit. s. 202.

（註43） F. v. Holtzendorff, Prinzipien der Politik 2. Aufl. 1879. ss. 191—227.

（註44） J. Schollenberger, Politik in systematischer Darstellung, 1903, ss. 12—24.

（註45） J. F. Herbart, Allgemeine praktische Philosophie, 1835; Analytische Beleuchtung des Naturrechts u. der Moral, 1836.

（註46） K. C. F. Krause, Abriss der Philosophie des Rechts, 1828. ; Grundlage des Naturrechts, 1803.

（註47） J. E. Erdmann, Philosophische Vorlesungen über den Staat, 1851.

（註48） F. H. L. Ahrens, Die Rechtsphilosophie od. das Naturrecht, 1852; Die organische Staatslehre, 1851.

K. Röder, Grundzüge des Naturrechts, 1845.

（註49）この現象生起の素因としてゲッテルがオックスフォード大學に於ける傳統的なるプラトン、アリストテレスの古典研究が擧つて力があると言ふは、一見平凡ながら示唆に富む見解である。(Gettell, History of Political Thought, pp. 321—322.)

（註50）T. H. Green, Principles of Political Obligation, 1879—80; Lectures on Liberal Legislation and Freedom of Contract, 1881.

F. H. Bradley, Ethical Study, 1877. esp: cf the one chapter of it, titled, "My Station and its Duties."

B. Bosanquet, Philosophical Theory of the State, 1899.

（註51）B. Bosanquet, op. cit. p. 168, 3. ed. 1920.

（註52）B. Bosanquet, op. cit. p. 172.

吾々は文化國家觀に就ける解説を、これ以上續ける事をやめようと思ふ。既述の如くこのものに關しては前二者の國家觀に對するより、一層多くの關説を爲したのである。その理由は先述の如く此種の國家觀が今日の國家論の一般通説の根柢に於て、最も基本的なる意義と立場とを占めて居ると解せらるるが故であつた。玆には文化國家觀に對して多くの批判に携る暇を持合せないが、極めて簡潔にいささかその批判を試みるが爲に、文化國家觀の據つて以て立つ基調を要約すれば次の如きものとなるであらう。

（一）個人的意思に對する全體的な綜合的乃至統合的な普遍的なる意思を認め、進んで後者に依れる前者の全部的包攝を認めると言ふ事。
（二）斯る綜合的乃至統合的なる普遍的意思が國家に依つて、且つ國家に於てのみ完全に體現せられると言ふ事。
（三）眞の個性、自由は個性を離れた所の、意思それ自體を意思する絶對自由なる普遍的なる意思に合致すると言ふ事。
以上の三つの見地が其根據となるのである。

其處でこの立場の謂ふ所の全體的なる綜合的乃至統合的意思が、普遍的意思であると言ふのは、其基調に於て形而上學的見地より發足したるものであり、其見地を外にしては理解し難い。諸々の志向、欲求を有して、洵に多義多様の内容・屬性を具備して、我れ自らさまざまなる矛盾撞着を經驗する人間の、集團的・社會生活のありのままなる實相と、又、其理念としての社會生活が、超在的なる普遍的意思の單一なる統合の下に觀念し得るか、否、解明し得るか否かは、社會集團の發生的並に發展的現象に對し、又、人類の歴史的文化的發展現象に對して、少しく具眼の者には質疑なきを得ないのである。吾々はこの點に多くの言辭を費すの必要を感知しない。

抑々彼等の謂ふ所の綜合的なる意思は元來、理想的乃至合理的意思とも解す可きものであるが故に、若し自他の意思が完全に合理的なる場合には、其處に普遍意思が成立しなければならない。故に此各人の有する合理的意思には質的同一がある譯になる。併乍ら若し各人の類似と言ふ點からして、轉じて合成人乃至普遍我とも言ふ可きものが成立するとすれば、質的同一から持續的同一、數的同一になる譯である。自己が有し、又各人の有する眞正意思の Sollen は質には於て分割し得ざるものであるから、同一である。併し質的同一は決して自我の單一でもなく、國家の單一でもない。自我は諸々の屬性、卽ち感覺、思想、感情、現實意思、その他の純粹に自己獨特の性質たる、さまざまなる要素よりの、聚合から成立したる持續的同一なのである。他人の所持する、諸々の屬性が如何に自己の夫れに近似し類同して居るにもせよ、亦如何に彼等相互の目的が類同乃至同一であつたにもせよ、自他の間に持續的同一や數的同一が成立する筈はない。人間の個性は洵に窮極にして悠久なるものであるからである。

然るにヘーゲル學派に依れば、個性はその孤立に存せずして、全體に對する歸依、奉仕に於て、且つそこに於てのみ眞に存在するものであると觀られるのである。ボザンケットなど特に然りであつて、彼は多數人にある所の眞正意思の質的同一と、個人にある持續的同一、數的同一とを混淆して居るのである。隨つて多數人の眞正意思の質的同一は、その眞正意思の體現である所の國家を、個人の如き持續的同一、數的同一を有するものたらしめると觀るのである。實に國家を以て持續的同一、數的同一を有する個體と觀るのは、ヘーゲル學派に取りては比喩ではなく、實に現實なのである。[註53]

次に自由の問題に就いて考へよう。この種の國家觀の思想によれば、自由とは拘束からの解放と言ふが如き消極的なるものではなく、「自己決定」と言ふ積極的なる能働である。意思が自由であると言ふのは、意思が自決的であるからである。然し斯樣に自決的であると言ふのは、之を實質的に考察すれば、意思がそれ自體の目的乃至客體に從ふと言ふ事である。然らば意思は意思に對して外部的なるものに從ふ事になり、自決的ではなくなる。つまり意思は多くの目的について自ら選擇するのであつて、その標準は時として偶然性に支配せられる可能性も亦傾向もあり、自由ではなくなる所の事象が生起する譯である。其處でこれを解決する爲に、意思の目的は意思自體が決斷すると措定して問題を解決定立しようとする。併乍ら意思の自決とは目的に從つて決定せられる事であり、且又謂ふ所の目的とは意思に依つて決せられるものであると、言へば、論理は恒に循環に歸して止まふのである。故にこれを解決するが爲には、意思の目的とは意思に對して外部的なるものではなく、意思それ自體であると措定しなければならない。斯る意圖を以てヘーゲル學徒は意思は、それ自體を意思すると言ふ見解を樹立したのである。卑近なる例證を示せば、「生涯を通じて恒に正當なる原則に照應して、自己の行爲を時々刻々律してゆく所の、恒に變らざる基督者があるとする。彼はその原則を善及凡ての爲に採擇して居るとする。斯る際、其原則は彼の意思の全内容を表現して居るのである。卽ち彼の意思のあらゆる行動に於て、目的となれるものは彼自身の意思なのである。然らばその意思はその目的に依つて決定せられるのであり、卽ちそれ自體に依つて決定せられる、隨つて自由なのである……と彼等は論ずるのである」[註54]。

ホッブハウス(L. T. Hobhouse)は其著「形而上學的國家論(The Metaphysical Theory of the State)の中に、問題を以上の如く設定して、之に對しては二つの方面から批判し得ると言ふ。曰く、此場合第一、其基督者自身に取りては恐らく、これは彼自身の意思ではなく、彼が服從せん事を希求せる神の意思である、而して如何に之を例證しようと試みても、要之、其答辯は本質的には同樣となる。卽ち自分はまだ實現せられざる何ものかを意思しなければならない。然らざれば自分は何等達成し得ないからである。假令自己を改造せんと希ふと雖、自分が爲す一つの場合は、一つの目的の爲に自己自身の意思を得ると言ふ事であり、これは、あるが儘の自己が、自己の前に到達す可きものとしての、異れる自我を設置する事を意味する。而して若し自分が完全なる行爲の矛盾なき一致を期し得るとすれば、それこそは、自己以外の、しかも自己の行爲に依つてのみ實現・達成し得る所の、何等かの包括的なる目的に恒に從ふと言ふ事を表象する。然らばその目的は、その目的に向つて能動しつゝある意思とは、恒に異れるものである。意思は精神の他の諸々の行爲と等しく、目的に對して聯關するものではあるが、聯關せる諸々のものは同じものとは限らない。玆に、主體と客體との自同は蹉跌し、それと共に自己決定に纒つはる全計畫は破綻するのである。

第二の批判はヘーゲルの自由の意義に特別なる關係を有する。假に論議の故に、自己決定は拘束の缺除よりも何等か以上のものであると認容するとしても、それは決して拘束の缺除より以下ではない。意思の行爲が制約せらるる所又は制約せらるる限りに於ては、それは自由ではない。絶對的に自由なりとは絶對的に無拘束なる事である。相對的に自由なりとは相對的に無拘束なる事である。或る一事に於ける自由は大方、何等か他に對する拘束を含有するものである。例へば私が自己の業務を遂行するに自由を確保して居ると言ふ事は、他人は私の業務の遂行を妨碍する事を禁止せられると言ふ事を意味する。併乍ら、自由であると言ふ事は、その事が自由なりとなさるる點に於て、同時に、拘束せられる事ではない。卽ち或る部分乃至或る關係に於て自由である事は、他の部分乃至他の關係に於ては拘束せられねばならないであらうが、拘束せられると言ふ點に於ては、それは自由ではないのであると、ホッブハウスは說述するのである。註55玆には耳を傾けて聽く可きものがある。

轉じて論者の說く如く、意思がそれ自體を意思すると言ふ場合には、意思が求めて居るものはそれ自體なのであるからして、意思は何ものをも求めてゐないのに同斷ではあるまいか。意思が眞に何ものかを求めて居り、意思して居ると言ひ得るのは、意思が自己以外に自己の外に何ものか對象を有するか、對象として相對立して居るものを意識の中に有する場合に於ててあらねばならない。然るに、此學派の立場には何等かくの如き事體はないのである。

またヘーゲル學徒は個體(Das Individuum)を認容しないのではない、が、それは恒に必らず全體內に統合せられたる意義に於ける立場のみを有する個體である。隨つて其處にては全體に對する個體の爭鬪は、認容せられざるのみか、問題にすらならない。彼等は全體として統合せられ、調整せられたる個體の發展に於ける一致點のみを認めて、しかもその全體的統合乃至調整を以て自由として觀て居るのである。此點からして彼等は法を自由の拘束とは觀ずして、却つて全體的統合乃至調整の原則であるとなし、法と自由とを結付けるのである。卽ち法は取りも直ほさず、自由の表現であると言ふ。隨つて法に從ふ事は恒に自由に生くる事であると敎へるのである。玆には自由の觀念が無拘束と言ふ觀念に、いささかも立脚しないのは言ふ迄もなき必定であつて、——もとより自由は無拘束に絕對的に立脚してゐるものではないにしても——其處には個人の良心、意思、思惟或は人格の權威等は何等の足場を占めないのである。

抑々彼等に於ては、國家はそれ自體目的であり、國家たる事がその目的であり、而して單に實在する事がそれ自體の存在理由であり、且つ正當であるとの歸結となるのであるから、茲にては國家と個人との相剋、爭鬪等は最早如何なる理由によつても、生起する可能がなく且つあり得ない譯である。國家にして斯くの如しとすれば、個人の自由の問題も亦決定的である。現實意思の所持者たる個人は、その意思の眞にある可き一切の本性を内有して剩す所なき、客觀的意思それ自體たる眞正意思の現實體たる國家に對しては、唯、服從する事が個人の責務であり、且又かく服從する事が個人の道德的發展の行程であり、しかも其處に於て、而して其處に於てのみ始めて個人は眞の自由を享有し得る譯である。而して茲にこそ、かの服從義務(Political Obligation)の深き道德的意義が存在すると考へられると說かるるのである。

ボザンケットはこの間の定立を規定する爲に、ルソーの「普遍意思に服從を拒否するものが、全體の爲に强制せられるのは、それは自由たる可く强制せられるのである」と言ふ理說を援用して、自說を鞏固ならしめた。註56 ボザンケットに從へば、個々の「個我」が「普遍我」に合致し、「普遍我」の意思が一切の「個我」の眞正意思として妥當して、以て法に體現するのであるから、法に服從することは意思自體が眞正意思に、即ち意思自體に決定せられる事であり、これ即ち自由であると言ふのである。彼等の思惟にあつては眞正意思に對する服從を强要する事は、個人をして眞にある可き所の自己の意思に服從せしむる事に外ならないが故に、其間に假令如何なる强制が行使せられようとも、それは自由の壓迫ではなくして、却つて自由への眞の嚮導であり、實現であるとなされるのである。

上の如きヘーゲル學派的思惟、この様な論理・論議に對しては、人は唯々諾々として受納するか、或は卒直に拒否するかの二途より有せぬであらう。而して人はヘーゲル學派の見解が專制主義に取つて、便宜多き、精緻巧妙なる原理であると言ふ事を深く意識するであらう。玆に於て人は次の如きホッブハウスの言説に、傾聽す可きものの存するを覺へなければならない。即ち、「政治的自由とは本質的には感情、意思の類同によつて成立するのではなく、寧ろさまざまなる差異、特異性を寛容する所に生ずるのである。即ち積極的にこの差別性を容認する事が、統一よりも、より豐富なる生活を齎らすものであると言ふ所に立脚してゐるのである。[註57]」

これらの現象に關しては、歐洲近世に於ける、宗教社會と國家との相剋に纏はる宗教寛容の理念及その史實が、最も明瞭なる一つの典據を擧示する。洵に、宗教的自由闘爭が近世的自由の根據であると屢々稱せらるるのは此故である。近世に於ては政治的並に市民的なる自由の確保は、個人的自由の個人に即する要求の貫徹に於けるよりは、寧ろ一定社會の存在權の承認に聯關して達成可能をみたる事が多く、此等が國家の拒否的態度に對抗して抗爭せる、宗教的社會に關聯して成就せし事の、概して多數に及べる事は吾々の經驗的認識である。自由獲得の根據は、一面に於ては國家絕對主義の抽象的理論への反駁に存するが、それと共に、現實的世界は無數の錯綜せる諸々の社會の交錯により成立せるものなりとの社會的認識と、社會的權威の自然性とが、普く承認せられ、恰も吾々の生活の現實と同樣に、吾々の法の基礎とも成る可き事に深く依據するものである所以を反省し考慮しなければならない。註58

終りに、ヘーゲル學派的文化國家觀に對する批判に於て更に吾々に遺されし課題は、其の依據する所の所謂國家全體社會觀を命題とする事であらう。彼等に於ては吾々が既に顧慮せるが如く、其の國家全體社會觀は固有の形而上學的國家理念の上に、構成せらるるものであつた。吾々はその事の限りに於ては簡略ながらいささか考察する所があつたのである。其處で、此課題に就き、玆に要求せらる可きものがあるとすれば、それは社會形態に就ける社會學的考察に基づく檢討である。卽ち發生論的なる社會形態論的なる攻究である。更に別言すれば國家は共同社會(Gemeinschaft)なりや、はた目的社會(Gosellschaft)なりやの論究である。併し其種の課題に關しては、本稿は實は當初より言はば既決的問題となし、本小稿を多元的國家觀、隨つて多元的社會觀の立場に卽するものと豫定して、論議を進め來たつたのである。故に玆に新らしく該課題を採り上げて、問題と成すの必要なきものとしても許容せらる可き譯である。言ふ迄もなく、國家は人間生活の全層面を覆ふものではなく、人間生活の機關は國家機關よりも廣汎であり且つ深淵である事を以てすれば、玆からしても、所謂國家全體社會觀の謬妄は一層明瞭となるであらう。宗教、倫理、哲學、科學、文學、藝術、政治、法律、經濟等々に關する諸々の機關も、必ずしも恒に國家的に限定せらるるものではない。商業・貿易等の經濟的諸種機關すら同斷なのである。ましてや個人の夫等に對する精神的關與に就ける理念、欲求、意思、祈念等に於ては特に斷る迄もなく明瞭である。國家は體制としてみて、目的それ自體ではなく且又、現在の國家形式は歷史的所產であり、隨て、その形式の變化、變形は概念的には恒に豫想可能なのである。

洵に國家は人類の全社會組織の別名ではない。卽ち家族や諸々の社會、科學や哲學や藝術や宗教等々の各々の、すべてをこめての全體の別名ではないのである。古代希臘の都市國家に對して、時として斯かる全體主義が現出しないではなかつた。たが、プラトンやアリストートルの如きは當時に於てすら、左樣な國家理念に對しては不滿であり、科學や哲學を國家の下屬物とは考へなかつたのである。國家は生命ある原理としてよりは、寧ろ社會生活に於ける平凡なる必要物として考へられ來つたのである。斯る思惟を恰も逆轉せしめしものが、近代の形而上學的國家觀であつた。茲には國家は人間の社會生活の總體であり、總括概念であり、卽ち全文化生活の組織的構造であるとの故を以て、國家はそれ自體、目的であるとなさるるに至つたのである。[註59] 併し人は、歷史的所產としての國家の發展階梯に想到し、人間生活の諸々相を背景に置きて、國家の形相を顧慮しなければならないのである。

吾々は最早これ以上國家全體社會觀を問題とする必要はないであらう。文化國家觀に於て說かれし國家全體社會觀は、國家と社會との自同乃至混同と言ふ誤謬の外に、其の事の基礎概念の故に、法と倫理とを自同にし、混同するの膠妄を冒したのである。倫理的規範は自明の如く國家ならざる社會にあつて、窮極的價値規範として存在し、且つその當然の任務を有するのである。國家の法は就中現代國家の法は倫理的內容のみを以て成立して居るものではない事は、事更に解明を必要としない所であらう。これは同時に又、斷る迄もなく國家の法が何等、倫理的要素を含有しないと言ふのでもない。法と倫理との聯關或は合致は單にその一部分たるに留まる事を指摘するの意である。此點に文化國家觀は謬見を藏して居るのであるが、進んでそれが國家を以て、最高の倫理、最高の自由の現實體となすに於ては更に大いなる缺陷を呈露する。吾々は此點に關して既述の所に其論證を讓つて、玆には多く關說する必要を認めないが、その結果として最も戒心し且又慨嘆す可き事は、道德が國家の生存の便宜の故に、敢て蹂躙せられて憚られないに至ると言ふ事である。何んとなれば、この立場にありては國家の行爲を批判すべき規範は、國家の法と、それに示顯せられたる最高の道德の外にはないからである。[註60] 人は現時此等の實證を多くの國家に於て、就中ナチス獨乙第三帝國或はファシズム伊太利に於て、目擊し發見するに窮しないであらう。

顧つて、文化國家觀はかの警察國家觀が福祉（Wohlfahrt）を、法治國家觀が自由（Freiheit）を、主唱したのに對して、文化（Kultur）を提唱するものであるが、謂ふ所の文化は結局民族主義的意義に於ける文化の高揚である。民族的文化の意義は、民族の夫れの如く概念的に多義であるが、これを國家目的論の見地からみる時には、倫理的なる意義を表象し來るものとなるのである。それはそのものの外部的發展として民族が單に物質的に結合するのみではなくして、精神的にも合致して、鞏固な統一國家を建設する事を理想とするものである。隨つて斯る國家觀が政治政策的分野に於ては、國家の權威を絕對的に發揚するものとなり、民族主義的色彩と相俟つて所謂人道主義的な理想主義的志向に開展する事なく、寧ろ守舊的な全體主義的志向に進展するのである。そこには個體が退けられて、全體が尊重せられ、しかも謂ふ所の全體主義は民族的、國民的に制約せられたる國家全體主義として現はれるのである。實際に於ける個々の政策としても國家は、あらゆる社會生活の總括として一切の文化を指導し、監督するの立場を取るものとして現はれるのである。斯くの如き意義と內容とを有する文化國家觀が、統制乃至權威に對する自由の問題、法乃至國家に對する倫理の問題等を新らたなる中心・基調として、且又、社會の集團的過程に基礎を置く所の國家對社會の問題とも聯關して、近時特に問題とせられ、就中多元的國家觀の立場からして批判と分析とを受けて居る事は、普く人の良く知れる所である。

茲に一言附言するならば、國家と倫理との混同を冒す事の採り難き所以は明瞭である。かの自由の問題に關するヘーゲル學派の所說に就いては、上段にいささか詳述し且つ、これに對する批判も附言して置いたのである。其所說は精緻を極めたるものであるが、これを端的に言へば社會に生活せる個人とはおよそ緣遠き、實踐的には個人的自由の殆んど徹底的までなる克服にも近き類の概あるものである、と言はねばならない。國家生活を送りつゝ社會生活を營みつつある所の、現實の人間に取つて要求せらる可き自由は、單なる個人的立場のものを去るとしても、あの樣な形而上學的國家概念の演繹の下に齎らさるる所の、先驗的なる自由ではないのである。其處にては個人の現實的意思や、自由の希求は、先驗的なる意思の下に、下屬せられ、克服せられるのである。自由ではなく、服從こそが眞の自由であり、自由は政治的指導原理や、目的ではなく、盲目的にも近き、自己獻身的なる敬虔なる服從がこれに代るものとせられたのである。

轉じて自由に就ける純粹なる個人主義の見地からの貫徹、而してその意義に於ける自由を以て政治や國家の指導的原理となす事は、或は既に過去の、かの個人的自由の理念の華かなりし時代の幻想に過ぎないものとして、多く顧みらるる事ないかも分らない。併乍ら、自由は、生存の可能の問題と共に、人類が集團生活を繼續する日の限り、恐らく、消去る事なき問題である。蓋し自由そのものは單に一つの政治的目的に對する手段ではなく、それ自體、一つの課せられし高き目的であるからである。自由の要求せらるべき必要は、必らずしも善良なる社會的統制の達成の故にではなく、それ以上に國家・社會生活並に個人生活に於ける、高次的なる目的の追求に於ける保障の故に依存するのである。蓋し寔に歷史の進展が自由の概念の進展そのものに外ならない所以のものは、蓋し

この故である。但し、今や自由の要求並にその貫徹の上にも近世的思惟の推移と發展とが看取せられるのは、それらが團體の原理乃至團體性に卽して構成せられると言ふ點である。卽ち過去三世紀間は、國家全體乃至絕體主義に對する個人の獨立性が自由鬪爭の鐵床であつたのであるが、それが團體の獨立性に聯關するものに置き換へられたのである。純粹なる個人主義的志向に卽せる、自由の貫徹が今や期待され難く且又、それは論者の冷笑するが如く、よしんば、既に過去の夢と消去つたとしても、團體性の要求、團體の獨立性に卽して求めらるる自由の要求は、社會的集團の存在權の承認に關聯して、なほその存在理由と價値とを有するであらう。

〔註〕

（註53）L. T. Hobhouse, The Metaphysical Theory of the State, Rep 1921, pp. 50—54.

（註54）L. T. Hobhouse, op. cit. pp. 33—34.

（註55）L. T. Hobhouse, op. cit. pp. 34—35.

（註56）J. J. Rousseau, The Social Contract, Engl. tr. by H. J. Tozer, 3. ed. 1920, P. 113.
B. Bosanquet, The Philosophical Theory of the State, 3. ed. pp. 117—118.

（註57）L. T. Hobhouse, op. cit. p. 60.

（註58）拙稿「宗教的自由闘爭と近世衆民政的政治思想」（吉野作造先生追悼記念・政治及政治史研究、所載）參照

（註59）L. T. Hobhouse, op. cit p. 73.

（註60）今中次麿教授、政治學（前揭）一一〇頁參照。

三　むすび
――國家目的の檢討――

以上、吾々は國家目的論に聯關してその典啓的なる國家觀を考察した事であつた。吾々の直接的關與は言ふ迄もなく、夫々の國家觀に於て取扱はれし國家目的論に存するのである、が、それは勢ひ延いて、各國家觀の基調をなす所の特質や本質に關する考察、檢討、批判に自づから聯繫せざるを得ないのである。それは自明の如く夫等の國家觀が國家目的論のみを對象とせる國家觀ではなく、吾々が本稿の意圖に卽して國家目的論の見地から古來存する所の數種の國家觀の中、上段のものを以て最も典型的なる國家觀として設定して、之れに關說し來たつたからである。併しこれは本稿の意圖に對して、決して無益の且又、牽强附會の業ではない。國家目的の究明は吾々の庶幾する所に於ては、國家本質の理解の上に國家本質自體から抽出せらる可きであつて、これは吾々が最初に論定せしが如くである。斯る言はゞ、本質論的見地からして、吾々は上段に於て考證に供せし國家觀の考察・解明・批判に携はつた譯である。而して夫々の國家觀の本質を、一應究明したる上に於て、夫々の國家觀の構成する國家目的を顧慮せんとしたのである。しかも、謂ふ所の批判の根據となつた立場は、多元的國家觀の見地であるが故に、それは他面に於ては、現時なほ最も通用の見解となれる、一聯の國家觀に對して、本稿の卽して立つ立場の解明、辨證にも資する所以として役立つであらう事をも期待したのである。これが吾々の意圖であつた。吾々が上段、論究の爼上に乘せし三種の國家觀の中、最も多く文化國家觀に關說せし理由も亦この二種の意圖に基因するものであり、これは繰返して言明せしが如くである。多元的國家觀の單元的國家觀一般に對する對立的立場は言ふ迄もなき事ながら、就中後者中、文化國家觀に對して最も尖銳なる對蹠的立場を占る事も亦周知の事象である。斯く一般に周知の事象にもせよ、吾々が、文化國家觀に他の場合以上に關係したのは政治機能の究明に關聯するの意圖を內藏しての國家目的論の攻究に於て、立證の根基となる見地に最も顯著なる對蹠的立場を占る見解に對して一應の、理解を準備する事は不可缺的に必要であると考へられるからであつた。

さて、上段に於て警察國家觀の謂ふ所の「福祉」、法治國家觀の說く「自由」、而して文化國家觀の提唱する「文化」などの諸觀念に就いて、一應の考察を試みた事であつた。それらのものに從つて、吾々が學び知つた事は、國家目的に對する價値なるものは、自然關係に於て求む可きではなく、それは何れも規範關係に於て求めらる可きであると言ふ事である。しかも人間生活に關係する規範關係の上にその價値的基礎が求められると言ふ事である。夫等がいづれも規範關係に於て求められたと言ふ點に於ては妥當であらう。蓋し社會關係に於ける價値は恒に自然關係に於てに非らずして規範關係に於て、求められなければならないからである。併乍ら、政治現象、或は國家現象なるものは人類の廣汎な複雜なる、多樣多岐なる社會現象中の或る特定の現象なのである。隨つて人類の、あまねき社會現象の全般に妥當すべき普遍的なる規範關係が、政治現象或は國家現象に其規範的、價値的妥當性を具有すると言ふ事は、固より當然の事象であり且又あらねばならないのである、が、併乍ら吾々が茲に看過並に過重視す可からざる點は、政治現象或は國家現象は前述の如く或る限定せられし特定の社會現象であると言ふ事である。此等の現象の人類の普遍的なる社會現象に對する關係は、此故に特殊的關係であり且つこれに過ぎないのである。隨つてこの領域に對して支配的なる可き規範乃至價値の基礎は、人間生活の普遍的なる社會關係を律す可き規範乃至價値に基礎的立場を占めて居ると言ふ事は固より否定し得ない事理であるが、特殊的領域を構成する特殊的關係の現象には、自づからその契機と成る可き特定の價値乃至個性があらねばならない。茲にはその謂ふ所の價値乃至個性の何んたる可きかに就いては、論定しないが、政治現象や國家現象を人類の社會現象一般中の特定現象であるとするならば、斯く特殊的關係を規制す可き規範の基礎は、直ちに以つて人類の全社會生活の普遍的關係を律する規範そのまゝでは一つには廣汎に亘り過ぎ、他には漠然に過ぎるのである。政治や國家が特殊領域を根基とし且又、特殊對象を有するものであるる限り、其處には特定の特殊的價値の基礎が要請せられなければならないのである。

かの「福祉」、「自由」、はた又「文化」等の夫々の概念は、政治や國家の本質に關し解明する所、固より多大ではあらうが、併乍ら夫等のものの價値の内在や、具現達成が國家と國家ならざる社會との相違性を、果して明瞭に定立し得るか否かは疑なきを得ない。これを端的に別言すれば、「福祉」「自由」「文化」等々の概念は或は、又、場合に依りては國家ならざる諸々の特定社會に於て、國家に於けるよりもより以上にその內在的價値を有し且又、より以上にその具現達成をみるの可能性を有すると考へられない事はないのである。例へば自由や文化は國家的關與の故に却つて歪曲せられ易く、又、人は斯る經驗を多く所持してゐるのである。

其處で國家に於ける價値の特殊的內容として、それは法の實現達成、卽ち法の關係であると論述せられる。多くの學說、就中最も廣き通用をみるの學說は、法と國家との間に於ける聯繫の必然的なるを說くのであり、それに就いては玆に其の典據を擧示するの必要は恐らくあるまいと思ふ程に、それは一般的となれる見解であるとも言ひ得よう。併乍ら吾々は、吾々の見解を端的に言はんに、法と國家との間に果して斯くの如く、概念上、必然的聯繫ありや否や、疑無きを得ない。從來、該兩者の關係を如上の如く觀念したのは、政治學乃至國家學に對する法律學の影響の深甚なるを示すものであるが、これを別の觀點から考ふるならば政治學乃至國家學の法律學との密接なる宿緣、更に極言すれば、不幸なる惡緣の所產であつたとも考へ得られる。なほ又、法律學上の概念としても、國家と法との必然的聯繫なる概念は法律學上に於ける國家萬能主義の結果である。實に法は必ずしも恒に國家に於てのみ、或は國家に依つてのみ、存在し且つ行はるるものではない。人類の共同的社會生活の存在する所、其處には必らずや何等かなる法的秩序の存在する事は歷史的なる又は社會學的なる實證的研究を俟たずとも、承認せらるべき事象である。「社會ある所に法あり」(Ubi societas ibi ius)而して、又「法ある所に社會あり」(Ubi ius ibi societas)の有名なる句の語るが如く、法は單に國家のみの獨占的聯繫物ではなく、これは法と社會との普遍的な遍在的關聯を、證左するものである。[註61] 試みに思へ、國家を越へたる法、諸民族を橫斷的に牽聯するの法、道德や宗敎や經濟や科學や趣味等に卽する諸々の社會に於ける法の所在は亦、吾々人類世界に嚴在し、人のよく知れる所である。洵に法は社會生活の條件なのであり、この事は、イエリング(Ihering)やシユタムラー(R. Stammler)の如き法律學者も等しく認むる所である。[註62]

法と國家との關聯に於て斯くの如くであるとすれば、吾々は玆に於て國家の根源的なる本質、卽ち國家を國家ならざる社會より區別する要素としての窮極的なるものの、何んたる可きかに想を新たにして考察しなければならない。國家に就ける原理は單に形式的法律學上の原理上に安定せしめる譯にはゆかない、それは如何なる理由に依つて後者が採擇せらるるか、また、その結果として該原理が如何なる役割を演ずるかを探索しなければならない。かくして、國家に就ける法律學的理論のみの存する所の觀念的概念の純粹に論理的世界と、吾々の周邊なる現實的世界、——其處にては國家は其個有の機能を遂行す可きものとして考へられるのであるが——其兩世界の間に一つの橋梁が架設せらる可き事が要請せられる、其爲には隨つて國家の機能の性質につける考察を必要となし、而して法律學的解義からは獨自的に、國家をして最大量可能の利益に對して行使せらるる樣に考へらるる所の、制度的原型を案出するの必要が存するのである。註63

吾々は先きに國家を國家ならざる社會一般より區別する要素として窮極的なるものは、國家の社會としての目的並に機能であると述べたのである。而して既述の如く、國家目的は國家を爾餘の國家ならざる諸々の社會よりして、區別する契機たるものであらねばならない。これが事體に就ける基本的必須要件である。若しも國家以外の社會にして國家と其目的を完く等しくする社會が存在するとすれば、國家は存在の理由と意義とを喪失するであらう。尠く共獨自的存在の必要をみざるに至るであらう。國家が其存在を必要とされ、其所在の意義を認めらるる所以のものは、國家が他の國家ならざる社會と異れる目的を有し、而して人類は國家以外の諸々の社會にありては實現不可能の、或は實現達成し難い、特殊的目的の實現達成を國家に對して期待して居るが故に外ならない。或は假に一歩を讓つて考察するとしても、人類は他のあらゆる社會に於てよりも國家に於て最大量に於て、具現し得る目的を、國家に對して期待し得るとなすからである。吾々が先きに國家目的の具體的內容決定は、國家の本質的要素の中より摘出せられねばならないと述べたのは此故である。

玆に於て吾々は國家の社會としての特性・本質を再顧しなければならない。既に知れるが如く、國家が他の諸々の社會に對する特性・本質は國家が權力的性質を具備する社會であると言ふ事ではない。それは先きにも指摘せるが如く人類の社會は如何なる種類のものにもせよ、大なり小なりに、何れも權力的性質を備へざるものはないが故である。又、國家が最も完備乃至整備せる組織を有するが故でもない。無數の多樣多岐なる人類の社會中にあつて、如何なる社會を以て其組織上最も完備せりと定立する事はおよそ不可能であり、若し强ひて之を定立せんには恐らくは其規模並に構成員の甚だ過大ならざる、寧ろ極めて狹小なるものであらうと言ふが如き一種の形式的措定を豫定する以外、蓋し不可能事に屬するであらう。ただ、國家が地域的社會であると言ふ事は尠く共、國家が諸々の社會に對して有する所の、極めて顯著なる特性として多くの學說の廣く認むる所である。吾々は本稿の當初に於て此等の諸點に關說せる際に、國家と地域との關係に就いて後者を以て前者の不可缺的構成要素となす事を明白に否認する學說の敢て珍らしからざる旨を敍し、併乍ら吾々は必ずしも其種の學說を支持するものに非らずと述べたのである。而して其場合にも言及せしが如く、吾々は斯く思惟すると雖、土地・地域の國家に對する意義は單に一種の社會的組織的要素に過ぎないと觀るのである。隨つて土地・地域に關聯して、之を或る立場の如くに、國家を以て直ちに所謂全體社會となし、國家に對して社會的上位性の概念を構成しようとするものではない。吾々が國家に關して地域を顧みようとするのは、國家は固より全體社會ではないけれども、國家が一定の廣さの地域を以て其の一つの社會的組織的要素となし、國家が自づから取る所の自己の任務・機能と一聯の聯繫をなすものがあると、考ふるが故である。國家に對して地域を考へようとする根據はこの意義に外ならない。國家が一定の廣さの地域を以て成立すると言ふ事は該地域内の人類を以て自己の構成員と成す事を表象する。併し此場合國家が該地域内の人類を包攝すると言つても、それは單に外部的關係に於てのみ構成員として包攝する事を表象する迄であつて、夫等の構成員の人間生活の全面的關係を包含すると言ふ意味ではないのである。この點も事更なる論證を必要としないのであり、所謂國家全體社會觀を取らざる限り認められてゐるのである。註64

其處で、國家の地域との關聯は國家なる社會をして、社會的平和と秩序との最も適當なる擔當者たらしめるのである。別言すれば、社會的混亂に對する防衛と社會秩序に對する保障は、地域的社會たる國家が他の社會に於けるよりも最も良く行ひ得る立場にあると言ふのである。但し國家以外の社會と雖、平和と秩序との防衛・確保に對して無爲無力であると言ふのでは固よりない。社會は一般に夫々の立場に於ていづれも其爲に力を致さざるはないのである、が、各社會が夫々秩序維持の爲に準據する所の規制は、夫々各自の社會の目的に關する、言はば側面に限定せられる。しかも亦多種多樣の社會は同一地域上に於て相互に錯綜して併存するが故に、强ひて具體的に言へば自己の構成員以外の者によつて、その秩序を攪亂せられても之を防衛し難い怨みが存する。これに對して國家は、ともかくも一定地域内の全員をその構成員として有するのであり、それと共に國家の法が國家構成員に對して原則的には、一律に普遍的に妥當す可く要請せられて存在するのであるからして、國家は他の社會よりも一層適正に且つ豊富に平和、秩序の整序・維持に對する能力があると考へ得られる。國家は其點に於ては他の社會のよく擔ひ能はざる任務を、自らの社會としての本質上擔當し得るのである。

洵に國家の法の本質並に其意義もたしかに或る一面からは如上の意味に於て、理解するを以て根本的となす可きであつて、國家の法を以て一概に絕對的に强制的・强權的實力を內在とする所の、社會的統制的規範として過當に强調するのは法の本質並に其意義を誤るものであるとなさねばならない。國家の法を以て斯くの如き偏に强力なる强制的性質、之を極めて端的に而して通用の見解に於て屢々見らるるが如くに、絕對的拘束性を具備せるものとなす事の取る可からざる所以は、また實に、國家の法の妥當す可き分野が國家が據つて以て立つ所の所謂一定地域であり、而して又その效力の向けらる可き對象が該地域内の全員であると言ふ點からしても、なほよく理解せらる可き事であらねばならない。卽ち國家を成す構成員は國家の占據する所の一定地域内に居住すると雖、内面的にはさまざまなる社會を構成し、或はさまざまなる超國家的社會にも關與乃至之を構成し、しかも夫等の社會は相互に錯綜して並存し、且つ各社會は恒に必らずしも諧調的關係を呈するものではないのである。加ふるに國家構成員各自は、もろもろの屬性、例へば記憶・感情・感覺・目的・欲求・意志等々に於て類同、恒なきものであり且又複雜を極むるものである。斯かる諸々の點を考ふれば國家の法の具備する拘束性が單に外部的關係に對するものたる可き所以が理解せられるであらう。此點に於ては法治國家觀の說く所の自由主義學說の敎ゆる所は妥當であると言はねばならない。

吾々は如上の如き意義に於て、國家の法を其地域なる構成的本質的要素に聯繫せしめて、其處から國家目的を摘出しようと思ふのである。それは平和と秩序との整序、維持に對する所の特殊なる任務であり、又、機能である。これを便宜上、國家の治安目的と稱してもいい。而してこの目的こそは國家の基本的第一義的なる目的であるとなし得るであらう。

轉じて高田保馬博士は嘗て國家の本質に就き説かれし場合、極めて普通に通用となれる見解の提示する所の、地緣、統治機關及階級支配の組織と言ふ三根據を夫々批判して、夫等のものを以てしては國家の本質、卽ち國家を他の國家ならざる社會より區別するの契機とは爲し難いと論證され、謂ふ所の國家の本質はその機能に於て定立せらる可きであると説述せられた。而して求めらる可き國家の機能は「統制の爲の統制」、更に進んで之を自ら訂正して「防衛の爲の統制」にあると論定せられた。[註65] 吾々は博士の見解に多く教へらるるものである。此場合博士は、國家を以て地緣團體に非らずとなさるるのであり、この點に就ては吾々は聊か見解を等しくしない、が、博士がその點に就ける根據として「國家と土地との關係は唯其組織又は秩序が一定の地域的妥當性を有するに過ぎない」となさるる限りに於ては、吾々も亦想を一つにするものである。博士は社會の發生論的集團過程を社會學的に豐富なる資料・典據に卽して充分なる考察の下に於て、社會の地域的解放を説かるるのであるが、[註66] 今、玆に國家の地緣團體たる事を拒否せらるる根據として、國家を以て「地緣團體であるとすれば連接せざる地域の成員が同一國家をなすことあり得ざる譯であらう(例へば數個の屬領」との故を以て論ぜらるるものの如くであるが、これに對しては吾々は全幅的には從ひ得ないのである。それは國家につける社會的構成的要素としての地緣なる概念を、言はば餘りにも自然科學的に乃至は地理學的概念として取扱はるるの概がある。地緣の國家に對する關係乃至意義を、國家の組織乃至秩序が一定の地域的妥當性を有するに過ぎないと觀る以上、土地の連接又は不連接は特に問はる可き重要なる意義を有せざるものではあるまいか。併し吾々は此點に對する質疑はこれ以上續けないが、次に博士の國家の本質、卽ち國家を他の社會一般より區別するの契機としての國の機能に關する論述を顧みよう。

抑々高田博士は國家を事實性に基くものと觀て、規範性に基くものとの見解を斥けらるるのであるが、併し事實性に基くとしても、そは單なる物理的自然と國家とを同一視せず、自然に非ざる事實性そのものに基くとなし、しかも規範そのものとは異れる精神的事實に屬するものと觀て居られる。此際、當面の課題には必らずしも直接的關係はないが、必らず言ひ添へなければならないのは、博士は國家を如上の通りに認めらるるにもせよ、自ら言明せらるる所に依

註67

れば、法的規範的なる國家概念の存立を否定するものではないと述べて居らる事である。[註68]しかも、物理的强制そのもの又は其獨占を以て國家の本質となす事を極力を排しつゝ、國家を國家ならざるものより區別する契機は機能に存すると説述せられたのである。[註69]

斯くして國家の機能として先づ、「統制の爲の統制」を擧示して玆に國家の本質を定立せられたのである。謂ふ所の統制の爲の統制とは如何なる意義なるか、その説かるる所を簡略に要約すれば大體次の如くである。

卽ち博士に依れば「すべての團體は支配的團體である」と稱し得る程に、すべての組織は統制を營みつゝある。然し政治的組織――博士は之によつて國家を指示さる(筆者附記)――以外のものにありては何等かの特定目的の達成の爲に、言はば、手段として、卽ち「或る目的に向へる活動を助長せんが爲に」、統制が營まれる。此場合統制は目的ではなく一定の目的に向へる手段である。これに對して政治的組織にありては統制そのものが追求せられ、玆にては統制は手段ではなくして目的である。斯くして國家は統制の爲の統制の組織として本質的定立を得るのであると言ふ旨を述べられたのである。[註70]

其後、博士は此點に關して自說を補足、訂正せられた。卽ち國家を以て統制の爲の統制の組織と稱するは、未だ其の完きを期し難いとなして、國家は本來「防衛の爲に統制を營む」となして國家を以て「防衛の爲の組織」なりと述べられたのである。註71 玆にては防衛の爲に營む統制と言ふ事が國家の機能として觀らるるものと考へ得られる。

〔附記〕

高田博士の此點に就ける見解に就き、「統制の爲の統制」(甲)と言ふ國家機能に就ける見解が、博士に依つて「防衛の爲」に營む統制と言ふ意義(乙)への訂正がなされたと紹介したる事に就き、甲說と乙說とは等しく博士の同一著書(「國家と階級」)內に於て說かるる所であり、しかも乙說は其著の第一論の中に(卽ち一頁より六十九頁迄)於て、甲說は同書第二論(卽ち七十頁以降)に於て夫々論述せらるる所からして、筆者が本文に於て「補足訂正」と記したる點が危しまれるかも分らない。併しそれは、次の如き勘考に基くのである。卽ち該書に於ては著者の編纂上の考慮よりして、第一論と第二論との順次に排置せられたのであらうが、元來該書は著者の幾干かの獨立の論文を論集の形にまとめられしものである。而して其排置の順次は著者の夫々の論文の公刊發表の年代順ではないのである。そこで此第二論、即ち「統制の爲の統制」と言ふ見解の現はれたる論文は、一九二五年に執筆され、該書公刊に際し著書の推敲修正を經たるものであり、第一論、即ち國家を以て「防衛の爲の組織」なりとの所説の掲げられし一篇は一九三二年の執筆に成るものである。随つて著者の思想的發展の跡に從つてみる場合は、第一論に示されし見解は第二論の夫れに對する補足訂正として讀む可きものであると考へるのである。

次いで、高田博士に依れば、防衛の活動の向ふべきものは一つには「外部の敵對者」であり、他には「内部の敵對者」であるとなされる。[註72] 而してこの機能は必然に權力の獨占を要求すると説かれる。此場合にも、權力の行使は獨り國家のみならず社會一般に普く存在する現象であるが、「國家は其本質上、從つてその組織の精神上に於て、權力の獨占を要求する。唯一の權力組織であらうことを求める。」[註73] と述べられる。博士は固より國家を以て唯一の權力團體なりとなすの見解を謬見とさるるのである。併乍ら國家と權力獨占の要求は切離し難いと説かれる。併し斯様な「權力獨占の要求が國家をして國家たらしむるものではなく」、この様な「要求は國家が防衛の組織である所からして來る必然の結果である」と論證せらるるのである。註74

以上吾々は高田博士の國家本質に就ける見解を顧慮し簡單に要約して述べたのである。惟ふに、國家を以て防衛の爲の組織と觀る事は、國家を以て平和・秩序の整序乃至維持の擔當者なりとなす事と複合する。卽ち平和・秩序の整序並に保障の爲に、國家は防衛の爲の組織としての活動乃至統制を行使し、且又それを以て己が任務とし、機能となすの所以を表象する。玆に社會としての國家の本質が存すると、吾々も亦考へるのである。

上述の如く國家を以て、統制の爲の統制を營む組織或は又、防衛の爲に統制を營むもの卽ち防衛の爲の組織なりと定立するのは、社會としての國家が營みつゝある所の機能に着目し、且つそれに卽して國家の本質を把握し摘出して理解せんとするものである。此場合の如く一定の社會現象として國家の機能を斯く理解すると言ふ事の限りに於ては、吾々も亦同様なる見解を取るものであり、何等異議を差挾まうとは思はない。併乍ら玆に於て進んで、然らば何故に、或は如何にして斯くの如き機能が諸々の社會の內に於て、特に國家なる社會に其所在を賦與せられ、或は認識せらるるかと言ふ課題に對しては此見解は語る所、未だ薄いと言はざるを得ないのではあるまいか。國家目的に關して國家の本質を、卽ち國家を他の國家ならざる社會一般より區別する契機を求めんとする課題に對して、國家なる社會に於て特に認識せらるる所の一定の機能を、社會現象的に指示し摘出すると言ふ事は固よりそれ自體、一つの意義を有する事は自明である、が、その程度に於ては當面の課題に對して未だ尙その一面の、言はば消極的なる解明を呈するに過ぎないのではあるまいか。此處に於て斯る機能の存在且又斯る現象の認識可能なる理由を進んで求め、此點に就ける解明を與ふるの必要を覺えざるを得ないのである。

吾々は此點に就いて極めて端的に吾々の所懷する所を表明しようと思ふ。高田博士が擧げて以て國家の機能、卽ち國家の本質となさるる所のもの、換言すれば統制の爲の統制或は防衛の爲に營む統制と言ふが如き意義の機能が、國家の本質として認識せらるる所以のものは、要之國家が一定の地域を其一つの構成要素となし、而して其一定地域上の全員を構成員として有すると言ふ事、並に國家が單に法によつて組織立てらるるに留まらず、國家の法は、國家が地域社會であり乍ら、併乍ら全體社會ではないと言ふ事の故に必然に單に、外部的關係に對する統制的規範に過ぎないと言ふ事とに、相聯關して初めて定立可能なりとなし得るのではあるまいか。

既述の如く國家以外の社會にあつても固より所謂外敵に對する防衛とか、或は内部に對する平和・秩序の攪亂に對して夫々の立場から夫々の程度に於て、努力しない譯ではないのである。これは社會存在並に發展の爲には尠く共一つの基本的なる必須的努力であり、その限りに於て社會一般に通ずる普遍的現象であると考へられる。併し國家に對して特別に此種の機能乃至活動に重點を置かうとするの所以は、既述の所からして明瞭であらう。國家は全體社會ではないが、地域社會である。所で、該一定地域内の全員は、相互に無數の各種社會に幾重にも關係して構成して居るのであり、且又夫等の諸々の社會を國家は全部的に包攝するものではないのである。卽ち別言すれば國家構成地域内の全人類の人間生活の全層面を國家は全面的に包攝するものではないのであるが、該地域内の全員は國家構成員と言ふ立場乃至資格に於ては、卽ち該層面の關係にありては國家と一體を形成する事、言ふ迄もない事理である。茲に國家と地域と、國家の法と、該地域内に居住する構成員との關係は、社會一般中特に國家に防衞につける有力・有效なる役割及び立場を形成する。洵に地域社會以外の社會にあつては防衞の根據を永く獨占的に保ち得ないのであり、――保ち得れば卽ち國家に轉化する――隨つて防衞を最終まで全ふし難い。[註75] 但し斯く言つても國家の謂ふ所の防衞も亘に必らず最終迄行ひ得るとなすのではない。其處には自づからなる制約があり且つ限度の存する事、これ又言ひ添へる迄もないであらう。

さて、吾々は國家が地域社會であると言ふ事、國家の法が國家構成員に對して原則的には普遍的に妥當す可く要請せられて存在するものであると言ふ事を、基礎概念として、國家に對して平和・秩序の整序及維持と言ふ所謂治安目的を定立したのである。此場合吾々は國家の法は既述の如き理由を以て、其性質上偏に絕對的强制的性質並に效力を具備するものではないと言ふ見解に立つたのである。斯る基礎概念の上に卽して如上の見解を樹立したのであつた。

茲には併し次の如き反駁乃至は抗議が擧げらるるかも分らない。卽ち、國家が言はるるが如く平和・秩序の整序及維持を機能となすと言ふ事、否それを機能となし得ると言ふ事は、吾々の採つた所謂基礎概念とは寧ろ對蹠的に、要するに國家の法が絕對的な乃至尠く共最終的なる强制的權能を內包として有するが故であると。而して又、社會生活には畢究する所、窮極的權威があらねばならず、若し斯る權威の嚴在を認めざる限り、人間の全社會生活に於ける平和・秩序は其歸趨を喪失して社會は結局無政府狀態卽ち無秩序に終止せざるを得ないと。斯かる混亂を直ちに能く防衞し得るが爲には結局國家の法の規範性に對して、社會的規範としての窮極的權威を賦與して觀念せざるを得ない、と。

斯くの如き反駁或は抗議は所謂通說たる國家觀の立場から、最も當然に呈せらるるものである。それは其種の國家觀の根本觀念からして必須的歸結である。隨つて此種の抗議に對する解明は其種國家觀の根本觀念への檢討・批判に於て企圖せられねばならないのである。この事は一層深く考ふれば其種國家觀の基礎と成る可き世界觀そのものに基いて、攻究せらる可き課題であらう。吾々は今その爲の解明に從事する心積は持合せないが、この事は本小稿の當初からして、所謂多元的國家觀に卽して問題に就ける論究を繼續し來たれる過程からしても除外を許容せられるであらう。

洵にかの國家全體社會觀乃至單元的國家觀の立場に於ては、社會的相剋に對する平和・秩序の問題に對しても、すべて事體を統一乃至統合なる點に關聯して論斷するが故に、其解決は簡單、容易且つ明瞭である。此場合には既に知らるるが如く、國家は其地域內の一切の社會を全部的に剩す所なく包攝するものとなされる譯であるから、國家と他の社會との相剋は其決定の歸趨が最初から既決的であり、而して又、國家以外の諸社會間の社會的、相剋も畢竟、最終的には國家が其決着を裁定し決斷するものと解義せられるのである。隨つて此立場にては國家組織の根本を甚だしく攪亂するが如き社會的混亂の場合以外に於ては、平和、秩序の整序・保障につける困難なる問題は發生しない譯である。然乍ら、國家全體社會觀を支持せざる立場に取りては、この種の一方的なる解明はおよそ無意味である。蓋し其理由も玆に掲出するの要はあるまい、唯、一事附言したいのは斯樣に此種の課題に對する解決並に解明が、容易且つ明快に得らるるの故を以て、かの國家全體社會觀を正當なりとなすの根據とはなし得ないと言ふ事である。此點に就ても玆に事更なる究明を必要とはしないであらう、が、此樣な附言を態々加へたる所以は、とかく斯くの如き言はば取り留めもない理由が、國家全體社會觀擁護或は肯定の根據として採擇せらるる事が絶無ではないからである。

飜つて吾々が、いささか考へてみたいと思ふのは次の如き點である。即ち平和或は秩序は必らずや恒に强權的基礎の上に於ける統制・統合或は統一の所産なりや否やと言ふ點である。此點に於ける詳細なる論究は他の機會に讓るとして、この命題に對する吾々の見解を端的に述ぶるならば、吾々は之に對して、ひたひたむきなる積極的支持を恒に必らず妥當なりとはなさない。若し全社會中、ある社會が眞に最終的强制的强權を有するとするならば、其樣な社會に依る强權的基礎に卽する統制や統一が、あらゆる社會的相剋に對して全社會の平和・秩序をその事の限りに於て、確保するであらう事は或は疑ふ可くもない事かも分らない。併し今假にある社會が其樣な權力を具備するものと認容するとしても、平和と言ひ秩序と言ひ、それらのものは、恒に上述の如き意味に於ける統制や統一などの結果のみとは限らない。これを極めて卑近な實際に就いて考へてみても、例へば現實の所謂國際間の平和・秩序なるものに就いてみても、各國家は政治的な軍事的な或は經濟的な牽制、均衡、對立等に依る關係、その他もろもろの社會的關聯に卽し、或はさまざまなる要因に制約せられて、ともかくも――表面的にもあれ――一定の秩序の關係、體樣を呈して居るのである。これが現實の平凡なる事實であつて、其處には例へば超國家的實力的現實體が存在して居るが故に、其樣な關係が保持せられて居る譯ではないのである。斯く吾々は言ふとしても規範的立場から言はるる所の、國内法に對する國際法の優位性の概念の成立の可能を抹殺しようとするものではない。

ここに超國家的實力的現實體と假に呼んだが如きものの存在とは、之を端的に現實的、且つ具體的に推定するとすれば例へば國際聯盟の如き集團的機構が、單に道德的拘束力を具有するのみならず、更に現實的に、例へば軍備的實力をも具備するが如き場合を豫定しなければならない。しかも其實力は超國家的、超社會的權能を有するものであらねばならない。然るに現實の世界には斯る類のものは實在しないのである。而して現實の所謂國際間の平和の維持は其所在を、左樣な超國家的實力的現實體の存在に負ふて居るのではないのである。又假に左樣な現實體の存在その事が、必らずしも恒に平和・秩序の保障に取りて決定的なりや否やは、攻究を要する別個の問題である。

然らば、國家と國家ならざる社會との間に生起する相剋、或は國家ならざる社會相互間に於ける複雜多義なる相剋、而して其間に得らるる所の平和・秩序の關係にありても、事態はおよそ同斷である。惟ふに平和や秩序の成立、存在は强ち一概に言はるるが如き統制や統一の所產のみではなく、洵に屢々和合や妥協の、卽ち所謂和議乃至約條(Konkordat)の所產である。社會の集團的發展過程と集團的分裂との向性が、現存社會にありて複雜化する行程を取るものとすれば、事體は益々多く後者に依存するの實を示すであらう。今や社會は、恰も個人の孤立の許されざるが如く、自づから相互に廣義に於て聯立的(フエデレイテイブ)なる關係への向性を、益々一般的となしつゝある。斯くして求めらる可き平和や秩序も上述の如き意味に於ける强權的統制、統合、或は統一等に其歸趨を置かるるよりは、寧ろ、より多く社會相互間の所謂コンコーダート的なる、聯立的なる關係に依存するもの、或は尠く共依存するであらう所の向性を有する事を看取す可きではあるまいか。

斯くの如き社會の聯立的なる關係への向性を、現實社會の發顯形態となす所の情勢の内に於て、國家の特有なる機能が國家の社會的地位に關聯して更に明瞭に理解せられるであらう。茲に國家の社會的地位と言ふのは、かの國家全體社會觀を採らざる見解に卽する場合には、國家は、然らば社會全體内に於て如何なる位置を占據するかが當然に質ねらる可き課題となるのである。近時、國家を以て全體社會と爲さざる見解を採るものは漸く多い。併し事象の解明の爲には、國家を單に全體社會に非らずとして說くに留まらず、更に進んで、然らば國家は社會全體内に於て如何なる位置を占有するかをも合せて闡明しなければならない。然らざる限り問題たる事象に對して言はば單に消極的解明を與ふるに過ぎない。然るに多元的社會觀に立つ論者今や相當の數に登るにも不拘、謂ふ所の消極的解明に終止する體のものは却つて多數なるかに考へられる。高田保馬博士も嘗つて此點を特に强調せられ、國家を以て全體社會と爲さざる見解を持して、國家の社會全體内に於ける地位を考察する場合、考察の爼上にのぼせ得る可能なる可き見解として、次に掲ぐる三說を擧示して事體の詳細なる解說を試みられた事があつた。[註76]

第一、國家は組織の組織又は社會の社會として、他の社會を統制する事を唯一の機能とすると言ふ見解。

第二、國家は他の社會的集團と全然、並列的對等の地位に立つとなす見解。

第三、國家は一方に於ては他の社會と對立し、他方に於ては其上位に立つと言ふ見解。

以上三說中、第一說はマッカイバー(MacIver)の見解であり[註77]、第二說はラスキ(Laski)に依つて最もよく代表せらるる見解であり[註78]、第三說は高田博士の提唱にかかる見解である。[註79] 博士が其自說を樹立主張せらるるが爲めには、先づ上の第一及第二說を以ては不備とせらるるが故である事は、斷るにも及ばない、が、其所說の要綱は蓋し次記の如きものである。玆に其所說の要綱を約言しつつ吾吾の考察を進めよう。

卽ち、國家は夫れ自體一種の部分社會であり、その限りに於て他の部分社會一般と相並存し對立する社會である(卽ち第二說)が、廣義に於ける社會の秩序の要求の爲に尠く共現狀に於ては、諸々の社會に對する整序的・調整的作用を行ふ事を認めなければならない。國家は一方に於ては他の社會と對立して居るが、他方に於ては社會的上位性が認められねばならないと言ふ所以、並に謂ふ所の上位性とは、斯る意義に於てのみ妥當する所のものに過ぎない。國家が「組織の組織」或は「社會の社會」と言ふが如き意義に於て表象せらるる所の、上位性を(即ち第一說)意味するのではない。「組織の組織とか「社會の社會」とか言ふ事は、その許容し得らる可き最も嚴密なる意義に於ては、他の社會の上に統制作用を行ふ事以外何等の機能を營まざる事を表象する。其處で國家の統制が他の社會に及ぶと言ふ事は固より否定し得ない現象である、けれども、他の社會に其統制を及す所の社會は啻に獨り國家のみではない。國家も亦隨時、隨所に於て他の社會の統制を、直接的にか或は間接的にか受くる事のあるのは、人のよく知れる經驗的事實である。

加ふるに、社會は一般に個人を構成單位として成立するのであつて、社會にして斯く個人に基礎を置かざるものは考へられないのである。「組織の組織」とか「社會の社會」とか言ふ概念が、若し社會の構成單位として社會を有すと言ふが如き事象を意味するならば、人は斯る社會の存在を考ふる事は出來ない。故に、若しも其概念が社會の成立として認容せらるるとすれば、それは社會の構成單位としては個人に基礎するものであるが、其社會の機能が他の社會に對して何等かなる影響を及し、而して其處に一種の統制的拘束乃至統制的效果を與ふるが如き事象の派生として、考へらるる所の社會の意であらねばならない。マッカイバーが他の箇所に於て、「國家は部分社會の一つに過ぎないが、なほ全社會集團の整序・調整者(Co-ordinating Agency)として顯現するであらう」[註80]と説述したのは蓋しこの意であらう。然らざる限り、「組織の組織」「社會の社會」の意義を其本質的本源的意義に從つて解釋してゆくならば、結局それは多元的社會觀——斷る迄もなくマッカイバーも自ら所懷する所の——と相兩立し難い歸趨を招來しないとも計り難いが故である。

次に國家と他の社會とを全然並列的對等の地位に於て觀念する見解(第二說)は蓋し此課題に對する、此種の立場からの最も徹底的見解である。其最も典啓的代表者ラスキにあつては此點に於て、かの「社會の社會」なる概念は固より存在しない。彼は社會の構成に對し、且又社會の中心として個人が重視せらる可き事を强調する。[註81] 此點は彼が恒に主張し說述せる所であつて、事更に彼の言說を引用するを要さないと思ふ。併乍ら彼も亦國家の統制或は命令に對しては、他の社會の夫れに對するよりは服從が容易に與へらるると言ふ事象に就いては、之を積極的に否定しない。但し國家の權力と他の社會の權力との間に、何等の本質的差異の存在せざる事を極力主張する。[註82] 斯くして彼に對しては、國家はマッカイバーの說くが如くに、他の部分社會に對して上位に位置するものではなく、又其權力に於ても他の社會の夫れと異るものではない、唯、現實的には異れるが如くに見へるにしても、それは質の差異ではなく、單に程度の差異に過ぎない。[註83] 斯くして如何なる意義に於ても國家に關して、社會的上位性が拒否せられる。

茲に於て全社會には多種多様の社會が存在し、しかも並列的對等的に對立して存在するのみで、何等全般的に統制乃至整序的調整的なる作用を營む社會は考へられない。然るにも不拘、全社會に尙一定の何等か統一的なる一定の秩序が觀念せられ、且つ保持せらるる所以のものは、夫等の諸々の社會が本質上は基本的に聯合的(federal)であるが故であると說かれるのである。[註84]

惟ふに、ラスキの如く社會の本質を根源的に聯合的となして、凡ての社會の並列的對等性を說くのは、國家を以て全體社會と觀ざる立場からの、最も徹底せる且つ最も論理一貫せる見解であると原理的に言はねばならないであらう。併乍ら諸々の社會が凡て聯合的に存在するか否かは攻究を要する一問題である。

尤も、ラスキ自身も凡ての社會の聯合を實證的に語り示さんとするのではなく、基本的に本質上聯合的」(basically federal in natur) と説くのみであり、其點は彼自身の用意の存する所であらう。[註84] それは兎も角として——ラスキの思惟を玆に試みし如きものと假定するならば吾々も其思惟に強ち積極的拒否を與へないが——國家は屢説せる如く固より全體社會ではないが、一定の地域の廣さに於ける人員を自己の構成員としては有し、それに國家の法の本然的性質からして考へらるる所の、國家本質論的思惟に卽して考察すれば國家に對して全社會の廣義的秩序要求に卽する所の、何等か一定の整序的なる調整的なる作用乃至機能を認むる事が、原理的にも且又實證的にも、より妥當ではあるまいか。尠く共現狀に於ける社會的認識上、斯く認識する事がラスキの示す認識よりも具體的、客觀的妥當性に富めるものではあるまいか、吾々は既に先に此點に關する私見を述べたが故に、玆に是を繰返さない。

斯くの如き思惟が吾々をして高田博士の見解(第三説)を他の學說よりも客觀的妥當性に富めるものとして、顧慮せしむるのである。但し吾々が該説を他二説以上に推す所以は、全く吾々が設定したが如き前提に卽する思惟からであつて、此等の點は高田博士には無緣の前提なのである。先の機會にも觸言せしが如く、吾々は國家の本質卽ち特殊機能として博士が定立せらるる機能が、何故に國家に對して生起或は國家に依つて營まるるとなさるるかに就いては、吾々の寡聞を以ては關知しないのである。吾々は、之亦既に、繰返して國家の目的而して又國家の機能は國家本質からして抽出して觀念せらる可しと述べたのである。言ふ迄もなく謂ふ所の國家の社會的地位は取りも直ほさず國家本質に依據して決定せられる。隨つて國家の所謂社會的地位、國家の目的或は機能、而して國家の本質が相互に一聯の聯關の下に觀念せられ、決定・定立せらるる所以も亦自ら必定である。故に此等の一つに就ける論究は恒に相關的に論究せられる譯である。さらば、國家の機能に關して吾々が寡聞にして高田博士より聽き得すと解したる點――而して實は最も聽かむと欲したる點――は、移して以て國家の社會的地位に關しても亦同斷なのである。吾々は斯様な國家の本質、社會的地位に依據して、國家には上述の意義に於ける一種の整序的・調整的作用を認めようとするのである。其據つて來たる所以は既述の如く、要するに國家が一定地域內の人員を其構成員として包攝して、成立する社會であるとの事實及、國家の法の本質に由來して、言はば、派生的に生起するのである。一定地域内の人類が構成する多種多様の社會は、其目的、其機能、其規制等、相牴觸し相剋する場合を呈露するも亦事實であり且又、止むを得ないのであるが、一定地域内の人員を自己構成の要因となす所の國家にありては、該地域内の人員の社會的秩序を言はば保障する機能を自づから豫定せられねばならない。これが吾々が國家に對して所謂整序的·調整的作用を賦與して觀念する所以である。併乍ら固よりその事は直ちに以て國家の目的並に機能等が、質的に又量的に恒に爾餘の國家ならざる社會に優越的であるとの見解を構成す可きではないのである。これは最早改めて論ず可き必要はないであらう。

吾々は國家の目的に關しては既述の如く規定するのであるが、吾々が玆に國家の社會的地位の問題を取上げて考察した理由は、一つに國家の本質、其機能、延いては國家目的に關する吾々の理解の、より明瞭なる把握に資せんが爲であつた。

以上の所からして、吾々が國家の第一義的本質的目的となす所のものの、意義・内容・根據が如何なるものたるかが明瞭であらう。斯る目的が、國家をして國家ならざる社會より區別せしむる契機となるのである。吾々は當初から、國家目的の本義を其點に置いたのであつた。故に、國家目的として第一義的・基本目的を把握し、攻究し、理解する事に於て一應所期の課題は其任務を兎も角も盡した譯である。併乍ら、國家には謂ふ所の第一義的基本目的の外に、その側面に於て、言はば第二義的なる幾干かの目的を有し、又、有して固より差支ないのである。例へば、人間生活に不可缺なる經濟目的、社會生活の發展に伴ふ所の文化目的等は、その顯著なる類の目的なのである。此等の所謂第二義的目的に關しても更に一應の檢討を試みる事は、國家の目的並に國家本質に就ける理解を一層深め、且つ豐にするであらう。併乍ら、夫等の目的は本稿の課題に對しては、要するに第二義的意義を有する目的たるは必定であり、且又それに過ぎない。斯る思惟に卽して夫等に就ける敍述を割愛して、玆に本稿を一先づとぢようと思ふ。（一九三六年六月一〇日）

〔註〕

（註61）田中耕太郎博士　世界法の理論第一卷昭和七年　四六頁

（註62）同上四六頁、四七頁

Ihe.ing, Der Zweck im Recht. I. 2. Aufl. s. 443.

Stammler, Wirtschaft u. Recht, 4.Aufl. ss. 532 f.

（註63）H. J. Laski, Studies in Law and Politics, 1932. pp. 230——240.

（註64）河村又介教授「國家」（岩波法律辭典第二卷、九二八頁、）

（註65）高田保馬博士　國家と階級、昭和九年、八三頁——九四頁及七頁——一二頁

（註66）高田保馬博士　社會と國家　大正十一年第八章「社會の地域的解放」

（註67）高田保馬博士　國家と階級（前掲）八四頁

（註68）同上、九二頁——九三頁

（註69）同上、九四頁

（註70）同上、九五頁——九七頁

（註71）同上、第一論第二節（七頁—一二頁）參照

（註72）同上　八頁

（註73）同上　八頁

（註74）同上　七頁——一二頁

（註75）河村又介教授「國家」（前掲）九二八頁

（註76）高田保馬博士　社會と國家（前掲）一四七頁——一八七頁

（註77）R. M. MacIver, Community, A Sociological Study, 2 ed. 1920. p. 138 ff.

（註78）H. J. Laski, Authority in the Modern State, 2. print. 1919. p. 74 ff.

（註79）高田保馬博士　社會と國家（前掲）一七九頁——一八七頁

（註80）R. M. MacIver, op. cit. p. 46.

（註81）H. J. Laski, Studies in the Problem of Sovereignty, 2. print. 1918, p. 19. その他彼の數多の著書の隨所に、この種の思惟・見解は發見せられ、一つ一つ枚擧の必要は特にない程である。

（註82）H. J. Laski, op. cit. pp. 17—20.

（註83）H. J. Laski, op cit. p. 17

（註84）H. J. Laski, Authority in the Modern State (op. cit.) p. 74.

（註85）H. J. Laski, op. cit. P. 74.

法現象進化の基底

宮崎孝治郎

目次

一　法の生成進化を促す二原動力

法の世界に於ては人は萬物の尺度である。經濟の世界に於ては人と自然とは對等の地位に於て其の認識の對象となるであらうが、法の世界に於ては人が飽くまで主であつて自然從つて物は飽くまで從である。何となれば法は其の本質上人と人との關係を規律する範則であつて物は唯人が之を利用する關係に於てのみ法の視野に現はれるにすぎないからである。最も物と密接の關係を有すると稱せられる物權法に於てさへ一定の物權の客體をその物權の構成分子たる權能の範圍內に於て遺憾なく利用する——經濟的意義——爲めに、その物權者以外の者の侵害を防止する對第三者の關係の規律が物權法の主たる任務であつて、この點に於て債權法、身分法に於けると同じく、所謂權利の不可侵性が法的認識の主要なる對象となるのであつて、所謂物權の排他性は、物——人の管理支配し得るもの——そのものが有する法の干涉不能な物理的性質のみに起因するに過ぎないのである。

斯くの如く法は人と人との關係の規範であり、人の理性によつて認識せられ生成せしめられるものであるから、法そのものが人間の本能とか根本的衝動とかいふものと離る可からざる關係にあることは疑のない所である。此の意味に於て法は與へられたものではなくて常に創られるものである。

然らば法を生成進化せしむる人間の根本的本能は何か？

私は之を人間の自由欲求性と統制欲求性とに歸する。

人類の原始狀態が如何なるものであつたかといふことは生物學的な、或は社會學的な研究がいかほど積重ねられても徹底的に明瞭ならしめることは不可能であらう。

しかし地球上に於て、人間が存在してゐたと臆測せられる時點に於ては、既に群を成して居つたに相違ないのである。何となれば人はその出生の初めに於て、先づ兩親の溫き手を必要とするからであつて、斯る最少限度の人類の群の存在は人間の存在そのものにかくべからざるものであり、それが生活資料の能率的獲得、外敵の侵害防禦等の必要から次第に大なる且つ次第に强固なる團結をなすに至つたに相違ないのであつて、すでにある社會を形成する以上其處にその團體の生活を規律する規範——法——の生成進化を見るに至らざるを得ない。

而して人類が初めてその團結を成すや彼等の生活の規範の存在は恐らく之を意識せず、他人の行爲を模倣することが最も容易であり、又自分が曾て爲したと同一の行爲を爲すことが最も安易であり、又自然現象に對する驚異から生じた宗教的信念——その祖先又は同輩と異る行爲を爲せば祖先又は神の制裁を受けるであらうと云ふ、信念によつてつよめられて同種同型の行爲が繰返され、つひに慣習的にその群に固有な一種の規範が成立し、後には之を意識的に適用して之に反するものに對しては人爲的な制裁を加ふるに至りここに於て廣義に於ける法の確立を見るに至つたのであらう。

而して十八世紀の啓蒙的な自然法學者は、人類の原始に於てはすべて自由な狀態の存在を臆斷して、その所謂民約論を構成したのであるが、獨逸その他の公法學者はかかる事實は歷史に反することを理由として否定してゐる。

併し乍ら原始の人類に於ても其の自己の勞力によりて獲得したる食物その他の生活資料は他の一切の干渉を排して之を獨占せんとし、自己の生命を惜しみ、自己の家族に對しては、これを排他的に支配せんとしたことは、社會學者、法制史家によつてほゞ確實に證明せられてゐる所である。自己の身體、生命、財産に對する、他人の干渉を排斥し自己の欲望に從つて行動することは、人類に否定す可からざる、根本的本能であつて、之を自由欲求性と名付けようと思ふ。

而して太古から現代に至るまで日常生活に於ける社會各人の行動がこの個人の有する自由欲求性の表現であり、且つ個人のかかる行動によつて、社會のほとんど見極めのつかぬほど多くの仕事が毎日世界の各地に於て行はれてゐるのである。併し社會に屬する各人が各がじし全くその自由欲求性に從つて行動するならば、日常の平凡な仕事すら成就し得ず、況んや國家、社會生活を圓滿に遂行することを得ないことも又極めて明瞭である。何となれば社會を成す以上、其處には必ずその社會生活を維持する規範が存在し、この規範――社會に屬する各人が統制的行動を爲す規準――が尊重せられざる時に於ては、其の社會の存立を危くするからである。卽ち社會生活を營むことは人間生活の自然的條件であり、且つ社會生活てふ一つの組織が可能なるためには一つの秩序が定立せられ、その秩序を構成する諸種の規則の尊重がその社會構成員たる各人に要求せられねばならぬのである。

而して此の秩序の維持は法によつて實現せられるのである。

此の意味に於て「人は社交的動物」と呼ばれ、又ギールケをして「人の人たる所以は、人と人との結合にあり」と呼ばしめたのである。

卽ち秩序ある統制的な社會生活をいとなむことは又人類に於て特に顯著なる根本的性格の一つであると謂はねばならぬ。人類のかかる性向を私は、統制欲求性と名付けようと思ふ。卽ち團體の統制維持の爲めには自己の自由の一部を抛棄し、つひには、團體の爲めに自己の生命身體財産をも捧げて、かへりみざるに至る人類の社會的の性向である。

卽ち人類の團體生活の內容を規定するものは、自由欲求性であり、その外郭を形づくるものは統制欲求性である。

而して法の生成過程を發生論的に考察すれば當初にまづ人間の行動の自由が存する。卽ち自己がその自由欲求性に從つて行動すれば、他者も又その自由欲求性に從つて行動する。從つて天然資源がきはめて豐富であり、團體の構成員が少數であるときには問題は少いのであるが資源が貧弱となり團體構成員の數が擴大するに至れば、先づ生活資料の獲得について爭鬪を生じ、ついで生命身體の如き、人格的利益についての侵害を生ずるに至る。ここに於てその社會の秩序の維持——人類の統制欲求性によりて生ず——の爲に法の發生を必要ならしめる。從つて更に法の成生を型態論的に觀察すれば各人の生命身體財產等に對する、自由支配の限界を區劃することを第一の使命とし、ついで同樣なる事件に對する、裁判の規準となり、同樣な事件に對して同樣なる裁判の結果が當該團體の權威者によつて表示せらるるに至つて法は益々その客觀性を有するに至れるものである。從つて法思想の發達より見るときは Recht, Droit, Diritto 等の語は始めは社會構成員たる各人が自己の利益を主張し得べき權利の意より當該社會の生活規範たる法の意に轉化し行ける事情は獨佛伊等の諸學者によつて等しく表明されてゐる所である。

斯くの如く法はその始め各人の自由欲求の範圍を保障する爲めに生ずるのであるが、公平の要求よりして、各人に對し同樣な事件に對しては同樣なる法の宣言をなすことによつて法はその客觀性を取得し且つ法が元來社會の秩序を維持するために生じたる以上法の固定を必然的ならしめる。併し乍ら人類の日常生活の大部分は各人の自由欲求性によつて營まれ、自由欲求性は最も合理的なるもの、最も能率的なるものを欲してやまざるものであり、ある皮肉なる作家をして「文化の發達は人類の懶怠性にもとづく、もし人類が勤勉なるものであつたならば、人類は今尙アダム、イヴの時代の如く、爪の先で草の根を掘つてゐたであらう」と云はしめたほど人類は一面に於て利己的、功利的であり、よく云へば自由進取的の性格を有するから人類の生活は一日としてその進展を停止する所を知らない。

從つて社會の秩序を維持する目的のために、固定的ならんと欲する法も亦進展の運命を擔ふ社會生活の規範なるが故に、社會の實情に適應して改廢せられざるを得ざるに至るのである。

即ち法の進化は、此の意味に於て人間の自由欲求性と統制欲求性との交替的及び競合的顯出によつて辯證法的に行はるるものであると謂はねばならぬ。

二　法史は繰返す

法は人間の自由欲求性と統制欲求性とによつて生成進化する。

此の二つは文化的に見て人類の有する最も根本的な欲求であり、この二つの屬性を如何に調和せしむるかによつて文化の高低、一國の盛衰が分れる。

而して如何なる專制政治の下に於てもこの二つの根本的の欲求を完全に否定し去ることは不能である。我々から見て自由主義の否定としか思はれない、伊太利のフアッシスモの下に於ても、フアッシスト黨員の歌の最後に、

Nel fascismo è la salvezza
della nostra libertà.

フアシスモの中にこそ我等の自由の救ひはあれ

と云つてゐる。

又現今地上に於ける、最大の專制國、ソヴィエットロシアの政府のスローガンも現下の政治方針を辯護して、これは我々の眞の自由を得んがための過渡的な手段に過ぎないとしてゐる。(註一)

而して自由要求性を極度に壓迫する場合には、この屬性の一種の現れたる性的自由を極端に認めなければその政策を維持し得ない。ローマのカラカラ帝の時代、現代ソヴィエットロシア等に於てその例を見る。後者に於て婚姻の成立及び解消に對して極端なる自由主義を採用してゐる事は人のよく知る所である。併し乍ら自由欲求性以外に人間の行爲の動機を知らない者には人間の社會生活は解き難き謎である。何となれば人間は上述の如き自由欲求性の外に之にも劣らず、寧ろこれよりも立ち優りたる他の一の屬性卽ち統制欲求性を有するが故である。卽ち社會の維持と、進展との爲には自己の生命身體財產を捧げて顧みざるの衝動である。かゝる人類の本能は或は社會の存立維持のために奬勵せられて强められたことは否定し得ないが、前款に於ても述べたる如く、人類はその生存の最初に於て社會を成すの本能を有することが確實である以上、個人がその身體の健康の維持のために最善の注意を用ふる如く、社會的動物たる人類がその社會の維持進展のために最大の犧牲をもいとはざるは又その本能であると謂ひ得るであらう。

從つて法は形式的に觀察すれば社會生活の規範であるが實質的に之を觀察す

れば人類の自由欲求性と統制欲求性との調和への努力であると考へられる。更に此の見解を徹底すれば彼の「歷史は繰返す」といふ命題の眞否を決定し得るであらう。

「歷史は繰返す」と云ふ思想は思想史的には頗る古きものであり舊約傳道書の第一章に

「曩にありし者はまた後にあるべし曩に成りし事はまた後に成るべし日の下には新しき者あらざるなり見よ是は新しき者なりと指て言ふべき物あるや其れは我等の前にありし世々に既に久しくありたるものなり」と云ふ字句があるのでも明瞭であると稱せられる。

然るに、近代に至つて史學者の間に歷史は繰返すと云ふ命題を否定する主張が現はれるに至つた。此點に關し今井登志喜氏は次の如く要約して居られる。(註二)

『其の主張の根據として次の二つの立場が認められる。

第一は、歷史の形式的論理的性質からの見方である。之は歷史認識の特色を一回的個性的な點に置く主張卽ちリッカート等によつて最も明確にされた方面であるが、歷史家の側ではエッワード、マイヤが已に其名著古代史の初版(一八八四年)に於て多く同様の見解を述べ「從つて歷史はたとへ一般的法則に服屬しても尙決して此一般的法則に還元し若しくは單一型式に解體されるものでない。歷史は必然的に多種多樣であつた。如何なる部分も他の部分と同じでない。」と云つて歷史の繰返しを否定してゐる事が注意される。更に彼は、此の書の新版(リッカートの自然科學概念構成の限界の出た後)に於て、多く此考を敷衍し「この決して繰り返さずして常に他の姿に現はれる個々のもの單一のものが歷史科學の領域である」と記して居る。

之はもとよりリッカートの哲學の影響を受けて居ると思はれるのであるが、亦前述の彼の本來の見方の中に十分此見解が含まれてゐたことは爭はれないであらう。

第二は歷史の內容的實質的性容からの見方である、之は第一の如く嚴密な論理的根據に基くのではなく全く實際的根據に立つのである。歷史は繰返すと云ふ考は歷史現象の循環と云ふ見解に基礎を置いて居る。然るに人間の歷史現象は決して所謂循環の法則に從はず、其中には常に進步發展が行はれてゐる。人間社會の歷史的進展は、文明の進步の顯著な近代に於て、次第に明瞭に意識されるに至り、其結果當然歴史循環の理論は通用しなくなつた。新しい形態が常に古い形態に代つて開展する事が認識され、かくて或は太陽の下に新しきものなしに對して太陽の下に永久なるものなしとして不斷の變化が唱導され、或は「各各の時代は歴史發展の新しい事實と新しい力を持來す。歴史の創造力は涸渇しない」と主張されるに至つた。而して此立場から最も明瞭に歴史の繰返しを否定する例として、史家ベーリーの次の言葉を引く事が出來るであらう。

「循環の理論は廢棄されて、無限の進歩の思想が之に代つた。吾人は歴史の繰返さない事、異なつた時代の歴史現象間の類似は、その兩者の間の相違よりも皮相であり重要でない事を明確にした」』

更に玆に注意すべきは敎訓的史學派の立場である。卽ちこの學派に立つ人々は『歴史現象は同樣の事の繰返しであるとして、歴史を鑑として今後に處して行く爲めに、過去の先例を見る事を必要とするのである。然るに過去が必然的に其のまゝに繰返すならば人の意志を以て如何ともする事は出來ない先例を敎訓として、將來に處する意味は、人の意志によつて、自然の繰返しに或る變更を加へる事を意味する。卽ち過去に選擇を加へ或る事を却つて繰返さしめないやうにする事を含んでゐる。其故に極めて嚴密な意味の繰返しの理論は教訓主義の歴史とは、相容れない筈である。然るに實際敎訓的歴史は却つて循環論を基礎としてゐる。此點から見ても多くの史家の歴史循環の理論は決して十分嚴密な意味に於て考へられて居たものでない事が知られるのである。』かくて今井登志喜氏は結局に於て『歴史は繰返すとは究極歴史の中に多くアナロジーの存在する事の比喩的表現であるとするならば其限りに於て此の語は尚意義を有つと云ひ得るのである』としてゐられる。併し乍ら上述の如き諸種の史論を生ずるのは歴史そのものゝ意義を充分に理解せざるか或は人類をして歴史せしむる原動力は何かと云ふ點について充分の考察を爲さざるに基因するものであると考へる。

私は歴史には二つの意味があると思ふ。客觀的には歴史は res gestae 出來事そのもの卽ち存在としての歴史であり且所謂史料はこの中に包含せられると考へる。史料はある意味に於て記述者又は編纂者の主觀によつて選擇取捨せられて存在としての歴史と相異することも想像せられるのであるが靜止的固定的な意義にに於て之を客觀的歴史中に包含せしむることを妥當と信ずる。而して主觀的歴史とは「社會事象進展の傾向」である。歴史の精神と云ひ歴史は繰返すと云ふ際に於ける歴史は常に斯る歴史である。

〻靜止的な、固定的な、一回的な、客觀的歴史が精神を有し又は繰返すと云ふのはナンセンスである。

しかも客觀的主觀的兩意義に於ける歴史が密接に結付いてゐることは當該社會の一切の出來事が歴史書に記錄せられず、口碑として傳播せずして、其の時代其の社會に於て最も社會的影響の大なるもののみが後世に傳へらるゝ事に於て之を見るのである。

斯くて法史に於ても斯る主觀的及び客觀的意義に於けるものの二者を區別し得るのである。而して主觀的法史に於て所謂「歴史は繰返す」なる現象の生ずる理由基底如何となれば、それは、屢述し來れる、人間の自由欲求性と統制欲求性との交替的及び競合的表現に外ならないのである。

人間の心理、ことに、群集的な、社會的な心理は一定の暗示又は象徵に導かれてある一方の方向にのみ邁進する傾向が强い。例へば善人と考へられるものは、徹底的に善人たらしめんとし、惡人と稱せらるゝものは之を典型的な惡人たらしめんとするが如き傾向は之である。私の考ふる所にすればこれも亦人間の統制欲求性の一つの現はれである。社會の動向が自由欲求に向ふときは社會は擧げて之を追求し又其動向が統制欲求に向ふときは天下は擧げてその傾向に從ふ傾があるのである。之を社會心理の加重偏向性と名付けよう。

卽ち社會の安定を欲して一つの法律制度が確立されると、やがてその固定した制度の安定性を强調するの餘り、各個人の自由欲求が阻害される結果となり而かも、この人間の自由欲求性はその本能として否定す可からざる以上遂には當該の法律制度を止揚して更に各個人の自由欲求を滿足せしむるが如き制度の出現を見るに至り、この制度は更に社會心理の加重偏向性によつて極端なる各個人の恣意を許す結果に陷り易く、社會の共同の利益を害し社會のより優れたる階段への進展を阻むに至れば、統制欲求性の顯出は更にかかる自由放任の態度を是正し、全體の利益を注目し之に向つて進むことを要求するに至る。

故に社會事象進展の傾向たる主觀的意義に於ける歴史は常に繰返すものであり、且又かゝる歴史は事物反覆の必然性に非ずして一の傾向にすぎざるが故に、その社會に屬する人々の心的態度の如何により其の極端に走ることを阻止し得べく、社會をして常に中庸の道を歩ましめ前車の覆るを見て後車の戒とする敎訓的史學觀もその辯明を得るわけである。

次に法現象に於ける顯著なる數個の例を擧げて前述したる所を立證しようと思ふ。

例へば羅馬に於て Jus civile が Jus praetorium によつて改廢せられざるを得ざりしが如き、或は英國に於て Common law の嚴格性が Equity によつて緩和せられたが、性質を異にする二種の法系統が並び行はれて、衡平法裁判所がその管轄權を擴張するに從つて、實際的には兩法間に衝突を生じ、法の安定を害するに至つたので Judicature Act, 1873 の制定を見るに至れるが如き、或は一大法典が編纂さるれば之に反する慣習はいくばくもなくして現はれ、斯る慣習は判例法の形式に於て國家により承認せられて實質的に成文法を改廢するに至り、更に法典が、判例法のインデックスに過ぎざるに至れば、必然的に新法典の成立を促すに至るが如き(註三)或は契約の形式について論ずれば『ローマ法に於ては「單なる約束からは訴權が生じない」(ex pacto nudo actio non nascitur) と云ふ原則が行はれ、紋切形の文句で汝は約するかとか、汝は支拂ふかとか (promittisne ?——spondesne ?——dabisne ?) と云ふ様な問に對して、余は約するとか余は支拂ふとか (promitto.——

spondeo. ——dabo.）と云ふ樣な答が爲されて成立する問答契約（stipulatio）のみが拘束力を有してゐた。』然らば何が故に彼の時代には契約の締結に付いて形式主義が行はれてゐたか、それは要するにこの時代に於けるローマ人の統制欲求性の現はれであるが、その具體的の理由として末川博士は次の三者を擧げて居られる。『第一に宗敎風習などから法律が分化するに至つた當初に於ては法律によつて支配される生活關係は廣汎にわたることを得ないで、極めて限られた範圍にとどまらねばならなかつたから將に法律によつて律せらるべき行爲についてはその行爲を特徵づける形式が要求されてゐたのである。卽ち人が勝手氣儘に取極めたことを一々法律的に意味があるものとして取りあげるだけの必要も餘裕もなかつたから、一定の形式に從つてゐる行爲についてのみ法律的の拘束力を認めるほかはなかつたと考へられる。そしてこのことは訴訟が極めて嚴格な方式に從つて行はれてゐたと云ふことと直接に相關聯するわけである。

第二に複雜な形式を踐まねば法律的な拘束力を生ずる契約は成立せぬとすることによつて、人はおのづから、愼重な態度をとるべきことを餘儀なくされて、輕卒に契約をする事が防止される。

第三に契約に基く債務の履行は契約が一定の形式に從つて爲されてゐることによつて簡易に且つ確實に爲され得るわけであるから、執行手續が完全でない時代に於ては執行の便宜から云ふも契約が一定の形式に從つて爲されてゐる必要があつたのである』と。これ等の考察は恐らく當つて居ることであり、フランスのローマ法學者も大體同樣に說明してゐる。然るに近世に至り經濟的自由主義が勃興するにつれて個人的利益の自由なる活躍（Free play of individual interests）が廣汎に認めらるるに至つて、卽ち人間の自由欲求性が高揚せらるるに至つては、『個人意思の合致だとせられる契約が私的生活を規律するについての最高の原理的なものとなり、所謂「契約自由の原則」が主張せられ契約の內容が公の秩序、善良の風俗に反せざる限りその締結せらるる形式の如何を問はずして、契約は無限に當事者を拘束することを認め』一九〇四年のフランス民法はその一一三四條に於て「適法に締結せられたる契約はそれを締結した人々に對しては法律となる」と規定するに至り、現行の諸國の民法典に於てかゝる原則を明言せざるまでも契約自由の原則は自明の理として認められて居るのである。然るに最近に至り、企業の獨占の傾向は契約の定型化を生せしむるに至つた。卽ち『契約と云ふ名で資本の蓄積乃至集中をめぐつて展開される自由競爭は更に凝つて却つて其の反對物たる獨占へと轉化する。

而して獨占の段階にはいると契約の一方の當事者たるべき者が甚だしく限定されて來るのである。その者は、集中的に强化した經濟上の優越を利用して、契約のあらゆる點に關し專斷的な力をふるふことが出來る。即ちかゝる者を相手方として契約を締結する者はその相手方(鐵道會社、電氣會社等)と、相手方が一方的に定めた條件の下に於てのみ契約の締結を爲すの外はない。これは勞働者の雇傭、運送、電氣、瓦斯、水道等の供給、保險、株式、社債などの募集、興業物の觀覽の如きは勿論日常生活品の購買の如きまで悉くかゝる法的現象を呈する。これでは前に述べた契約の自由と云ふ如きものは、たかだか、契約を締結するか否かについての自由を僅かに殘してゐるにすぎない。』斯ういふ一方的な支配の下に締結される契約を學者は附從契約若くは、附合契約(Contrat d'adhésion)と呼ぶことは人のよく知る所である。(註四)

斯くの如く契約の締結の形式が極めて嚴格なものより極めて自由なものとなり、更に轉じて現代の附合契約として契約の定型化の生ずるに至つたことも亦人間の統制欲求性と自由欲求性の交互的發現に歸す可きことは自ら明かであらう。

更にフランス法制史家として第一人者たる、J. Brissaud は其の名著、Manuel d'Histoire du Droit Privé. の序言に於て「私法は非常に遲々としてのみ公法から解放されたので、曾ては私法はほとんど之と混同してゐたのである。今日ひとが國家に對して要求する所のもの卽ち秩序の維持、個人の安全は曾ては家族（ファミーユ）の任務であつた。封建制度と共に公權は領主達の手の中に彼等の所有權卽ち私權の屬性として移つた。君主が留保することに成功した所のものはその領土の一部分に過ぎぬ。王國にとつては統治權を再建し且つ之を私權より區別するために長き努力を要した。同時に且つこの進化の御蔭で市民の平等に對する運動が生じた。私的の地位は多く政治上の地位に依存してゐたからである。次第に階級の差別が緩和せられた。フランス革命は經濟上の不平等卽ち簡單に表現すれば、大多數の場合に於て、肉體的又は智的不平等のほかは存續せしめないために此の階級的差別を撤廢した。

同時に個人を家族の紐帶より解放し且つ所有權の個人化と云ふことが生じた

のは、經濟的諸原因の影響の下に、政治的及び宗敎的の(秩序の)諸變更に負ふものである。個人の服從を生ぜしむる永久的な戰爭及び暴力の狀態―何か攻圍狀態と云ふが如き―より人は平和及び內的秩序の制度從つて自由の制度に向つた。此の革命の反動は私法の總ての肢部に於て感ぜられるのである。

我が古代の法律史に於て斯く大なる地位を占めて居る此等の論理的諸反動の外に於て、人は私法は擴張され複雜になり擴大せられ且つ精錬されるといふことを云ひ得る。

人は長い間法に知られずに居た、いろんな關係を或種の契約及び占有として規律する。ほぼ相似たる諸制度が分化する。かくて、共同の切株から卽ち、家權(la puissance domestique)から夫權、親權、後見權が分離した。信用及び擔保がいろいろの形式に於て組織せられた。生前處分、死因贈與、將來の相續に對する約款、終意行爲は相互に對立する。近代法の精神、寺院法及びキリスト敎の思想、衡平及び自然法の觀念と調和せるローマの立法は我が古代私法の重要なる作物を完全にするために、諸慣習、諸法律、判例及び學說に於て、古きゲルマン的基本財產と融合した。」(註五)

と、論じて居ることとはよく法制史上に於ける、人間の自由欲求性と統制欲求性の辯證法的進展を叙するものであり、ブリッソーも云ふが如く、もと區別せられざる一個の法的構造物が自由欲求性に從つて公私法に分たれ又、近時社會情勢の要求——統制欲求性の表出——によつて所謂「私法の公法化」を生じ、社會法として新しき一の Synthese を形成しつゝあることは最も注目に價する點である。

本稿は私の法現象進化の基底に就ての一考察に過ぎないので、私の懷く理論の個々の法律制度への適用に關する詳細な論述は之を他日に期し度い。

社會の行動は猶ほ一大交響樂の如し。各演奏家がコンダクターの指揮棒の動くがまゝに一定の樂譜に從つて、おのがじし其の各樣の樂器を奏する。各人の樂器が勝れず、その彈奏法が秀でなければ妙音は發しないが、指揮者その人を得ず、樂譜が又優れて居なければ合して一の美しき旋律の流れを現出することを得ない。

社會の進展卽ち法の善美なる發達も人間の統制欲求性と自由欲求性との美しき調和に俟たなければならぬ。

而して斯る調和を常に保つことは大國民のみの有する特權である。

（註一） 昭和十一年六月十三日の東京朝日新聞の夕刊は「個人の權利自由尊重——露國改正憲法の全貌—民主主義制度への接近」と題して、ソ聯新憲法草案は社會主義の原則として各人はその才能に應じて働き、その勞働の量に應じて報酬を受くべきを宣言し、ここに初めて個人の自由と權利が憲法により保障される事となり、從來一般に抱懷された恐怖と壓迫感を一掃してソ聯が明朗な新時代に入つたものと解され、ソ聯人民の滿足と支持を受けて居る」ことを報じてゐる。

（註二） 今井登志喜氏『歴史敍述に於ける「歴史は繰返す」と云ふ意義の吟味』哲學雜誌第四拾九卷第五百六十號一頁、二—四頁、六頁、一〇頁參照。

（註三） 宮崎『私法法源としての慣習法と判例法』臺北帝國大學文政學部政學科研究年報第一輯一七九頁以下參照。

（註四） 末川博氏『契約に於ける形式』法と經濟第五卷第五號三頁、五—六頁、八—九頁、一二—一三頁、參照。

（註五） Brissaud, Manuel d'Histoire du Droit Privé. 1908. p. 1—2.

三　法史と比較法

主觀的意義に於ては歴史は社會事象進展の傾向である。

此の意義に於ける歴史は持續性と傳播性とを有する。

而して此點に關し近時工藤好美氏が「縱の歴史と横の歴史」との存在を主張せられることは極めて注目に價する。(註一)尤も氏の懐かれる歴史の概念は必ずしも明かでなく其の論述全體を通觀すれば氏の所謂歴史は Rickert の主唱した「文化Kultur」の概念に酷似せるが如く感ぜられるのであり、從つて私の考へる歴史とは異るものであらうが、歴史に、縱と横との二面性を認められることは、卓見と謂はなければならぬ。

氏の説を概述すると『歴史には縱の關係と横の關係がある。或は歴史には二つあるとも言へる。卽ち縱の歴史と横の歴史がこれであり、完全な或は具體的な歴史はこれら二つの歴史の綜合である。

我々が普通に歴史と呼ぶものは、時間の流れのうちにある縱の歴史である。しかし歴史には、明かに横の關係があり、それは文化の移動とか、思想の影響とかいふもののうちに現れて居る。そして歴史の研究も歴史自身のこのやうな關係に應じて、だいたい二つのものに分れる。一つは歴史の縱の關係を主として取上げる時間的研究であり、他の一つは横の關係を主として取扱ふ比較研究である。この比較研究は、しかしながら更に細分して、二つに分けることが出來る。一つは思想の影響といふやうな、直接的な横の關係を取扱ふ實質的な比較研究であり、他の一つは對象相互の間に直接的な横の關係(影響その他)が無い時に研究者自身が主觀的に横の關係(比較するといふことは、既に一つの關係をつけることである)を設定して比較考證する觀念的な研究である。前者は交渉史影響史其他として屢々一般的な歴史のうちに組入れられ、後者は比較研究として特殊なものである。』(一頁以下)

又云く『文化そのものから文化史の方法に進んで言ふならば、比較研究は前にも述べた通り本來横の關係から成立つところの文化を横に研究する學問である。そして、それが思想の影響とか移入とか、いふやうな現實的な横の關係がない場合にも、比較といふ方法によつて觀念的に横の關係をつけるのは、文化の横への傾向に從ひ、これを學問の領域に於て實現するものであるといふことが出來る。比較研究はかくすることによつて文化を研究するだけでなく新しい文化價値を創造する。例へば比較法學が直接に關係のない二つ或はそれ以上の國の法律を比較考量するのは、かくて新しいより合理的な法律を實現せんがためであらう。或は純粹に學問的にこの樣な、「より合理的な法律」の觀念は、次第に積重ねられ洗錬されて遂に普遍的な、法の理念に達し、かくの如きものとして學問的財産の貴重な一部になるかも知れない。いづれにしてもこれが比較法學のまた一般に比較研究の文化的意義であり、また比較研究に依る文化的價値の創造である。』（五、六頁）

更に云く『實際縱の流れを考へなければ比較研究の一つの最も有力な手段であるところの分類すら淺薄なものになる。比較研究が或る全體の觀念に達するのは、分類と分類をとほしてなされる統一の方法に依る。然るにその分類が縱の考察を含まぬ横のみのものであるならば、それは表面的現象的であつて眞に具體的歷史的でない。それは、いはば進化論以前の方法である。

生物學に於て進化論以前にあつたものは生物の現在に於ける形態を究極的なものとして分類する方法であつた。しかし進化論以後に於ては、人は生物の異常に發達した器官からもとの形態にさかのぼり、退歩した痕跡からもとの完全な器官を想像し、かくて發達史的に生物を系統づけるやうになつた。この方法によつて生物の分類は平面的なものから立體的なものになり、急速にその內容が豐富になつたのである。しかしこのことは、生物學に於てのみならず知識のあらゆる部門に就いて言はれる。比較研究に於ける分類の方法は橫の觀察だけでは不充分であり、これに縱の歷史的考察が加つて初めて具體的になるのである。

それでは、橫のものに對して縱のものは如何なるものであるか。橫にひろがるものが合理的普遍的一言にして言へば、文化的なものとすれば、縱に流れるものは、非合理的特殊的一言にして言へば自然的なるものである。この自然的なるものは種々あるであらうが、そのうち最初に考へられるものは人間的自然としての民族性である。云々」(八、九頁)

前述の如く歷史に縱の關係と橫の關係を認めることは正當である。しかし氏は何が故に歷史にこの二つの關係が生ずるかを說かない。又氏は橫に擴がるものが合理的であり縱に流れるものは非合理的であると主張せられるのであるが、この點は私の肯定し得ざる所である。

私は氏の所說を顧みつつ此等の點に關するより深き考察を試み度いと思ふ。特にその研究は法史に限り度いと思ふのであるが、私の解する所に依れば、歷史は社會事象進展の傾向であり、法はこの社會生活の規範である。從つて法史について論ずる所は、又一般の歷史についても大體同樣に立言し得ると考へる。

先づ法史は何が故に持續性と傳播性――縱の關係と橫の關係――を有するか。其れは結局に於て、人間の心理――自由欲求性と統制欲求性とに歸することが出來る。

人類がその存在の最初に於てすでに社會をなすは假令無意識的であるにせよ、その自由欲求性と統制欲求性との調和を求むるが故である。卽ち人類が自己の、その配偶者の、其の子孫のために、最も能率的に且安全に生活資料を獲得する――自由欲求――が爲めには團體生活を營むを以て便宜とし、且つ他の種族又は猛獸等に對して自己及び其の家族を防禦せんがためには團體生活は不可缺であり、より能率的にして且つ快適なる生活條件獲得には模倣、鬪爭、强制、協同の必要を痛切に感じ、人類は自己の自由欲求の一部をすてて團體の規律に從はんことを欲した。これ社會成立の起源であり、それが多數の人口と、一定の住居地と、統治權の確立を見るに至つて地上の國家は現出した。

而して原始的に人類を結合せしめたものは、第一に血縁關係であり、第二にその居住する地方の土地的及び氣候的の條件であり、第三には言語の共通なる事實により彼等の思想感情を相互的に理解し得ることであつた。

而して人類の集團として最初の形態であり而かも現代に於て尙社會構成の基礎を成すものは家族である。

斯くて最初に血縁關係によつて生じた血族團體が、生活資料獲得について、好適なる自然條件を具ふる地に諸方より集合し來り、相容れざるものは之を追放殺戮したが同種族その他の理由によつて反感を懷かぬ者は相合して言語の共通の條件の下に親和力を增加して行つた。而して自然的の條件が人類の性格に及ぼした影響は特に著しく、血液の遺傳と共に自然條件によつて與へられた當該種族の第二の天性は共に合して一の强固なる傳統を形成した。

先づ自然的の條件中の氣候的影響を述べると、Mcdougall "The Group Mind"

（註二）中に述べられて居る所によれば『氣候に關して最も重要と認められて居る二要素は溫度と濕度とである。高溫度が濕氣と結合すれば確かに歐洲人の活力を減殺して懶惰ならしめ仕事を不可能ならしめる傾向がある。之に反して高溫度が乾燥せる大氣と結合すれば人をして殆ど持久力を失はしめるが而も大奮發を可能ならしめるやうである。即ちそれは猛烈なる間歇的活動をなさしむる傾向がある。寒冷なる氣候は持續的活動に向はしめ之に多くの濕氣が結合すれば多少遲鈍ならしめるやうである。

或る氣候から他の氣候へと移り行く時、吾等自らこれを經驗し、又他の人人の上に生じたる是等の影響が長く是等の氣候の下に生活して來た多くの人種の上に印象されて居るのを見る。例へば遲鈍にして懶惰なる馬來人は最も暑く最も濕氣の多い地方に長く住して居るものである。亞剌比亞人及びシック人は乾燥暑熱の影響を說明する適例とも云へよう。英人及び蘭人は濕冷氣候の影響即ち偉大なる精力と耐久力とを具ふる遲鈍を示す樣に思はれる。』（二六三頁）

而して風土がその人種國民の道德的美的情緖に及ぼす影響も多く、『ブーミー』は英國民に關する著書中で大いにこの原理を用ゐて居る。彼は指摘して曰く英國の如く靄深き狀態に於ては、總ての輪廓及び色彩を曖昧模糊たらしめ、それが爲めに、眼はかの地中海岸諸國の如き一層陽氣なる國々に於て大に人を魅する多くの鮮明なる色や形を受ける事が出來ぬ故に、感官は比較的鈍くなり又は鈍い儘で居り、而して感官的知覺も遲く且つ比較的渾沌としてゐると。斯樣に外界の現象中に於ける審美的變化と豐富の比較的缺乏せることが第二に心的形式に一層多く、一層深い變化を生ずるのである。人を圍繞する自然が無限の變化に富み且つ美景を保有する國土に於ては、人は單に下界を熟視する丈けで充分に滿足し得る。從つて美術品を製作するに當り人は單に自己の周圍の物象や光景を多少理想化した形式で再現する傾向がある。卽ちその美術は、根本的に客觀的たる傾向を有する。之に反して鈍い北方の風土に於ては人は單に下界を熟視するので滿足し得る斯樣な源泉を常に手近に有して居ない。從つて人は心身の(主として身體の)不斷の活動に於て滿足を見出す爲めに、自己の本性へと追返されるのである。故に斯樣な地位に在る人種の特徵は大に身體的に活動することであり、彼等の文學及び美術は根本的に主觀的である。』(二六五頁以下)これはしかし美術のみに限つたのでないので靄深き英國の法律思想、哲學思想とコバルトの海と空とで圍まれた南歐諸國のそれとを比較すれば、自らそれらの思想的構成物に於ても大なる差違のあることを觀取し得るであらう。然し深く考察すれば氣候の影響が直接遺傳するといふ證據は何等ないのである。それで直接影響は、氣候によつて代々の人心に新に課せられるのである、と考へれば足りるであらう。

從つて上述の如く一國の傳統は、第一にその國民に特有な、血縁關係により、第二に風土により第三に思想傳達の要具たる言語によつて決定せられる、卽ちその傳統はその國民に特有であり、是れが國民性、種族性を形成する。而してこの民族的特性は、時として他國に移住歸化することによつてほとんど失はれるものもあるが――例へば米國に歸化した獨逸人――『又ケルト系の愛蘭人の如くその固有なる傳統――土地の二重所有と氏族制度――を堅持して彼等は必要にせまられて亞米利加に移住するに及んでも依然此性質を持つて居るのである。そこで彼等は、文明の邊境に於ける開拓者たること能はずして、寧ろ依然として東方諸市に於て氏族的團體中に集中して居り、遂には‘Tammany Hall’の如き有力なる非公式團體を作るに至つたのである』(原書二三五頁以下譯書二八九頁以下)

斯くの如く人間のあらゆる文化的所産は、人間の有する性能と、自然的諸條件に育まれ、强制せられて生じたものであつて、必ずや自然的なその存在の理由を有するものであり、合理的ならざるものはないのである。

愛國心を以て群居的な又は闘爭を好む、又はその他の本能の働きであると非難するが如きは、全くその理由なきものであり、その民族にその民族の進展を冀求し、外敵に對する防禦心が無かつたならば現在の諸國家も存立せず、その獨立を保つことが出來なかつたであらうし、世界文化は却つて其の源泉を涸渇せしめて居たであらう。

從つて上述の心的、物的諸要件の適當なる調和に於て、主觀的意義に於ける歷史は、その持續性を得たのであり、歷史の縱の流れが嚴存する理由も玆に存するのである。

然らば歷史は、その持續性のみを有して居り且つ有すべきであらうか。

斯る命題は、否定しなければならぬ。何となれば、現存するあらゆる國家及び民族は、大なり少なり、他國家、他民族、他文化の影響を受けないものはないからである。

それは何故であるか、其理由は、苟くも人類である以上、あらゆる國民、あらゆる種族に屬する人人も、解剖學的に同一の骨格を有し、同一の筋肉的、腺質的組織を有するが故であり、從つてその欲望、その概念構成、その感覺に於て大なる變化を見ず、文化を構成する諸種の社會制度、施設等は、一國に施して妥當なるものは、他國に對しても妥當なるものが多いからである。

この意味に於て、最も純粹な民族意識と矜持とを有する我が大和民族も、印度文明、支那文明、西洋文明等の長所を採用して、その文化を豐富にして居たこと、又東洋及び西洋諸國よりの留學生を通じて我文化を世界に擴大しつつあることは、明瞭なる事實に屬する。この點より觀察するも、「社會事象進展の傾向」たる歷史は、その傳播性、その横への擴張性を有することは又極めて明かである。

而して歷史を法的見地よりその持續性に於て研究することは、法史の任務であり、法史は上述の如く繰返すが故にその研究は學問的に重要性を有するものであり、又歷史を法的見地よりその傳播性に向て研究することは、比較法學の任務であり、是によつて諸國の法制の一般性と特殊性を明かにするのである。

而して法史の研究の重要性の認識と、比較法學の提唱實行とは、今や我が法學界に於ける輿論を構成して居るのであるが、比較法學は廣濱教授も主張せらるる如く、「若々しい學問であるだけにその對象と方法が確定してをらず、」(註三)ために同じく比較法學といつてもその研究の對象と方法の相違よりして、比較國内法學、人種學的比較法學、法系別比較法學、比較共通法學等に分類せられて論ぜられ、その一又は二を以て眞の比較法學と主張せらるる學者もあるが、私は比較法學とは、法史を横の關係に於て觀察研究するものと解するが故に、名稱の如何に拘はることなく、當該研究の目的によつてのみその研究の範圍を局限すれば足るものと考へるのである。

之を要するに歴史中に於て Tönnies の所謂、gemeinschaftlich なものはその持續性に於て觀察せらる可く gesellschaftlich なものは、其の傳播性に於て研究せらる可きである。(註四)

(註一) 工藤好美氏「縱の歴史と横の歴史」昭和十一年五月、臺北比較法學會に於ける講演。

(註二) William McDougall; "The Group Mind" 本書は宮澤末男氏が「聚團心理」として譯出されて居る。引用文は大體同氏の飜譯せらるる所に依る。

（註三）廣濱嘉雄氏「比較法學派について」、法學第三卷、通頁九四九頁以下、一一二七頁以下。

（註四）昭和九年四月二十一日、臺北帝大心理學教室に於て、力丸慈圓氏は「心理學上に於ける刺戟と反應」といふ題下で講演せられ刺戟に對する反應には、有機的なものと機械的なものとがあり、有機的反應の特色は、

1 適應的 adaptire であること、

2 反應が刺戟と必ずしも等しからざること、

3 全體的であることを

を説明され、その例として、California の Stratton 氏の實驗によれば、片眼を、繃帶し他の片眼に普通の眼鏡よりも一八〇度轉回した、眼鏡をかけて、外界の物の形を眞直に映したら初めは外界の事物が逆に見えて非常に困難を感じたが、三ヶ月位經過すると樂になり、七月經過したら困難を全然感ぜざるに至つたといふ。

私は主觀的歷史に於ても、社會事象中、有機的反應を呈し得るもののみがその國民に持續し、單に心理的に、機械的反應を呈し得るもののみが傳播性を有するものだと説明し度い。

×　×

——歷史は人性の變遷を叙するものであるが、同時に、人性の遂に變更し得べからざることをも記するものである。——

（昭和十一年六月二十日正午　文政學部研究室に於て）

完

國際不法行爲論序說

福 井 康 雄

目次

緒論……1

一 國際不法行爲論の意義……1

二 國際法典編纂會議……6

三 國際法理論の任務……13

四 本稿の目的並びに範圍……15

第一章 法の本質と不法行爲……21

第一節 法の本質……22

一 制裁規範としての實定法……22

(1) 規範と自然法則……23

規範と自然法則―法則と法則性―因果性と歸屬―規範の妥當性と規範違反―法の規範性―不法行爲

(2) 制裁規範としての法規範……28

法と道德―相對的規範と絕對的規範―法規範の相對性―その形式的妥當性―實定法の動的性格―法秩序と法團體―法の實定性―法規範と規範違反―

制裁規範としての法規範―法の二重構造―一次規範と二次規範―むすび

二　實定法の制裁……42

(1)　制裁秩序としての法秩序……44

法秩序―制裁秩序―實定法規範の綜合的理解―法規範たらざるもの―法と法認識

(2)　制裁の規範性……47

制裁の觀念的規範性と事實的貫徹性―法秩序の妥當性と實效性―兩者は必然的關係を有せず―相對的・間接的關係を有するに止まる―制裁の規範性と實效性とは相對的・間接的關係を有するに止まる―制裁の規範性

第二節　不法行爲……55

一　法秩序における不法行爲の地位……55

(1)　法內在的見地より見たる不法行爲……55

法的要件乃至法的事實としての不法行爲―法規の相對的・條件的評價機能―法と力―むすび

(2)　法外在的見地より見たる不法行爲……60

反社會的行爲としての不法行爲―法の目的―社會的安全・社會的正義・社會的利益―靜的安全と動的安全―法の技術性―法團體の理想型―「特殊」

機關と「固有」機關―組織法と行爲法―むすび
二　不法行爲の本質及び構造……71
(1)　不法行爲の本質及び内容……71
不法行爲の本質―制裁の要件―制裁定立の要件―制裁定立の實質的要件と形式的要件―不法行爲は制裁定立の實質的要件である―不法行爲の内容―むすび
(2)　不法行爲の要件及び效果……79
不法行爲の定義―不法行爲の要件―(イ)不法行爲の主體―(ロ)不法行爲の客體―(ハ)責任の主體―自己の行爲に對する責任と他人の行爲に對する責任―(ニ)權利侵害または義務違反―(ホ)故意・過失
不法行爲の效果―形式的效果と實質的效果―制裁―窮極の法的效果―制裁の實效性―不法なる制裁
第二章　國際不法行爲……93
第一節　國際法の法的性質……94
一　制裁規範としての國際法……94
(1)　制裁秩序としての國際法秩序……94
規範としての國際法―法規範としての國際法―制裁の意義―制裁秩序とし

ての國際法秩序
(2) 國際法秩序の始原性……99
國際法秩序に於ける國際不法行爲の内在的地位―法の社會的技術性―國際法の技術性―社會的技術としての國際法の價値―國際法秩序の始原性―靜的安全―動的安全―むすび
二 國際法上の制裁……106
(1) 國內法上の制裁……107
私力救濟と公力救濟―制裁の種類―損害賠償―刑罰と强制執行―制裁の分化
(2) 國際法上の制裁……110
自力救濟としての制裁―國際法上の回復義務―復仇と戰爭―復仇が制裁たる所以―制裁としての戰爭―制裁戰爭の要件―戰爭の始原性―國際法上制裁の分化は存しない
第二節 國際不法行爲……117
一 國際不法行爲の本質……117
(1) 國際不法行爲の意義と內容……119
國際不法行爲の定義―國際法上制裁定立（執行）の實質的要件―國際不法

行爲の内容

(2) 國際不法行爲の要件及び效果……123

國際不法行爲の要件と效果は國際慣習法の規定するところである—國際不法行爲の要件の種々相—國際不法行爲の效果—制裁—回復義務—國際不法行爲の效果の分類—むすび

二 國際不法行爲の要件……125

(1) 國際不法行爲の主體……126

國際不法行爲の主體—國際義務の主體—國際法上の國家—國家の國際不法行爲—國家行爲の意義—國家以外の國際不法行爲の主體—個人

(2) 國際不法行爲の客體……133

國際不法行爲の客體卽ち權利の主體—權利主體の意義—實質法上の權利と形式法上の權利—國家—國際不法行爲の客體としての個人

(3) 國際責任の主體……135

國際責任の主體—自己の行爲に對する責任と他人の行爲に對する責任

國際責任の主體としての國家

a、自己の行爲に對する國家の責任。國家の行爲—國家機關の行爲—國家機關の種類—國家と政府とは混同すべからず—立法機關—立法機關の獨

立―司法機關―司法權の獨立―旣判力の抗辯―行政機關―機關の階級―國家機關の權限内の行爲―無效の行爲と取消し得べき行爲

b、他人の行爲に對する國家の責任。他人の行爲に對する責任の意義―相對的無效の行爲―絕對的無效の行爲―國家機關の權限外の行爲に對する責任の意義―個人の行爲に對する國家の責任―他國の行爲に對する責任

國際責任の主體としての個人

(4) 國際義務違反……151

國際義務違反の意義―特殊な要件ではない―違法阻却原因の意義―國際義務違反の種類―條約法違反―慣習法違反

(5) 故意・過失……152

故意・過失と國際責任―故意・過失は責任歸屬の條件である―國內法上の故意・過失と國際法上の故意・過失―故意・過失は國家に歸屬しない―個人の故意・過失―國際責任の要件としての故意・過失―個人責任と過失責任―過失責任と法的組織―國際法上に於ける過失責任主義―それを貫き難き理由

（目次終り）

緒　論

一　國際不法行爲論の意義

國際不法行爲又は國際責任の問題は種々な意味で重要且困難な問題である。先づこの問題のうちには、國際法理論に於ける重要かつ困難な種々の基本的問題例へば「國際法の本質」・「國際法と國内法との關係」・「國際法上の國家及びその主權の意義」等に關する問題が包含されてゐるのみならず、一般法學上の根本的主要問題例へば「法的責任の意義」・「不法行爲の本質」・「法人の責任の意義」更に「法人の本質」・「國家の本質」等の問題が當然に包括されて來るのである(一)。それ故國際不法行爲理論を眞に理論的・體系的に取扱ふためには、右の如き基本的問題に對する透徹せる理論的洞察と豊富なる實際的知識が準備されてゐなければならない。そこに問題の異常な困難性が豫想される。

ところが、一方に於て國際不法行爲又は國際責任の問題が國際法及び國際法理論において占める地位、更に廣く考へて不法行爲又は責任に關する法規及び理論が法秩序及びその理論において占める地位は常に愈〻重要となりつゝある。

これ實に不法行爲又は責任に關する法規があらゆる法秩序の règles-clefs であり核心であるに因る。卽ち後述する如く、法の目的は第一に社會の安全又は秩序維持に存し法はかゝる目的を達成する爲めの手段卽ち社會的技術であるから、法が社會的技術としての機能を全うする爲めには、社會的安全を阻害する樣な行爲を鎭壓・制御するための法規（何が不法行爲であるかを定める實質的法規と、不法行爲に制裁を科するに際しての手續的卽ち形式的法規とを包括するもの）卽ち不法行爲法又は責任法規ができるだけ完全なものであることを要する。從つて一定の法秩序に於ける不法行爲法又は責任法規並びにこれを適用する組織が完備せると否とは、その法秩序の有する實際的價値卽ち社會的技術としての有效性を左右するものである。換言すれば不法行爲又は責任に關する法規及び組織が完備し實效的であることは、法秩序そのものの實際的有效性 Efficacité と密接不可分なものといふべきである。國際法秩序も亦ひとつの平和秩序 Friedensordnung である以上は、國際不法行爲または國際責任に關する法規（實質的法規及び形式的法規を含む）並びに組織が完備すること、（卽ち實質的法規の法典化及びこれを實際に適用するための國際裁判機關や國際執行機關の組織化）は秩序ある國際法團體の基礎的條件であるといはねばならぬ（二）。しかるに、實際における國際責任法規の現狀は國際慣習法に依て規律せられてゐて、法規の存在形式が不明確であるのみならず、これを適用する國際裁判組織も亦十分なる發達を遂げてゐないといふ有様であるから、過去の先例・慣行中には國際責任の名の下に政治的野心・意圖を秘匿せる事例が少くないのである。この爲に研究者をして眞に確立せる法的原則を認識し發見する上に多大の困難を感せしめてゐるのである。從つて、國際不法行爲又は國際責任に關する國際法規並びに國際組織を更に一層完全なものにすることは、國際紛爭を法的規準に從つて平和的に解決しその間に於て一切の政治的野望恣意的意圖が介入するの餘地なからしむるために、重要にして緊急なることと思惟せらるるのである(三)。

(一) P. Ruegger u. W. Burckhardt, Die völkerrechtliche Verantwortlichkeit des Staates für die auf seinem Gebiet begangenen Verbrechen, Zürich 1924, S. 21.

(二) Eagleton もその著作 The responsibility of states in international law, New York 1928. の結語として「國際法上、國家が更に一層重い責任を負はねばならぬ樣になる事はもはや問題ではない——それは不可避である。そこで殘るところの唯一の問題は、かかる責任を解釋し監理し强制するに有效な機構に關する問題である」といつてゐる。

(三) 一九三〇年ヘーグで開かれた國際法典編纂會議第三委員會(國際責任問題を附託せられた)の開會の辭のなかで、委員長 Basdevant 氏は次の樣にいつてゐる。『全法秩序における責任理論の地位及び現代に於てかゝる責任の問題が國内法に於ても國際法においても漸次重要となりつつあることは、諸君の熟知せらるるところである。責任に關する法規は、いはゞすべての法秩序の鎖鑰 règles-clefs である。特定の法秩序の實際的價値が責任に關する法規の實效性と範圍とにかかつてゐることは確かである。（中略）今、かゝる法規をできるだけ精細にすることの效用は極めて大きい。かくすることによつて國家責任の原理の基礎をなす正義の熱求を具體化することができる。また他方かくすることは（中略）責任の口實の下にしばしば政治的野心が祕匿せられてゐたことに鑑み極めて重要なことでもある。」Société des Nations, Actes de la Conférence pour la Codification du droit international, Vol. IV., Procès-verbaux de la Troisième Commission, Genève, C. 351 (c). M. 145 (c), 1930, V., p. 15.

要之、國際不法行爲又は國際責任の問題は種々な意味で重要である。特に國際平和の上からいつて極めて緊要な中心的問題であるといはねばならぬ。しかし、それと共に常に問題の異常な困難性がつきまとひ、又我々を困迷のうちに引入れる所の種々な事情が存する。その主たる原因は結局するところ國際責任制度の不安定・不確實・不明確といふ事、ひいては國際法秩序そのものの發達が幼稚である事、に歸せられる。從つて現在に於ける國際法社會の問題として考へるならば、國際責任制度の法典化と國際裁判の發達といふ二つの問題が緊急な問題であると考へられる。けだし國家が國際法上の不法行爲に基づき國際責任を負ふべきことが國際法上の基本的原則である事については、何びとも又いかなる國家もこれを否認することはないが、その原則の具體的適用・國際不法行爲の內容に關する國際法規が不明確であるのみならず、これに關し發生せる國際の紛爭を當事者たる個々の國家の恣意的判斷から超越して客觀的に處理する所の國際裁判機關が完備してゐない爲めに、そこに國際の紛爭が惹起され易く且つその合理的解決が困難となり、場合によつては政治的優位を持する國家の乘ずるところとなりその樣な國家の恣意によつて紛爭の處理が左右されることがしばしばであるからである。もとより、この法典化の事業と國際裁判とは密接な關係に在る。たとへば法典化事業の側からいへば、たとへ將來その實績が或る程度まで實現したとしても、それによつて明確にせられた法規の具體的場合に於ける客觀的な適用は、結局は國際裁判機關に依らねばならぬのであるし、また法典に不可避的に伴ふところの技術的缺陷はこれ又國際裁判機關による適當な補塡に俟たねばならぬ。一方國際裁判の側からいつても、その適用すべき法規の不明確が法典化事業によつて除去されることは望ましきことであり、それによつて裁判の規準があきらかとなり裁判そのものが容易に行はれ、ある場合には或種の紛爭例へば責任法規の存在そのものに付ての紛爭の如きは必ずしも國際裁判の手を藉らずして當事國間の外交交渉により解決せられる事が豫想され得るのである(一)。

(一) ウェーベルヒは次の如くいつてゐる。『仲裁々判の發達と國際法典編纂とは相互作用の關係に在る。一方において常設司法裁判所や仲裁々判所の判決によつて國際法の欠缺が漸次に補塡せられるに對し、他方に於て國際法典の編纂によつて仲裁々判所の活動によりよき基礎が與へられ、國際の紛爭を國際法の原則によつて解決しようとする國際の傾向が擴大せられ得る。』Hans Wehberg, Die Aechtung des Krieges, 1930 Berlin, S. 125.

二　國際法典編纂會議

一九三〇年ヘーグに開かれた國際聯盟主催の國際法典編纂會議は、その議題として、國籍・領海・國家責任の三つの問題を議したのであるが、そのうち條約案の成立を見たのは第一の國籍問題のみであつて、他の問題は不幸にして成案を得るに至らなかつたのである(一)。所謂「國家責任」の問題は、同會議に於ては、「自國ノ領土ニ於テ外國人ノ身體若ハ財産ニ加ヘラレタル損害ニ對スル國家ノ責任」Responsabilité des Etats en ce qui concerne les dommages causés sur leur territoire à la personne ou aux biens des étrangers. といふ題名で、問題を少からず限定して議せられたのであるが、何分にも問題が問題であるだけに、國家責任の存在すべき事に付ての根本原則に關しては大體意見の一致を見たのであるが(二)責任の範圍・制限・條件などに付ては各國代表の間に完全な意見の一致を見ず、加ふるにしばしば國際責任の問題に關聯して諸種の國際法上の基本的問題の討議が行はれ(こゝにも國際責任の問題がいかに國際法上の基本問題と關係が深いかといふことが示されてゐる)爲に豫定の如く議事を進行する事を得ず遂に十分の成果を修めずして終つたのである。

抑々一九三〇年の國際法典編纂會議は直接には一九二四年九月二十二日の國際聯盟總會の決議に由來するのである。同決議は將來の國際法典編纂に熟したる國際法上の事項を研究すべき特別委員會の設置を議決せるものであつて、これにもとづき一九二五年聯盟理事會はスエーデンのハンマーショルト Hammarskjold を委員長として十六名より成る「漸進的國際法典編纂專門家委員會」(いはゆる「專門家委員會」)を任命した(三)。同委員會は一九二六年審議研究せる結果選定された七個の國際法上の事項につき世界の主要國家政府に對し、それらの事項が法典化に適するものなりやに付ての質問書を、聯盟事務總長の手を通して發送したのである。このうちに國際責任の問題は前揭の如き題名の下に第四問題 Questionnaire No. 4. として擧げられたのである。これに對し、二十三の國家は留保なく、四の國家は若干の留保を殘して、これを肯定し、四の國家(即ちフランス、日本、オランダ、ヴェネズエラ)はこれを否定した(四)。この結果、專門家委員會は一九二七年の第三回委員會總會において國家責任の問題が法典編纂に適する旨を宣言した(五)。一九二七年九月二十七日聯盟總會は專門家委員會の提案を可決し第一回國際法典編纂會議を開催すべきことを議決し、國家責任の問題も同會議に於て審議せられることになつたのである。かくて、同會議に對する準備のため一九二七年九月二十七日の聯盟總會の決議及び同年九月二十八日の理事會の決議により、Basdevant 教授を委員長とする「準備委員會」が任命され、同委員會は一九二八年一月ゼネバに開催された(六)。その結果、同委員會において、聯盟總會によつて第一回國際法典編纂會議に附議せらるべしとされた諸問題(卽ち、國籍・領海・國家責任の三問題)につき各國政府の意見を徵することが決定され、各問題につき精細なるプログラムを作製しこれを各國政府に發送してその意見を求めることとなつた。そのうち國家責任に關するものは全部で十五點にわかたれてゐたのであるが、準備委員會は一九二九年一月二十八日から二月十七日にわたつて會議を開き、各國政府から解答して來た意見を綜合的に硏究しその間に一脈の共通點を見出し、第一回法典編纂會議に於て議せらるべき三十一點より成る討議基礎案 Bases de discussion を作成し、これを一九二九年五月十五日公表した(七)。一方聯盟總會は一九二九年六月、第一回國際法典編纂會議を一九三〇年ヘーグに開催すべきことを議決した(八)。

一九三〇年三月十三日からヘーグに開かれた第一回國際法典編纂會議においては、國際責任の問題は Basdevant 教授を委員長とする第三委員會に附託せられ、更に同委員會は三の小委員會に別れ、第一小委員會は國際責任の基礎をなす國際義務の淵源の問題を、第二小委員會は外國人に對する保護不十分なる場合及び加害者に對する外國人の求償權を禁止する國家の措置に關する問題を、第三小委員會は國家賠償の原則及びその範圍に關する問題を、それぞれ審議し、その報告にもとづき委員會總會において種々討議が重ねられた。一九三〇年三月十三日から四月十二日にわたる一ケ月間における會議の結果は、討議基礎案三十一點のうちわづかに十點の審議を終つたのみでなんらの具體的成案を得るに至らずして閉會せることは前記の如くである(九)。

第一回國際法典編纂會議の實績が以上の如きものであることを考へるならば

國際責任についての法典化事業は極めて困難な事情にあるものといはねばならぬ。同會議に於て議せられたものは、上掲の如く國際責任の問題中かなり局限せられたものであるが、それに對してさへ若干の有力なる國家は法典化を時期尙早なりとしてゐるのみならず、本會議の討論に於ても各國政府代表間の意見は必ずしも細部の問題については一致せず遂に十分に滿足すべき成果は得られなかつたのである。この間の事情を考へ合せるならば、國際責任法規の法典化といふことは差當り近き將來に於て十分な成果を期待することは出來ないと推斷せざるを得ない。そこで當然の順序として國際裁判の發達によつて國際責任制度の發達を促進する道を期待するといふことにならざるを得ない。或ひは、國內法特に民事法の成立過程を考慮すれば、そこでは實體法規の發達は比較的遲れかへつて裁判手續や裁判機關に關する手續的法規の發達といふことが先づ實現し、しかる後この裁判制度の運用過程に於て實體法規が發見され或ひは創設されてやがてそれが法典化の準備ともなる、かういふ順序を經て法規の發達が行はれるのが普通であるから、國際法秩序の現段階に於ては、國際裁判の發達といふことから法典化事業を徐ろに期待することが或ひは當然の順序であり本筋であるのではないかとも思はれるのである(一〇)(一一)。それはともかくとして現に法典化事業にさしあたりの期待をかけ得ないとすれば、勢ひ國際裁判の發達によつて國際責任制度の缺陷を補塡するといふ事にならざるを得ないのである。ところで、國際裁判の發達といつてもそこに二つの事柄が考へられる。即ち、(1) 國際裁判に關する國際法規及び實際に國際裁判を行ふところの組織(裁判機關及び執行機關)の發達、(2) 現在の國際裁判組織の下に於ける國際判決の累積及び發達、がこれである。このうち(1)の問題即ち國際裁判組織そのものの發達は廣く國際平和機構體に關係し、安全保障や軍備縮少の問題と共に現在の國際平和機構問題のトリオたるものであるから(一二)これについてはその孤立的發達をのみ期待するを得ず、それによつて國際責任制度の發達を直接に促進することは望ましい事には違ひないが實現に相當距離があると思はれるのである。從つて、現在の國際裁判組織をともかくも基礎として比較的安易な道はといへば、前の(2)によつて國際責任制度の發達を希求することであらう。即ち現在の國際裁判組織の下に於ける判決例の累積・發達により國際責任の範圍・制限・條件に關する一定の規準を確立せしめる、といふことである。國際紛爭の發生がある場合においては國際責任法規の不明確なるに因ること少なからざるを思へば、これに關する國際的協定・條約による法典化事業の發達及びこれを運用する國際裁判組織が一層普遍化し統一せられて强化することは望ましいことには相違ないが、一方において現在の國際裁判卽ち仲裁々判や司法裁判（常設國際司法裁判所）の判決により、直接に國際責任に關する法規の創設を望むことはできないとしてもその判例の漸次累積し且其の間に一定の原則を確定するに至れば國際責任の範圍・制限・條件等の具體的內容に關する一定規準が次第に確定し慣習的にそれらが國際實定法の原則となつて來ることが豫期せられるのである（一三）。これ現在の國際組織特に裁判組織によつて國際責任制度の發達を期待するの道で、さしあたりは實現容易な自然の順路ではないかと思はれるのである。

（一）國際法典編纂會議の成果については、Guerrero, La conférence de Codification de la Haye, Revue de droit international 1930, p. 478 et s. Hudson, The first conference for the Codification of international law, American Journal of International law 1930, No. 3. Borchard, Responsibility of states at the Hague Codification Conference, A. J., 1930, No. 3. 田村幸策「國際法典編纂會議に於ける國家責任問題の成行」外交時報六十五卷五―六號。松原一雄「國際法典編纂會議に於ける國家責任問題」國際法外交雜誌三十卷二―三號。

（二）Procès-verbaux de la Troisième Commission, p. 15, 24, 26 et s.

（三）Journal officiel 1925 VI, p. 275.

（四）Annexe II du Rapport du Comité d'experts, C. 196 M. 70, 1927 V.

（五）Rapport sur les questions, qui paraissent avoir obtenu le degré de maturité suffisant pour un réglement international par le Comité d'experts pour la codification progressive du droit international(C. 196 M. 70, 1927V).

（六）この委員會には、委員長のほかに、カストロ・ルイス（チリ）、フランソワ（オランダ）、サー・セシル・ハースト（イギリス）、マッシモ・ピロッチ（イタリ）の四名が委員に任命された。

（七）Bases de discussion établies par le comité préparatoire à l'intention de la Conference (Tome III, C. 75. M. 69. 1929 V.)

（八）Journal officiel 1929 X, p. 996.

（九）Procès-verbaux de la Troisieme Commssion p. 238—239.

（一〇）この點に關しては Hans Kelsen, Legal process and international order, The new Commonwealth Institute Monographs, Series A. No. 1, London 1935. Derselbe, Die Technik des Völkerrechts und die Organisation des Friedens, Zeitschrift für öffentliches Recht, Bd. XIV (1934), S. 240—255. この紹介は、横田喜三郎教授國際法外交雜誌三四卷七號。

（一一）Walter Burckhardt, Methode und System des Rechts, Zürich S. 132—4.

（一二）横田喜三郎「安全保障問題」國際法外交雜誌三三卷一號參照。

（一三）國際法典編纂會議に於てヴィスケル de Visscher の第三委員會報告書案にも第三委員會における審議の經過及び結果を述べた後、次の樣にいつてゐる。……Aussi bien le développement de la jurisprudence internationale contribuera-t-il de la façon la plus efficace à préciser graduellement la portée et les limites du principe de la responsabilité internationale: le règlement de cas concrets par les juridictions internationales au premier rang desquelles il convient de placer la Cour permanente de Justice internationale, fournira des précédents qui offriront une base toujours plus solide à une réglementation conventionnelle de cette matière. Procés-verbaux, p. 239.

三　國際法理論の任務

既にして國際不法行爲又は國際責任に關する國際法規が主として國際慣習法の規律するところであり、國際の現狀を以てしてはこれが一般的法典化は素より部分的法典化さへもさしあたりは實現困難にして、當面の問題としては主として國際判例特に常設國際司法裁判所の判決例の發達に俟つべきもの大なりとすれば、こゝにまた國際法理論の任務も亦一層重大性を帶びて來るものと考へられるのである。けだし常設國際司法裁判所規程第三十六條は、當事國の受諾にもとづき裁判所が强制的管轄を及ぼし得べき法律的紛爭として「國際義務ノ違反トナルベキ事實ノ存否」及び「國際義務ノ違反ニ對スル賠償ノ性質又ハ範圍」に關するものを掲げ、且その第三十八條は、裁判所の適用すべき裁判上の補助的準則として「諸國ノ最優秀ノ公法學者ノ學說」を擧げてゐるのであつて、國際法學者の學說が判例に影響を及ぼし得べきことが豫期されるのである。思ふに將來の國際法學者は單なる註釋家に終るべきものに非ずして(一)その學說にして公正妥當よく國際の輿論を指導し代表し得るものは國際裁判の判決を通して或程度に於て實定法化するの機會を與へられるのである(二)。從つて國際責任に關する研究の如きも現實の國際法規を更に明確ならしむるは勿論第一に緊要なことであるが、法規の存在が不明確であつたり又はその存在そのものが疑はしき時は、常に「法の支配」する國際社會の實現のため政治的動機とか國民的偏見とかにかゝはることなく、公正妥當、法の理念の命ずるところ正義の要求するところに從ひ學說によつて法の欠缺を適當に補塡することを常に心懸けるべきものと思ふのである。ここに國際責任理論の有する重大なる任務が存する。

勿論そのためには國際不法行爲又は國際責任に關する實定國際法規(卽ち現在では主として國際慣習法より成る)の研究を第一に必要としこれが研究に當つては努めて政治的動機や個人的偏見を加へることなく專ら實定法の理論としての國際責任理論を構成すべきであるが、この場合常に現在の國際法秩序の有する發展段階、從つてそれが國際社會の秩序維持のためにいかに實效的であるか卽ち社會的技術としての國際法の有する現段階及び技術的價値に對する十分なる洞見を把持してゐることが必要である。このことによつて始めて「あるもの」を正確に知り更に「あるべきもの」への道程が明らかにせられ得る。

（一） J. F. Williams, Chapters on current international law and the League of Nations, 1929, p. 64. A. P. Higgins, Studies in International Law and Relations, 1928, p. 37.

（二） フェルドロスも、國際法研究に二つの部門を認める。即ち、ひとつは、經驗的國際法規の研究を目的とする Völkerrechtswissenschaft であり、他は、國際正義の根本觀念から新しき法を發見しそれが適用の準備をなすもので、Völkerrechtsdoktrin である。後者は、國際の實際に於て認めらるる限りにおいて補助的な國際法源たり得べきものであるとしてゐる。Alfred von Verdross, Einheit des rechtlichen Weltbildes, 1923, S. 125—126. Derselbe, Verfassung der Völkerrechtsgemeinschaft, 1926, S. 67 ff.

四　本稿の目的並びに範圍

本稿は、國際不法行爲又は國際責任に關する實定國際法の體系的研究及び理論構成への序說たるべきものである。即ち國際不法行爲理論に於て爭ある所の種々の問題を直接に實證的に研究するといふよりも、これらの問題の背後に橫たはれる根本的問題換言すれば國際不法行爲の概念・本質及びその內的構造等の問題を理論的に研究し、以て將來の實證的研究への準備をとゝのへることを以て直接の目的とするものである。けだし既にストルップも指摘せる如く（一）、國際不法行爲論に關して、敎科書的著述に於ける一般的論述が存ずるほかは最近に至るまで學問的に十分に滿足し得る樣な研究があらはれなかつたのは、必ずしも研究對象たる實定法的素材がもつ所の複雜性や困難性に因るのみにはあらずして、研究の前提たる種々の國際法上の根本的問題や國際責任の本質に關する理論的研究及びこの基礎の上に立つて實定法的素材を咀嚼するといふ事、が閑却せられてゐたのに因るのではないかと思はれる節が多いのである。それ故に先づ國際不法行爲の何たるかにつき十分な理解と明確なる認識を準備する事は國際不法行爲に於ける複雜且困難な諸種の問題(二)の解決特にその綜合的體系的解決に不可缺なことである。このことによつて初めて、これら諸種の爭ある問題に對する解決の方法が明らかにされ、その解決の方向に確固たる據り所卽ち基準が與へられる。

かくの如く本稿の主たる目的は、國際不法行爲の槪念・本質及びその構造に關し一應の理論的分析を加へ、それによつて國際不法行爲論に於て爭ある諸問題が夫々持てゐる所の意義・限界及びその解決の方向等についての洞見を確定し深めることにある。卽ち國際不法行爲の本質を正確に把握する事によつて國際不法行爲論に於ける諸問題の意義を確定し、問題を正當な意義において提出することである。而してこれによつて正しく提出された諸問題を更に實定の國際法に基づいて解決することは、本稿の直接に關與する所ではなく將來の研究に殘されてゐるのである。そこに本稿の限界がある。

しかしながら問題は常に實定法の理論である。國際不法行爲に關する實定國際法規の研究である。それ故本稿が直接に國際不法行爲論に於ける諸問題を實證的に研究するのでないといつても、それはあくまでも直接にはそうでないといふにすぎず、全然實定の國際法を離れて論ずるといふのではない。實定の國際法をはなれては其處にいかなる實定法の理論も無い。既にして國際法上の根本的問題といへども實定法をはなれては思辨的な論理の遊戲に過ぎないものとなる(三)。それ故國際不法行爲の概念や本質を究明するに際しても實は絕えず實定國際法への反省または照會の下に行はれなければならぬことはいふまでもない。また、實定法理論の下ではいかなる法的概念も實定法の素材をはなれては規定され得ず、いはんやアプリオリに規定した法的概念からはいかなる實定法規をも抽出し得べきものではない。法規から法的概念が創出さるべきであつて法的概念からは如何なる法規も創出され得ない――といふのは實定法理論の根本的原則である(四)。それ故に國際不法行爲の概念を先づ確立することを以て將來の實證的研究への出發點としようとするのは、決して將來の研究對象たるべき實定法から完全に遊離した國際不法行爲の概念を觀念的に創造して、それによつて實定法の素材を恣に限定したり取捨したり又は創出したりしようとすることを意味するのではない。むしろ、何處迄も國際不法行爲に關する與へられた實定國際法規をできるだけ包括的に且つ矛盾なく理解し得る樣な國際不法行爲概念を構成し、それによつて將來の研究對象たる個々の實定法的素材を整理しその各〻に適當なる法的意味と法體系內に於ける本來あるべき正しき地位とを附與しようとするものである。

しかしながら他方において、法認識は必ずしもその認識對象たる個々の實定法的素材がもつ主觀的外面的意味に囚はれるべきでなく、かへつて實定法的素材全體の理論的體系的認識によつてその客觀的內面的意味を確定し、これを標準として實定法的素材に意味變更を加へ、或場合にはそれを實定法的に無意味なものとして實定法體系の範圍外に排除する事を得べきである。ゆえに、國際不法行爲概念の構成を目的とする法認識に於ても、國際不法行爲に關する法規として表はれる國際法規を一應は認識の對象として取上げるべきではあるが、必ずしも常にかやうな個々の法規がもつ外面的意味に拘泥するを要せず、却つて、これらの法規を特に一般不法行爲概念との關聯の下に綜合的且體系的に研究することによつて、國際不法行爲の概念從つてその本質・構造についての理論的認識を確定し、かゝる認識によつて生み出された國際不法行爲法規一般の客觀的・內面的意味を標準として國際不法行爲に關する個々の法規を再認識すること(卽ち或ひはそれらの法規の本來の意味を確認したり或ひはそれらに意味變更を加へたり又或ひは全然國際不法行爲法規の枠外に取除いたりすること)が當然なされ得べきであり、又、なされねばならぬ。この事によつて初めて、國際不法行爲の概念・本質及びその內的構造を確定し以て國際不法行爲に關しての爭ある具體的問題を正當な意義において提出するといふ、本稿の目的が達成される。

(一) Karl Strupp, Das völkerrechtliche Delikt, Stier-Somlos Handbuch des Völkerrechts, III, 3, Stuttgart 1920, S. 1.

(二) 例へば國際不法行爲の主體に關する問題(特に個人の國際法上の不法行爲能力の問題)、私人の行爲に對する國家の責任の問題、國際責任の要件に過失を絕對に必要とするか(國際法上結果責任は認めらるべきか)の問題、國家機關の權限外の行爲に對する國家の國際責任の問題の如きその最も重要な、しかも爭ある問題である。後の三問題はイエッスによつて「主要問題」とされてゐる。Adolf Jess, Politische Handlungen Privater gegen das Ausland und das Völkerrecht, Abhandlungen aus dem Staats-und Verwaltungsrecht, 37. Heft, Breslau 1923, S. 33.

（三）例へば、國際法と國内法との關係の問題の如きは、國際法上の根本問題として最近特に大戰後大いに論ぜられるところである。この問題が、單に論理的に論ぜらるべきではなく、法律論理的に、卽ち實定法の論理といふ點に重きをおいて取扱はるべきものである、といふことを强調せる論文としては、横田喜三郎「國際法と國内法との論理的關係」山田敎授還曆祝賀論文集（昭和五年）五一一—五五一頁を擧ぐべきである。

（四）ブルクハルトは次の樣にいふ。『概念から決して命題が生れないと同樣に、法的概念からは決して法規は生れない。……刑罰の概念から、いかなる行爲が罰せらるべきかといふことは歸結し得ないと同樣に、取消と無效の區別からいかなる法律行爲が取消さるべきでいかなる行爲は無效であるかといふことは歸結し得ないし、行爲能力の概念から何人が行爲能力者であると宣言さるべきかといふことは歸結し得ない……』Walther Burckhardt, Die Organisation der Rechtsgemeinschaft, Basel 1927, S. 15—16. Leonald Nelson, Rechtswissenschaft ohne Recht, 1917, S. 58. Julius Binder, Philosophie des Rechts, 1925, S. 910 ff. Rudolf Stammler, Theorie der Rechtswissenschaft, S. 314.

第一章　法の本質と不法行爲

以上の如き本稿の目的卽ち國際不法行爲の本質を規定するといふ課題を果すためには、更に一般に不法行爲又は違法行爲の何たるかについて先づ言及するのが、問題を理論的に追及する精神からいつて當然の順序であらねばならぬ。けだし、國際不法行爲は不法行爲の一種卽ち國際法といふ特殊法秩序に於ける不法行爲にほかならず、それが特に「國際」不法行爲たるの特殊性卽ち species としてもつ特質は genus たる不法行爲一般の概念・本質をあきらかにすることによつて始めて正確に理解せられるのである(一)。しかして、更に不法行爲一般の本質についての認識を誤りなからしめんが爲めには更に法の本質を確定的に理解する事が當然に要求せられるであらう。思ふに不法行爲は法の否定 Negation des Rechts ではなくして(もしかゝるものとして觀念せられるならばそれは超法的事實としてもはや法認識の可能な對象ではない)後述する樣に「法的」要件であり、從つてこれが概念規定は、正に此意味に於て始めて法認識の可能な課題たり得べきものである(二)。それ故に、本稿の硏究は法の本質の硏究から出發する。

（一）Hans Kelsen, Unrecht und Unrechtsfolge im Völkerrecht, Zeitschrift für öffentliches Recht, Bd. XII, H. 4, (1932), S. 481—608, besonders 481—494.

（二）この點に關する詳細は後述するところに讓る。五六頁參照。

第一節　法の本質

一　制裁規範としての實定法

法卽ち實定法の本質に關する問題は法學上の根本的問題中の根本的問題である。今これを此處に徹底的に取扱ふことは不可能事に屬する（一）。こゝでは不法行爲の本質を究明する上に必要な範圍に於てこの問題に觸れることとする。先づ便宜上次の様な簡單な定義から出發しよう。卽ち

『實定法は制裁規範である』と。

この定義は實定法の本質を二つの方向に於て規定してゐる。卽ち實定法を、(1)規範たるの點において「自然法則」から、(2)特に制裁規範たるの點に於て「道德」や「自然法」その他の社會規範から區別してゐる。今これを說明しよう（二）。

（一）美濃部達吉博士「法の本質」（美濃部達吉論文集第二卷）昭和十年。

(二) 横田喜三郎編「ケルゼンの純粹法學」昭和七年、一七頁以下參照。

(1) 規範と自然法則

第一に、實定法は規範であつて自然法則ではない。自然法則と規範とは全く異なれる形式をもち完全に對立するものである。

しかしながら、廣く「實在」das Wirkliche, réalité を關係づける命題を法則 Gesetz と呼ぶならば、規範も亦自然法則 Naturgesetz とひとしくかゝる法則の一種である。何れも與へられた實在の世界における何らかの規則性又は法則性 Regelmässigkeit od. Gesetzlichkeit を表はす命題である。例へば『物體は加熱すれば膨脹する』といふ自然法則は「物體に對する加熱」といふ事實と「物體の膨脹」といふ事實とをなんらかの意味で關係づける、即ちその間になんらかの法則性があることを示すものであり、『人を殺せば罰せらるべし』といふ規範や、『約束は履行せらるべし』といふ規範は「殺人行爲」とか「約束」とかいふ事實と、「加罰」とか「履行行爲」とかの事實とをなんらかの意味で關係づける、即ちその間になんらかの法則性があることを表はす。何れも實在の世界に於ける事實を關係づけ、その間に一定の法則性が存することを表示する命題である。かくして、自然法則も規範も更に上位の概念たる「法則」概念のうちに包攝せられる(一)。

かくの如く、自然法則も規範も實在を關係づける命題であり何らかの意味で實在の法則性を表示するものであるが、この兩者はその固有の法則性によつて區別せらるべきである。

即ち、その「關係づけやう」（形式）によつてのみ區別せらるべきで、「關係づけられてゐるもの」（實質）によつては區別され得ないのである。兩者は何れも實在を關係づける。自然法則の關係づける實在も規範の關係づける實在も、ひとしく時間と空間のうちに生起し感覺によつて知覺される外部的事象である。但し、規範は多く人の行爲を關係づける。この點において自然法則とことなる如くである。しかしこれは、後述する如く（五三頁註五參照）必ずしも人の行爲を關係づけることが規範の必然的性格ではない。次に、この人の行爲といへども尙それ自身は一つの外部的生起であつて自然の一片にほかならない。この點において何ら自然的生起とことなるところがない。更に、この人の行爲を生起せしめる人の意思を問題とし、規範は意思の規律であるといはれることがある。しかしこの場合も、意思を規律するものはやはり意思である。規範は意思を規律し得ない。たとへば、殺人をなせば刑罰に處せらるべしといふ規範についていへば、この場合ある一定の人が具體的に殺人行爲を爲さんとする事態に遭遇し、殺人行爲が罰せらるべき規範の存することを表象し、ここに二つの途即ち殺人をなすか殺人を斷念するかの岐路に立つであらう。この二途の何れを選ぶかは人の意思であつて、規範が規律するのでない。規範、精確にはその表象はせいぜいのところこの人の自由意思に心理的な影響を與へ得ることがあるにすぎない。この作用は、いはゞ規範の副次的作用にほかならぬ。規範の目的に主眼をおいて考へるならば、即ち超規範的立場からいへば、この作用こそ主要な作用であるかも知れないが、規範の內在的構造に主眼をおいて考へるならば、この作用は單に副次的なものである。即ち、規範の構造はあくまでも一定の實在と一定の實在とを結合する點に存し、この結果一定の實在が惹起せられることあるも、それは規範の內在的構造には直接に關係なきところである。從つて、一定の人の意思をなんら事實上拘束せず從つて規範違反の

行爲が惹起されることあるも、規範の規範たるのゆえんのものは少しも損はれない。それ故に、規範を以て意思の規律なりと考へることはいさゝか精確をかぐものといはねばならぬ。或ひはこれに反して、規範は意思を規律せんとするもの、行爲を惹起せしむべきものであると、反駁し得るかも知れない。しかしこの場合すでに、「關係づけられてゐるもの」による自然法則と規範との區別を斷念し、「關係づけよう」による兩者の區別に不知不識の間に問題を置き換へてゐることを注意すべきである。

自然法則は自然のうちで何かゞ事實的に生起する事に關する命題であつて、それは或事象を他の事象の必然的結果としそれによつて「あるもの」を說明する。事實を「ねばならぬ」Müssen を以て結合する命題であつて、その固有の法則性は必然の法則性卽ち因果性 Kausalität である。これに反して規範はある行爲を要求し存在(又は不存在)を命じ、ある事實が生起す「べき」ことを表示する命題である。それは實在を「べし」Sollen を以て關係づける命題であつて、その固有の法則性は當爲の法則性卽ち歸屬 Zurechnung である。

この樣な自然法則と規範の對立の結果として、兩者の間にはその妥當性に關して根本的な相異が存する。卽ち自然法則は「實際にあること」を示すものであるから、若し實際に反對の事實があれば、自然法則としての意味を失ひもはや自然法則として妥當しない。それは僞の法則であり本來「法則」ではないといふべきである。これに反して、規範は「あること」を表示するものではなく「あるべきこと」を示す命題であるから、反對の事實があつてもその妥當性を失ふことはない。規範の妥當性はその Gesollt-sein に存するから、たとへ規範違反の事實があつてもそれによつて規範の妥當性は毫も損はれることはない(一)。

右に從へば法即ち實定法は正に「規範」である。法命題の根本的形式は一定の事實に一定の事實を「べし」を以て結合する點に存する。この場合、前の事實を特に法的要件といひ後の事實を法的效果と呼べば、法命題は法的要件と法的效果とを當爲を以て結合する命題であるといふ事ができる。このことは、自然法則が一定の事實(原因)と一定の事實(結果)とを因果性を以て結合するのと對蹠的なはたらきをなしてゐることを示すものである。法規 Rechtssatz は實にその規範性 Normativität においてその本質的機能を果してゐるのである。この結果、法の妥當性は規範のそれが一般にそうである樣にその當爲性 (Gesollt-sein に存する。即ちそれが「服從さるべき」こと、もしくば適用さるべき」ことにある。必ずしも實際に服從されることを要しない。服從されなくとも『それでもなほ服從さるべきであつた』といふ意味で妥當するのみならず、かゝる法規違反を要件として一定の法的效果(卽ち制裁)が實現されることによつて法規が外部的に實現せられる。法規にとつてはその規範違反は「本質的」である。規範違反卽ち不法行爲こそは法規の適用さるべき場合である。法が適用されることによつてその本來の機能を全うするものとすれば、規範違反卽ち「不法行爲」こそは法の機能を愈〻發輝せしめ、法の妥當性を否定するどころか、かへつてこれを明徴ならしめる。かくて不法行爲は法の本質と密接不可分の關係にあるといはねばならぬ。要するに、實定法は服從されないことによつてその妥當性を失ふものでない。これ實定法が規範であることの當然の歸結である(二)。

(一) 以上本文に述べた所を補足すれば、廣く規範の本質について次の三つの事柄が問題であることを注意すべきである。卽ち、(1)規範そのものの性質、(2)規範の意味するところのもの、(3)規範の妥當性。本文ではその各について次の樣に答へてゐる。(1)規範そのものの性質については、規範そのものは實在を關係づけその間の法則性を表示する一種の法則である。更にこの法則は判斷と共に命題といふ概念に包攝され、この命題は概念や數とともに觀念的存在のうちに包攝される。結局に規範は、自然法則や判斷や概念や、數などと共に因果的世界に屬せずして觀念的精神的世界に屬する。規範はゆゑに觀念的存在である。次に、(2)規範の意味するところについては、それは當爲の關係卽ち當爲の形式によつて律せられた關係である。この事を『規範は實在を當爲の法則性で關係づける命題である』といふ言葉で表はした。(3)規範の妥當性についていへば、それは規範に於ける當爲性 Gesollt-sein に存する。規範の妥當性は決して事實性 Faktivität からは抽出し得ない。本文では、このことを實際に規範違反の事實があつてもそれによつて規範の妥當性は損なはれないといふ消極的方面から説明したのであるが、これを積極的方面よりいへば、事實性から妥當性を抽出することは否定されねばならぬといふことになる。たとへば、主權者の命令が規範として妥當するのは、それが主權者によつて「命令された」といふことからでなく「主權者によつて」命令されたといふことからである。卽ち『その命令が服從せらるべき主權者によつて正に命令された』ことからである。結局に『主權者の命令は服從さるべし』といふ他の規範を前提として妥當するのである。

(二) Kelsen, Hauptprobleme der Staatsrechtslehre, 1923, S. 53.

(2) 制裁規範としての法規範

第二に、實定法は制裁規範たるの點において、ひとしく規範であるところの道德や自然法の規範から區別せられる(一)。

法が道德といかなる點で區別せられるかの問題は「法律哲學の喜望峰」ともいふべき根本問題であつて、法學のアルフアでありまたオメガでもある(二)。法が規範であることは實は一般に認められたところであり、敢て議論する餘地は存せぬのである(三)。しかるに、法がひとしく規範たるところの道德や自然法の規範といかなる點で區別せらるべきかについては古來極めて爭のあるところであつて、これに解答を與へることは實は法の本質を直接に明らかにすることとほとんど同じことであるといつて差支がない。

法規範も道德規範も、ひとしく實在を當爲の法則性を以て關係づける命題、卽ちなんらかの當爲の關係を表示する命題であるが、この兩者はその固有の規範性によつて區別されるのである(四)。

ところで、規範は實在をなんらかの意味で關係づける命題であり、その固有の法則性は規範性即ち當爲の法則性である。當爲の形式を以て實在を關係づける命題である。それで、規範をその固有の規範性に從つて區別することは結局するところ當爲の性質に從つて區別することにほかならぬ。しかるにこの當爲は常になんらかの價値にもとづくものである(五)。當爲は必ずなんらかの價値の上に立つてゐる。それ故にこの價値の性質を區別すれば、當爲の性質も亦それに從つて區別され得るといふことができる。ところで、價値の理論的な最も一般的分類はこれを相對的價値と絕對的價値とに分けることであらう(六)。この區別の規準は制約(空間的たると時間的たるとまた物的たると人的たるとを問はない)の有無である。卽ち一切の時・空的制約を超越し其他のいかなる制約をも超越する價値は絕對的價値であり、これらの制約を受ける價値は相對的價値である。從つて、當爲も、そのもとづくところの價値が相對的であると絕對的であるとに從ひ相對的當爲と絕對的當爲とに分たれ、また規範もそれが表示する當爲が相對的たると絕對的たるとにつれて相對的規範と絕對的規範とに分けられる。換言すれば、絶對的規範は絶對的當爲を以て實在を關係づける命題であり、相對的規範は相對的當爲を以て實在を關係づける命題である。前者の固有の規範性は絶對的規範性であり、後者のそれは相對的規範性である。

この樣にこの兩者は本質的に對立するものであるが、その妥當性についても完全な相違が存する。絶對的規範の妥當性は絶對的である。卽ち無制約的妥當性である。無制約的であるから或制約の下に妥當するといふのではなくそれ自身に於て妥當する。卽ちそれ自身の意味するところに從つて妥當する。いはゞ實質的妥當性 materielle od. inhaltliche Geltung を有つてゐる。これに反して、相對的規範の妥當性は相對的卽ち制約的である。制約的であるから、なんらかの制約の下で妥當し或ひは何らかの他の規範(從つて價値)からその妥當性を抽出する。特にある一定の條件を充たして定立されたことによつて妥當する。それゆえ、それはそれ自身の意味するところに從つて妥當するのでない。それはいはゞ形式的妥當性 formelle Geltung を有するものである。

右に從へば法規範が相對的規範であることはあきらかである。これに反して道德や自然法の規範は絶對的規範である。卽ち、道德や自然法の規範が神・理性・

人間的自然といふ樣な最高・絕對の價値（從つて絕對的な善・正義・正當性の要求）に根ざし、その意味する所の內容そのものに從つて妥當するのに反して、法規範はそれ自身なんらの自證性 Evidenz を有せず他の法規範によつて規定せられた一定の條件を充たして人爲的に定立せられたるが故に妥當するのである。しかしてかゝる一定の條件を規定した規範は更にまた他の法規範に於て規定せられた一定の條件の下で定立せられたが故に妥當し、かくて最後に一切の法規範の妥當根據としてあらはれる規範卽ち根本規範 Grundnorm は、もはやいかなる法規範によつてもその妥當性を附與されることなくその妥當性は單に假設的に前提されるにすぎない（七）。それはいはゞ一切の法定立行爲の手續の出發點ともいふべきものでそれより一切の法規範の妥當性が抽出されるのである。かくの如く、すべての法規範の妥當性はこの樣な究極の根本的法規範の假設的妥當性に由來するものであるから、結局には實定法規範の妥當性は假設的・相對的なものといはねばならぬ。卽ちそれ自身絕對的・自證的な妥當性卽ち實質的妥當性を有せず、究極の假設的規範の規定せる條件を充たして人爲的に定立せられたが故に妥當するといふ相對的・形式的妥當性を有するものである（八）。

實定法の動的性格　以上の如く、法規範の形式的妥當性と道德規範の實質的妥當性とが區別せられる結果、この二つの規範體系における具體化・個別化の過程について全く異なつた二つの原則が支配してゐる。卽ち道德規範の體系においては、ある規範の內容はより一般的な規範から思考作用によつて演繹される。卽ち特殊規範の內容はすでに一般的規範の內容のうちに包含されてゐて、人の思考作用がこれを演繹的に抽出するのにすぎない(九)。これ道德規範の有つ靜的性格といふべきものである。これに反して法規範の體系においては、ある規範の內容はより一般的な規範の規定せる一定の條件に從つてなされた人の意思作用によつて附與されなければならぬ。例へば、法律 Gesetz は憲法上の要件（法律制定機關、法律制定手續、法律の內容に對する制限）に從つて制定さるべきであるといふ規範からいかなる內容の法律も思考的には抽出し得ない。ある特定內容の法律が制定されるためには憲法上の要件を充たしてなされた現實の制定行爲がなければならぬ。それによつて初めて法律の內容が附與され創造されるのである。卽ち法規範の內容は、上位の規範（當爲）によつて規定せられた要件（定立機關・定立手續・內容上の制限等についての要件）を充たしてなされた定立行爲（人の意思作用による實在的行爲卽ち存在）によつて創造され、またかくの如くにして定立されることにその下位規範の妥當性が存するのである。この定立行爲は單なる思考作用でなく人の實在的行爲である。これ法規範の動的性格ともいふべきものである(一〇)。この樣に、實定法には動的性格が固有であるからその具體化・個別化の經過・過程は次の樣な圖式を以てあらはすことが出來る。卽ち

$$A + B$$
$$A' + B'$$
$$A'' + B''$$
$$\cdots\cdots$$

當爲＋存在
當爲＋存在
當爲＋存在
……

この圖式にあらはされた様な當爲（**卽ち下級規範の定立要件を指定せる規範**）と存在（**上級規範によつて**指定された定立要件を充たしてなされた實在的な定立行爲）との結合卽ちAなる規範がBなる實在的行爲と結合してA′なる新しい規範を生み、このA′が更にB′なる實在的行爲と結びついてA″なる新しい規範を生み、それが更にB″なる行爲と結びついて更に新しい規範を生む、といふ樣な當爲と存在との動的結合及び發展のうちにこそ、實定法の本質卽ち「法の實定性」Positivität des Rechts の眞相がひそんでゐるのである（一一）。

法秩序と法團體　ところで一方に於て、以上の圖式に於て「存在」としてあらはれる定立行爲は下位規範の定立 Setzung とあると同時にまた上位規範の適用 Anwendung である。卽ち制裁を定立する行政命令や司法判決は法律 Gesetz や命令 Verordnung の適用であり、この法律を定立（制定）する行爲卽ち立法行爲は憲法の適用であり、更にこの憲法を定立する行爲は前の憲法（合法的變革の場合）または直接に根本規範（新國家の成立又は革命の場合）の適用である（一二）。但し最初にあらはれる法定立 Rechtssetzung はいかなる規範の適用でもない。それは純粹定立である。卽ち根本規範の定立がこれである。他方最後にあらはれる法適用 Rechtsanwendung はいかなる規範も定立しない。從つてそれからいかなる義務も發生しない。それは純粹適用卽ち執行行爲である。制裁を定立した規範（行政命令や判決）にもとづいて制裁を執行する行爲例へば刑の執行・强制執行の如きがこれである。この二つの兩極端を除いた爾余の法定立は同時に又法適用である。かく觀じ來れば、實定法の體系は根本規範より制裁執行にいたるまでの過程中にあらはれた法適用行爲（それ自身は實在的行爲）によつて創設された規範の總體である。卽ち、その純粹形式に於ては單に最初の憲法創設者を指定するところの根本規範の下における法適用行爲の動的展開の途上に於て創設された規範の統一的全體にほかならぬ。この場合、これらの一切の法適用行爲從つてそれによつて創設された規範はその法的意味從つてその妥當性の根據を窮極に於て根本規範に置いてゐる。それゆゑにこそ、それらの總體は單なる合計でなく一つの統一的全體を形成してゐるのである。從つて根本規範は實定法體系の妥當根據である。それから一切の法適用の手續が出發するところの法的手續の始點である。それはまた實定法規範の總體を「體系」「秩序」の高みにまでもたらす、いはゞ「法秩序」Rechtsordnung たらしむるものである。一群の法規範はその各〻が結局ある共通の唯一の根本規範にその妥當根據をもつことによつて一つの法秩序卽ち實定法體系を形成する（一三）。かくの如く根本規範は實定法の妥當根據でありそれを一つの體系の高みにまでもたらすものであるが法秩序そのものではない。法秩序そのものは根本規範の下に段階的に stufenförmig 創設された法規範の總體である。それ自身としては先づ上位規範を適用する行爲としてあらはれるがやがて下位規範を創設する法定立行爲としてあらはれるところの人の實在的行爲によつて創設された法規範の統一的全體である。それ故に根本規範そのもののうちにはいかなる實定法の體系をも認識され得ない。たゞこの根本規範の下に展開された法定立行爲によつて創設された規範の總體のうちに法秩序の全貌を見ることが出來るのである。從つて法適用行爲がなければそこには根本規範が殘るのみでいかなる實定法の體系も存立しないといはねばならぬ。

ところで一方において、後述する如く（四八頁參照）法の妥當性はあくまでも當爲されてゐることに存する卽ち適用さる「べき」點に存するのであるが、實定法秩序は一定の最少限度 Minimum の實效性をもたなくてはならぬ。卽ち、ある一定の最少限度における現實の適用がなければそこにはいかなる「實定」法體系も存在し得ない。根本規範の下におけるある限度の事實的適用行爲の實現は、實定法秩序が「實定的」であるために當然に存在せねばならぬ。してみれば、實定法が常に當爲と存在卽ち規範と實在的行爲との動的發展のうちに具體化されてゆくことは實定法にとつては固有のことであり必然的である。從つてそこに、法創設行爲によつて定立された規範の總體即ち法秩序のほかに、これとあくまでも一應は區別せられた定法立行爲（同時に法適用行爲）即ち事實的行爲の總體を考へなくてはならぬ。すでに述べた圖式（三二頁參照）においてA、A′、A″……といふ規範の體系 System der Normen のほかにB、B′、B″……といふ行爲の體系 System der Handlungen を區別して考へなくてはならぬ。前者即ち規範の體系はすでに法秩序 Rechtsordnung と呼んだのであるが、後者即ち行爲の體系は、これを法團體 Rechtsgemeinschaft と呼ぶことができる（一四）。それ故に法團體は決して法秩序そのものではない。法秩序そのものは法規範の體系である。法團體は、先づ上位規範の適用としてあらはれるがやがて下位規範を定立するところの人の事實的行爲の總體である。しかしそれは單なる事實的行爲の總和でなくして、規範によつて妥當性を與へられてゐる即ち法的意味を附與されてゐる法的行爲 Rechtsakt の總體であり、またその終局の妥當性をある唯一の根本規範から得てゐることによつて行爲の體系である。これは、實定法の規範が段階的に展開し具體化してゐるのと相呼應して、段階的に展開された行爲の全體である。かゝる法團體の事實性こそは實定法秩序の實效性を保證し「法の實定性」を基礎づけるものである。それ故に法秩序は必ず法團體を生み出し、法團體は法秩序の存立を保證する。法團體なきところに法秩序なく（法の實定性が失はれる）、法秩序なきところに法團體はない（規範論理的に）（一五）。

かくの如く、道徳や自然法の規範が絶對的價値にもとづく當爲の關係を表示する絶對的規範であり、これに反して、法規範が相對的價値にもとづく當爲の關係を表示する相對的規範であることの結果、この兩者の間には規範違反の場合につき根本的相違が存する。即ち、道德や自然法の規範は神・自然・人間的理性などといふ絕對價値に根ざし無制約的妥當性をもつ。いはゞ論理學の規定の様に自證的であつて、これに對する違反行爲になんらの外部的强制(卽ち制裁)を必要としない。それは絕對的自證性から生ずる内的な正しさを以て人に迫る。從つていかなる制裁も必要でない(一六)。もし制裁を要する様なものであれば、それはもはや絕對的無制約的な妥當性を主張し得ない。相對的な制約的なものとなるであらう(一七)。これに反して、法規範は人爲的權威にもとづくところの相對的價値に根ざすもので、道德や自然法の規範のもつ様な實質的・無制約的妥當性をもたず、從つて自證性を有ち得ないから、その内容には絕對的規範のそれが有する様な内在的な「正しさ」や「正當さ」が附着してゐない。それゆえ、法規範についてはその成立と同時にその正當性・正義性が受範者によつて洞察され確認されることを必ずしも常に豫期することはできないのである。つまり法規範に關してはそれが規定するところに反して受範者が行動することが有得べきを全く無視し去ることはできない。かゝる可能性を豫期し或は初めから勘定のうちに入れてゐなければならない。換言すれば、違反卽ち規範違反の場合を勘定のうちに入れこれに對する處置を規定しておかなくてはならぬ。これ卽ち制裁を規定することにほかならない(一八)。それ故に法規範の相對的規範性はそれが制裁を規定した規範でおること、從つてかゝる制裁の制約者 das Bedingende として一定の行爲を特徵づけることによつてその行爲を評價するといふ固有の評價機能(相對的・條件的評價機能)をもつた規範であるといふ點に再びあらはれて來るのである。結局に、法規範は制裁を規定した(正にそのことにおいて相對的な、卽ち無制約的妥當性を主張しない)規範であるといはねばならぬ。

この結果、法規範は道德や自然法の規範とはちがつた固有の命題形式をもつてゐる。卽ち、一定の義務を規定した當爲命題とこの義務に對する違反に制裁を結合する當爲命題との複合體、換言すれば二重當爲命題の形式を有つ。これ法規の二重構造といふべきものである(一九)。

今この法規の根本的構造を簡單な圖式であらはせば、『一定の主體は、一定の要件の下で一定の行爲をなすべきである(義務命題)。もし、これがなされなかつたならば、一定の主體に對して、他の一定の行爲が一定の要件の下で爲さるべきである(制裁命題)』となる(二〇)。これあらゆる法規が結局に全體として表現する基本形式である。例へば、(1) 一定の主體は殺人行爲を避くべきである。もし、これを犯せば、右の者に對して、一定の手續を經てなされた裁判により刑罰が科せらるべく、確定の終局判決にもとづき一定の者が刑罰を執行すべきである。」とか、(2) 一定の有效なる契約を結びたるときは、それを履行すべきである。もし、これに違反して相手方に損害を與へたるときは、損害賠償をなすべし。かつ、これに應ぜざるときは、相手方の提訴によりて裁判がなさるべく、裁判所の、執行文を付したる終局の確定判決の正本にもとづき、一定の者が强制執行をなすべきである。」の如きである。

ところで、この法規の二重構造において前の義務命題は必ずしも法規に固有のものではない。それはあらゆる社會規範が規範として當然に具有すべきものである。從つてそのなかで表示されてゐる義務は必ずしも直ちに「法的」義務といふことはできない。この義務が特に「法的」義務であるためには、それに違反せる行爲卽ち義務違反行爲が制裁を科するための要件であることを要する。卽ち、後の制裁命題において制裁の要件として指示されたものが義務命題に於て要求された義務に違反するものであることを要する。かくて初めて、義務命題に於て義務として規定されたものが道德的や自然法的やその他の社會的義務とはことなつた本來の「法的」義務として特徵づけられるのである。してみれば、法規をして「法規」たらしむるものは實に制裁命題でなければならぬ。實定法の本質は義務・制裁の兩命題の複合的構造形式に存し、その本質的機能は、先づ或る事實（人の行爲）が惹起せらるべきこと（または惹起せられざるべきこと）を要求し（義務命題）次にこの要求に反した事實（義務違反行爲）に一定の制裁（强制行爲）を加へる點に存するのであるが、その內在的構造上法規にとつて一次的な命題は制裁命題であり、從つて法規は一次的には制裁を定める規範であつて、この制裁を回避すべき行爲（卽ちそれに對する違反が制裁の制約的要件となる樣な義務）を規定した命題は二次的な命題卽ち一次的な制裁命題と結びついて初めて法的に意味づけらるべき命題であるにすぎない。ゆえに法規の根本形式を更に約むれば、一定の制約的事實（卽ち義務違反行爲）に一定の被制約的事實（卽ち制裁）を「歸屬せしむる」卽ち當爲の形式で結合する命題であるといふことができる。前の事實を不法要件 Unrechtstatbestand といひ後の事實を不法效果 Unrechtsfolge と名付けるならば、法規は不法要件に不法效果を歸屬する命題であるといふことができる。この根本的機能を通して、不法效果の要件たる行爲（作爲・不作爲）を實現せざることが始めて法的義務となるのである。

（一） Kelsen, Unrecht, S. 481 f., 488 f., 527, Anm. 1., 528. Derselbe, Reine Rechtslehre, Einleitung in die rechtswissenschaftliche Problematik, Leipzig u. Wien, 1934. S. 28, 32. 横田喜三郎教授譯（昭和十年）四七—四八頁。Kelsen,

Théorie générale du droit international public. Problemes choisis. Recueil de Cours d'Académie de droit international de la Haye, 1932, IV., Tome 42 de la Collection, pp. 124—128. 横田喜三郎教授「國際法」上卷（昭和八年）二一三頁。高柳賢三教授「法律哲學原理」（昭和四年）二五七、二六三—二七九頁。

（二）田中耕太郎博士「法と道德」（昭和四年）六頁參照。

（三）法を以て規範となすことは、法の本質を當爲性に求めその本質的機能が「義務づけ」にあることを主張することにほかならぬ。從つて、法の「權利づけ」の機能は法にとつては二義的な意味しかもたない。このことを特に强調したのは、いふまでもなく、ケルゼンとデュギーである。

（四）横田教授「ケルゼンの純粹法學」（昭和七年）二九頁以下。

（五）横田教授前揭書三〇頁以下參照。

（六）M. E. Mayer, Rechtsphilosophie, Berlin 1926. S. 65 ff.

（七）前揭横田教授譯書一〇七頁以下參照。

（八）黑田教授譯「ケルゼン・自然法と法實證主義」（昭和七年）三—四、六—一〇頁參照。自然法の不變性といふことは、その絕對性といふことと相呼應するものである。グローティウスの自然法思想がそれを最もよくあらはしてゐる。拙稿「グローティウスの自然法體系」國際法外交雜誌三十卷（昭和六年）八、一〇號。これに對して、近時自然法の可變性といふことを强調して自然法の固化的傾向を是正せんとする主張が行はれてゐる。Rudolf Stammler, Wirtschaft und Recht, 1924, S. 174 ff. J. Charmont, La renaissance du droit naturel, 1927. Koller, Die spanischen Naturrechtslehre des 16. und 17. Jahrhunderts, Archiv für Rechts-und Wirtschaftsphilosophie, X. Bd., S. 235 ff. Derselbe, Grundlage des Völkerrechts, 1918, S. 3 ff., 40 ff. 田中耕太郎博士「自然法の過去及びその現代的意義」カトリック研究第一輯一三一—七〇頁特に三二—三五頁參照。しかしながら自然法の理念は不變性に存する。それをなんらかの意味で可變的に特徵づけようとすることは**自然法の實定法化を語るものである。**

（九）トマス・アキナスが自然法から實定法への具體化の方法として歸結の方法による per modum conclusionis 場合のほかに規定の方法による per modum determinationis 場合があることを指摘せるは (Summa theologica, I, 2, q. 95, 2) すでに自然法の具體化が論理的演繹にその本質を有すること及び實定法の具體化が意思作用によることを一面においてみとめたといつてよいであらう。

（一〇）横田教授前掲譯書一〇一―一〇六頁。

（一一）「法の實定性」については、Verdross, Einheit des rechtlichen Weltbildes auf Grundlage der Völkerrechtsgemeinschaft, Tübingen 1923. S. 77—86. Kelsen, Rechtslehre, S. 64. Derselbe, Die philosophischen Grundlage der Naturrechtslehre und des Rechtspositivismus S. 65. Derselbe, Hauptprobleme der Staatsrechtslehre, S. 48. Radbruch, Grundzüge der Rechtsphilosophie (1914), S. 179—180. Bergbohm, Jurisprudenz u. Rechtsphilosophie, 1892, S. 52.

（一二）前掲横田教授譯書一三〇―一三一頁。

（一三）前掲横田教授譯書一〇一頁。

（一四）M. E. Mayer, a. a. O., S. 55—56. Verdross, Verfassung der Völkerrechtsgemeinschaft, S. 4—7. Will man nun nicht sagen, dass das Recht ein System von Normen und normentsprechenden Tatsachen ist, was dem Sprachgebrauch Gewalt antun und überdies den normativen Charakter des Rechtes verdunkeln würde, so dürfte es sich empfehlen, als Rechtsordnung den Inbegriff bestimmter Normen, als Rechtsgemeinschaft den Inbegriff der durch die Rechtsordnung geregelten Handlungen also der Rechtshandlungen zu bezeichnen. Vom diesem Standpunkt aus fällt daher Rechtsordnung und Rechtsgemeinschaft nicht zusammen. 尙横田教授の次の論文參照。Yokota, Begriff und Gliederung der Verfassung der Völkerrechtsgemeinschaft, Gesellschaft, Staat u. Recht (Festschrift für H.

Kelsen) Wien 1931.

(一五) Verdross, a. a. O., S. 4. 横田教授前掲著書一〇―一二頁。

(一六) 黒田教授前掲譯書四頁。

(一七) 尾高教授前掲書一五七頁以下參照。

(一八) 黒田教授前掲譯書四―五頁。

(一九) 尾高教授前掲書二〇八頁以下。

(二〇) 横田教授「國際法」(上) 二頁以下。

二　實定法の制裁

以上論じ來れる所を要約すれば、實定法は規範特に制裁規範であるといふことになるであらう。これによつて、制裁は法規の本質的契機であり、法の本質はそれがいかなる内容を有するか又いかにして實現せられるかといふことで決定さるべきではなく(一)、一に、固有の形式卽ち義務命題と制裁命題との二重構造形式をもつてゐるといふ點に求められる。

この様に法の本質的契機を制裁に求めることは決して新しい試みでなく(二)、また現在においても法實證主義の一般的傾向といつてもよい程である(三)が、一方において種々の反對論も存する(四)。それゆえ、これらの種々の反對論の誤解を解き更にまた積極的に法が制裁規範たるの意義を正當に理解するために、特に次の二點を强調することが緊要であると思ふ。卽ち、

(1) 制裁秩序としての法秩序

(2) 制裁の規範性

(一) 横田教授前掲著書一—二頁。特に法をその內容によつて道德から區別せんとする立場(たとへば、シュタムラー)を批判せるものとしては、尾高朝雄「法哲學」(昭和十一年)二〇二—三頁參照。

(二) Thomasius, Kant, Jhering, 等の所說がこれである。

(三) del Vecchio, dans "Recueil des Cours" 1931, IV, pp. 616, 642. Gény, Science et technique en droit positive privé, Paris 1922, t. I, p. 47 et s. Morrison, The outlawry of war, Chicago 1927, p. 175—6. Rappard, International Relations as viewed from Geneva, New Haven 1925, p. 136. Walter Burckhardt, Organisation, S. 124, 234, 280. M. Huber, Recht u. Rechtsverwirklichung (1921), S. 40 et passim. Jhering, Der Zweck im Recht, I. (4. Aufl. Leipzig 1904), S. 65, 73, 181 ff., 196, 240, 247 et passim. A. Esmein, Eléments de droit constitutionel français et comparée, 5. ed. (Paris 1909), p. 29. "Je crois que la contrainte légitime est un caractere essentiel du droit proprement dit, du droit humain, distinct de la morale et de la religion." Eagleton, op. cit., p. 4, 9—10. Kelsen, Rechtslehre, 25, 28, 32. Lévy-Ullmann, Introduction à l'etude des sciences juridiques, I., p. 4 et s., 145. Duguit, Traité de droit constitutionel (1927), t. I, p. 119.

(四) 田中耕太郎教授「世界法の理論」第一卷九六頁以下。美濃部博士前掲書六七頁以下。Dupuis, dans "Recueil des

"Cours," 1924, II, p. 403. Scelle, Précis de droit des gens, I, p. 22. Lifschitz, Fragen zum Völkerrecht, Zeitschrift des öffentlichen Rechts, Bd. 34. (1915), S. 142, 148, 151～161. Bierling, Zur Kritik der juristischen Grundbegriffe, 1. Teil, (Gotha 1877), S. 140, 143, 149 et passim.

(1) 制裁秩序としての法秩序

先づ第一に、實定法規範のすべてを統一的法秩序として理解すべきことが注意せらるべきである。實定法の素材としてあらはれる個々の法規範を平面的且孤立的に觀察せず、これらが常に全體として一つの「統一」をなしてゐることを豫定し、これらを一つの法體系の高みにまでもたらすといふことは法認識の要請であり、學としての法認識が擔當すべき任務である(一)。このことはまた法秩序の全體を法的意味者の全體として理解することにほかならぬ。根本規範の假設は、實にかゝる法認識の要請を充たし、またその任務を全うするために必然に豫定されたところの方法的前提である(二)。ところで、かゝる根本規範の假設のもとに法認識によつて統一づけられた實定法規範の總體を法秩序と呼ぶことはすでに述べた通りである(三四頁參照)が、この法秩序は、法的に有意味な規範卽ち制裁を規定せる規範の統一的總體であるから、第一に「制裁秩序」として特徴づけらるべきである。卽ち制裁を以て法の本質的契機であるとする法認識的成果の眞實の意味は法秩序を制裁秩序として理解することである。法規範のすべてが結局に制裁定立といふ法の基本的機能を可能ならしむる法規の固有構造のうちでなんらか夫々の地位を占めてゐて、結局全體として制裁秩序を形造つてゐるといふことである。換言すれば、一つ一つの法規は直接には制裁といふ法的效果を定立することがなくとも、それが定立せる法的效果（いかなる法規も法的效果を定立せぬことはない）の最後の歸着點においては制裁といふ不法效果に結びつけられるのであつて、このことによつて初めて「法」規範たるの意味をもつに至るのである。それゆえ、實定法上の個々の規定のうちには、外見上は制裁の契機を含まず制裁の定立と直接なんらの關係なきものと思はれるものがあるが、その法規だけを切離して觀察せず、これを複合的な法的意味關聯の一分枝として綜合的に見れば、法秩序の制裁體系のうちになんらかの地位をもち、なんらかの役割を果してゐて、直接にもあれ間接にもあれ制裁の定立に關係してゐるのである(三)。かくの如く、あたへられた實定法規範をできるだけ綜合的に理解しその各々に法體系（制裁秩序としての）中における本來の地位及びその法的意味を附與せんとするは、法認識が實定法の認識たる以上當然に負擔し實現すべき任務である。勿論、かくの如き綜合的理解によつても、法規の基本的構造形式になんら關與し得ない規定が實定法上散見する。即ち外見上は、定立の形式上法律・命令その他としてあらはれ、それ自身は「法」たらんとする主觀的意圖の下にあらはれるが結局に制裁の定立に關係なき諸規定がこれである。例へば「制裁なき行爲規定」・「學理的內容の規定」・「立法者又はこれに準ずる者の立法上の動機を表明せる規定」・「人生觀や社會觀を表示せる命題」の如きである。これらのものを法的に無意味なものとして排除しても法秩序を全體として制裁秩序として理解する上になんらの支障をも來さないのである(四)。

かくの如く、定立の形式においては「法」としてあらはれ、自ら法たらんとする主觀的意圖を以てあらはれるものを客觀的に法的無意味者としていはゞ法體系の外に除き去ることは決して實定法主義の立場に反するものではない。實定法主義の立場からいへば、なるほど法認識は實定法のみを對象とする。しかしそれは、認識素材たる實定法を卽ち實定法たるの外見を備へるすべてを、そのまゝ素朴的に受け入ることを意味するのではない。もしそうであれば、法認識は學としてなんら存立の餘地を殘さぬであらう。法認識は固有の機能を有ち得る、否有たねばならぬ。また固有の方法を有ち得る、否有たねばならぬ。そこに法認識の自立性が初めて可能である。法認識の固有の機能は法秩序を法的意味を有する規範の統一的總體として認識することにある。あたえられた實定法を矛盾なく適當に說明してゆく點にある。法認識の固有の方法はその際における統一的操作である。これによつて、法認識は實定法的素材にいはゞ加工しそれを純化する。その本來の法的意味を確定する。ある場合には、實定法的素材にその表面的形態にかゝはらず意味變更を迫る。かゝる能動的作用を考へないでは、法認識の任務も存在理由も結局に理解できないものであらう。

（一） Kelsen, Souveränität, S. 103.

（二） 黑田教授前掲譯書三五—三八頁。横田教授前掲譯書一〇七—一〇八頁。

（三） 尾高教授前掲書二〇四頁。Kelsen, Über Staatsunrecht, Grünhuts Zeitschrift für das Privat u. öffentliches Recht der Gegenwart, 40. Bd. (1913), S. 1–114, besonders 60.

（四） 黑田教授前掲譯書三二頁以下。

(2) 制裁の規範性

制裁の意義についてはこれを規範的意義に解さねばならぬ。即ち制裁の規範性と制裁の事實性又は實效性とを區別して考へなければならぬ。制裁が法の本質的契機であるといふのは、法規が制裁を一定の法的要件（不法要件）の唯一の效果として定立してゐること、即ち制裁が「當爲されてゐること」Gesolltsein、而してかゝる制裁を當爲してゐるのは法規範のみに限りその他の規範では絕えてなき所であるといふことにほかならぬ。從つて重要なことは制裁が當爲されてゐること即ち制裁の觀念的規範性 Ideelles Normiert-sein であつて、制裁の事實的貫徹性 Tatsächliche Durchführbarkeit ではない。換言すれば、制裁が一定の要件に對する法的效果として法規において當爲されてゐること、そのことのみが法の法たるゆえんのものであり、この意味に於て、制裁が法の本質的契機である。而してかゝる制裁が事實上實現せられかつ有效に行はれてゐるか、また、その目的を現實に達成してゐるかは全く別の問題（即ち制裁の實效性の問題）であつて、制裁の規範性とは必然的な即ち絶對的・直接的な關係をもつものではない。

この樣に、制裁の觀念的規範性を制裁の事實的貫徹性即ち實效性から區別することは、結局、法秩序の妥當性をその實效性 Wirksamkeit, efficacité から區別して考へるのと軌を同じうする。法秩序の妥當性は常に當爲たるの點に存する。規範内容實現への要求たるの點に存する。これに反し、法秩序の實效性はかゝる要求の現實における實現である。法秩序の要求するところが現實・實在の世界に於て實現されることである。即ち、受範者において實際に服從され、また組織を通して現實に適用される事實である。この二者は理論的には區別して考へねばならぬ(一)。法秩序の妥當性は法秩序の本質と必然的關係を有つ。否それは法秩序の本質の核心をなすものである。これに反して、法秩序の實效性は法秩序の本質從つてその妥當性とは必然的な關係を有せず、單に相對的なまたは間接的な關係を有するに止まる。かくの如く法の實效性と法の妥當性とは區別さるべきであり、その間に必然的關係がないといふことは、この二つが全く無關係であるといふことではなく、たゞ必然的關係がないどいふにすぎない。すでに述べた如く(三二頁參照)法の實定性は、當爲と存在との動的結合・展開に存するのであるから、法秩序の妥當性はその事實性または實效性となんらかの關係をもたなくてはならない。もししからずして全然無關係であるとすれば、いかなる事實的行爲も照應せず、全く適用もされなければ、服從もされない様な――主觀的には「法」秩序としてあらはれるところの――秩序をも「實定法秩序」と呼ぶことが許されるであらう。かくの如きは實定法の社會的實踐的基礎を全く無視するの暴論たるを失はない。實定法が實效性となんらかの關係をもたねばならぬといふことは、少くとも法實證主義の根本的要請の一つであり、それはまた、極めて尤もな見解であるといはねばならぬ。しからば、その關係はいかなるものであるか。必然的ではないがなんらかの關係が存するとせば、それはどういふ關係であらうか。一言にしていへば相對的間接的關係であるといふことができるであらう。

すべて法秩序が「實定的」であるためには、その内容に對して人の事實的行爲(適用・服從その何れであるを問はず)がある程度まで照應 entsprechen せねばならぬ(二)。しかしこの照應はあくまでも「ある程度まで」であつて必ずしも完全であることを要しない。完全であることを要しないばかりでなくかへつて完全であつてはならない。法規違反の可能性は決して全然排除せられ得べきものでなく法秩序はかゝる規範違反の可能性を初めから計算のうちに入れて居ればこそそれに對する制裁を定立して居り、かへつてそのために法の本來の機能が發揮せしめられる程なのである。もしかゝる可能性が全然存在せず從つていかなる事實的行爲も決してその内容と矛盾することがない様な規範秩序があるとすれば、かゝる規範秩序は本來事實上存在することを本來發生すべきものとして規定するだけのことで、それはもはや規範秩序即ち當爲の體系たるの意味をもち得ざるものである(三)。從つて法秩序の要求するところに事實的行爲が合致すること即ち法秩序の實效性は決して法秩序の妥當性と絕對的な關係を有するものでなく單に程度上の關係卽ち相對的關係を有するに止まる。

次に、法秩序の妥當性とその實效性とは單に間接的な關係にあるに止まる。卽ち法規が直接に事實的行爲に關係する卽ちこれを惹起するのではない。法規の內容は單に當爲されてゐるに止まる。その妥當性はどこまでも當爲性に存する。しかして、この妥當性は常になんらの實在的意味をもたないから、これが事實的行爲に關係をもつに至るには、そこになんらかの實在的仲介物（媒體）を必要とする。則ち「當爲されてゐるといふ表象」がこれである。規範にもとづいて人の事實的行爲が惹起されるのは、嚴格にいへば規範そのものが原因となつてゐるのではなくして（原因・結果の關係は實在的――物理的・心理的――世界における關係で、規範の如き觀念的存在と人の行爲といふ樣な實在的存在との間にはかゝる關係は不可能である）、規範の表象といふ心理的事實が原因となつて事實的行爲といふ結果が惹起されるのである。從つて、法秩序の妥當性と法秩序の實效性との間にはいはゞ照應關係ともいふべき單に間接的な關係が存するのにすぎないのである。

制裁の實效性についても同樣のことがいひ得る。否、法が本質上制裁規範たるにかんがみ制裁の實效性はほとんど法の實效性そのものですらある。卽ち、制裁はある程度の實效性を必要とする。(1)　制裁の實現のために制裁權力を行使する者とその權力に服從する者とが分化し、この權力行使のために特に分業的にはたらく特殊の機關（裁判機關や執行機關）が設けられ、この特殊な制裁組織・機構を通じて制裁が有效かつ規則的に實現されることが望ましく（四）、(2)　受範者の側においても、一定の行爲卽ち義務違反行爲をなせば制裁機構を通して制裁が確實に科せられることを思ひ浮べ（制裁の表象）、これに動機づけられて（五）（六）、違反行爲が大體において回避せられてゐることが必要である。

それゆえ、かくの如き實效性又は事實的貫徹性を全く缺如する制裁を「法的」制裁といひ得ないと共に、また一方において、かゝる制裁の實效性はある一定の限度を以て足るものであつて必ずしも完全なるを要せぬ。他面からいへば、ある程度の「制裁の非實現」「無效果」「事實的非貫徹性」は制裁の規範性をなんら損ふものではない。法規違反の事實が發生するもこれに對して制裁を定立し執行する機構がなんらかの原因によつて（違反事實の發生そのものが發見せられざるためとか、意識的に制裁機構が沈默して活動せざるため、の如し）活動を開始せず制裁が行はれざることあるも、これによつて制裁の規範性はそこなはれない。また、政治的確信犯や特殊な犯罪常習者の社會に於て見る如く、制裁がなんら受範者に違法防止的效果をもたず、制裁を科せられることがかへつて名譽であつたり、進んで望むところであつたりする樣な特殊な事實が存するも制裁の規範性は損はれる事はない。要するに、一定限度の事實的貫徹性の缺如は制裁が法の本質的契機たるの點に影響を及ぼすことなく、その限りにおいてかゝる制裁の不實現・無效果はもはや法認識の可能なる對象ではなく法理論の立場では把捉し得ざる超法的現象特に多く場合において政治的現象として(七)實定法的議論の範圍から逸脱するものである。結局に、制裁の規範性と實效性とは無關係とはいへぬが、(1)制裁が實定法のそれである限りに於ては、一定限度において實效的であらねばならぬといふ意味で相對的關係に在り、(2)制裁の Gesollt-sein そのものによつてではなく制裁が科せられるであらうといふ心理的表象によつて事實的行爲(制裁定立の要件となる樣な行爲を回避する行爲)が惹起せられるといふ意味に於ては間接的關係に在る。ゆえに、兩者は必然的關係を有せず、一應これを區別して考へることが緊要である(八)。

以上述べたる二つの點卽ち(1)法秩序を制裁秩序として觀念すること(2)制裁の規範性といふことをあきらかにすることは制裁が法の本質的契機であるといふことを確定する上に不可缺な事柄であつて、制裁は法の本質的契機にあらずとする說は(今これを一つ一つあげて反駁するの餘裕はないが)結局するところ以上の二點を十分に了解することによつて解消すべきものである。

（一）尾高教授前掲書二三三―二三八頁。横田教授前掲譯書一一二頁以下、五二頁。

（二）（三）黒田教授前掲譯書一〇九―一一〇頁。横田教授前掲著書八―一四頁。Kelsen, Allgemeine Staatslehre, S. 18 f.

（四）黒田教授前掲譯書五―六頁。

（五）かゝる動機づけは單に理性と意思を賦與された人間に對してのみ可能である。それ故法規範の內容が人の行爲に限定されるといふ理由は、一に法の動機づけ、法の實效性といふ點からいつて人の行爲のみがこれに適つてゐるからである。それ故、法規範の內容が人の行爲に限らるべきであることを法の本質から抽出すべきでない。人の行爲が法的規律の唯一の對象ではない。原始的な法秩序において動物の行爲や自然の現象が法規範の內容となつてゐることもある。Post, Bausteine für allgemeine Rechtswissenschaft, I. S. 230—1. かゝる規範が近代的法秩序において影をひそめてしまつたのは理性と意思とをもつた人間のみが規範の表象（規範そのものではない）によつて規範內容に適合した行爲をなす樣に動機づけられ易いからである。しかし法規範が何者に向けられ得るかの問題と何者に向けた方がより效果的であるか又は合目的的であるかの問題とは區別せねばならぬ。近代的法秩序が專ら人の行爲のみを內容とすることは、全く法の實效性の要求にもとづいてその樣な傾向となつたものであつて法の必然的性質によつてではない。Kelsen, Hauptprobleme, S. 11—13. 横田教授前掲譯書五二―五三頁。

（六）『法秩序に適合する人の行爲が實際において强制行爲の脅威によつて喚起される表象の結果であるか否かは決定の困難な問題である。確に多くの場合において法の目的とする狀態を惹起するものは全く他の動機である……必ずしも刑罰や强制執行に對する恐怖でなく、宗教的・道德的動機・社會的風習に對する顧慮・社會的破門の不安のことがあり、極めてしばしば違法な行動を行はせる樣ないかなる刺戟もないこともある。』横田教授前掲譯書五六―七頁。Kelsen, Hauptprobleme, S. 219.

（七）この點について、法と政治との關係、法と力との關係が問題となる。尾高教授前掲書二二六—二三三頁。

（八）かくの如く制裁の規範性と事實的貫徹性とを區別し、前者の意味において法規範の制裁規範たる所以を見出さんとすることは、すでに多くの學者の指摘するところである。横田教授は次の如くいはれる。『制裁に就て考ふるに、組織・事實・規範の三段階を考へ得る。而して組織は文明程度の相違により相異なるものであるし、又事實は程度問題であるから、共に制裁の本質を究明することは出來ぬ。從つて、制裁は結局規範であるといふ事になる。卽ち法は制裁が課せらるべきものであるといふ規範であつて、課せられるといふ事實ではない。この意義において、制裁は法の本質で、それがなければ法ではない。』（國際法外交雜誌三五卷一號九五—九六頁參照）。高柳教授が現實の强制と强制可能性の兩概念を區別すべきであり、後者を以て法の本質に屬するものであるとされるも又同一趣旨と思はれる。「法律哲學原理」（昭和四年）二七三—二七四頁參照。その他、ホルツエンドルフが Ideelle Erzwingbarkeit と Gerichtliche Erzwingbarkeit とを區別し前者に法の本質を求め（Holtzendorf, Handbuch des Völkerrechts, I, S. 21, 23—6.）デル・ヴェツキオが coercibilité または possibilité juridique de contraindre が法の觀念にとつて本質的であつて、coaction や contrainte そのものではないとし（四三頁註三所載文獻參照）、モルゲンタウが次の樣にいつてゐるのも、すべて本文に述べたところを裏書きするものと思ふ。Il n'est point nécessaire que la sanction se produise dans chaque cas concret où les conditions de son application sont réalisées. La nature de la norme, en tant que prescription de la volonté, est réalisée par la seule perspective d'une sanction; cette perspective suffit déjà à realiser ce qui constitue l'élément de validité de la norme; car cette perspective est en elle-même abstraitement susceptible de créer dans l'ésprit des personnes soumises à la norme des dispositions psychiques favorables à la réalisation de l'ordre voulu par la norme. Revue de droit international et de législation comparée, t. XVI (1935), p. 479 et suiv.

第二節　不法行爲

一　法秩序における不法行爲の地位

法の本質が一定の義務を要求しこれに對する違反(卽ち義務違反行爲)に一定の法的效果卽ち制裁を歸屬するところの制裁規範である點に存するとすれば、不法行爲は特に法規の內在的構造分析の立場よりして極めて重要な核心的地位を有するものといはねばならぬ。卽ち既に述べたる如く(二七頁參照)法規にとつては、違反卽ち不法行爲こそは正に法規の適用さるべき場合であり、形式的にいへば、法規は單へにその違反の故に存する。その違反の場合にのみ本來の機能が發揮される。かくして、不法行爲はその名の示す如く法の否定ではない。それは法の世界の外にあるのではなくして法の世界の內にある。むしろその中にある。卽ち法的議論の中心にあるといはねばならぬ。

この點に關し法內在的方面と法外在的方面との二方面から說明してみよう。

(1)　法內在的見地より見たる不法行爲

法の本質的機能は一定の制約的事實(不法要件)に一定の被制約的事實(不法效果)を歸屬する點に存する。この様な法規の內在的構造に着眼すれば、不法行爲は不法效果(制裁)定立のための制約的事實(少くともその最も重要なる部分)として理解せられるのである。一定の事實(人の行爲)が「不法」行爲たるの性質卽ち法的性格・意味を附與せられるのは、それが特定法秩序において窮極になんらかの制裁の制約的事實として指定せられてゐるからにほかならぬ。この不法行爲なる概念を決定するものは、それ故、立法者の動機ではない。ある事實的行爲が立法者によつて代表せられてゐる社會的權力にとつて望ましくないとか或ひは道德的に排斥せらるべき忌むべきものであるとかいふことによつてアプ・リオリに不法行爲と性格づけられるのではない。(この様な超法的法外在的觀察は法の固有法則性をありのまゝに認識せんとする法內在的立場からは一應問題外におかるべきものである)。全く法秩序における その行爲の地位である。つまり、それが法秩序における特殊の反動(卽ち制裁)が行はれるための要件であることである。かやうに考察して來ると不法行爲は法の否定ではない。それは義務命題において要求されてゐるところと正反する內容をもつものである(この點に於て法否定の様な外見をもつてゐる)が、丁度そのことにおいて制裁の要件となる卽ち法の特殊な要件となる。かく解することによつて初めて法認識の可能な對象となるのである。法認識は不法行爲をも法的事實として(卽ち不法効果の要件として)理解することとなるのである(一)。

ところで實定法が規範であり從つて事實を價値づける卽ちなんらかの價値に關係づけるものであることはすでに述べた通りである(三五頁)が、實定法のこの評價機能は前述の如き法の固有形式卽ち制約的事實(不法要件)プラス被制約的事實(不法効果)なる形式を通して行はれる。こゝに法に固有な評價機能が存する。一定の行爲が實定法上特に「不法行爲」として意味づけられる卽ち評價されるのはこの行爲が被制約的事實(制裁)の要件として指示されることによつてである。かく指定されてゐる限りにおいて「不法行爲」である。それゆえその評價は條件的であり相對的である。その命題形式は假言的命題の形式である。繰返していふ如く法規範は一定の制約的事實に必ず一定の被制約的事實を歸屬するものであるが、これを他方からいへば被制約的事實たる制裁は必ず一定の制約的事實卽ち不法行爲に對する法的効果としてのみ定立さるべきこと從つてかゝる制裁として現れざる外部的强制はかへつて不法として意味づけられることとなるのである。例へば人の生命を奪ふ行爲・他人の財貨を强奪する行爲などについて考ふるに、かゝる行爲はそれ自身としては不法でもなければ適法でもない。それが時に殺人罪や强盜罪に問はれて不法行爲とせられ、時には死刑執行であつたり强制執行であつたりして適法な行爲とせられるのは、前の場合にはそれが法規において刑罰といふ制裁に對する制約的事實として指定されてゐるからであり後の場合にはそれが法規において一定の制約的事實(例へば殺人罪、反逆罪、債務不履行)に對する制裁として規定されて居り判決といふ個別的規範において制裁として執行さるべきことが宣言されるからである。この樣にそれ自身としては卽ち外的に感覺によつて知覺せられ得る實在的事象としてはその間になんらの區別もないところの同質の事實が一方では殺人罪・强盜罪となり他方では制裁としてあらはれる、この特殊な法的意味卽ち適法であるとか不法であるとかの價値的意味は、全く法規によつて附與されるのである。

この樣に考察して來ると、法と力との關係も亦あきらかにせられるであらう(二)。抑〻法と力とは相互否定の關係にあるのではない。法は頭から力を否定してかかつてゐるのではない。かへつて力によつて實效的にならうとする。力は法の實效性の基礎たるべきものである。それ故法の力に對する關係は否定の關係ではなくて、なんらかの積極的關係である。一言にしていへば制限の關係でなければならぬ。即ちこの兩者の關係は法が力に對して一定の態度即ち評價を行ふことによつて初めて發生する。法がある種の力を暴力として不法化しこれに一定の制裁(即ち他の力――やはり力である)を科することによつて、前の力は不法として後の力即ち制裁として表はれる力は適法として評價される。してみれば法は力を全然排斥するものでなく、かへつてある種の力を適法化して自己實現のために役立たせようとするものである。それ故、法の機能は力を制限する點に存する(三)。法秩序及び法團體の本質的機能は一定の力はこれを不法化するが、他方において制裁として表はれる力を適法化し特にこれのみを適法なものとして自らこれを獨占し集中し、これによつて社會の安全を實現せんとする點に存する。かやうに考察すると、力そのものは不法でもなく適法でもない。それがある時は不法となりまた或時は適法となるのは全く法そのものの意味づけによる。法規をはなれて不法なる力もなければ適法なる力もない。力の法的意味は全く法規によつて附與されるものである。

要するに、法内在的立場より考察すれば、ある行爲又は力が不法行爲として意味づけられるのは全く法秩序に卽してなさるべきものである。而して、この場合における法の評價機能は、法規の內在的構造の上からいつて、法に本質的な機能であるから、この機能の直接の表現である所の不法行爲ならびに不法行爲法は法秩序において核心的意味をもつものといはねばならぬ。

⑵　法外在的見地より見たる不法行爲

不法行爲の特質を、法外在的立場より考察すれば、それは法を負擔する社會の安全・秩序を害するところの反社會的行爲である。法は、法外在的立場から考へると、それが妥當してゐるところの社會の安全・平和・秩序を維持し以て社會全般の發達を圓滑ならしむるを以て主たる目的とするものである。從つて、この「社會的安全」を脅威する事實卽ち不法行爲を未然に抑壓したりそれによつて發生せる結果を救正したりすることは法の擔當する主たる社會的機能・任務であるといはねばならぬ(四)。

もとより、法の目的又は法の理念なるものは、ひとり社會的安全に止まらない。或ひは正義といひ公平といひ、或ひは社會的利益といひ、いづれも、法の目的として考慮せらるべきものであることは言ふを俟たない。しかしながら正義といひ社會的利益といふも、社會の安全・平和といふことを前提として卽ちこれが一通り實現したる上においで初めて實現せられ得る目的である。近代國家の現段階は大體において實力の中央集權化 Centralisation が實現せられた事情に存し、從つてこゝにおいては法の秩序維持機能は必ずしも重要なる關心事たらざるが如く、廣く正義・共同利益・文化的目的等が主として法の目的たるかの如き觀を呈してゐるのであるが、一度び、社會的秩序の不十分なる歷史的時代又は現代國家において社會的變革・內亂等に遭遇せる際等における法の機能を考へるならば、法の始原的機能が主として社會の安全もしくば秩序の維持に存することが知られるのである。それゆえに、法の最少限度の目的卽ちそれを達成して初めて他の目的を問題となし得る樣な始原的な目的は社會の安全といふことに存するといはねばならぬ。もとより、社會の安全といふ法の目的が他の正義とか社會的利益とかいふ目的と全然無關係であるとは考へられない。社會の安全が實現せられることによつて、そこに始めて社會組成員の個人的主觀的見解から離れて正義や社會的利益の內容が客觀的に決定せられ得べく、また社會の安全なき所には抑々いかな正義の實現も不可能でさへある。それゆえ、社會の安全が確保された事はとりもなほさず正義や社會的利益がある程度において保障されるに至つたこと、又はそれを實現するための準備が完成したことにほかならぬ。また他方において、正義や社會的利益を無視せるところに完全なる社會的安全を期待することはできないのである。けだし、社會的安全の基礎はたゞに形式的な社會的組織や機構にのみ存せず、この社會を構成する組成員の正義感や利益感を一應滿足せしむるところにその實質的基礎が存するからである。この様にこれら法の目的は相互に密接な關係をもつものであるが、他方においてそれらを純理論的に卽ちその理念に從つて理解するならば、それらは相互に矛盾するものといはねばならぬ(五)。例へば社會的安全といふ事を貫けば、勢ひ、法は形式的確實Rechtssicherheitといふ事を主調とするに至り、若干の具體的正義や利益は犧牲に供せざるを得ず、反對に正義や社會的利益に固執するならば、一面において法の形式的確實性といふことをある程度において拋棄するなり修正するなりせねばならぬ。正義と社會的利益との間にも同樣の矛盾が存する。

されば、これらの目的の間における相互矛盾、いはば二律背反を實踐的に揚棄し調節し行く所にこそ法の社會的機能が存するのであると考へられるのであるが、今これらの目的を「社會の安全」といふことに一元化する立場の下に、「安全」を二種にわかち、(1) 專ら既存の法的關係の形式的・抽象的確實性の保障に重點をおく所の「靜的安全」sécurité statique と、(2) 實質的・具體的正義や社會的利益との調和を企圖しつゝ流動し變動し行く現實の社會關係に卽して社會の實質的・具體的確實性の保障といふことに主調をおく所の「動的安全」sécurité dynamique とを考へるならば、この二つの安全を包括した所の廣い意味の「社會的安全」が法の目的であるとなすことは必ずしも不當ではないと思ふ(六)。

さて、法の目的が、かくの如く廣義に於ける社會の安全といふ事に存するとすれば、法はこの樣な目的を達成するための手段・技術にほかならぬのである。法は自己目的 Selbstzweck ではなくして、社會的安全といふ目的のために用ひられ、またはその目的のために奉仕する所の手段であり技術である。卽ち法は一種の社會的技術である。しかして、この法の技術性特にその固有の技術性は、やはりまた、既述の如き法が制裁規範であるといふ法の固有の性格にその特色を有するのである。換言すれば、法の目的即ち社會的安全に相反する反社會的事實（不法行爲）に一定の制裁（即ち生命・自由・財貨・名譽などを强制的に剝奪すること）を結合することによつて、右の樣な目的に適つた社會的狀態を惹起しまた維持しようとする。この樣に、制裁の定立により人をして制裁の制約的事實たる反社會的行爲（即ち不法行爲）から遠ざけ、以て社會的安全といふ目的を達成せんとする點に、正に法に固有な社會的技術性が存するのである（七）。

この樣な法の技術性（即ち社會的安全實現のための手段性）に着眼して考察すれば、法秩序は次の要請をできるだけ完全に充たすことが望ましいのである。即ち先づ、

（一）靜的安全を主眼として考へれば、（イ）法規の明瞭なる存在形式と、（ロ）法規適用のための特殊な組織（機關）をもたねばならぬ。即ち先づ（イ）制裁規範としての法規の體系ができるだけ明確な形式をもつてゐること、でき得べくんば法典化せられて成文法として與へられてゐることが望ましい。何が法の要求するところであるか、何が法的義務として定立されてゐるか、結局に、いかなる行爲が不法行爲として指定されてゐるか、不法行爲の成立要件はいかなるものか等に關して、できるだけ明細な規定が存しその間に曖昧さがなければないほど

法的確實といふことが達成され易いのである。これによつて法の存在(權利・義務の所在・適法・不法の限界)が確認され、少くも法の存在そのものに付ての爭議は一應解消さるべき筈である。それ故高度に發達せる法團體(例へば近代國家)に於ては、法の定立は慣習によるよりも立法によつて行はれる場面が多い。卽ち、立法といふ特殊の任務をもつた特殊の機關(立法機關)によつて法規が成文法化されるといふ傾向をたどるのである。次に、(ロ)旣にして明確に存在する法規(制裁規範)を具體的事實に適用するために特殊な組織卽ち機關が必要である。卽ち、具體的に若起せられたる不法行爲に對する制裁の定立・執行が、始原的法秩序においては見る如く被害者たる社會組成員の主觀的判斷と私的實力に委ねられてゐる(自力救濟・私的救濟)よりも、なるだけ當事者(不法行爲の主體・客體)の主觀から獨立して客觀的に紛爭を判定し制裁をより實效的ならしめ得る樣な特殊な機關によつて行はれることが望ましいのである(公力救濟)。そのためには、法團體が一切の制裁權力及びこれを行使するに必要なる一切の實力手段Zwangsmittelを獨占・集中し、かつ、この權力及び實力手段の行使のために分業的にはたらく特殊機關例へば裁判機關や執行機關を具有し來ることが必要である。この制裁機構を通して制裁の制約的要件たる不法行爲事實の存否が客觀的に判定され、これに妥當な制裁が定立され、更にこの制裁が正當な手續を經て客觀的かつ有效に執行せられ得るにいたる。要するに、(a)不法行爲事實の認定(事實の確定)、(b)制裁の定立(法の適用)、(c)制裁の執行、といふ制裁規範適用の三段階が、なるべくならば、いづれも法團體の組成員の手をはなれて法團體の特殊機關によつて行はれることが望ましい。次に、(二)社會の動的安全を主調とする立場からは、法と事實とのギャップ、卽ち法によつて認容され確定された既成の法的關係從つて適法と不法との限界と、現實の社會關係(從つてこれを基礎として社會的正義・社會的利益等の法的理念を標準として要請された「あるべき」適法・不法の限界)との間の間隙をできるだけ小さなものとすることが必要である。そのため、法秩序は法の改廢・變更(從つてそれに伴ふところの適法・不法の限界の變更・移動)を可能ならしむる法的根據・手續を規定し、かつ、この任務を擔當する特殊な機關(立法機關・司法機關・行政機關)をもたなくてはならぬ。これによつて法の變革に合法的かつ平和的な方途が開かれ、それが非合法的かつ暴力的に行はれることに對する安全辨が一應準備せられたことにもなるのである(八)。

以上述べたところは、要するに社會的技術としての法從つてこれを負擔して行くべき法團體がその目的即ち社會的安全をできるだけ完全に遂行するために、可及的に具有すべきところの理想的機構である。いはゞ法團體の理想型 Idealtypus ともいふべきものである。從つて、かゝる理想型特に組織の理想型を完備する事は、法がその目的を達成する上に即ち社會秩序を維持する上に有效的なものであるがために極めて望ましいのである。しかしながら、これはどこまでも「望ましい」のにすぎないのであつて、かゝる理想型を完備しなければ法秩序・法團體が存立し得ないのではない。それゆえ、この理想型を完備し得ない法團體例へば特殊な法制定機關をもたずして法定立が主として慣習によつて行はれてゐる樣な法團體、制裁の定立執行のための特殊機關をもたず、それが主として自力救濟（例へば私人の復讐）に委ねられてゐる樣な法團體といへども法團體であることには差支へない。法の定立・適用を分業的に擔當するところの「特殊な」機關從つて「特殊な」組織は法團體にとつて望ましいものではあるがなくてはならぬものではない。但し、すでに述べた樣に、法は一定の最少限度の實效性を必要とする（四八頁參照）。從つて、一定の最少限度に於て現實に適用されねばならぬ。しかるに、この適用行爲は單なる思惟作用でなく意思作用である（三二頁）。即ち法を適用する人の事實的行爲である。してみれば、法秩序が一定限度において實效的であるためには、必ずなんらかの意味で法を適用するもの即ち最も廣い意味で法適用の機關がなければならぬ。この意味における機關は正に法秩序從つて法團體に固有なものである。從つてこの「固有な」機關がなければ法團體は存立し得ない。この「固有な」機關は法團體に不可缺なものであるといはねばならぬ。（この點に關しては後述參照）。

すでにして、理論的にいつて法團體が「固有」機關を有すべきであり、また「特殊」機關を有することが望ましいとすれば、與へられた法團體が必ず「固有」機關をもち更にある程度において「特殊」機關を具有するであらうといふことは豫想される。從つてそこに一定の機關組織從つてこれを規定した組織法または形式法(Verfassungsrecht od. formelles Recht)が存すべきである。卽ち、機關の構成・權限・手續に關する一群の法規が存すべきである。この組織法（形式法）は一方に於て法團體組成員の義務を定める行爲法または實質法(Verhaltungsrecht od. materielles Recht)と性質上區別さるべきもので、この兩者は合して全體として法秩序を構成する。それゆえ、法秩序は必ず組織法と行爲法と Normae constituendi et normae agendi より構成され(九)　この二者を措いていかなる性質の法律も存しない(一〇)。卽ち、一切の法規は法團體組成員に作爲・不作爲の義務を課すところの行爲法であるか、かゝる法規を定立し適用し執行する機關の構成・權限・手續を定めた組織法かである。そのほかに第三の機能をもつた法規は存しない。(tertium non datur) この兩種の法規範について特に次の二點が注意さるべきである。

(1)　組織法は行爲法に先行する(一一)。すでに述べた樣に(三一頁)法の妥當性は形式的妥當性である。卽ち、道德の規範がその內容にもとづいて妥當するに反し、法規範はそれが一定の上位規範の定めた要件を充たして定立されたが故に妥當する。卽ち形式的妥當性をもつ。それゆゑ、實質法たる行爲法は形式法たる組織法にもとづいて定立されたが故に妥當する。例へば、ある給付判決（これは一定の法團體組成員に一定の給付を義務づける實質法である）が妥當するのは、そのなかに要求された給付が實質的に正しいとか正當であるからではなく、適法に構成された權限ある一定の裁判機關によつて法的手續を履んで爲された判決であるからである。それゆゑ、組織法なければ實質法（行爲法）は存在しない(一二)。

(2)　組織法と行爲法は相覆ふ(一三)。組織法と實質法（行爲法）との區別は法規の機能の性質上の區別である。ある一定の法規範がそのいづれか一方であつて他のものでないといふのではない。同一法規にしてもその觀察の重點のおき方によつては同時に二つの機能をもつ。例へば、『他人ノ財物ヲ窃取シタル者ハ窃盜ノ罪ト爲シ十年以下ノ懲役ニ處ス』（刑法二三五條）といふ規定は、一方において窃盜を不法行爲として禁止してゐる卽ち人に窃盜を爲さゞるの義務を負はせてゐる行爲法であると見ることができるとともに、國家の機關たる刑事裁判所が、窃盜罪には「十年以下の懲役」といふ制裁のみを宣言し得べきこと、從つて十年以上の懲役を（特別の事由——再犯の場合——あるほかは）科し得べからざること、またたとへ再犯加重の場合といへども死刑を宣告することができないこと、卽ち國家機關が守るべき裁判の準則である（一四）。また、行政行爲によつて一定の租稅金額につき徵稅令書を發するは、一面には納稅者に對してその納付の命ずるものであるとともに、他面には國家機關がその令書の定むるところに從つてのみ納付を請求し得ることを定むるものである。それゆゑ、同一法規が同時に、行爲法であり組織法であることは、特に注意されねばならぬのである（一五）。

要之、法外在的見地より考察するに法は社會的安全といふ目的のために用ひられる一種の社會的技術にして、かゝる技術としての任務を制裁規範といふ固有の規範形式によつて果さんとするものである。從つてこの制裁規範における重要なる要素をなすところの不法行爲に關しその成立要件を明確に規定してゐること及び不法行爲事實の存否を判定しこれに對する法的效果（制裁）を定立し且この制裁を執行するために一定の機關・組織・機構を具備することは、法の社會的實踐的機能が全うされるために緊要なことといはねばならぬ。結局に、不法行爲に關する法規や組織の問題は法秩序の實踐的實效性と密接なる關係をもち、それが完備するとせざるとは特定法秩序の實踐的價値を決定するものといはなければならぬ(一六)。

以上、不法行爲從つてこれに關する法理論が、法內在的方面からも法外在的方面からも法秩序及びその理論においていかに重要なる地位と役割とをもつてゐるかをあきらかにしたのであつて、これによつて或程度まで不法行爲の本質が一應確定されたと信ずるが、これより以下、以上の認識を基礎として、更に不法行爲の本質及びその構造に關し積極的にその性質を明かにしたいと思ふ。

(一) 横田教授前掲譯書四八―五二頁。黑田教授前掲譯書五、一一〇頁。Kelsen, Rechtslehre, S. 27, 30.

(二) 尾高教授前掲書二三三以下。黑田教授前掲譯書七―八、二四―五、五三―五四、一〇九―一一一頁。

(三) Max Huber, Recht und Rechtsverwirklichung, S. 211 ff., 217 ff., 239 ff. Verdross, Einheit, S. 81.

(四) 横田教授前掲譯書五二頁以下。

(五) Radbruch, Rechtsphilosophie, Leipzig 1932, S. 70 ff. Derselbe, Grundzüge der Rechtsphilosophie, Leipzig 1914, S. 171 ff. Max Rümelin, Rechtssicherheit, Tübingen 1924. S. 4 ff., 48 ff.

(六) 牧野教授「法律に於ける矛盾と調和」(大正十年)一六頁以下、二二頁以下參照。鳩山博士「靜的安全及ヒ動的安全ノ調節ヲ論ス」穗積先生還曆祝賀論文集二五五―三〇八頁參照。

(七) **Kelsen, Rechtslehre, S. 28 ff.**

(八) この點に關する國際法上の議論としては、Kunz, in "Gesellschaft, Staat und Recht," 1931, S. 217―251.

(九) Burckhardt, Organisation, S. 19 ff. Methode und System des Rechts, Zürich 1936, S. 58 f., 132 ff., 224.

(一〇) Burckhardt, Methode, S. 152.

(一一) Burckhardt, Methode, S. 133―134, 166.

(一二) Burckhardt, Methode, S. 134―135.

(一三) Burckhardt, Methode, S. 153 ff.

(一四) 尾高教授前掲書二一六頁。

(一五) Duguit, Traité de droit constitutionnel, 3. éd., 1927, t. I., p. 167. 尾高教授前掲書二一六頁以下。尙、末弘嚴太郎教授「民法講話」(上卷) 一一―二〇頁參照。

(一六) この點についてはすでに「緒論」で述べた。特に三頁註三參照。

二　不法行爲の本質及び構造

不法行爲の本質及びその構造に關しては次の二つに分節して論ずるを便とする。即ち、(1)不法行爲の本質及びその內容、(2)不法行爲の要件及び效果、がこれである。

(1)　不法行爲の本質及び內容

不法行爲の本質卽ち不法行爲一般の法的性質は民事法上にもあれ刑事法上にもあれ或ひは國際法上にもあれ、特定の被制約的事實(法的效果卽ち「不法效果」たる制裁)に對する制約的な事實(法的要件卽ち不法要件)であるの點に存する。簡單にいへば制裁の要件である。精確にいへば制裁定立の實質的要件である。今これを少しく說明しよう。

先づ不法行爲は制裁定立の要件であつて制裁執行の要件ではない。制裁に關してはその定立とその執行とが區別さるべきである。制裁の定立とは、一定の機關(必ずしも特殊機關たるを要せぬ)が一定の手續に從つて一定の具體的事實に一般的制裁規範(例へば刑罰法規)を適用することによつて、一定の個別的規範(例へば司法判決、行政處分)を定立し、この規範において制裁が執行さるべきことを宣言する行爲である。例へば、判決によつて刑罰を科すべきを定め、行政處分によつて執行罰を科するが如きである。これに反し、制裁の執行は制裁を定立せる個別規範に從つて要すれば實力を以て制裁を現實に執行する行爲である。卽ち、一定の執行機關が一定の執行手續に從つて個別的制裁規範に定められた制裁を現實に制裁の客體に科する行爲であつて、それは制裁定立行爲が一般的規範の適用であると共に個別的規範の定立であるといふ二重の機能を有するのに反して、純粋に法適用の行爲で、いかなる新しい規範をも定立することなく從つていかなる法的義務をも定立するものではない（これに關しては後述八九頁參照）。從つて制裁が執行されるためには、(1) その制裁が判決その他の個別的規範において定立されてゐること、(2) 一定の執行機關が一定の執行手續に從つて制裁を執行すること、が要求される。そのほかにはいかなる要件も必要でない。制裁の執行は制裁を定立した規範をそのまゝ一定の執行手續に從つて執行するだけの事である。かくの如く考察すると、不法行爲は制裁執行の要件ではない。不法行爲事實の存否は制裁執行のためには直接には問題とはならない。たとへ不法行爲が存在しなくとも制裁が定立せられた以上制裁は執行さるべきであつて、この不法行爲の不存在が一定手續によつて確認され（例へば判決により）制裁を定立した個別的規範が廢棄されることによつて初めて制裁の執行が廢止されるのである。それゆえ不法行爲は制裁執行の要件ではない。少くとも直接の要件ではないといはねばならぬ。

次に、不法行爲は制裁定立の實質的要件であつて、形式的要件ではない。制裁定立の要件は、實質的要件と形式的要件との二つに分けることができる。不法行爲はそのうちの前者であつて、後者とは區別さるべきである。この事は同時に不法行爲が制裁定立のための要件の全部でないといふことを意味する。勿論、不法行爲は制裁定立のための要件のうちで不可缺かつ最重要な部分ではある。しかし、それが存在するが故にのみ制裁が直ちに定立されるといふ唯一の要件ではない。制裁定立の要件は他にも存する。

今これについて、前述せる法規の根本形式に從つて說明しよう(三七頁參照)。卽ち『一定の主體は一定の要件の下で一定の行爲をなすべきである。もしこれが爲されなかつたならば、一定の主體に對して一定の要件の下で一定の他の行爲がなさるべきである』。これを更に簡約すれば、『一定の不法行爲あれば、一定の要件の下で、一定の不法效果(制裁)がなさるべきである。』例へば、民事法に於ては、甲乙兩人が有效に契約を結び、甲がこの契約に違反して相手方たる乙に損害を與へたるときは、甲は乙に對して與へたる損害を賠償すべきであり、甲がこれをなさなかつたならば、乙が民事裁判所に提訴するを俟ち裁判所は判決を以て强制執行を命ずべきである――といふ一連の法規が存し、また刑事法にありては、甲が犯罪を犯したるときは、國家の公訴機の提訴を俟ちて刑事裁判所は判決を以て一定の刑罰を科すべきであるといふ一連の命題となる。今これらの例について考察するに制裁定立のための制約的要件は決して單一なものではない。例へば、强制執行なる民事制裁が定立せられるためには、契約に違反して相手方に損害をあたへ、しかもこの損害を賠償すべきを判決を以て命ぜられてゐるにもかゝはらず實行せざることのほかに、被害者が提訴したること、それにもとづいて正當に構成された管轄權ある裁判所が所定の裁判手續に從ひ判決を下し正にこの判決において强制執行が制裁として定立せらるべきことが要求される。また刑罰といふ刑事的制裁が定立せられるためには、犯罪といふ不法行爲が存在することのほかに、檢事といふ公訴機關が提訴したること、これにもとづき刑事裁判所が所定の手續に從ひ裁判をなし、正にこの裁判の判決において刑罰が定立せらるべきことが要求される。してみれば制裁定立の要件は決して契約不履行（債務不履行も一種の不法行爲にほかならない（一））や犯罪とかいふ不法行爲に限らるべきではない。勿論不法行爲は制裁定立の要件のなかで最も重要なものであり、その中心的な部分をなすものである。正にそれあるが故にこそ制裁機構の機能が發動し、正にそれにのみ制裁が結びつけられるのである。不法行爲は判決によつて制裁なる法的效果が結合されるところの唯一の要件でさへある。卽ち、制裁が結合されるのは不法行爲にのみであつてその他の制裁定立の要件たとへば檢事や被害者の提訴に結合されるのではない。正にこの點において不法行爲は制裁の他の一切の要件と區別せられる程なのである（二）。

かやうに考へて來ると、(1)制裁定立の形式的要件は、制裁定立の機關（必ずしも特殊機關たるを要せぬ）の組織・權限・手續に關する組織法上の要件であるといふことができる。卽ち、いかなる要件（いかなる機關がどの樣な手續で制裁を定立すべきかについての法的要件）の下で一定の不法行爲に制裁を結合すべきか、といふ問ひに對して答へるものである。卽ち制裁定立の形式に關するものである。これに反して、(2)制裁定立の實質的要件は制裁定立の實體に關する要件である。卽ち、いかなる要件に制裁が結合さるべきかといふ問に答へるものである。從つてこれは實質法(行爲法)上の要件であるといふことができる。而して、不法行爲は正にそれにのみ制裁が結合されるところの法的要件であるから、制裁定立の實質的要件であるといふことができる。

不法行爲が制裁定立の實質的要件であるとすれば、次に起る問題はこの不法行爲の内容の問題である。卽ち不法行爲の成立要件の問題である。これについては特に次の點を注意するを要する。卽ち、不法行爲の具體的内容は全く特定の實定法によつてのみ與へられる。從つてこれを決定するには實定法を離れてなさるべきではない。實定法をはなれて不法行爲の内容を決定することは實定法理論の立場ではない。實定法理論の法内在的立場に立つ限り、この不法行爲の内容を實定法からはなれいはゞ法外在的立場から不道德的であるとか反社會的であるといふことによつて決定することはできない。唯專ら實定法にもとづいて卽ち、實定法の規範によつて制裁定立の實質的要件として指定されてゐることによつて、特定の容態が「不法」行爲として特徴づけられる（五七頁參照）。

そこで次に、實定法はいかなる內容を不法行爲の要件に盛る事ができるか、そこに何らかの制限があるかといふことが問題である。これに關しては實定法はいかなる內容をも不法行爲に附與することができる、何を不法行爲と指定しても、それは全く實定法の自由である、と答へることができるであらう。卽ちいかなる內容でも不法行爲の要件となり得る。いかなる人の行動でも、それ自身の性質のために不法行爲となり得ないものはない。その內容が何か前提された實質的價値（例へば道德的價値とか正義的價値）に適合しないとの理由で不法行爲となるのではない。たとへ、そうすることが道德的には妥當でなくても又正義に背反する事があつても、それにかゝはりなく實定法は一定の容態を不法行爲として指定することができる（三）。そこに、實定法の固有の領域があり自立性がある。しかしながらこゝに一つの制限が存する。既に述べた樣に、實定法規範の固有の法則性は特定の要件に特定の效果を歸屬する點に存する。卽ち當爲の法則性に存する。それゆえ、この當爲の法則性は法則性一般の本質に從ひ論理の原則に矛盾することがあつてはならぬ。けだし、すでに法則（法も亦自然法則と同樣法則の一種である。

二三頁參照。）の觀念のうちには論理の原則が同時に規定されてゐるのであつて、これなくしては一切の法則性は廢棄せらるべきである。それゆえ、法規における當爲的結合（歸屬）に付ても矛盾律の原則がおのづから妥當すべきである。卽ち、法規に於て特定の行爲Aが特定の效果Bの要件として指定せられてゐること、AにBが歸屬することは、Aなる要件にはたゞBなる效果のみが歸屬すべきで他のいかなる效果非Bも結合さることがないこと、特にこのBなる效果がこのAなる要件によつて制約されないといふことは同時には不可能であることを示してゐる（四）。それゆえ同一法秩序內において、Aなる要件が同時にBなる效果を制約するとともに非Bなる效果を制約するといふことは有り得ない。卽ち、同時に同一行爲が適法行爲であるとともに不法行爲であることはない（五）。この樣な、論理の原則に矛盾できないといふ制限（これは法秩序統一性の要請上當然の制限である）のほかは、實定法が不法行爲の具體的內容を定める上にいかな制限も存しない。

かく考察し來れば、不法行爲の具體的內容を決定するには常に特定の實定法に對する顧慮がなければならぬ。これなくしては、不法行爲の內容從つてその個々の成立要件に關してなんら議論するの餘地は存しない。

（一）鳩山秀夫「債權法總論」昭和五年、六四頁參照。「日本民法總論」昭和二年、二七八—九頁參照。
（二）横田教授前掲譯書四九頁參照。
（三）Kelsen, Über Staatsunrecht, Zeitschrift für das Privat-und öffentliches Recht (1914) Bd. 40, S. 1 ff., 21 f.
（四）黑田教授前掲譯書二九頁、三六—三七頁。Kelsen, Über Staatsunrecht, S. 21.
（五）但し實際にこの樣な矛盾がある。この場合、一定の行爲を適法とする規範と同じ行爲を不法とする規範との間の矛盾を調和することは、法秩序の統一性の要請上當然であり、これをいかに法認識が爲すべきかは別の問題である。横田前掲譯書一三二頁以下參照。國際責任の原則が國內法規範と國際法規範との間の矛盾衝突を調節し解消するところの法的機能を擔當し、國內法秩序と國際法秩序とを統一する作用をなしてゐることについては、かつて私の論じたところである。拙稿「國際責任の根據に關する一考察」政學科研究年報第二輯三六三頁以下。

⑵ 不法行爲の要件及び效果

以上論じ來るところによつてあきらかなる如く、不法行爲の個々の成立要件は全く特定の實定法の規定する所にして、この實定法の規定をはなれてはその成立要件の何たるかを決定し得ないのであるが、こゝに不法行爲の構造を分析する必要上假に不法行爲の比較的一般的な且可能な要素を摘出して不法行爲の性質を定義すれば次の樣なものとなるであらう。卽ち、

『不法行爲とは、一定の責任主體に一定の制裁を科するための實質的要件にして一定の義務主體が一定の條

件の下に一定の權利主體に對して爲したる義務違反行爲である。』

今これについて簡單なる說明をなし以て國際不法行爲の本質・構造に關する研究への手引きとしよう。先づ不法行爲の要件として次の諸要件があげられる。

(イ)　不法行爲の主體　不法行爲は一定の義務主體の義務違反行爲である。從つて義務の主體は不法行爲の主體である。一定の行爲に義務づけられてゐるといふことは、その行爲に背反する行爲(義務づけられた行爲と論理的に矛盾する內容の行爲)が制裁定立の實質的要件であることである。卽ち不法行爲であることである。不法行爲をなさゞる樣義務づけられてゐるものは義務の主體であり、この義務の主體がなしたる義務違反行爲は不法行爲にほかならぬから、義務の主體は不法行爲の主體たり得べきものである。從つて法的義務なきところに不法行爲はない。何人を義務の主體從つて不法行爲の主體とするかは全く實定法の自由であつて唯法論理的制限が存するのみである。卽ち同一法秩序において同一主體が同時にその內容全く相反する二つの行爲AとBに義務づけられることがあつてはならぬ。もしそうであれば、同一主體が同時に一定內容の作爲と不作爲とに義務づけられ、兩者が同時に不法行爲となるであらう。

（ロ）不法行爲の客體　不法行爲は義務の主體の義務違反行爲であるから、この行爲によつて侵害された權利の保持者は不法行爲の客體である。從つて不法行爲の客體は權利の主體にほかならぬ。この權利の主體が何人なるかは、義務の主體と同樣實定法の自由に定め得るところである。先づ一般に權利・義務の主體即ち法主體が何人なるかは實定法の規定をはなれて決定され得ない(一)。權利・義務か法的のそれであるかぎり實定法秩序によつて與へられたものであることの當然の歸結である。次に法主體は法認識の所産である。實定法秩序そのものは、法的要件と法的效果とを歸屬性を以て結合する法規の統一的總體である。法認識は、この樣な機能をもつた法規のすべてを矛盾なく理解し統一的認識を確定することによつて、法主體從つて法人格が何人であるかを實定法規範の總體から割出すのである(二)。要之、法主體即ち權利・義務の主體が何たるかは、實定法の規定にもとづいて初めて法認識が決定し得べきものである。

（ハ）責任の主體　責任の主體は制裁の客體である。一定の不法行爲を制約的要件とする制裁（民事的たると刑事的たるをとはぬ）を科せらるべきものである。何人が責任の主體たるかは、これまた實定法の定むるところに依る。實定法は何人をも責任の主體卽ち制裁の客體となすことができる。但し、そこに論理的の制限がある。同一の不法行爲にもとづく制裁の客體が同時に制裁の主體たることは有得ない。この制限を除いて、實定法は自由に責任の主體を定めることができる。通常この責任の主體は義務の主體と一致する(三)。例へば、犯人が刑罰に科せられ、債務を履行せざる者が强制執行せらるる如きである。この場合の責任の對象は「自己の行爲」であり、その責任は「自己の行爲に對する責任」である。近代の個人主義立法の立前がこれである。法の目的を形式的正義におく立場から考へ、また制裁の心理的效果によつて人を不法から遠ざけようとする法の技術的機能から考へると、義務の立體と責任の立體とを一致させることは一層合目的的であるかも知れないが、實定の法秩序が必然的にそうせねばならぬといふ內在的理由はない。かへつて法の目的のおき方によつては、例へば具體的正義・公平の立場から或ひは社會的利益の立場からは、義務の主體と責任の主體とを一致せしめない方がより合目的的であるかも知れぬ。そういふ場合、實定法はこの兩者を必ずしも一致させない。そこに「他人の行爲」が責任の對象となり、「他人の行爲に對する責任」といふ制度が生れる。例へば、被使用人の行爲に對する使用者の責任、國際法上國家機關の權限外の行爲に對する國家の責任の如きである。この樣な目的意識の下にそういふ制度が生れることがあるが、そうでなく、その法團體の組織が止む得ずそうさせてゐる場合もある。卽ち法團體の組織が二重である場合、法團體の直接の組成員がやはり法團體であつてその法團體が初めて個人から組成されてゐる場合の如きである。例へば Sippe 制の下に於ける團體責任の如きである。ある Sippe に所屬する個人が他の Sippe に所屬する個人を殺害せる場合、この被害者所屬の Sippe が全體として加害者所屬の Sippe に對して復讐(制裁)をなす(四)。それゆえ責任の主體はこの場合 Sippe にある。この場合、加害者を相手の Sippe に引渡すとかこれを追放するとかすることによつて Sippe としての責任が免除される樣になれば、それは、團體責任から個人責任への移行にほかならない。

(三) 權利侵害または義務違反　不法行爲は他人の權利の侵害である。權利は先づ法(その形式の如何を問はない――法律・命令・判決)によつて侵害を保障されたものである。卽ちその侵害が不法行爲事實となるべきもの、その侵害を要件として一定の責任主體に制裁が科せらるべきものである。その限りにおいてそれが初めて權利となる。それゆえ、ある一定の行爲(例へば適法なる權利行使、正當防衞等)によつて權利を侵害されてもその行爲が不法行爲とならなければ、權利はその限りにおいて一定の制限を加へられてゐる。その限りにおいてその保障を法秩序に求めることはできないところの制限付の權利である。かやうな權利をその制限に關する限り侵害してもそれは責任の原因とはならない。次に、權利はその行使を法によつて保障されたものである。從つて原則として權利行使は不法行爲でない。しかしながら、それはあくまでも法によつて保障されたものにすぎないから、法(その形式のいかんを問はない――のみならず個々の法によつてゞはなく、法秩序全體を考ふべきである)がなんらかの制限を加へれば、その限りにおいて適法な權利行使ではなくなり本來の「權利行使」ではなく不法行爲となる。從つてその樣な(外見上からいへば)權利行使は權利濫用であつて不法である(五)。要するに、權利の侵害といひ權利の濫用といひ客觀的法秩序をはなれては存しない。法秩序が、それらを制裁の要件としてゐる限り、それらは不法行爲となるのである。ところで、法秩序が權利の侵害や權利濫用を不法行爲とすることは、それらを制裁の制約的要件に指定してゐることにほかならぬから、權利の侵害や權利の濫用は義務違反の一種にほかならぬ。他人の權利を侵害せざること、自己の權利を法の許す範圍外において行使せざることと等の法的義務に對する違反行爲である。ところで法秩序は必然的に義務を定立する。義務を定立せざる法秩序は存しない。これに反して必ずしも權利を設定しない。『いかなる法規も常に必ず法的義務を定めるものであるが、場合によつて權利も定めることができる(六)』。それ故、不法行爲は權利侵害といふよりも義務違反であるといふ方がより包括的な説明であるといはなければならぬ。從つて不法行爲は義務違反行爲である。尙こゝに注意すべきは、義務違反は結局するに規範違反にほかならぬから違法性 Rechtswidrigkeit といふことが問題であるが、これを不法行爲成立の特殊な要件であると考へることはできない。違法な行爲であるが故に制裁が科せられる卽ち不法行爲となるのではない。反對に、制裁が定立せられるための實質的要件に指定せられたが故に違法であり從つて不法行爲なのである。唯、實定法の通常の形式が、例へば『かく〳〵の行爲Aをなせば罰せらるべし、但しかく〳〵の行爲Bは罰せず』といふ樣に、敍述上の便宜にもとづいて原則規定と例外規定とを空間的に並列するため、違法性が可罰の特殊な要件であつて、Bはもと〳〵違法ではあるがこの違法性を阻却する特別な原因のために罰せられない、と考へられ易い。しかし、可罰性と違法性は全く同じことである(七)。例示の文において、A—B＝Cとすれば初めからCが違法で且可罰的なのである。Bといふ行爲をなさゞる義務がはじめからない。たゞこれを一時に表現できないといふ、言葉に特有の技術的缺陷があるため、そういふ形式がとられたまでのことである。

(ホ)　故意・過失　不法行爲が制裁の要件となるために、それが特に不法行爲の主體と不法行爲そのものとの間の一定の心理的關聯(故意・重過失・輕過失・不注意等)の下に惹起せられたるを要することがある。この點につき次の三つの事を特に注意すべきである。即ち、(1)　故意・過失は歸屬の條件ではあるが歸屬の客體ではない。歸屬といふのは、一定の不法行爲を一定の制裁に當爲を以て結合することである。この場合、歸屬せらるるもの、即ち歸屬の客體は不法行爲であり、故意・過失はこの不法行爲が制裁に歸屬されるときの條件、それなくしては不法行爲が制裁に歸屬されないところの條件である。(2)　故意・過失を歸屬の條件とするかせぬかは實定法の自由である。實定法はなんらかの(立法政策的な)理由でこれを條件に指定することがある(過失責任主義——過失なければ責任なし(八) Nulla iniuria sine culpa. Qui in culpa non est, *natura* ad nihil tenetur)。しかし必ずそうせねばならぬといふ法内在的必然性はない。なんかの理由でそれを採用せぬことも亦可能である。（結果責任）。(3) 大體において、過失責任を原則とする責任制度は個人責任を前提とし道義的責任感・形式的正義感を滿足せしめるものであるが、結果責任主義の責任制度はなんらかの意味で團體責任を豫定し具體的正義實質的公平を目指すものである。また、前者は個人主義社會の要求をみたし自由主義經濟組織の重要なる法的機構を形成するが、後者卽ち結果責任主義は團體主義社會を前提とし或ひは自由主義經濟組織の修正を目指すものである。この兩者の對立がローマ法の個人主義とゲルマン法の團體主義とを反映してゐることは衆知の如くである(九)。

(一) 横田教授「國際法」(上) 九七頁以下。

(二) 横田教授「國際法」(上) 三三一頁。

(三) Kelsen, Unrecht, S. 484 f.

(四) Jess, a. a. O., S. 8–14, Anzilotti, Lehrbuch, S. 376. Kelsen, Unrecht, S. 500. Brunner, Deutsche Rechtsgeschichte, I, § 13. 21. Schröder, Lehrbuch der deutschen Rechtsgeschichte, § 12. A. H. Post, Grundriss der ethnologischen Jurisprudenz, I. Bd. (1895), S. 226–261.

（五） Politis, Le problème des limitations de la Souveraineté et la théorie de l'abus des droits dans les rapports internationaux, Recueil des Cours, (1925) I, (1926), p. 5 et s. Lauterpacht, The function of law in the international community, 1933, p. 96, 286 et s. Lais, a. a. O., S. 35.

（六） 横田教授前掲譯書八〇頁。

（七） Kelsen, Unrecht, S. 560—561.

（八） Jess, a. a. O., S. 14—15. Eagleton, op. cit., p. 208.

（九） Löning, Die Haftung des Staates aus rechtswidrigen Handlungen seiner Beamten, 1889. Rümelin, Die Gründe der Schadenszurechnung und die Stellung des deutschen bürgerlichen Gesetzbuches zur objektiven Schadensersatzpflicht, 1896. 岡松参太郎博士「無過失損害賠責任論」（大正五年）。平野義太郎氏「民法に於けるローマ思想とゲルマン思想」（昭和四年）。

不法行爲の效果は精確にいへば制裁にほかならぬ。不法行爲が制裁定立の實質的要件であることの當然の結果である。それゆえ反對に、制裁は不法行爲の實質的效果であるといふことができる。しかしながら、不法行爲の效果を廣く解すれば、種々の形式法特に手續法上の效果を數へることができる。先づ第一に、不法行爲の成立によつて法團體の一定機關（例へば裁判機關）が一定の手續に從つてその不法行爲に制裁を定立する樣機能づけられ時には義務づけられる。のみならず、この手續に參加することのできる、また參加せねばならぬ所の一群の権利・義務の主體があらはれる。たとへば、一定の者に制裁請求權が發生し、また他の者（例へば不法行爲の主體）はこの請求權行使の結果制裁定立の手續に參加するの義務を負ふ。今これらの法的效果をも廣く不法行爲の效果のうちに包括させるならば、不法行爲の效果は極めて廣汎なものとなる。しかしながら、こゝでは特に實質的效果たる制裁そのものについて簡單に説明しよう。

制裁は不法行爲に歸屬せられる窮極の法的效果である。ある特定の容態が不法行爲として特徴づけられるのは、それに歸屬せられた法的效果の最後の歸着點において制裁といふ法的效果が定立せらるべきことが法秩序において規定せられてゐるからである。それゆえ、制裁は不法行爲をして不法行爲たらしむるものであり、從つて不法行爲の本質を研究するに當つてその對應物として絕對に無視する事のできぬものといはねばならぬ。ところで制裁は不法效果の窮極の法的效果である。この「窮極の」效果であるといふ點に制裁の本質が存する。卽ちこの制裁を定立することは「窮極の」法的效果を定立することであり、制裁を執行することは「窮極の」法的效果を實現することである。してみれば、制裁を執行することはもはやいかなる法的效果をも定立することであつてはならぬ。もしそうであれば、法的效果を定立することは少くともなんらかの義務づけを行ふことにほかならぬから、そこになんらかの法的義務を要求することになる。しかるに、法的義務が存するためには、それに違反した行爲が制裁の制約的要件となつてゐることを要するから(三九頁參照)結局に制裁は更に又なんらかの他の制裁を豫定せねばならぬ。かくて無限に制裁が要求せられ停止するところがない(一)。regressus ad infinitum. それゆえ、制裁執行行爲は純粹の法適用行爲であつてなんらの法定立をも行はない。從つてなんらの義務をも定立するものでないといはねばならぬ(二)。それは、法秩序の實現の最下層に位するもの、それに法秩序の實效性のほとんどすべてが負載せられてゐるものである。制裁の執行を保障するものは新しい法的制裁でない。總じていかなる法的保障もない。たゞ全く法秩序の實效性卽ち組織的實力である(五八頁參照)。それゆえ、法秩序に於ける規範違反が或るマキシマムを超えず制裁の實效性が或るミニマムから下らない限り、その法秩序は實效的でありその下における不法はかゝるものとして通用する。しかし、もしその規範違反の事實的生起が或るマキシマムを超え制裁の實效性從つてそれをバックしてゐる組織力が或るミニマムを割る事になれば、その法秩序は實效的でなくなりその下における不法(特にその法秩序のもつイデオロギーから割し出されたもの)は不法として通用しなくなるのみならず、新しく實效的となり始めた法秩序(そのイデオロギーは前の法秩序における規範違反に對して辯護的役割を果して來たものである)の下では、かへつて適法となり前の法秩序における制裁が不法となる。この様な、量から質への轉化・量の質への作用を契機とする規範違反行爲の辨證法的變化・發展こそは、人爲的秩序としての法秩序のもつ相對的・動的性格を如實に表はしてゐると見るのほかはない(三)。

要之、制裁の本質は「窮極の」法的效果たるの點に存しこれを執行することによつていかなる法的義務も定立されない。そこには唯、制裁組織の實現力があるのみ。制裁受忍者の無力がこれを裏づけるにすぎない。但し制裁の執行を以て單なる事實行爲であると見ることはできない。制裁の執行はやはり法的行爲である。即ち法秩序によつてその根據と手續をあたへられてゐる。その根據は執行さるべき制裁が當爲されてゐることであり、その手續はやはり法秩序によつて定められた特定の執行手續である(四)。それゆえ、法的根據なき制裁の執行は不法であり法的手續を履まざる制裁の執行も不法であるといはねばならぬ。かかる制裁の執行は不法行爲として亦別の法的效果（執行行爲の無效・取消・執行機關構成者に對する懲戒罰）の要件となることはいふまでもない（五）。

（一）　これを理由として制裁が法の本質的契機たるを否定する學者としてトリーペルがある。田中教授・美濃部博士又同じ。Heinrich Triepel, Völkerrecht und Landesrecht, Leipzig 1899, S. 109—110. トリーペルの註するところによればビールリングまた同じ。

（二）　Kelsen, Unrecht und Unrechtsfolge im Völkerrecht, Zeitschrift für öffentliches Recht, S. 575—576, 589, 591—5.

（三）　Die Paradoxie, die darin gelegen ist, dass eine Rechtsverletzung nur dadurch, dass sie einen gewissen Umfang erreicht, dadurch, dass sie sich gleichsam zu einem Höchstmass steigert, ihren Charakter als Unrecht verliert, ja beinahe *dialektisch* in ihr Gegenteil umschlägt und zu einem *rechtserzeugenden* Tatbestand wird, zeigt sich übrigens auch im Phänomen der Revolution, die gerade von Seiten des Völkerrechts her und nur von da aus als verfassungsändernder Vorgang zu begreifen ist. Kelsen, a. a. O., S. 583.

（四）　Burckhardt, Methode, S. 144.—146.

（五）　戰爭に關する記述（一二一頁）參照。

第二章　國際不法行爲

以上論述し來れるところにより、法の本質從つて不法行爲の本質・法秩序における不法行爲並びに不法行爲理論の地位・不法行爲の構造・その效果たる制裁等について一通りの輪廓をうかゞひ得たのである。この間常に基調として來た立場は、法及び不法行爲の本質・構造をできるだけ法内在的立場から分析し綜合し、その骨格ともいふべきものを特にあきらかにすることにあつた。それによつて一應の基礎的設計が得られたと確信する。しかしながら、すでに概念はそれに盛らるべき内容に對する抽象的な容器にほかならない。以上の論述によつて確定された不法行爲の抽象的構造はそれに盛らるべき實定法の具體的内容によつて肉づけられねばならぬ。

問題は國際不法行爲の問題である。國際法といふ特定の實定法における問題である。そこで以上の如き不法行爲の骨格的構造に盛らるべき國際法の素材が何よりも問題である。國際不法行爲の實質的内容は以上の如き構造分析の結果得られた可能な形式にいかに盛らるべきか。かういふ事が當面の研究である。

この爲めに順序として國際法の法的性質の問題が先づ考察されねばならぬ。

第一節　國際法の法的性質

國際法の法的性質に付ては今此處に詳細にわたつて論ずることはできない。唯、議論の順序として簡單に觸れることとしよう(一)。

一　制裁規範としての國際法

(1)　制裁秩序としての國際法秩序

第一に國際法が規範であることはあきらかである。規範の本質については既に述べた如くである(二三頁以下參照)。古來、國際法の本質について種々の異論が存し、なかには國際法を否定する學者も少くない(二)。しかし、それらの學者によつても國際法が規範であることについては爭ひはなかつた。唯、國際法の法的性質を否定するにすぎない。即ち、國際法が法規範でなく他の規範例へば國際道德であるにすぎぬとなされたりするのであつた(三)。

次に國際法が法規範であることを確定しなければならぬ。このことは、法規範が制裁規範である以上（その說明はすでに述べた。三五頁以下參照）國際法が制裁規範であることを確定することゝ同じである。これに對して次の二つの反對論が存し、それら自身もお互に反撥しあつてゐる。

(1) 法は制裁規範である。ところが國際法は制裁を定めない。だから國際法は法規範でない（四）。

(2) 國際法は法規範である。ところが國際法は制裁を定めない。だから法は制裁規範でない（五）。

前者は法規範が制裁規範である事の肯定から出發して國際法の法的性質を否定し、後者は國際法の法的性質を肯定することから出發して法規範が制裁規範であることを否定する。何れも國際法が制裁規範でないといふことを小前提とすることには變りはない。そして、何れも制裁といふもの從つて制裁規範といふものを正當に理解してゐないといふ點では全く一致する。それ故この二つの反對論を克服するには、制裁といふもの從つて制裁規範といふものの本來の意義を確定し、それらの反對論が考へてゐた制裁が實はほんとうの制裁でないことを確定すれば足りる。それによつて、二つの反對論は同時に消滅し、國際法が制裁規範であることが初めて確定的になるであらう。

ところで、法規範が制裁規範であることの正しい意味を理解するには、(1)

法規範の全體を制裁秩序として考へること即ち法秩序を制裁秩序として觀ずること、(2)　制裁の觀念的規範性をその事實的貫徹性から區別して考へること、の二つが大切であつた(四二頁以下)。(1)によれば、法秩序を構成する個々の規範が必ずしも制裁を定めた規範であることを要せぬ、唯全體として制裁秩序としてあらはれる法秩序において結局なんらかの體系內的地位をもち全體として直接・間接に制裁定立に關係するものであればよい、といふことになる。これに從へば國際法秩序は制裁を定めた法秩序であるといふことができる。國際法は一定の主體に對して義務を定める。その義務が果されないときには一定の法的效果例へば回復義務が發生しこれが拒絕されると國際裁判に訴えることができる。ある場合には一定の制裁例へば復仇・戰爭の如き强力的手段をとる事もできる。これを全體としてみれば、國際法秩序は制裁を定めた秩序・法的效果の窮極の歸着點において制裁といふ不法效果を定めた秩序・結局に制裁秩序であると考へることができるであらう(六)。次に(2)に從へば、制裁が當爲されてゐるといふ觀念的規範性のみが制裁が法の本質的契機であるといふことの眞の意義を決定するのであつて、この制裁を實現するための組織が完全であつたり制裁の事實上の効果が著大であつたりして制裁が實效的であるといふ、制裁の事實的貫徹性が法秩序の制裁秩序たるの所以のものを決定するのではない、といふ事になる。この點からいへば國際法秩序が制裁秩序であるといふことは確定的でなければならぬ。唯その制裁が實效的であるか卽ち制裁の組織化や事實的效果が完全であるかといふ點にいたつては、いさゝか國家法秩序に劣ることは否めない。しかし、これとても結局に程度上の問題であつて、國家法秩序においてもその成立當初においては極めて幼稚な組織しかもたず(七)また個々の組成員に必ずしも有效な事實的支配力をもたなかつた時代が存し、或ひは內亂や事變に際しては必ずしも中央的權力が十分な支配力をもたないことがあるに鑑み、必ずしも國際法秩序が制裁秩序たることに決定的な影響を與へるものではないのである。

この樣に考へて來ると、前に揭げた二つの反對論はいづれも制裁の意義を正しく理解してゐないといふことが想像される。實際にそれらはいづれも正しく理解してゐなかつた。或ひは個々の規範が直接に制裁の定立に關係してゐない樣に見えることから、制裁が法の本質的契機であることを否定したり、特に制裁の意義を現實の組織的且有效な强制に限定したりしてゐる(八)。この點において即ち制裁の意義を不當に限定してゐるといふ點においては兩者共に共通の誤解を犯してゐる。その結論はどうであらうとも、結局において小前提において誤まつてゐるといはなければならない。要するに、國際法秩序が法秩序であり從つて制裁秩序であることは確定的であるといはなければならない(九)。

(一)(二) G. A. Walz, Wesen des Völkerrechts und Kritik der Völkerrechtsleugner, Stier-Somlos Handbuch des Völkerrechts, I, 1 a. (Stuttgart 1930)

(三) 例へば、オースチン。Walz, a. a. O., S. 56 ff., 184 ff.

(四) Burckhardt, Organisation, S. 374 ff., besonders 376 ff. Austin, Lectures on Jurisprudence or the philosophy of positive law, 2 vols, (London 1885), 5 th. ed. Vol. I., pp. 99—97, et passim. Gumplowicz, Allgemeine Staatsrecht, 1897, S. 414. 尙、註(八)に示した高柳教授論文にあげられた英國の法學者の如きこれである。

(五) 美濃部博士前掲書七一—七二頁。Lifschütz, Fragen zum Völkerrecht, Archiv des öffentlichen Rechts, Bd 34, (1915), S. 142, 148.

(六) 横田教授前掲書三—四頁、一一〇—一一一頁。

(七) Walz, a. a. O., S. 175—176. 必ずしも過去の歴史にのみ見られるのではない。現在においても國家法秩序に於てかゝる技術的に未熟な組織が存する。たとへば、獨逸憲法一九條と四八條一項との關係の如きである。この場合、法の目的からいへば一九條が四八條一項を制約してゐると解釋する方が一層合理的であらう。併し憲法の明文からこのことを必然に歸結することはできない。Kelsen, Bundesexekution. Ein Beitrag zur Theorie und Praxis des Bundesstaates, Festgabe für Fleiner, 1927, S. 127—187. Triepel, Streitigkeiten zwischen Reich und Ländern, Festgabe für W. Kahl, Tübingen

1923, S. 61 ff. Anschütz, Die Verfassung des deutschen Reiches, 3. u. 4. Aufl., S. 168 f. Kunz, Staatenverbindungen, S. 709. Anm. 1. Nawiasky, Grundprobleme der Reichsverfassung I, (1928), S. 66 ff.

（八） 法を以て特殊な機關（裁判機關や執行機關）によつて强制さるものとする思想はオースチン以來英國法學者に於ける一つの有力なものである。これについては高柳教授論文、國家學會雜誌四九卷三號三七―三九頁參照。

（九） Louis Le Fur, Précis de droit international public, Paris 1931, p. 506. Grosch, Der Zwang im Völkerrecht, Breslau 1912, S. 7 ff., et passim. Kelsen, Unrecht, S. 483, 528, 583—584. Derselbe, Staat u. Völkerrecht, Zeitschrift für öffentliches Recht, 4. Bd. S. 216. Derselbe, Souveränität, S. 241. 尙四三頁註三にあげられた文獻を參照。

(2) 國際法秩序の始原性

國際法秩序が制裁秩序であるとすれば、法秩序一般におけると同樣、國際不法行爲が國際法秩序において有する體系內的地位も亦極めて重要であるといはなければならぬ。卽ち、國際不法行爲は國際法秩序において窮極になんらかの制裁が定立せられるための實質的要件であつて正にこの事によつて國際「不法」行爲として意味づけられ・評價されてゐる。この樣な意味づけ又は價値づけが、法從つて國際法（國際法が規範であることはすでに確定せる通り。規範である以上價値に關係することはすでに論じたところである。三五頁參照）のもつ基本的機能である以上、この機能の具體的表現であるところの國際不法行爲が國際法規範の內在的構造に於て有する地位が極めて重要であることはまことに當然の歸結であるといはねばならぬ。それ故、國際不法行爲の本質及びその具體的內容を精確に把捉することは、實は國際法秩序がその基本的機能として行なつてゐる所の・あの評價作用を最も適確に・精細に知ることにほかならぬ。それによつて初めて、現行の國際法秩序の下における適法と不法との精確な限界が決定され得るとゝもに、そこから出發して初めて、國際社會の平和のために望ましき國際法秩序の改造（直接には國際法に於ける適法・不法の限界の變更・移動）に對する理想的規準が發見され得るのである。けだし「あるもの」を知り「あるべきもの」への捷徑を發見しようとするのは自然の順序であるからである。勿論そのためには單に「理想的」なもののみを追求すべきでなく、「より理想的な」しかも「實現可能なる」規準を求むべきで、このためには結局に、修正なり改造なりの當面の對象たる現在の國際法秩序の發展段階を知る事が必要である。卽ち、社會的技術としての國際法秩序がもつ所の技術性の現段階をいかな主觀をもまじへず客觀的にありのまゝの姿においてつきとめることが必要である。

ところで、旣に述べた樣に法は一定の目的卽ち社會的安全のために用ひられた一種の社會的技術であつて、この技術性を一定の反社會的行爲と認められた不法行爲に一定の制裁を科するといふ本來の機能を通して實現しようとするものである。從つて、その目的達成のためには種々な要請が充たされなければならない。國際法も亦一種の法である以上はかゝる技術性を當然にもつ。卽ち、それが目的とするところは、國際社會といふ特殊な社會の安全・國際平和である。そこで、國際法も亦一種の社會的技術であり、一定の反國際社會的行爲を不法行爲と指定しそれに一定の制裁を科し、以て技術たるの任務を果さねばならぬ。當然に、すでに述べた諸要請を充たすことが要求される。ところが、制裁秩序としてもつ國際法の技術的發達程度は未だ幼稚なそれを脫し切れないでゐる(一)。卽ち、國際法秩序は制裁秩序とはいふものの、近代國家の高度に發達せる法秩序と比較してきはめて低い技術的價値しか有してゐないのである。

先づ國際社會の靜的·形式的安全といふ點からいへば、國際法が成文化されてゐること卽ち法典化されてゐることが望ましいのである。でき得べくんば、中央的立法機關の下に法の制定が統一されることが望ましい。しかしながら、國際法秩序の大部分をなすところの普遍的國際法は(二)ほとんど慣習法である。卽ち國際慣習による法定立が原則である(三)。從つて、國際不法行爲に關する國際法規も原則として國際慣習法によつて律せられ特に條約法によつて規定されてゐるといふ例外が存する(四)にすぎない。このために、國際法の法的確實といふことが阻害されてゐる事はいふまでもない。結局に、國際不法行爲の要件と效果は原則として慣習法せいせいのところ條約法によつて規定せられてゐるといふのが現狀である(五)。

次に同じく國際社會の靜的安全といふことから、國際法團體に特殊な機關(特に裁判・執行の機關)從つて組織が必要である。卽ち、國際法規を具體的事實卽ち爭議に適用して法の客觀的運用を誤りなからしむるために、當事者から獨立した客觀的な特殊機關例へば裁判機關や執行機關が必要である。のみならず、この機關の管轄權がなるだけ普遍的かつ强制的であることを要する。ところが普遍的國際法に關する限りかゝる機關が存しない。不法行爲事實の認定・制裁の定立制裁の執行といふ法適用の三段階がいづれも被害者と信ずる法團體組成員自身によつて行はれる。從つてそこでは自力救濟が原則で(六)公力救濟といふことが行はれない。國内法秩序が始原的形態においてもつてゐた・あの救濟方法しかないのである。このために、法の適用が著しく當事者の主觀的恣意によつて左右され實力あるものの勝利といふ結果になり易い。結局に、國際法團體の組織が未熟であつて制裁權力及びこれに要する實力手段の獨占・集中が行はれず高度の分權制が支配的であるといふのが國際法秩序の有する技術性の現段階である。

最後に國際社會の動的・實質的安全といふ見地からは、絕えず現實の國際社會の實質的關係の流れに適應して國際法秩序の修正・變更をなし（このことは結局に適法・不法の限界を變更することにほかならぬ）以て國際社會における現實に即した實質的具體的正義・公平を實現するに必要なる機構（法と組織）を備へる事が必要である。國家法の範圍では、最も顯著には立法機關がこれを負擔し、行政機關や司法機が法適用の名の下にこれを實質的に實行してゐる。これに反して國際法團體においては、法定立のもつとも進步した形式がせいぜいのところ條約（契約）である。ところが、この條約の廢棄・修正は特別な約束や特別な事由のないかぎり締約當事國の全部の自由なる同意によつて初めて行はれる（七）。しかるに、條約（特に平和條約）によつて利益を得てゐる當事國がこれの不利なる修正を肯んずることは相當に困難なことと想像されるから條約の修正は容易に實現されぬ。結局には、條約により利益を享受する國家と不利益を受けそれにたえられぬ樣になつた（少くともそう感じ出しそれを主張し初めた）國家との間における政治的實力の均衡が破れることによつて强力的手段時には戰爭によつて解決せられるのほかはない。また條約の廢棄・修正の特別なる事由といつても、果してこの事由が理由あるものとして實際に容認すべきものかについての國際法上の原則もまたこれを決定すべき客觀的機關も確立してゐない。それゆえ、動的安全を滿足せしむべく余りに國際法秩序は硬質的である。法の變更・改正といふことに付ての國際法上の制度は確定してゐない。それに關しては極めて硬質的であるといはざるを得ぬ(八)。これ、ひたすら國際社會の靜的安全をのみさしあたりの目標としまた目標とせざるを得ぬところの國際法秩序の始原的性質上けだし止むを得ざるところである(九)。

要するに、社會的技術としての國際法秩序の有する現段階はかくの如く未熟・始原的なものであつて、このことは後にも述べる如く必然的に國際不法行爲の制度にあらはれて來るのである。それゆえ、この始原的狀態を脫却することは將來の國際法團體における極めて重要なる問題であると考へられる。この問題をその主たる課題のひとつに加へてこそ、初めて國際不法行爲論のもつ積極的任務が完全に果されるのである。

(一) Kelsen, Unrecht, S. 481, 487, 523, 527, 550, 566, 579–580, 583–584, 586, 595, 597, 605, 607–608. Kelsen, Théorie générale du droit international public, Problemes choisis. Recueil des Cours d'Academie de droit international de la Haye, 1932, IV., Tome 42 de la Collection, p. 131 et s. Kunz, Staatenverbindungen, S. 262, 270–272. Anzilotti, Lehrbuch des Völkerrechts, (1929), S. 361. Strupp, a. a. O., S. 184. J. Kohler, Grundlage des Völkerrechts,

S. 10. Liszt, Völkerrecht, S. 9—10. Walter Burckhardt, Die völkerrechtliche Verantwortlichkeit der Staaten, Bern, 1924, S. 17, 26. Eagleton, The responsibility of States in international law, New York 1928, pp. 5, 10—11, 14, 216, 220—223, 227—228. Yokota, a. a. O., S. 406, 410—415. Grosch, a. a. O., S. 3, 10, 14. Walz, a. a. O., S. 177—178, 170—171. Jhering, Zweck im Recht, I. (3. Aufl. 1893), S. 324—326.

（二） Verdross, Verfassung der Völkerrechtgemeinschaft, 1926, S. 92 ff.

（三） 横田教授「國際法」(上) 一〇一頁以下。

（四） 例へば、一九〇七年十月十八日調印「陸戰の法規慣例に關する條約」第三條、一九〇五年「倫敦宣言」(批准セラレズ)第六十四條、「國際聯盟規約」第十六條、一九二四年「國際紛爭平和的處理に關する議定書」第十五條、一九二八年「國際紛爭常和的處理に關する一般議定書」第三十二條、一九二七年「デンマーク・ベルギー間仲裁裁判條約」第二十條、一九二六年「ドイツ・オランダ間仲裁裁判條約」第九條第二項。

（五） Kelsen, Unrecht, S. 505, 509 f., 598. Burckhardt, a. a. O., S. 4. Strupp, a. a. O., S. 8 f. Lais, Die Rechtsfolgen völkerrechtlicher Delikte, Berlin, S. 19 ff.

（六） Grosch, Zwang im Völkerrecht, Breslau 1912, S. 11 ff. Anzilotti, a. a. O., S. 402—403, Kelsen, Unrecht, 561—564, Jess, a. a. O., S. 9. Strupp, a. a. O., S. 186, 196. Walz, a. a. O., S. 177 ff.

（七） Hugo Grotius, De jure belli ac pacis, Lib. III, Cap. XIX, § XI et XII.

（八） 最近におけるヴェルサイユ平和機構改造の問題を巡つて常に繰反される問題即ち條約の瑕疵・事情變動の原則(Rebus sic stantibus)・聯盟規十九條の問題・領土再分割論等は、いづれも舊き Status quo から新しき國際平和機構を生み出さんとする立場からそれぞれの理由はもつてゐる。これに關する研究は近來にない好題目たるを失はぬ。大澤章教授「安全保障に於ける條約の二重の意義」國際法外交雜誌三四卷九、一〇號。同教授「安全保障における強制的要素」外交時報七四一號五五一八〇頁。Kunz, Statisches und dynamisches Völkerrecht, "Gesellschaft, Staat und Recht" (1931) Wien, S. 217—251. Carl Schmidt, Die Kernfrage des Völkerbunds, 1926. Williams, op. cit., p. 70 et. s. 特に條約改訂問題については Hasas, La révision des traités de Trianon, Paris 1928. Kunz, Die Revision der Pariser Friedensverträge, 1932. Viktor Bruns, Die politische Bedeutung des Völkerrechts 1935, Kraus, Revision of the Peace Treaties ex aequo et bono. (New Commonwealth Quarterly 1935, Vol. I No. 1.). 事情變動の原則（國際法上の）については Kaufmann, Das Wesen des Völkerrechts und die clausula rebus sic stantibus, 1911. 大澤教授「條約の改訂、廢棄と事情變更の原則」外交時報昭和三年十月一日號。勝本正晃博士「民法における事情變更の原則」大正十五年、四二〇頁以下。Pouritch, De la clause rebus sic stantibus en droit international public, 1918. 國際聯盟規約十九條については Radoïkovich, La révision des traités et le Pacte de la Société des Nations, 1930. Williams, op. cit. Bouffal, L'art. 19 du Pacte de la Société des Nations (Revue de droit International et de législation comparée, 1928). Göllner, La révision des traités sous le regime de la Société des Nations, Paris 1925. Schmitt, a. a. O., S. 45 ff. 領土問題については Flaes, Das Problem der Territorialkonflikte, 1929. 條約の瑕疵については最近のフェルドロスの論文の如き注目すべきものである。Verdross, Anfechtbare und nichtige Staatsverträge, Zeits. f. ö. R., Bd. 15., S. 289 ff.

（九）勝本博士前掲書三頁參照。

二　國際法上の制裁

國際法秩序が制裁秩序であるとすれば、ここに國際法上の制裁といはれるもが如何なるものであるかをあきらかにすることが必要である。けだし、不法行爲をして不法行爲たらしむるものは制裁であり、この制裁をあきらかに認識することは、實は不法行爲の反面を確定することと同じであるからである（頁參照。）。そこで先づ、國內法上の制裁なるものがいかなるものであるかといふことを知り、しかる後これとの對照・比較において、國際法上の制裁の本質・內容・技術的價値を考へて見よう。

(1) 國內法上の制裁

國內法秩序が未だ始原的狀態を脫し切らず、法の定立・適用・執行に關して分業的にはたらく特殊機關の分化が十分に發達せず、從つて法的救濟が主として法團體組成員の自力救濟に依つてゐた時代(一)は別として、近代國家の整備せる法秩序のもとでは法典の成立はともかくこれを實質的に補塡する事のできる法適用機關が組織化せられてゐる結果、法的救濟は公力救濟を原則とし自力救濟は極めて例外の場合（例へば公力救濟の敏速なる適用が不能なるとき）に限られ嚴格なる制限の下においてのみ適法な行爲として違法性を阻却せられる。即ち自力救濟は元來許されざるを原則とする。この樣な組織の下では、制裁權力及びこれが行使に必要なる一切の實力手段は法團體組成員の手から離れて法團體そのものに獨占・集中され、制裁はこの法團體の特殊機關によつて定立され執行され、かゝる制裁のみが合法なるものとして指定される。のみならず、制裁と不法行爲との制約關係もできるだけ精細に規定され制裁が分化する。特定の制裁は特定の不法行爲を制約的要件としてのみ定立されるべきこととなる。

この様な國內法秩序の下で制裁は種々な形態をとる。例へば、違法なる國家行爲の無效・取消に關する制度、義務違反をなせる國家機關の構成員たる官吏に對する制裁(懲戒罰)、行政罰・强制處分、公・私權の剝奪、法律行爲の無效・取消、刑罰、損害賠償、强制執行等をあげることができる。このうち、特に嚴格なる意義における制裁として、刑罰(廣義における)と强制執行とを考察してみよう(二)。

こゝに特に注意すべきは損害賠償である。通常民事上の制裁として論じられるものである。これに關しては本來の意義における制裁といふことはできない。本來の意義における制裁は「窮極の」法的效果である(ultima ratio)。法的效果の終點である。從つて制裁の執行に對してはいかなる法的義務も存しない。執行機關に對する暴行・執行妨害が別の制裁の要件となるのは、制裁の執行に對して受忍義務があるからではなく、全く別に法規があつてこれを規定してゐるからである。ところが損害賠償はそうでない。一定の原因(債務不履行または狹義の不法行爲)にもとづいて損害賠償請求權從つて債務が發生し裁判によつてこれが確定されると一定の者が賠償義務を負ふことになるが、この債務を實行せざるとき判決で認められた强制執行が行はれる。してみれば、損害賠償「債務」はどこまでも義務であつて、この義務違反に因て初めて本來の强制執行が行はれる。その違反が强制執行を定立するための要件であるといふことにおいて「義務」である。この様に考へると損害賠償は民事上の制裁でない。債務不履行といふ不法行爲と强制執行といふ制裁との中間に介在し、それを果すことによつて制裁の定立・執行をまぬがれ得るところの一種の義務にほかならぬ(三)(四)。

國內法秩序においては、國家の特殊機關が「刑罰」や「强制執行」を定立し「刑罰」や「强制執行」を執行する。いづれも、被執行者の意思に反しても要すれば實力を以ても行はれるところの法益の强制的剝奪である。前者においては生命・身體・自由・財產に對して加へられる剝奪行爲であり、後者においては主として財貨に對して加へられる剝奪行爲である。この兩者はその目的において區別せられる。卽ち刑罰の目的とするところは防衞であり防止である。一般的のそれたると特別的のそれたるとを問はない。結局するところ法の妥當する社會の安全を直接・間接に保障することにある。從つてこゝでは、制裁は社會全般卽ち法の妥當する團體そのものに對する加害への反動 Reaktion といふ色彩が强い。團體利益の擁護といふ傾向が顯著である。この意味において制裁定立の手續が法團體を代表する一定の公的機關の公訴によつて開始される。これに反して、强制執行の目的は加へられた損害の回復にある。從つてこゝでは、法團體そのものへの加害に對する制裁といふよりも、法團體の組成員たる個人への加害に對する救濟といふ色彩が强い。個人利益の擁護といふ傾向が顯著である。從つて制裁定立の手續が私訴を以て開始される。この樣に刑罰と强制執行とはその目的によつて一應區別されそれから種々な對照を生ずるのであるがこの制裁の分化卽ち民事責任と刑事責任との分化は比較的近代の法制に於て見るところのもので、古代ゲルマンやその他の原始的法制の下ではかゝる區別は存しない(五)(六)。この分化の社會的根據が團體利益と個人利益との分化從つて團體意識と個人意識との分化といふことに存するのはいふまでもない。

(2) 國際法上の制裁(七)

國內法上の制裁が一定の特殊組織の下に定立・執行されるところの公的救濟の形式をもち刑罰と强制執行とに分化してゐるのに反し、國際法上では特別な條約國際法を除き、被害者たる(少くともそう信じる)國家の自力救濟が原則であつて制裁の分化は存しない。國際法秩序の組織化が十分でない結果である。從つて、といふよりも、何故ならば團體意識が發達してゐないからである。團體利益といふ意識が際立つにつれて制裁が種々に分化され特に團體全體の利益を擁護する公的色彩の强い制裁卽ち刑罰があらはれるが、國際法團體では自力救濟が原則で各國家が自らの利益を自らの力で擁護する樣に權利づけられてゐるのにすぎない。從つて國家に對する刑罰といふ觀念は十分發達してゐない(八)。國家に對する刑罰が絕對に不能なのではない。國際法團體の利益をその名に於て擁護するために國家に對して制裁を定立し執行する樣な國際法團體の特殊な機關がないからである。

この樣な始原的法秩序たる國際法秩序の下では、條約國際法を除いて、制裁として考へられるものは自力救濟としての復仇と戰爭である(九)。

こゝに注意すべきは、國際不法行爲に對する法的效果として考へられる・いはゆる回復義務 réparation, Wiedergutmachungspflicht (最も廣義に解して、原狀回復、滿足——陳謝、謝罪使の派遣、被害國々旗に對する敬禮、責任者の處罰、違法行爲の否認、贖罪金の提供、將來に對する保障——及び損害賠償を含む)である。これはすでに國內法上の制裁に關しても一應觸れておいた樣に本來の意義の制裁ではない。元來國際不法行爲の唯一效果としてほとんどすべての國際法學者をあげるもので、同時にかくの如き效果のみが國際法上認められてゐるのは國際法にとつて本質的である（一〇）とさへされる。しかしながら、回復義務特に損害賠償義務は、それを果すことによつて責任（制裁の客體となる事）が解除されるところの、いはば中間的な法的效果にすぎない。いはんやそれが國際不法行爲に對して加へられる唯一の法的效果ではない（一一）。

普遍的國際法において制裁としてあらはれる復仇と戰爭は侵害されたと信ずる國家によつて定立され執行される。國家はこの意味において普遍的國際法を適用するところの國際法團體固有の機關である。それはあたかも、始原的國家法秩序において Fehde や Blutrache を行ふ者（個人であることもあるがまた團體例へば Sippe であることもある）がその法團體において固有の機關と考へられるのと類似してゐる。國家はかゝる制裁を恣意的に行ふのではない。制裁を定立すべき要件即ち國際不法行爲が存するにより制裁を定立し（勿論かゝる事實の存否の認定が國家の主觀的判斷に委ねられてゐるため恣意的に流れ易いことは豫想できる）一定の執行手續によつて制裁を執行すべきである。（例へば復仇實施に關する國際法上の制限――外國にありて特權免除を享有する國家元首、國交使節に對して復仇行爲をなし得ず――や戰爭法（一二）の如し）。この意味で復仇や戰爭は一種の强制執行 juris executio といふことができる（一三）。

復仇が制裁であり一種の强制執行である事は必ずしも一般的に認められてゐない。むしろ、それは本來は不法行爲であるが他國家の不法行爲に對する救濟として國際法上許されたものとして特に違法を阻却されるものである。從つて、それは本來權利行爲ではなくこれに對する抵抗卽ち反對復仇が許されるのである、とされる(一四)。しかしながら、國內法に於て見る樣に十分に組織化せられた制裁のみが制裁ではない。こゝでは自力救濟が却て極めて例外的に許されてゐるのにすぎない。それから類推して國際法でも復仇が違法性を阻却する行爲であると考へる事は妥當でない(一五)。かういふ議論は制裁の意義を特に國內法で見る樣な十分に組織化せられたものに限定する事から起る。のみならず反對復仇が許されるのは復仇が權利行爲でないからではない。復仇が制裁であるからである。既にのべた樣に(八九頁以下參照)制裁の執行はいかなる義務をも定立しない。從つてこれに對する受忍義務がない。それ故、復仇に對してもそれが制裁である限り、受忍義務は存しない、抵抗してならない義務はない。だから抵抗が可能である。必ずしも抵抗が許されてゐるのでなく、抵抗してならない義務がないだけである。この點に於て復仇は制裁としての十分の根據をもつ。

次に戰爭が制裁として普遍的國際法において認められてゐることは確定的であるといつてよい。いかなる戰爭も許されてゐるといふのではない。そこには種々の制限がある。特に最近の條約國際法に於ては著しく制限を受けてゐる(一六)。しかし、國際不法行爲に對しての反動卽ち制裁としての戰爭は否定されてはゐない。少くともその限りにおいて、戰爭は國際法上の制度 Rechtsinstitution である(一七)。從つて、國際法上許された戰爭と禁止された戰爭との區別を明らかにすることは國際不法行爲論においても最も興味ある問題のひとつである(一八)。今これについて議論する餘地は存しないが、こゝでは特に制裁としての戰爭が許されてゐるといふことを確定するに止める。制裁としての戰爭を定立し執行するには、やはり一定の要件を充たさねばならぬ。他國家の國際不法行爲が存すること(制裁定立の實質的要件)、それに對して普遍的國際法や條約國際法の要求する一定の法的處置をつくしたる後(制裁定立の形式的要件)制裁としての戰爭を定立し、かつ戰爭法の定むるところに從つて戰爭を執行すべきである。もしそれがなされなかつたなら、それは違法の戰爭であり全體として違法の戰爭でなくとも戰爭法違反に問はれる。ところで、制裁としての戰爭は實はプリミチブな制度である。第一に不法行爲の存在に關する判定が公正かつ客觀的に行はれ難い。第二に必ずしも制裁としての實效が得られない。制裁としてこれを行ふ國家が勝つとは限らず、かへつて敗けることがある。從つて實力ある國家が不法を押通すことさへある(一九)。それゆえ、戰爭の如き方法が國際法における强制執行であることは、それが何らかの方法で十分組織化されて國際法團體そのものによつて獨占的に行はれる樣にならぬ限り望ましくない事は確かである。

以上述べた所により、普遍的國際法に於て復仇と戰爭が制裁として認められてゐることは確定的であるといつてよい。しかし同時にこの樣な自力救濟が主たる制裁であることは國際法秩序の始原性を示すものである。のみならず、この兩種の制裁は必ずしも明確にその制約的要件を規定され居らずその間に明確なる區別をつける事が困難である(二〇)。卽ち、制裁の分化が國內法における樣に完全でない。そのゆえ、この兩者の何れか一方を形罰の如く見、他方を强制執行の樣に見る事はできない。兩者共に自力救濟といふ固有の制裁である。

(一) Walz, a. a. O., S. 178—9. Grosch, a. a. O., S. 10 f.

(二) Kelsen, Unrecht, S. 482 f., 570 f., 572. Kelsen, Théorie générale, pp. 125 et s. Lais, a. a. O., S. 20—21. Anzilotti,

a. a. O., S. 361.

（三）　Kelsen, Unrecht, 492—4, 528—9, 545—60. Derselbe, Hauptprobleme, S. 304—308.

（四）　例へば、債權者が强制履行（直接的强制執行）を許さゞる性質の債務の不履行を理由とする損害賠償請求の訴に勝訴しその判決において損害賠償債務が確定されることによつて、原債務が强制執行可能の賠償債務に變化し、こゝに初めて、債務不履行から强制執行への連絡が完成される場合を考へ合せると、損害賠償債務の中間的・變容的役割が殊に顯著である。

（五）（六）　Kelsen, Unrecht, S. 482, 487, 505. Kelsen, Théorie générale, p. 126. Lais, a. a. O., S. 19—21. Anzilotti, a. a. O., S. 361. 牧野教授「日本刑法」昭和四年、三四—三七頁。

（七）　Mitrany, The problem of international sanctions, Oxford University Press, 1925. Grosch, Der Zwang im Völkerrecht, Breslau 1912. Otto Brück, Les sanctions en droit international public, Paris 1933. Pasquale Fiore, De la sanction juridique du droit international, Revue de droit international et de législation comparée, t. XXX, p. 5 et s. Hans Morgentau, Théorie des sanctions internationales, Revue d. droit international et de législation comparée, 3. Série, t. XVI, pp. 474 et s.

（八）　Anzilotti, Lehrbuch, S. 361

（九）　Kelsen, Unrecht, S. 604—608. 横田教授「國際法」（下）昭和九年、一三〇—一三一、一八〇—一八三頁參照。 Lais, a. a.O., S. 26. Burckhardt, a. a. O., S. 25.

（一〇）　Anzilotti, a. a. O., S. 360 ff., 403. Strupp, a. a. O., S. 208 ff. Oppenheim, International Law, I (1920), p. 299.

（一一）　Kelsen, Unrecht, S. 546 ff. 尙註（三）參照。

（一二）　Kunz, Kriegsrecht und Neutralitätsrecht, Wien 1935, S. 2.

（一三）　復仇が一種の强制執行たるに關しては、横田教授「國際法」（下）（昭和九年）一九〇頁以下。 E. Nys, Les origines du droit international, 1894, p. 62 et s. Le Fur, Précis de droit international public, Paris 1931, p. 505—506. Brück, op. cit., p. 230 et s. Kelsen, Théorie général, pp. 129—137. Kelsen, Unrecht, 571 ff. 戰爭が制裁であることについては、横田教授前揭書二〇二—二〇九頁。Kelsen, Unrecht, S. 579 ff. Kelsen, Théorie générale, loc. cit., p. 129 et s. Brück, op. cit., 267 et s. Grosch, op. cit., multis locis. Leo Strisower, Der Krieg und die Völkerrechtsordnung, Wien 1919, S. 41 ff.

（一四） Strupp, a. a. O., S. 148 f.

（一五） Kelsen, Unrecht, S. 494, 505, 571—8.

（一六） Paul Barandon, Das Kriegsverhütungsrecht des Völkerbundes, Berlin 1933.

（一七） Kunz, a. a. O., S. 1—2.

（一八） R. Blum, Das System der verbotenen und erlaubten Kriege im Völkerbundssatzung, Locarno-Verträgen und Kellogg-Pakt, Leipzig 1932.

（一九） 押通された不法は、新しい平和條約によつて正當化される。それは、前の不法が不法でなかつたためではない。戰爭の結果が新しい法を生むからである。この點については、Kelsen, Unrecht, S. 595—603. 尙戰爭の法創設作用については、Kunz, "Gesellschaft, Staat u. Recht," S. 233 f.

（二〇） Kelsen, Unrecht, S. 584—585, 587—591. Kunz, a. a. O., S. 7—11

第二節　國際不法行爲

一　國際不法行爲の本質

國際法秩序が制裁秩序であること卽ちその內在的構造が制裁規範の形式を備えてゐることの結果、國際法上の不法行爲が國際法及び國際法理論において有する地位は不法行爲一般が法秩序及び法理論において有する地位と同樣極めて重要なるものといはねばならぬ。これに關する國際法規及び組織が完備するとせざるは實に國際法秩序そのものの實際的價値換言すれば國際平和實現の手段として有する有用性を決定するといつて過言でない。これ繰返す如く國際不法行爲及び國際責任理論が極めて緊急なる實際的問題である所以である。しかるに前述せる如く、國際不法行爲に關する國際法規の現狀は極めて不十分なる發達の段階にあり、これが研究には少なからざる困難を伴ふてゐる。これ一つには國際法秩序そのものの始原性に因るものではあるが、一方において研究素材に對する研究者の方法的態度が精確を缺くが爲めであるとも考へられぬこともない。ゆえに、本稿はこの方法的態度を決定するため以上の如き準備的研究を經て來たのである。こゝに於て、本稿はその所期の課題を果さねばならぬ。それはかういふことであつた。卽ち國際不法行爲の本質と構造とを正確に把握することによつて、國際不法行爲論上の困難なる諸問題の意義を正しく決定しそれらの問題を正當な意義において提出すること。

(1) 國際不法行爲の意義と内容

今假に國際不法行爲を定義すれば、

『國際不法行爲とは、國際法上の制裁が定立せられるための實質的要件であつて、原則として國家が一定の條件の下に他の國家になしたる國際法上の義務違反行爲である』。

もとよりこの定義は假の定義であり便宜上のものにすぎない。これを更に具體的に吟味することは後段にゆづるべきであるが、次のことだけは確定的に主張することができる。卽ち國際不法行爲は國際法上の制裁定立の實質的要件である、と。今これについて次の二つを注意すべきである。

先づ、普遍的國際法の範圍では制裁の定立と執行が國內法秩序において見る如く分化してゐない。國內法では制裁は判決によつて定立され、制裁の執行は判決の執行と一致する。これに反して普遍的國際法では原則として被害者たる國家が自らの決定に從つて直ちに執行する。このことは普遍的國際法の範圍では國際裁判に關する組織や手續が十分に發達してゐない結果に他ならない。從つて制裁の定立と執行とは實際において區別し難いのであるが、觀念的にはこの兩者は一應區別すべきものである。のみならず特殊國際法たる條約國際法の範圍では實際にも區別される事が可能である。制裁の執行はともかくもその定立を一定の條約上の特殊機關によつて行ふ樣になつたとき特にそうである(一)。

次に、制裁定立の實質的要件と形式的要件とを區別することは、法規範の機能に着眼してそれを實質法(または行爲法)と形式法(または組織法)とに分類する事に基づくのであるが(七五頁以下參照)、國際法においてはこの分類は特に明確でない。國際行爲法は國家法團體組成員に作爲・不作爲の義務を課すものであり、國際組織法は國際法規範の定立・適用・執行に關する機關の構成・權限・手續を定めるものであるが、國際法では國家は國際法團體組成員であると共に國際法上の機關でもあるから國際行爲法の多くは又同時に國際組織法でもある。但し、これは國際法に限つたことではない(六八頁以下參照)。又、國際法上特に條約國際法上特殊機關が設定される限りにおいて、それだけ國家の國際法機關としての權限が減少しその範圍において國際行爲法は同時に國際組織法ではなくなるであらうが、これも一應そうであるだけのことで、尙その行爲法が條約上の特殊機關の法適用機能を拘束するものと見れば同時にまた組織法でもある。要するに、行爲法と組織法との區別は法の機能に重點をおいた區別であるからその重點のおき方によつては同一法規が同時に二つの性質を兼ねることゝもなる。ところで、制裁定立の實質的要件と形式的要件と區別する事は、この樣な組織法と行爲法との包攝關係によつて決して否定さるべきでない。何故なら、制裁の定立が「いかなる行爲に」なさるべきかといふ事と制裁の定立が「いかに」なさるべきかといふ事とは、いつまでも區別され得るものである。例へば、甲の國家が債務を履行しなかつたときこの不法行爲(實質的要件)に對して乙の國家は復仇をなすことができる(この場合、制裁の定立と執行とは同一行爲によつて行はれることを豫定する)。ところがこの場合の復仇には兵力を使用することができない(二)(形式的要件)。もし乙の國家がこれを無視して兵力に訴へればそれは不法行爲(實質的要件)である。これに對して甲の國家は自衞の戰爭を以て對抗できる。この場合甲の國家が戰爭法規を守らねばならぬことはいふまでもない(形式的要件)。これを犯せば、甲の國家の戰爭法違反(實質的要件)が存し、これに對して乙の國家は戰時復仇を行ふことができる。この樣に考へて來ると、行爲法と組織法とが包攝的關係をもつて相覆ふことがあるといふ事は、制裁定立(執行)の實質的要件と形式的要件とが區別されるべき事を否定するどこ

ろか、却てこれを裏書きするものとさへ思はれるであらう

さて、以上述べた如く國際不法行爲は制裁定立のための實質的要件である、卽ち國際行爲法上定められたところの制裁の制約的要件であつて制裁が正にそれに結びつけられるところの法的要件であるが、その具體的內容は全く實定の國際法によつて與へられるものである。法外在的見地からいへば、國際社會の安全を阻害するものが國際不法行爲の具體的內容となることは極めて望ましいことにはちがひないが、實定の國際法の吟味なしに、アプリオリに、そういふ性質をもつてゐると考へられるものを國際不法行爲として指定することは避けなければならぬ。そこに法を客觀的に認識しようとする實定法理論の立場がある（七六頁參照）。國際法はいかなる內容をも國際不法行爲に盛ることができる。論理の原則を無視しない限りいかなる行爲でも國際不法行爲となり得る。國際正義とか國際道德とかに矛盾する様なことも可能である。そのために一定の行爲が國際不法行爲となることを得ないといふことはない。そこに法としての國際法の自立性が存するのである。結局に、實定の國際法を考へないでは國際不法

行爲の內容は決定され得ないといはねばならぬ。

(2) 國際不法行爲の要件び效果

國際不法行爲の要件と效果とは原則として普遍的國際法卽ち國際慣習法の規定するところである(三)。從つてそこに、近代的國內法秩序において見る樣な、不法行爲の要件と效果との間の精密な制約關係を豫想することは困難といはねばならぬ。

先づ國際不法行爲の要件としては次の諸項目が考へられる(七九頁以下參照)。

(イ) 國際不法行爲の主體
(ロ) 國際不法行爲の客體
(ハ) 國際責任の主體
(ニ) 國際義務の違反
(ホ) 故意・過失

次に國際不法行爲の效果としては復仇と戰爭が第一にあげらるべきである。

この兩者は本來の意義における制裁であり、これが定立されるための實質的要件であるといふ點において正に國際不法行爲が成立するのであるから、本來の意義における效果といふべきものである。即ち「窮極の」法的效果といふべきものである。これに對して、本來の窮極的效果ではないがやはり一種の法的效果即ち國際不法行爲と制裁との中間に介在するところの中間的效果として回復義務duty of reparationをあげることができる。國際不法行爲の效果を分類すると

（イ）回復義務

a　原狀回復

b　滿　足

1　陳　謝

2　謝罪使の派遣

3　被害國國旗に對する敬禮

4　責任者及び犯人の處罰

5　違法行爲の否認

6　贖罪金の提供

7　將來に對する保障

c　損害賠償

（ロ）制裁

a 復仇

b 戰爭

本稿に於ては、その當初の目的にかんがみこれら國際不法行爲の效果に關しては一切論究するを避け專ら將來の研究に讓る（四）。從つて、以下主として論ずるところは、國際不法行爲の要件についての、正當なる意義における問題提出であり、その解決に可能なる諸方向の指示に限定する。

（一）横田喜三郎「イタリーに對する國際聯盟の制裁」國際評論、昭和十年十一月號三八頁以下參照。

（二）「契約上ノ債務回收ノ爲ニスル兵力使用ノ制限ニ關スル條約」（一九〇七年調印）。

（三）Kelsen, Unrecht, S. 505. Strupp, a. a. O., S. 8.

（四）Lais, Die Rechtsfolgen völkerrechtlicher Delikte, Berlin 1932.

二　國際不法行爲の要件

國際不法行爲は國際法上制裁を定立するための實質的要件である。これを先づ最初に豫定して國際不法行爲を構成する各種の個別的要件に論及しよう。

(1)　國際不法行爲の主體

國際法上義務の主體たるべきものが國際不法行爲の主體である。何人が國際義務の負擔者たるかは實定の國際法によつてのみ決せらるべきものである。一定の主體の一定の行爲が制裁定立の實質的要件として國際法上指定せられてゐることを通して、その行爲を爲さゞることがその主體の義務であり、從つてその義務がその主體に歸屬すると判斷される。その限りにおいてその主體は初めて國際義務の主體從つて國際法上の法主體と觀念される。この義務の主體が義務違反をなしたときそれが不法行爲であるから國際法上の義務主體は國際不法行爲の主體でなければならぬ。

國際法上の義務主體從つて國際不法行爲の主體たり得べき者が何人であるかは全く國際法によつて決せらるべきものである。通常、國家が國際義務主體であることは疑ひないところである(一)。國家のみが國際義務の主體であるかどうかは別問題として少くども國家がそれであることは確定的である。從つて國家は國際不法行爲の主體たり得べきものである。

國際法上の國家は國際法直接的または組織自律的法團體である(二)。かゝる國家のみが國際不法行爲の主體であるか否かは別問題として、少くともかゝる國家が國際不法行爲の主體たり得ることは疑ひない。

ところで、よくいはれる様に(三)國家は自然人とはちがつて手足をもたない。國家が行爲するには何らかの機關を通して行はれる。この國家機關の行爲を通して國家が活動する。從つて國家の行爲といふのは實は機關の行爲であつて、その機關の行爲が單に機關を構成する個人の行爲ではなく國家の行爲として意味づけられる所に國家の行爲が存在する。即ち、機關の行爲がその機關を構成する個人にではなく國家といふ法團體に歸屬し國家の行爲といふ法的意味を獲得する。この法的意味を附與するのは國家法秩序のうちで特に組織法と呼ばれるものである事はいふ迄もない。これによつて、國家行爲の成立要件が定められその要件を充たして定立せられた行爲のみが國家に歸屬し國家行爲となる。それ故、國家の行爲の何たるかを決定するものはその國家の組織法である。

從つて、國家が國際義務違反行爲をなすといふのも實は國家の機關を通して行ふのであつて、國家機關の行爲にして國家に歸屬すべきものが國家の國際義務と衝突することを意味する。從つてその國家機關の行爲が機關を構成する個人の國際法違反としてゞなく正に國家の國際法違反として意味づけられる。

そこで、いかなる國際機關の行爲が國家に歸屬するか從つてそれが國家の國際義務違反行爲となり得るかといふことが問題である。これを決定するものは原則として國家の組織法である(四)。卽ち、すでにして國家行爲としてあらはれたものを義務違反行爲として意味づける機能そのものは國際法が擔當するところであり從つてこの違反行爲をなさざるの義務が國家に歸屬すると判斷なし得るのも國際法のかゝる機能に基づいてなされるのであるが、それらの意味づけや判斷の前提たるべきところの國家行爲そのものがそもそもいかにして成立したか、換言すればいかなる要件の下に一定の國家機關の行爲が定立されたが故にそれが國家に歸屬し從つて國家行爲として意味づけられたか、は全く國內法上の問題である。國內法卽ち國家組織法によりまたはこれにもとづいて決定せられるのである。ところで國際法上、國家の國內組織は原則として國家の自律に委ねられ、いかなる機關を設定しそれにいかなる權限を與へるも國際法上の國家の自由になし得るところである(五)。

しかるに、國家機關の行爲が國家に歸屬するのはそれが原則として組織法上權限ある國家機關の權限上の行爲である場合に限られる。權限なき機關の行爲はたとへそれが國家機關の行爲であつても國家に歸屬せず、權限外の行爲または個人としての行爲も國家に歸屬せぬ。それゆえ、「國家の」國際不法行爲は國家機關の權限内の行爲に限らるべきものである(六)。

國際不法行爲の主體は國際法上の國家のみに限定すべきか、それともそのほかにも國際不法行爲の主體を認むべきかは興味ある問題である(七)。この問題においで特に注意すべきは次の諸點である。即ち(1) 國際義務の主體たり得べきものは國際不法行爲の主體たる者である。從つて、國際義務の主體たることが確定せば同時に國際不法行爲の主體たり得ることも決定される。(2) 國際義務としては實質法上の義務を考ふべきである。國際組織法(特に手續法)上の義務なきも國際行爲法上の義務の有無に影響せず、從つてそれを理由として國際不法行爲の主體たり得ずとなすを得ない。(3) 國際義務の有無は實定の國際法(國際慣習法と條約國際法を包含する)によつてのみ決定せらるべきであるからアプリオリに決定せらるべきでない。

國際法上の國家以外に國際義務主體たり國際不法行爲の主體たり得る者は、ある種の國家結合の構成國(八)交戰團體(九)個人等をあげることができる。このうち特に個人について簡單に述べよう。

個人が國際義務を有するかは一般的には否定されてゐる(一〇)。たしかに個人は一般的に國際義務を有するとはいへない。個人は原則として國際法上の權利・義務の主體でなく法主體でないといはねばならぬ。しかしながらこれは原則としてそうであつて、個人が全く國際法上の義務の主體でないといふことはいへない。なるほど個人はその義務違反を理由として直接に國際裁判に當事者としてたづさはり自らの義務違反を辯護することはない。個人の行爲は多く所屬する國家の責任問題として國家間の問題となる動機となるにすぎない。しかしながら、一般に行爲法上の義務の歸屬するものと、形式法(特に手續法)上の義務が歸屬するものとは區別すべきである。從つて個人が國際裁判に被告としてたづさはることがないといふ理由だけでは個人が國際法上の義務の主體たり得ないということを確定的に主張することはできぬ。のみならず、實際に明らかに國際法上個人の義務として定められたものがある。例へば(1)、海賊行爲(一一)。この場合海賊行爲をなした個人は一切の國家によつて處罰される。(2) 封鎖侵破(一二)。(3) 戰時禁制品輸送(一三)。(4) 軍事的援助(一四)。(5) 條約上の義務。例へば海底電線の破壞(一五)。これらの場合科せられる制裁は何れも個人そのものに對して行はれ、その義務も個人に對して課せられた國際法上の義務であると考へなければならぬ。かゝる特殊な場合において特定の個人が國際義務を負ひ從つて國際不法行爲の主體たり得ることは認めなければならぬ。

(一) Anzilotti, Lehrbuch, S. 382, 375 ff. Fauchille, Traité de droit international public, I, 1., p. 517 et s. Openheim, op. cit., p. 308. Strupp, a. a. O., S. 23—31, 35, 115. Eagleton, op. cit., p. 26 et s. de Visscher, La responsabilité des Etats, Bibliotheca Visseriana, II., (1924), p. 102.

(二) Verdross, Verfassung, S. 115 ff. Kunz, Staatenverbindungen, S. 112, 127, 462, 624, 663, 670. 拙稿、國際法外交雜誌三三卷一〇號、六三—六四頁參照。

(三) Jellinek, System des objektiven öffentlichen Rechts, S. 17. Meyer-Anschütz, Deutsches Staatsrechts, (1917), S. 17. Kelsen, Reine Rechtslehre, S. 119 ff.

(四) Eagleton, op. cit. 51—2,54. Strupp, a. a. O., S 36, 38, Anm. 1. Kelsen, Unrecht, 501—2, 508, 516—517, 519, 524.

(五) 但し無制限でないことはたしかである。國際法上の制限が存する。拙稿、國際法外交雜誌三三卷十號七一頁以下。

(六) Kelsen, Unrecht, S. 506—510. 但し、國家の責任が國家機關の權限内の行爲のみを對象とすべきかは、全く別問題である。後述參照。これを主張する學者としては、Bluntschli, Das moderne Völkerrecht des zivilisierten Staaten, (1878) S. 261. Oppenheim I, p. 208, 211.

（七）Eagleton, op. cit., p. 28 et s. Strupp, a. a. O., S. 23, Anm. 3.

（八）例へば、附庸國、被保護國、自治領（ドミニオン）、聯合國家の組成國など。こゝに注意すべきは、これらの國家が實際にいかなる範圍において國際義務を負擔してゐるかは概念的に決定することはできない。實定法を十分に吟味せねばならぬ。けだし、個々の國家結合の概念は法學上の分類概念にほかならぬので、ある一定の國家が一定の國家結合の組成員たるの性質を有することから類推して、かく／＼の義務を有すべしと論斷することは最も警戒すべき態度である。これについては、拙稿、國際法外交雜誌三三號六號參照。

（九）Eagleton, op. cit., p. 147, 135—155.

（一〇）横田教授「國際法」（上）九三—一〇〇頁、二六一—二七一頁、三二九—三三二頁、三五五—三五八頁參照。Kelsen, Théorie générale, loc. cit., p. 262.

（一一）横田教授「國際法」（上）一〇〇頁、一四六—二四八頁。Lais, a. a. O., S. 139. Kelsen, Unrecht, S. 519—520, 524, 527, 534—535, 568. Eagleton, op. cit., p. 41, 12. Anzilotti, Lehrbuch, S. 382.

（一二）横田教授「國際法」（下）三七三—三七四頁。Kelsen, Unrecht, S. 519—520, 524, 527, 533—534, 568. Strupp, a. a. O., S. 25, Anm.

（一三）Kelsen, Unrecht, S. 568, Eagleton, op. cit. p. 41.

（一四）横田教授「國際法」（上）一〇〇頁。

（一五）同右二四八—二四九頁。一八八四年「海底電線保護萬國聯合條約」。

(2) 國際法不法行爲の客體

國際不法行爲の客體たり得るものは國際法上の權利の主體である。即ち、それを侵害することが國際不法行爲として意味づけられる樣な權利を保持する者がこれである。この權利を確保するための手段即ち形式法(特に手續法)上の權利が何人に屬するかは問題でない。一般に權利義務の保持者と、これを確保する手段を有する者とは必ずしも同一であることを要しない。原則としては同一であるが例外的に同一でないことがある。權利能力を有しながら行爲能力を有しない者、それを制限された者は常にそうである。前者は實質法上の權利であり後者は特に手續法上の權利である。この兩者はしばしば異る主體に歸屬することがある。國際法上でもそうである。國際法上權利能力を有しながら(いかなる點にまたいかなる範圍でこれを有するかは實定の國際法によつてのみ決定される)行爲能力をもたずまたはこれを制限されたものがある(一)。この場合、これらは實質法上の權利は有するが、これを確保する手段即ち手續法上の權利は他の者に屬し、それによつて實質法上の權利が確保される。例へば、被保護國が保護條約前に第三國と締約せる條約において有する權利を、保護を與ふる國家が被保護國に代つて國際法上これを確保する場合、聯邦成立前國際法上の國家たりし聯合國家の支分國が、その國際法上の權利を聯邦成立後においても部分的に留保しその確保の手段はこれを聯邦に歸屬せしめたる場合の如きである(二)。

國際法上の國家が權利の主體であり國際不法行爲の客體たり得べきは疑ひない(三)。國家は國際法上の唯一の權利主體とさへされる。國家は實質法上の權利もこれを確保する手段即ち手續法上の權利もともにこれを有する。從つてそれは充分な意味において國際法上の權利主體といへる。自己の權利を確保するために國際法上の一定の手續(外交交涉、國際裁判)をなしこれに參加する權利を有し時には强力によつてこれを貫徹する(戰爭・復仇)。のみならず他人の權利までも確保する手段を有する。これを侵害されると、今度は自己の權利を侵害されたものとして、これを救正することを要求することができる。(例へば國家の外交保護權の侵害)。通常、外國に在る自國民の受けたる損害を理由としてなされる損害賠償の請求は國家の外交保護權侵害の名の下に爲されるのがこれである。

次に個人が國際法上の權利の主體であるかといふ事が問題である。これは一般的には否定されなければならぬ。個人は原則として國際法上直接の權利主體でないことは義務主體の場合と同様である。但し全く權利を有しないのではない。限られた個人が限られた範圍において國際法上の權利を有すると見なければならぬ(四)。唯に實質法上の權利のみならず手續法上の權利を有する事もある(五)。その限りに於て限られた個人が國際法上の權利を有する。この場合この權利を確保するための手續法上の權利が多く國家に屬する事を以てそれらを個人の權利でないと見ることが妥當でないことは、既に述べた通りである。

(一) 横田教授「國際法」(上) 九六頁以下。
(二) 拙稿、國際法外交雜誌三三卷一〇號八三―八四頁。
(三) Strupp, a. a. O., S. 115 ff. u. 31—32, 20 ff. 97, Anm. 2, 219.
(四)(五) 横田教授「國際法」(上) 九八―一〇〇頁。

(3) 國際責任の主體

國際法上の責任の主體とは一定の國際不法行爲を制約的要件とする一定の制裁の客體たるものである。この場合その國際不法行爲は責任の對象といふ。何人が國際責任の主體たるかは實定の國際法によつてのみ決せらるべきものである。通常責任の主體と義務の主體とは一致する。一定の義務の主體が、自らの義務違反卽ち不法行爲に對して責任を負ふのが原則である。この場合、責任の對象は「自己の行爲」であり、その責任は「自己の行爲に對する責任」である。しかしながら必ずしも責任の主體と不法行爲の主體とは一致するを要せぬ。此場合、責任の對象は「他人の行爲」であり、その責任は「他人の行爲に對する責任」である。從つてそこに義務と責任とが分化する(一)。(八二頁參照)。しかし、この樣に義務と責任とが分化することは、個人責任の立場とする道德的責任の見地からはきはめて堪えられぬところである。それ故、義務の主體と責任の主體とが自然的自同性 die physische Identität をもつてゐない場合でも、「他人の行爲に對する責任」を避ける爲め、その間になんらかの觀念的自同性 die ideelle Identität があると考へようとする。そして、その限りにおいて實は「他人の行爲に對する責任」ではなくて「自己の行爲に對する責任」であると解釋しようとされる(二)。それも不可能であるといよ〳〵「擬制」を用ひる。實は「他人の行爲」に對して責任を負ふてゐるのでなくて、監督・選任上の自己の過失 Culpa in eligendo vel custodiendo とか自己の不注意とかいふところの「自己の不法」に責任を負ふてゐるのであると(三)。從つて、かういふ樣に觀念的・擬制的自同性が主張される限り「他人の行爲に對する責任」といふ怪物を追拂ふごとに努力が集中され、その限りにおいて責任の對象は常に自己の行爲であると解釋されようとする。その解釋がどこまで貫徹できるかは別問題である。

國際法上の責任の主體は原則として義務の主體である。卽ち、國際義務の主體たる國家が自己の行爲に對して責任を負ふ。しかし、これがどこまで主張し終せるかは別問題であつて、國家は自己の行爲以外に他人の行爲にまでも責任を負ふてゐることは或程度において否定できぬ(四)。

先づ、國家が國際責任の主體であつて從つて國際法上の制裁の客體であることは疑はれぬ(五)。復仇や戰爭がともかくも國家に對して向けられる(國家に對してのみであるかは別問題である)。それ故、國家が國際責任の主體である事はたしかである。のみならず國家のみが國際責任の主體であるとさへせられるほどである。

ところが、國家の行爲といふのは實は國家機關の行爲に他ならぬから、國家が責任を負ふといふのは少くともそれが自己の行爲に對する責任である以上、國家機關の行爲に對して責任を負ふことにほかならぬ。そこでいかなる國家機關の行爲に責任を負ふか責任の對象は何かといふことが問題である。今廣く、國家責任の對象を　(1)　國家の自己の行爲、(2)　他人の行爲、との二つにわけることができる。

自己の行爲に對する國家の責任

國際法上自己の行爲に對する國家の責任は國家機關の權限內の行爲に對する國家の責任である。卽ち國家機關の權限內の行爲が國家自身の行爲であり、これが責任の對象であり、これを要件として一定の制裁が國家に科せられる。かかる國家機關の行爲を理由として制裁を請求する權利が被害國に發生する。それ故、國家の自己の行爲は(1)　國家機關の行爲であること、(2)　國家機關の權限內の行爲であること、の二つの要件を充たしてゐなければならぬ。

先づ、國家機關の行爲であることを要する。少くとも國家機關の行爲でなければ國家の行爲であるとはいへない。國家機關の行爲であればいかなる國家機關のそれであつても構はぬ。國際法上國家は全體として國際交通の單位として考へられる(六)。いかなる機關の行爲であつてもそれは國際法の關知するところでない(七)。原則として國内組織の自律權が國家に與へられてゐるからである。この點に關して特に注意すべきは國家と政府とを混同することである(八)。國家は國際法上全體として法主體である。政府は國内法上國家の外交機關としてあらはれる國家の機關にすぎない。それゆえ、政府が國家の他の機關を從屬せしめてゐないといふ事によつてその機關の行爲に對して國際責任を負はぬといふ事はできない。國家は全體として國家機關の行爲に責任を負ふべきである。

國家はその立法機關の行爲に對して責任を負ふべきである。即ち、立法機關が國際法違反の立法をなしたるとき國家はこれに對して責任を負ふ。立法機關が政府から獨立してゐるといふ理由で拒否することは出來ぬ。そういふ組織は國内法上の問題で國際法の關知するところでない(九)。

國家はその司法機關の行爲に對しても責任を負ふべきである(一〇)。即ち、司法機關が國際法違反の判決をなしたり裁判の拒否 denial of justice をなしたるとき國家はこれに對して責任を負ふべきである。司法權の獨立を理由としてこれをまぬがれることはできない。司法權が獨立であるのは政府に對してゞあつて國家に對してゞはない。司法機關は國家の機關で政府の機關でない(一一)。同樣に判決の既判力 res judicata を理由として責任を回避することはできぬ。既判力の原則は國内法上のもので國際法の關するところでない(一二)。

國家がその行政機關の行爲に對して責任を負ふことはいふまでもない(一三)。ある學者は政府と從屬關係あるこの種機關の行爲に對してのみ國家の責任を認めようとするが、それは政府と國家とを混同するものとして誤りであることはすでに述べた通りである。

國家は國際不法行爲をなせる國家機關の審級の如何によつてその責任を免がれることはない(一四)。司法機關についても行政機關についても同樣である。但し、その行爲が確定的であることを要する。即ち、國内法上許されたる法的救濟手段が盡されたるを要する(一五)。

次に、國家が自己の行爲として國際責任を負ふところの國家機關の行爲はその機關の權限内の行爲であることを要する。けだし、國家機關の權限内の行爲のみが國家に歸屬し國家の行爲として妥當するからである(一二七頁參照)。それ故、國家機關の權限外の行爲・全く無權限ではないが權限を逸脫せる行爲・一個人としての行爲などはすべて國家の行爲ではなく、たとへこれに對して國際責任を負ふとしても自己の行爲に對する責任ではない。但しこの點に關し注意すべきは國家機關の權限外の行爲の效力に關し國內法上區別が存する場合のあることである。通常かゝる行爲の國內法上の效力は絕對的無效と相對的無效とに區別される。前の場合は絕對に拘束力を有することなく全く國家行爲なかりしものと見られる。たとへその無效の確認が特別なる國家行爲によつてなされるともそれによつて初めて無效ではなく當初から無效である。これに反し後の場合卽ち相對的無效の場合には、國家機關の權限外の行爲は一應有效であり一定の取消權ある國家機關の取消行爲によつて無效となり多くは取消ありたる後において無效となる。かゝる場合において、國家機關の權限外の行爲は取消のあるまでは國家に歸屬しその限りにおいて國家の行爲である。これに對する責任は、國家の自己の行爲に對する責任といはなければならぬ。

（一） Kelsen, Unrecht, S. 489—494, 525—529. Derselbe, Rechtslehre, S. 47. Burckhardt, Haftung, S. 24. Eagleton, op. cit., p. 3, 4, 16, 182—183.

(二) Kelsen, Unrecht, S. 484—485.

(三) Hatschek, Völkerrecht als System rechtlich bedeutsamer Staatsakte, Leipzig 1923, S. 386.

(四) Kelsen, Unrecht, S. 506.

(五) Eagleton, op. cit., p. 5 et s. Paul Schön, Die völkerrechtliche Haftung der Staaten aus unerlaubten Handlungen, Breslau 1917, S. 2—3, 21. Strupp, a. a. O., S. 4, 9—12. de Visscher, loc. cit., p. 90. 常設國際司法裁判所の判決にも **It is a principle of international law that the breach of an engagement involves an obligation to make reparation in an adequate form. Reparation therefore is the indispensable complement of a failure to apply a convention and there is no necessity for this to be stated in the convention itself.** (P. C. I. J., Series A, No. 9, p. 21) とか The Court observes that it is a principle of international law, and even a general conception of law, that any breach of an engagement involves an obligation to make reparation. (P. C. I. J., Series A, No. p. 29) とかいつてゐる。又、一九三〇年國際法典編纂會議第三委員會の開會に際しても、委員長たる Basdevant 教授は La responsabilité de l'Etat dans l'ordre international est un principe qui a été souvent reconnu, proclamé, soit dans des traités soit par la pratique ou la jurisprudence internationale. (C. 351 (c). M. 145 (c). 1930. V., p. 15.) といひ（三月十七日）フランス代表 Matter 氏は討議の出發點として Tout manquement aux obligations internationales d'un Etat du fait de ses organes (législatifs, exécutifs ou judiciaires) entraîne la responsabilité de cet Etat. なる原則を確認すべきことを提案し、loc. cit., p. 24. 翌日の總會で、本會議の議題を顧慮せる委員長の修正により、de ses organes と entraîne……の間に、qui cause au dommage à la personne ou aux biens d'un étranger sur le territoire de cet Etat, なる文句を挿入して全會一致で可決された。loc. cit., p. 25 et s. 拙稿、本年報第二輯參照。

(六) Kelsen, Unrecht, S. 506; de Visscher, loc. cit., p. 94 Eagleton, op. cit., p 44—45 47. Strupp, a. a. O., S. 37,

65. 66. Anzilotti, Lehrbuch, S. 365, 372.

（七） Eagleton, op. cit, p. 37 et s.

（八） Kelsen, Unrecht, S. 506. Strupp, a. a. O., S. 90.

（九） Kelsen, Unrecht, S. 511 ff. Anzilotti, Lehrbuch, S. 367. Strupp, a. a. O., S. 63 ff. de Visscher, loc. cit., p. 95. Borchard, Protection of citizens abroad, 1928, p. 181 et, s. Eagleton, op. cit, p. 15, 63--67, 117.

（一〇） Kelsen, Unrecht, S. 508—509, 512—513. Anzilotti, Lehrbuch, 371 ff.

（一一） Eagleton, op. cit, 247—250.

（一二） Lais, a. a. O., S. 33. Anzilotti, Lehrbuch, S. 372. Strupp, a.a . O., S. 210, Anm. 1.「一九二八年「國際紛爭平和的處理ニ關スル一般議定書」三二條には次の如くいつてゐる。『司法又ハ仲裁判決ガ紛爭當事國ノ一方ノ司法官憲又ハ他ノ一切ノ官憲ノ爲シタル決定又ハ命ジタル措置ガ全部又ハ一部ニ於テ國際法ニ違反セルコトヲ宣言シ且該當事國ノ憲法ガ右決定又ハ右措置ノ結果ヲ抹消スルコトヲ許サヾルカ又ハ單ニ不完全ニ抹消スルコトヲ許スニ止マルニ於テハ當事國ハ司法又ハ仲裁判決ニ依リ被害當事國ニ對シ公正ナル滿足ヲ與フルコトニ同意ス』。

（一三） Strupp. a. a. O., S. 85—86. Eagleton, op. cit, 59—63, 117, 121, Anzilotti, Lehrbuch, S. 368—371.

（一四） Kelsen, Unrecht, S. 513. Eagleton, op. cit., 45—50. Strupp, a. a. O., S. 37, Anm. 1 und S., 39—41, 86.

（一五） Eagleton, op. cit., p. 95 et s.

（一六） Kelsen, Unrecht, S. 567 ff.

b　他人の行爲に對する國家の責任

國際法上國家が自己の行爲に對してそれが國際法違反である以上責任を負ふ

べきに關しては疑がないところである。これに反して他人の行爲に對して責任を負ふことがあるか。即ち、國家に歸屬しないところの行爲に對して責任を負ふことが有得るかといふことが問題である。これに關しては絕對に否定することはできない。第一に、理論的にいつても法的責任といふことは必ずしも常に自己の行爲に對する責任とは限らない。他人の行爲に對して責任を負ふといふことが有り得る。尤もその場合多くは、なんらかの觀念的・擬制的解釋をほどこし、それは實は他人の行爲に對するものでなく自己の行爲に對するものであるとする事によつて、義務の主體と責任の主體とを自同的なものとして考へようとされる。その限りにおいて、他人の行爲に對する責任といふヂレンマ（少くともそれはヂレンマだと信じられてゐる）（一）が解消されたかの樣に理解される。但しこれが果して妥當な解釋であるかは別問題である。第二に、實際に他人の行爲に對して國家が國際責任を負ふてゐる場合がある。今左にあげるものの總てがそうであるといふのではないが（また實際そうであるかは十分な實證的研究を要するものである）少くとも、實際に問題となつてゐるものである。それらの問題のもつ意味を簡單に說明しよう。

先づ、國家機關の權限外の行爲に對して國家は責任を負ふことがあるか。一般にこれは肯定されてゐるといつてよい(二)。これに關しては、次の二つが豫想される。第一に、國家機關の權限外の行爲ではあるが絶對に無效な行爲ではなく、少くとも主觀的には國家機關の行爲たらんとして定立され、それが或る一定の他の國家機關によつて取消されるまでは有效なものがある。これに對して國家が責任を負ふべきことはあきらかである。その場合、少くとも取消のあるまでは國家の行爲であり、その限りにおいては自己の行爲に對する國家の責任が存することとは當然である。これに反し、取消されたる後においてはもはや國家の行爲は存しない。その限りにおいてそれは他人の行爲となる。第二に絶對に無效なる國家機關の行爲である。これは本來の國家行爲でない。國家行爲たるかの外觀を呈するのみで國內法上國家に歸屬しない。國家機關の國內法違反・權限違反の行爲・無權限の行爲がこれである。この種の行爲及び取消された機關行爲は全く國內法上國家の行爲でなく、これに對しての國家の責任は他人の行爲に對する責任といはなければならぬ。これに對して國家が責任を負ふとすればそれは國際法上直接の責任である(三)。例へば、一定の回復義務が發生する(一二四頁參照)。國内法上これらの行爲によつて發生した損害を救正する途がなくても國際法上は損害賠償がなされねばならぬ。もしそれがなされなければ制裁(復仇・戰爭)を科せられることも可能である。

これらの場合國家の國際不法行爲は存しない。國家の機關の行爲が國際不法行爲を構成し、しかもかゝる行爲は國内法上でも違法であるから、國内法上の義務違反でもある。卽ち、同一の機關行爲が同時に國際不法行爲であり、國内法上の違法でもある。從つて、國家機關は國際不法行爲をなさゞる義務を國内法にもとづいて負擔してゐたのである。かゝる義務違反はそれゆえ、專ら國内法上の義務違反であつて國際法上のそれでない。從つて、國家機關はその國内法上の義務を果さゞりし事において國際不法行爲をなしたのである。國際不法行爲を爲さゞるの國際法上の義務は直接には國家が負擔する。國家がこれをいかにして實現するかいかなる國内組織を通してこれをなすかは國際法の直接に關する所でない。國際不法行爲を構成する樣な行爲を國内法上の機關の國内法上の義務違反行爲に包含させることによつてこれをなすか、それとも、さういふ國内法規を制定せず國際不法行爲を構成する樣な行爲を敢て國家機關の不作爲義務のうちに包含せしめずして國內法上はこれを有效としてゐるかは、國際法の直接關與する所でない。要は、一定の國際不法行爲を爲さゞる義務を國家に負擔せしめ、その國際不法行爲が國內法上國家に歸屬すると否とに關せず、この義務違反の事實そのものに國家をして責任を負はしむるにある。そこに、國內法秩序の機能と國際法秩序の機能との間際があるかも知れない。或はないかも知れない。何れにしても國際法はこれに關知しない。國內法組織が國際法の要求する所と矛盾するか否かは國際法の直接關知する所でない。要は、唯、國際法上國家をして一定の義務をなんらかの形で實現せしむれば足る。

次に、國際法上國家は自國の個人の行爲に對して間接的に責任を負ふ。間接的に責任を負ふといふのは、個人の行爲が國家に對する制裁定立のための唯一の實質的要件でないといふことである。このことは、他面からいへば、少くとも個人の行爲が國家に對する制裁定立のための實質的要件の一つであることを意味する。通常、個人の行爲に對して國家は責任を負はないとされる(四)。唯、個人の不法行爲を事前に防止し事後に救正する義務が國際法上國家に課せられてゐて、これがなされなかつたとき、この義務の違反(それは國家の不法行爲である)に對して初めて責任を負ふとされる。しかしながら、かゝる抽象的義務を具體的に發生せしめるものは個人の行爲にほかならぬ。かゝる行爲があればこそ、そこに國際法上の效果として國家の地方的救正義務が具體的に發生し、この義務に對する違反があるとき一定の囘復義務が國際法上の效果として發生し、それも果されないと一定の制裁が國家に科せられる。してみれば、國家の地方的救正義務といひ囘復義務といひ、それを果すことによつて、窮極の法的效果たる制裁を科せられる事(即ち責任)が解除されるところの、責任解除の一方法である。個人の不法行爲から國家に對する制裁定立に至るまでの rechtsdynamischer Rythmus に於てそれをある點において阻止し得る樣な法的要件である。それは、一面において國家の實質法上の義務であるが、他面において、國際法上の機關としての國家の義務即ち形式法上の義務である。換言すれば、個人の國際法違反を國內法によつて防止し處罰するために一定の國內法を制定しそれを適用するの義務である。かゝる國內法が制定され適用されてゐる限りにおいて個人の不法行爲は國內法上の犯罪となり(五)、これをなさゞる義務は個人の國內法上の義務である。かくの如く考察して來ると、個人の不法行爲(それは一應は國内法上の不法行爲である)は國際法上國家の責任を發生せしめる要件であり、少くともそれを觸發せしめるといはねばならぬ。次に、個人の行爲が國家に制裁を定立するための唯一の實質的要件でないことは確かである。これを事前に防止し事後に救正する國家の國際法上の義務違反が伴はなければならぬ。それは確かに國家の國際不法行爲である。即ち、それを實質的要件として國家に制裁が定立されるからである。それゆえ、個人の不法行爲と國家の不法行爲とが合して初めて國家の國際責任が發生する。國家は個人の行爲に對して間接的責任を負ふといふ意味はこの意味においてゞある。

最後に、國家が他人の行爲に責任を負ふ場合として他國の行爲に對する場合がある(六)。この場合、その他國とは國際法上の法主體であることを要する。國内法上の國家であればゞそれは國際法上の國家の一構成部分にすぎず、それに對する責任は國際法上の國家の自己の行爲に對する責任である(七)。但し、その國内法上の國家(例へば聯邦の支分國)が一定の範圍で國際法法主體性を維持してゐる限りは別である。國際法上の國家が他の國際法上の國家の行爲に對して責任を負ふ場合としては、被保護國に對する如き場合である。これに關する詳細なる研究は別の機會にゆづる。

國際法上個人が自己の行爲に對して自ら責任を負ふ場合がある(八)。この場合責任を負ふ者は個人であつて個人が所屬する國家ではない。例へば、海賊行爲・封鎖侵破・戰時禁制品輸送の場合の如きである。

(一) Anzilotti, Teoria generale della responsabilita dello stato nel diritto internazionale, 1902, p. 167.

(二) Anzilotti, Lehrbuch, S. 364. Strupp, a. a. O., S. 37 ff. Schön, Völkerrechtliche Haftung der Staaten, Wörterbuch des Völkerrechts, I. Bd. (1924), S. 493—4.

(三) Kelsen, Unrecht, S. 507.

(四) Anzilotti, Lehrbuch, S. 375 ff.

(五) Kelsen, Unrecht, S. 532, 535, 536, 543, 568. Jess, a. a. O., S. 20. Lais, a. a. O., S. 139.

(六) Strupp, a a. O., S. 35, 109—115.

(七) Eagleton, op. cit., p. 32 et s.

(八) Kelsen, Unrecht, S. 519—520.

(4) 國際義務違反

國際不法行爲が國際義務違反である事はいふ迄もない。國際不法行爲は制裁定立の實質的要件であり、一定の行爲・不行爲がかゝるものと指定されることはかゝる行爲・不行爲をなさゞる義務が定立された事にほかならぬから、この義務違反は即ち國際不法行爲にほかならぬ。してみれば、國際義務違反といふが如きは敢て國際不法行爲の特殊な要件といふほどのものでない。國際不行爲そのものであるといつてよい。これに關して注意すべきは違法阻却原因なるものである。これはすでに述べた如く(八五頁以下參照)、特別に違法であるものを違法でなくすものでない。初めから違法でない。責任を解除されてゐるのであるから義務そのものが初めからない。そこに違法があらう筈がない。違法性が阻却されて義務違反が違法でなくなるのでなく、義務そのものが排除されてゐて、義務違反そのものがない。この點から見て、復仇や自衛の戰爭は初めから義務違反でない。特に違法を阻却されるといふものでない。國際法上、これらの行爲は、自力救濟の手段として原則として認められてゐるのである(一一二頁參照)。

國際義務違反は國際法上の一切の義務について考へられる。國際法上の義務の數だけ國際義務違反が存する。それを特に類型的に分類することは困難である。唯便宜上これを分類すると、條約上の義務違反と國際慣習法上のそれとにわけることができる。前者には種々なものが屬する。これを分類することはやはり困難である。のみならずこの兩者も絶對に區別できない。條約において國際慣習法が特に明示的に條文化されてゐる場合があるし、條約違反も結局には國際慣習法上の原則たる pacta sunt servanda の違反にほかならない(一)。

（一） Kelsen Unrecht, S. 529 ff.

(5) 故意・過失

國際不法行爲の成立要件として國際不法行爲の主體に故意・過失が存することを要するかといふことが問題である。これを肯定する説と否定する説とがある(一)。前者は過失責任の原則が國際法においても適用せられてゐるとするもの(二)であり、後者は結果責任の原則を國際法においても認めようとするものである(三)。これに關しては國家を國際責任の主體とする立場から考察することに限定しよう(四)。

先づ初めに故意・過失は責任歸屬の條件であつてその對象でないといふことから論じよう。國家が國際法上自己の行爲にもとづき責任を負ふことはすでに述べた通りである。この場合、國家の自己の行爲といふのは國家機關が國內法上の手續をふんで定立した權限上の行爲である。してみれば、この國家機關の權限上の行爲は國內法上の違法行爲ではない。從つて、國家機關がその行爲を定立するにつき國內法上なんらの故意も過失もあらう筈がない。なぜなら、故意といひ過失といひ、それによつて定立された行爲がなんらかの違法行爲であるべきであり、この違法性についての意識なり意欲なりの積極性・消極性を意味するものであるからである。それ故、國家機關の國家行爲定立に際しての意欲なり意識なりがなんらかの故意・過失である爲には、その定立行爲がなんらかの違法性を有しなければならぬ。その違法性はもはや國內法からは與へられない。それは必然に國際法から與へらるべきものである。從つて、この國際法によつてあたへられた違法性に對する積極的・消極的意識・意欲の下になされた國家機關の行爲が國際不法行爲として國家に歸屬する。卽ち國家の不法行爲として國家がこれに責任を負ふ。かゝる國家機關の意欲なり意識なりが國際法上の故意・過失となる。ところで、この故意・過失は精神的現象である。思考したり意欲したりする事は國家機關を構成する個人のものである。國家は肉體をもたず心理的存在ではない。故意や過失はあくまでも自然必然的に個人のもので法的歸屬の對象にはなり得ない。從つて、國家機關の故意過失による國際不法行爲に對してのみ國家が自己の行爲として責任を負ふとしても、これによつて國家に故意や過失が歸屬せられるのではない。かゝる國家機關の故意や過失があつて初めて、その國際不法行爲に對して國家が責任を負ふのである。換言すれば、國家機關の故意・過失を條件として國際責任が國家に歸屬する卽ち國家が國際責任の主體となる。國家機關の國際法上の故意・過失は責任歸屬の條件であつてその對象ではない。國家は機關の故意過失に責任を負ふのではなく、機關の故意・過失によつて定立された國際法違反の自己の行爲に對して責任を負ふのである(五)。

次に、國際法は、責任歸屬の條件として故意・過失を必要としてゐるかといふことが問題である。勿論、國際法は故意・過失を責任歸屬の條件としなければならぬことはない。結果責任に依ることもできる。それは、結局實定國際法の精確なる研究によらなければならない。この點に關して特に次の點を考慮に入れるべきである。

即ち、過失責任の原則をつらぬくためには、先づこれと密接なる關係のある個人責任の原則が行はれてゐること、及び、制裁を定立し執行するための法團體の組織や機關が特殊化し集中化してゐなければならぬ(七)。

先づ、個人責任即ち自己責任といふことが過失責任の原則を或程度まで制約してゐる條件である。なぜなら、制裁を定立することと即ち責任を歸屬することは、その制裁の客體即ち責任の主體をして、その制裁の制約的要件を構成すべき不法行爲から遠ざけようとすることを目的とする。そのためには不法行爲をなした者と制裁を受ける者とが同一人である事が望ましい。もしそうでなく、不法行爲をなした者と責任を負ふ者とが別人であつたとすると、たとへその場合過失責任の原則を貫徹しようとしても、結局に、責任を負擔する者から見れば結果責任と同樣のことになり、過失責任主義の目的とする、個人の心理を動機づけて不法から遠ざけようとする希望は十分に達せられない。故意・過失ある行爲者のみに責任を負はすことは、それによつて行爲者をして不法行爲を爲さざる樣一層注意深くさせようといふ趣旨である。

、次に、過失責任の原則が有效に實施されるためには、少くとも不法行爲事實を認定する者が被害者ではなく何らかの客觀的な法團體の特殊機關（例へば裁判機關）である事を要する。そうでなくて、不法行爲事實の認定が被害者の自己判定に委ねられてゐる樣な組織の下では、責任歸屬の條件として故意・過失を要求してもその有無に關する判定も被害者の主觀に委ねられることになり、過失責任の原則が實際には十分な效果を擧げ得ず有つて無きが如きこととなるであらう。

以上の二點を考へ合すと、國際法の範圍では過失責任主義は十分效果をあげ得ないといはねばならぬ。第一に國際法上の國家の責任は著しく團體責任の特色をもつてゐる。國家機關の權限違反行爲に對する國家の責任・個人の行爲に對する國家の間接的責任・他國の行爲に對する責任の如き、いづれも他人の行爲に對する責任であり團體責任の特色を多分にもつてゐる。次に國際不法行爲事實の認定を客觀的になす國際法團體の特殊機關がない。それは原則として被害國によつて主觀的に行はれる。從つて、被害國は故意・過失の存在を主張するであらうし、被請求國はそれを否定するであらうが、その場合それを客觀的に決定する機關が少くとも普遍的國際法においては存しない。

この様な理由で、國際法上過失責任の原則を貫徹することは實際には極めて困難である。そこに、客觀說卽ち結果責任主義理論が主張せられる根據が存するのである。

（一）Jess, a. a. O., S. 8 ff. Eagleton, op. cit., p. 208 et s.

（二）Grotius, De jure belli ac pacis, Lib. II, Cap. XVII, XX, 2. Liszt, Völkerrecht (1926) S. 281. Hatschek, Völkerrecht, S. 386.

（三）**Triepel**, Völkerrecht und Landesrecht, **Leipzig** 1899, S. 324 ff. Anzilotti, op. cit. Schoen, Die Völkerrechtliche **Haftung der** Staaten aus unerlaubten Handlungen, Zeitschrift für Völkerrecht, Bd. X, Ergänzungsheft 2, (1917). **Strupp**, a. a. O., S. 48, 53, 60.

（四）Kelsen, Unrecht, S. 537 ff.

（五）Kelsen, Unrecht, S. 538—542, Kelsen, Über Staatsunrecht, S. 25—26.

（七）Kelsen, Unrecht, S. 542.

——昭和十一年六月二十日稿了——

一八六七年の選擧法改正と自由主義

——イギリス近代政治史の序説的斷章——

秋　永　肇

目次

(以上)

「個人的不適當若しくは政治的危險の理由によつて無資格者にあらざることを推定さるゝ者は總て道德上憲法の範圍內に來たるべき資格を有す。」

――グラドストン

序説

十九世紀におけるイギリス政治史の發展過程を把握するに當つて、過程の包有する質的標章の差異に相應して史的段階規定を與へることが課題として提出されうるといふこと、同時にまたそうあらねばならぬといふことに關してはこの研究領野においても他の史學となんら異れる様相を持つものではない。

先づ一八六七年の選擧法改正を以てイギリス衆民政への發端となす最も一般的な憲政史家の形式的規定に對して一應は賛同することができる。一八三二年の選擧法改正は土地貴族に對する工業ミドゥル・クラスの勝利の顯章ではあつたが、勞働階級を全くこの改正から閉出したことによつて衆民政であるよりはかへつて寡頭政を本質とする政治形態に變形されたに止まるのである。一八六七年の改正が、一八三二年に對して、約百萬人の工場勞働階級を政治的舞臺に登場せしめたことによつて寡頭政は衆民政へと發展した。何事も徐々に發展するこの國は既に一六八八年の名譽革命によつて市民制的社會體制を確立したのであるが、重商主義編成における長き國家的保護の溫床に育成されねばならなかつた社會·經濟關係はこの國の政治をして土地貴族及び金融貴族の政治的指導下に發展せしめた。産業革命は市民制社會の本質的様相を前面に押し出した。この時以後マンチエスター派ミドゥル·クラスは社會の中樞としての位置を占めたのである。從つて一八三二年におけるミドゥル·クラスの政權占取は金融·土地貴族政の工業寡頭政への轉化であつて嚴密には多數者支配を本質的屬性とする衆民政ではなかつた。

かくて眞に壓倒的多數被治者たる勞働階級の選擧權獲得による政治的進出を以て甫めて衆民政は開始される(註一)。

然しながら、他面、産業ミドゥル·クラスの政治的勝利が特權的身分支配たる貴族政に對する衆民政の勝利であることは勿論である。故にこの意味で衆民政の登場を十九世紀の初葉に求めることに異存はないのであるが、この衆民政が甚だしく偏差したものであつた點にそのものとしての規定を與へえない性質のものと言はなければならぬ。

同じくデモクラシイの基礎的體制たる自由主義の土壤に立ちながらしかも兩者を區別しなければならぬ諸變容の故に一八三二年の改革を寡頭政として一八

六七年の改革を衆民政として規定するのである。衆民政を貴族政に對比する觀點からするならば、この差別は量的に止まる。選擧權者の擴充である。從つてこの意味では、一八六七年の改正を以て衆民政のより高き發展と規定することによつて必ずしも寡頭政を固執する要を認めず低次・高次の規定を充用しうる。然し、たとひ範疇的段階規定をなされえないにしても、市民社會の史的現實において、發展過程そのものが創造するところの變容を注視することなくしては現實から游離する。此の意味で寡頭政と衆民政の區別を附するのである。この寡頭政から衆民政への發展は、――衆民政が多數人民の意思を反映せしめねばならぬ意味において、區別される。のみならず關聯的に諸他の社會關係における變容をも機構的に包有する點に、更に着目するならば、この變容に基く特殊性の規定はいよいよ必要となるであらう。この機構的把握を企圖する點に、われわれの研究は單なる形式的な憲政史家の研究と態度を異にするのである。

（註一）憲政史家アダムスによれば「一八六七年の選擧法改正はデモクラシーへの進歩における新しき政治的時代の初端」である。かれは六七年以前を「改革時代」と規定し、以後を「民主的イギリス」と規定してゐる。G. B. Adams, Constitutional History of England, 1928, p. 463.

この規定は保守的史家オマン（C. W. Oman）教授によつて裏書されてゐる。

「最近三十年（一八三五年――六五年）の政府は社會的、經濟的改革の方面においては多くのことをなしたが、グレート・ブリテンがデモクラシーとなるべきか否かに就てのより大きな政治上、憲法上の問題は再三陰蔽したのである。」H. Fyfe, The British Liberal Party In. An Historical Sketch, 1928, p. 36.

十九世紀における政治形態上の變容を更にその基礎的構成にまで及達して、自由主義自體の變容を、前階を個人主義、後階を團體主義と規定してゐる學徒に、優れたる憲政史家ダイシーがゐる。ダイシーはこの段階的變容を社會的諸契機に分解し而も機構的に理解してシステムを賦與したのであるが、次の如き凡そ五つの項目に區分してゐる。

(一)　トーリー博愛主義と工場運動

(二)　一八四八年以後、勞働階級の態度の變化

(三)　經濟的信條の變容

(四)　近代商業の諸特質

(五)　借家人選擧權（Household Suffrage）の採用

われわれの企圖は一八六七年の選擧法改正を主題とする政治史的論作なるが故に、この主題を中心として諸他の變化條件を機構的に把握すると共に、他方

ダイシーが團體主義と規定せる段階が本質的に現出せる時代は、われわれが取扱はんとする一八六四年――一八七三年の時代以後に屬し、たゞ萠芽的にのみ存在するが故に、これを補成しつゝ述べて、序説に當つて內容のアブリッジメントを與へよう(註二)。

(一) 一八四六年の穀物條例廢止後一年の一八四七年、トーリー博愛主義者サウズイー(Southey)、オーストラア(Oastler)、サドラア(Sadler)、シャフツベリー卿(Lord Shaftesbury)のパトロネージと指導とのもとに十時間法案が通過した。

博愛的トーリー主義者達は一八三二年及び一八四六年以來完全に工場主ミドゥル・クラスに敗北してゐた。從つて勞働階級に對する同情には勿論他意があつた譯である。卽ち「保護關稅の顚履に復讐せんために社會主義の世話を燒いたのである。」(註三)從つて「僞善」だと規定されても、理由はあるのである。彼等にとつて工場主達が普通の感情すら缺除してゐる抑壓者と見えたといふことは、當時の勞働者が如何に悲慘であつたかを立證するにしても、眞實勞働者を救濟することを念願としてゐた譯ではなく、感傷的な「舊時代の復活」の憧憬の現出であつた。

然し十時間法案(Short Time Bill)は十八歲以下の少年及び婦人全體の勞働時間を、

一日十時間に制限したのであるから、自由競爭と國家非干渉の上に躍進のスタートを踏み出した工場主にとつては最初の大きな打擊であり、かれらの經濟學への最初の成功的な攻擊であつたには相違ない。としても、この制約は事實上工場主の巧妙なる手段によつて無效同樣になつた許りでなく最後には裁判所の判決によつて全く潰滅されて終つた。上昇的自由主義の前には、それによつて生活を脅かされ利益を傷けられた既に過去に屬する人々の集派の復讐も無力なることを證明したのである。

故に「社會主義的法令をイギリス法に導入し、團體主義的觀念に威信と權威を與へた」といふダイシーの見解は誇張でなければならぬ。團體主義的觀念は十時間法の無效が立證する如くなほ支配的ではなかつた。(註四)

(註二) A. V. Dicey, Lectures on the Relation between Law and Public Opinion in England during the Nineteenth Century, 1926, p. 220 ff. チエイニイは團體主義に相應する段階を「共同精神」の時代と規定してゐる。E. P. Cheyney, The Industrial and Social History of England, 1925, p. 254.

(註三) Dicey, op. cit., p. 238.

(註四) Dicey, op. cit., p. 238. 從つて十時間法運動を自由主義の變容の契機に含入せしむるは正しくない。變容の始點は自由主義の最高段階に通ずる。こゝで注意しなければならぬのはダイシーが社會主義と團體主義を混同してゐることである。

自由主義に對して、勞働立法における國家干渉の導入は後に詳細に述ぶる如く決して社會主義的ではなく自由主義の基礎の上に現はれたる自己修正であつて、市民社會存續確保のためにこその變容であることを止目せよ。例えばダイシーは他の個所ではこの意味を自から曝露してゐる。「近代の個人主義者は概してある點では社會主義者である」と。(ibid, p. 302)

(二) 勞働階級のチャーチズム以後の變化に就てはダイシーは正當に評價してゐる。憲章(Charter)の放棄はトレード・ユニオニズムへの關心の增加を示し、この關心は團體主義への一歩であつて、個人的契約の自由への實踐的な制限を意味する團體契約の觀念を包有する。同時に、このチャーティズムの放棄はベンザム的自由主義の存立し能はざることを看取した進步的ミドゥル・クラスと勞働者の一部との結合を容易ならしめたのである。言ふまでもなく、この結合の背後には「一八四八年と一八六八年との間にユニオニズムが、有能なかれら自體の觀點からして穩和な指導者の掌握するところとなつた」現象が存在するのである。(註五)

(註五) Dicey, op. cit., p. 243.

(三) 以上の如く進步的ミドゥル・クラスと勞働者との結合を可能ならしめた時、前者の經濟的信條の變容に具現されたる契機はミルの學說に看取されるとなす。「その社會哲學への若干の適用を含んで」ゐるミルの經濟原理は從來のベンサム的個人主義を勞働階級の中の選ばれたる人々の熱望と調和せしめんとする試みである。然しながらダイシーによつて指示されたこの經濟學の變容は一八七三年の恐慌以後、從來の自由主義的經濟體制への信仰の崩壞と共に始まるのであつて、われわれが考察の對象とする時期は未だその段階には達してゐないのである。

(四)　貿易及び商業の發展は無制限なる競爭の信念と結びついてゐる。それにも拘らずその發展は十九世紀の中葉以後、かの個人的努力と自力依存の全能に對する確心を動搖せしめた。個人的努力及び自力依存の第一義性は自由主義の本質そのものであり、第一回選擧改正法によつて創設されたるミドゥル・クラス的議會の存在の間イギリスを支配した。然し今や「企業結合(コンビネーション)が次第に近代商業體制の魂となつてきた」といふ質的轉換の現出。事業は漸次個人經營から經營合同へと移向してゆく、例えば一八二三年以後施行された Railway Companies Acts 及び一八五六年から一八六二年に亘つて施行された Joint Stock Companies Acts にその例證を見出す。ダイシーは「この事象は、總ての大事業が獨占となり獨占事業は國家的經營の下に置かれるを以て便宜となすといふ結論を絶えず暗示する」と言つてゐるが、以上の會社法は自由黨の手で通過せしめたものであり、又「ベンサム的原理と調和してゐる」のであるから、決して質的轉換をなすほどに支配的に發達してゐるのではなく特殊的・例外的に止まる。とは言へ「暗示的」存在が「顯示的」存在にまで發展する可能性は充分に存在する。既に資本の集積、集中は可成りの程度に促進されてゐるから。この支配的な現象は一八七三年の恐慌以後の段階においては完全に妥當する。

（註六） Dicey, op. cit., p. 248. この企業合同、國家資本制への傾向を社會主義と混同してゐるダイシーの不當。かくの如くにして、企業合同と勞働立法を同じく社會主義＝團體主義として同一システムに規定することはむしろ現代に支配的な體制に通ずる。

（五） ダイシーが一八六七年の選擧法改正の成立に對する大きな影響を與へた動因の一つとしてアメリカ南北戰爭における北部の勝利を數へてゐるのは正しい。アメリカにおける北部と南部との戰爭は民主政と奴隷所有者的寡頭政の間の葛藤として把握される。北部の衆民的諸州の勝利は民主的信仰の力を増大した。それは同時に、イギリス勞働階級の完全なる市民權承認への要求に重さを加へたのである。勞働階級は北部を支持し、地主、資本家は一團となつて南部に道徳的支援を與へた。イギリス勞働階級はアメリカの南北戰爭による棉花飢饉が結果した紡績工場の休業、時間短縮のために、失業、賃銀切り下げに遭遇したにもかゝはらず北部諸州を支援し、然もその洞察の鋭さを北部の勝利が示した譯であつた。勞働階級の道徳的權威のかゝる增大と同時に彼等は有能なる輔佐役の指導下に政治への關心特に議會改革に再び覺醒したのである。

然しながら、彼等の政治的領域への復歸はチャーティズムの復活ではなかつた。古いチャーティストは既に死亡したか、或ひは生き殘つてゐるとしても忘れられて終つてゐる。一八六六年――一八六七年の選擧法改正過程においては人民憲章及びその六項目は云々されず、普通選擧權、共和主義は全然視野の外に置かれたのである。チャーティストが普通選擧權を要求したに反し、一八六六年――一八六七年の政治的アジテーションは借家人選擧權を要求し、選擧權を人權としてゞはなく、例へば團結法(Combination Act)の修正の如く、トレード・ユニオンストの希望と同じく法的保護獲得の手段として要求したのである。新しいデモクラシー確立運動の穩和性はチャーティズムの革命的精神と顯著なる對照をなしてゐる。一八三二年の改正法はミドゥル・クラスの利益のために實現された。それは個人主義原理と一致せる法律を獲得するために議會改革を要請し實現したのである。ところが一八六七年の改正法は都市勞働階級の希望を尊重し都市勞働階級の支持によつて實現された。「一八三二年の改革運動家が立法改革の具體的綱領を有してゐたに反し新デモクラシーは特定の立法プランを有せざる漠然たる熱望の影響下に成立した」といふ點の指摘は重要な意味を持つてゐる。綱領を有せざりしことは勞働階級の壓力によつてのみ成立したのではなく、政治的指導家の積極的意欲の表現によつても實現されたことを示すからである。ダイシーが保守黨内閣の手で改正法が通過したことを以て「トーリー黨とイギリス勞働階級の同盟」による「新トーリー主義」の確信の結果とみなしてゐることは後述する如く誤まりと言はねばならぬ。

以上の如くダイシーの規定は團體主義的契機の支配的な時代を指示してゐるのであつて「變容した自由主義の時代」にはそのまゝ妥當しないが、然し「自由主義の變容」が開始され團體主義へ移行せんとする契機を含む時代がわれわれの研究對象なるが故に變容の開始の型態を暗示するであらう。

次にわれわれの序說的要約を示す。われわれは、重點を一八六七年の改革を實現せしめた社會的諸條件の變容に相應する自由主義の十九世紀初期に對する變化に置く。從つて一八六七年における自由主義を初期自由主義の最高發展段階における修正自由主義と規定する。それ故に又、團體主義的契機が萌芽的に自由主義の胎内に存することを認め、それの一八七二年以後における支配的な發展を暗示するが、尙ほ依然として自由主義の段階に立ち、團體主義時代とは質的に對立すると表明する。

更に一八六七年の選擧法改正は單に衆民政の開始である許りでなく他の條件の變容と機構的に癒着してゐることに着眼しなければならぬ。卽ちわれわれは經濟體制の發展に基く少くとも外觀上の經濟的ミドゥル・クラスの立場の變化、特に約百萬人の工場勞働者の選擧權獲得が實現されたのであつて見れば、勞働階級の社會的立場、生活態度の何らかの變化とその改正は絡みついてゐなければならぬ。從つてその變化に着眼する。かゝる觀點においては衆民政の開始も一八三二年に對する單なる進步發展と言ふ平面的歷史觀に組することができない。

第一篇　一八六七年の選擧法改正

第一章　改正運動の起點（一八六四年）

選擧改正法の成立に先立つてこの改正法を成立せしむるに至りし諸契機の現出起點を如何なる時期に求むべきであるか。

選擧法改正に對する政治的要請が、勞働階級の間に擴充するに至るについてはそれ以前に既に勞働階級そのものが所謂舊型トレード・ユニオニズムにおける政治的無關心から脱却して、自己の政治的要請を持ちうる如き狀態にまで進展してゐることを前提としなければならぬ。イギリス產業の伽話的發展の前に完全に翼を伏せてゐた勞働階級の復活時點を一八六四年に置くことができる。

一八六三年までは、コブデンによりて、一人のスパルタクスもないのかとまで痛嘆されたほど勞働階級の間には政治的無關心が瀰蔓してゐたのである。

一八六四年に至つてかれらの間に急激に政治的關心が昂揚してきた契機の一つは、國際政治における重大事件勃發の結果である。一八六一年より一八六五年に亘るアメリカ南北戰爭、一八六三年のポーランド反亂、伊太利の自由への要求と統一運動—は、チャーティスト時代より傳統的に海外に於ける進歩的運動に對して强い同情を有してゐたこの國の勞働階級をして再び國際的な民主々義的運動への共感をよび起さしめたのである。既に述べた如く勞働階級はアメリカ南北戰爭についていては民主的北部諸洲に支持を與へ、一八六四年にはブライトの指揮の下に、オッヂャー、クリーマーが中心となつて北アメリカのためにセント・ジェームス・ホールで勞働組合大會が開催されてゐる。更にこれより先、ロンドンの勞働者はポーランドのためにパリの勞働者に書面を送りポーランド反亂問題に就ては行動を一にせんことを促した。イタリーに對しては同じくオッヂャー、クリーマーによつてガルバルディ宣言が發表され、ガルバルディがロンドンへ來た時には勞働者の非常なる觀迎を受けたのである。

かゝる國際政治における進歩的運動の支持は漠然と勞働者によつてなされたものではない。一八六四年に、イギリス勞働組合は一つの統制の下に全國的連絡をもつてゐた。永久的な勞働組合評議會は既に一八六〇年、全國の各都市、グラスゴウ、シエフキールド、リバプール、エヂンバラ等に組織され一八六一年にはロンドンにもつくられてゐた。この勞働組合評議會がウェブ夫妻によつて、Junta（統制部）と名付けられたグルウプにほゞ統制されたのが一八六四年である。同じく一八六四年五月には更にイギリス勞働組合運動史上一新紀元を劃したところの全國勞働組合代表者會議がグラスゴウ勞働評議會によつて召集された。これに就ては後に述ぶるが、これがイギリスにおける勞働組合最初の全國的集會である。

この集會の目的はThe Master and Servant Actの修正にあつたのであつた。この修正アヂテーションは一八四八年以後における勞働階級最初の運動であつた。勞働階級復活の聲はこの一八六四年の修正運動の間に聞え始めたのである。この會議には北アメリカのための大會を主催したオッヂャー（George Odger ロンドン勞働評議會書記）も參加してゐる。

「ジャンタ」は各組合の代表者によつて構成されてゐて、殆んどロンドンに集つてゐたのである。そのメンバーには次の如き指導者がゐる。即ちアラン（William Allan 合同機械工組合書記）、アプルガス（Robert Applegarth 合同大工、指物師組合書記）、ガイル（Daniel Guile 鐵工組合書記）、カウルソン（Edwin Coulson 煉瓦工組合書記)、オッヂャー。

かくの如く、國際政治上の事件と國內勞働運動に因由して成起せる勞働階級の組織的結合は同じく一八六四年九月二十八日に創立された「國際勞働者協會」(The International Working Men's Association)にまで發展して行つた。創立總會は、ロンドン、ロング・エーカーのセント・マルティン・ホールで開かれ、オッヂャー、クリーマー(Randall Cremer合同大工組合)その他のロンドンの指導者によつて招請されたものである。勞働運動の有力なる同情者ビースリー教授(Professor Edward Spencer Beesly)はその總會の座長であつた。この總會においてマルクスが有名な創立の辭を述べたことは人の知るところであらう。「インタナショナル」はマルクスの指導の下にマルキシズムの理論による實踐に一歩を踏み出したのである。この「インタナショナル」の創立は、既に復活の氣分濃厚であつた勞働階級の成長を更に促進するところがあつた。創立總會は窒息する程の盛會であつてロンドンの勞働組合の指導者、舊チャーティスト、オーエン主義者が參加してゐる。そのうちには、ヘンリー・ブロードハースト(Henry Broadhurst後の下院議員)、アプルガス、オッヂャー、ハートウエル(Robert Hartwell)、ホウエル(George Howell選擧法改正同盟書記）、クリーマー等が居つた。

かくて、一八六四年はイギリス勞働階級の組織的發展の時期を劃するものと指示しうるであらう。各組織は緊密な人的連絡を持つてゐて勞働階級の利害に關するあらゆる問題に對して、共同的鬪爭を行ひうるに至つた。

さて、この一八六四年には政府側においても選擧法改正の能動的意思が宣明されたのである。一八六四年五月十一日の午後ヨークシャの自由黨員が選擧權擴張法案を議會に提出したのを機會に、グラドストンは政府を代表して一つの演舌を試みた。この演舌の一節が「運命的な言葉の一つ」たるグラドストンの選擧法改正に關する自由主義的宣言であつて冒頭に掲げたところのものである。

下院は贊成と反對と、歡喜と驚愕とを混へた奇妙な騷ぎを以てこの宣言を迎した。貴族的ホイッグ主義者は「慄然たる宣言」と言ひ、ディスレリーは「トム・ペインの原理の復活」だと陳べてその急進性を非難したもの丶如くである。新聞紙の論調はグラドストンが、民衆の不逞と自負を募らしむるに寄與したと言ひ、無制限にして一般的なデモクラシーを促進するものだとして問責するの有樣であつた。

この囂囂たるトーリー、ホイッグの激怒とはまさに反對に急進主義者は狂喜したのであつた。かれらの宣言によれば

「グラドストンが高く掲げた旗はトーリーが非難する如き國内革命の旗印しではなく、長く失はれてゐた自由黨の旗である。」(註一)

かくの如く、グラドストンの宣言が恰も革命的言辭なりしが如く解されしは如何にトーリー、ホイッグの保守性の强固であるかを示すと同時に選擧法改正が非常に大きな難關を突破しなければならないことを暗示してゐる。

グラドストンの宣言は彼が勞働階級の力とその協調的傾向を明確に認識してゐることを示してゐる。一八六四年に復活しつゝありし勞働階級の地位はこの優れたる政治家に、早くも反映したのであつた。

かれはその演舌において議會制度改正の歷史的經過を說明して、制度の現段階を一種の不面目だとみなし、さて次の如く改正反對者に逆襲してゐる。

「諸君は中流階級の下層を許容し勞働階級の上層を閉め出してゐる組織を如何にして防衛しうるであらうか？　勞働階級が法律、議會、政府に啓示した傾向を無視して、殆んど全く勞働階級を排除してゐる現組織が廣く行はれて

ゐるといふことを正しいと認めうるであらうか？」（註二）

（註一） John Morley, The Life of William Ewart Gladstone, 1908, vol. I, p. 570.

（註二） Morley, op. cit., p. 569. グラドストンの選擧法改正における役割に就ては最後の章において詳述する。こゝでは單に改正運動の契機の起點と聯關して觸れるにすぎぬ。

痛風のために議會に出席できなかつたパーマーストン卿は宣言を聞きつけるや直ちにグラドストンに彼の言葉の眞實の意味を質ねた書面を送り、翌日かれの保守的な態度に相應しく豫戒的な書面を以て、勞働者は上層階級を轉覆せしめ、かれらの登場は上層階級の投票を阻むであらうこと、並びに勞働者は少數の煽動者に指導されたるトレード・ユニオンの統制下にあること、を指摘した。

パーマーストンは性格的にも、政治的信條においても政治的沈靜を好む傾きがあつたのであるが、ヨーロッパにおける自由主義運動と稱ばれてゐるものにパトロネージを與へることは拒まなかつたようである。と言ふことは、ヨーロッパにおけるアンシャン・レジームが脅かされるのを樂しむに過ぎないのであつて、無論顚覆されることを欲してゐた譯ではない。

かれはラディカルスに對しては、

「吾々は君主政下に生活してゐるが故に本質上かの共和政と呼ばれる不幸なる社會組織に屬する制度形態に無暗に熱中してはならぬ」と釘をさし、ブライトの急進的民主々義に反對する新聞をみずからも援助し、側近者にも要求したのであつた。

かれはイギリス王國を古きものと新しきものとの全き均衡の狀態にあると思考し現在するイギリスに滿足しステータス・クゥオを維持せんと欲したのであらう。グラドストンへの手紙の一節には次のやうに書かれてゐる。

「貴下の演舌要旨讀了しました。甚だ遺憾ながら私は明白に貴下と一致するところ少く、むしろ、相違するところ多きことを告げねばなりません。貴下は大膽にも私が受諾しえない普通選擧權の原理を宣言しました。私は總ての健全にして能力ある者は投票に對する道德的權利を有する等といふことを全然否認します。……貴下の演舌は、現在の事態において國務大臣席からなされることを期待された如きものではなく、好んで法案を提出するブライトが法案提出に當つてなす演舌に似ております。貴下の演舌はランカシャにおいて貴下の勝利を博せしむるかも知れませんが（それだつて怪しいものでありま

す）、イギリスが貴下を滅ろぼさゞるやを恐れるのであります。」（力點筆者）（註三）

（註三）グラドストン宛一八六四年五月十二日附書簡。Morley, op. cit., pp. 570—71.

嫌味を多分に含んでおり、かつグラドストンを急進派と目してゐる誤解、並びにグラドストンの宣言に急進的な普通選擧權の意味を附してゐる誇張は、選擧權擴張に何らの關心を有せざるホイッグ的貴族主義の顯現としてのよき例證を與へてゐる。かれの豫言は適中するところなかつた。グラドストンはイギリスに見放されることなくかへつてますますその聲望を高めて行つたのである。歴史の皮肉と言はうか、パーマーストンの死こそはイギリスに新しきグラドストンの時代を現出せしめたのである。

パーマーストンは一八六五年十月十八日この世を去つた。

「大英國の近代政治は實際的に見て、パーマンストン卿の死と共に甫まると言ひうるであらう。」（註四）

（註四）Fyfe, The English Liberal Party, p. 36.

ホイッグ的寡頭政の一大支柱は彼の死と共に瓦解したのである。彼の偶然の死が選擧法改正運動をして平和的に實現せしめるに寄與する所多かつたと言ひうるのではないかと思ふ。

バーマーストンの死後グラドストンの「宣言」はみのり多きものとなりつゝあつた。かの「宣言」は、今や眞實に次の如き感慨を以て綴られるに價するものとなつたのである。

「變化が突然、非常に身近かに迫つてきたといふ感じがした。取返しのつかぬ、運命の種を宿してゐる何ものかゞ言はれたのだ。新しい精神はその代辯者を、新しい政治はその技師を發見したのである。一夜にして政治の模樣がすつかり變つて終つた。――物事の表面の奥を洞察しうる人々の眼には。」（註五）

（註五）Fyfe, op. cit., p. 45.

一八六四年を劃する如上の政治的契機はそれを阻む政府首腦者の死によつて眞實に進むべき路が開かれた譯である。新しく政治權力への參加を要望しつゝありし勞働階級の精神を、今やグラドストンが代辯し、その改正條項の技師を同じくグラドストンに見出したのである。

かくて以上の一八六四年――一八六五年における政治的諸契機は選擧法改正運動の第一階梯を構成するものと解されうるであらう。

第二章　一八六六年のグラドストン改正法案

首相パーマーストン卿の後をジョン・ラッセル伯（先のラッセル卿）が襲つた。これより先、一八六五年七月に議會は期間滿了で解散された。その後の總選擧は特別の選擧題目もない平凡なものであつたが、唯記憶さるべきことは、十八年間オックスフォード大學を代表してゐたグラドストンがその議席を失ひ南ランカシャから選擧されたことである。大學代表としてのかれの位置は種々な制約を受けねばならなかつたのであるが、今や大工業地帶の代表としての地位並びに下院政府領袖としての地位によつて彼は眞實に工業ミドゥル・クラスを代表する自由黨の正眞の指導者となりうることゝなつた。

パーマーストンの葬儀後の初閣議において充分な選擧統計を集めて、議會開會に先立つて改正法案提出に關する諸般の準備を進めたのである。

首相ラッセル伯は改正法案とは淺からぬ因緣を有してゐる。一八五二年と一八五四年に、最初は首相として二度目は閣僚並びに下院領袖として提出したが結局撤回された。一八六〇年には外相として三度目の提案を試みたがこれも窮局において撤回されたのである。

他方チャーティズムの終末以後、進歩的ミドゥル・クラスの中には勞働階級の一部と協調せんとする傾向が現出して來た。それは種々の形で現はれたのであるが、選擧權擴張もその一の大きな顯現であつて、一八五一年に、キング(Locke King)は州における選擧權資格を十ポンドに引き下げることを、ベインズ(Baines)は市邑選擧權資格を六ポンドに引き下げることを議會に提案したが、二九九票對八三票の絕對多數で否決された。一八六一年にも同法案が提出され、キング案は二四八票對二二九票で、ベインズ案は二七九票對一五四票で各〻否決された。一八六四年にも同じ試みが繰り返されたがキング案は二五四票對二二七票、ベインズ案は二七二票對二一六票で否決されてゐる。一八六五年にはベインズ案が復活され政府によつて支持されたが可成りの多數で敗れ去つた。この間、異常なる政治的沈靜は、改正法案に對する一般的關心を起すことなきが如く輿論は冷靜にして、民衆のアヂテーションもなく、この政治的沈靜の厚き雲の破れるの時期が到來するまでは如何に集派が努力をするとも歷史的必然に抗することの不可能なるを立證したのであつた。卽ち

「流産せる創造の地獄に改正法案の骸骨が横たはつてゐる。」（註一）

（註一） Morley, op. cit., p. 623.

議會は一八六六年二月に開會された。この議會當時の自由、保守兩黨の力關係は自由黨三六一名、保守黨二九四名であつた。保守黨が選擧權擴張に眞向から反對するであらうことは既定の事實であつたし、公然たる自由黨員ですら其の可成りの數の者は選擧權擴張には全くの敵意を抱いてゐたのである。もつともこれらの自由黨員は自己の選擧區に對する遠慮からその敵意を公然とは表明しえなかつたのであるが、かゝる反改正的議會の空氣は、改正法案提出の必要が迫つてゐるだけに狀勢を異常に困難なものたらしめたのであつた。

この硬化せる感情を緩和するために內閣改造、人物の交替を主張する者もゐた。又、先づ最初に無難な法案を上提して休會し、休會中に國民の意思を打診しつゝいで休會明議會において成功させようといふ案も一部には考へられたのである。

然しながら政府は正面から進むことに決意した。

三月十二日藏相グラドストンは選擧改正法案を議會に提出した。議會の空氣を考慮して穩健且つ愼重な態度を以て上提演舌を試みた。

改正法案は改正項目を選擧權問題のみに制限し選擧區の變更問題は留保することゝなつた。この留保は一八六〇年のラッセル案が餘りに包括的であつたために失敗した經驗に基いてなされたのである。選擧權はOccupation Franchiseであつて、州において十四ポンド、市邑においては七ポンド、に各〻選擧資格を低下することが提議された。この選擧權の擴張によつて選擧權者の增加數は約四十萬人と見積られた。

急進的デモクラットであるブライトはOccupation Franchiseに對しHousehold Suffrageを主張してゐたのであるが、この法案に對しては「思慮と誠意の賞讚すべきコンビネーションを以て振舞つた」と後年、グラドストンの回想錄には記されてゐる。(註二)

(註二) Morley, op. cit., p. 624.

又この法案の强固な反對者たるロウ(Lowe)に就ては次の如く書かれてゐる。

「ロウは赤裸々な反對者で、十ポンド選擧權(筆者註、改正前の選擧權)を迷信的に禮讚し、それの神聖不動を否認する政府に全般的敵意を感じるといふ程であつた。

かれは一八六六年の吾々の穏健な改正法案に執拗な敵意を抱いてゐた。しかも事實上反對者の全頭惱をかれは代表してゐる形であつた。彼の演舌は非常な效果をあげ、この年、そしてこの年だけであるが、私の思ひ出にかつてないほど議會を支配したのであつた。」(註三)

(註三) Morley, Ebenda.

かれの長い反對演舌の一部を引用することによつて、改正法案反對者の根據を示すであらう。

「勞働階級は市邑においてその數が多いにも拘らず、更に彼等のために選擧區變更がなされるならば、その結果、彼等の勢力は尨大な增加をなすであらう。

「更にわが尊敬する友の與り知らぬ他の問題がある。卽ち勞働階級の間の團結といふことである。現在、ストライキ及びトレード・ユニオンのために存在する機關が政治的目的のために使用されるやも計り難いといふことは大なる危險であると、考えてゐる者は相當多いのである。

「然るに、今や、吾々は何等の理由もなく、たゞたゞ、抽象的な權利論に基いて、かの十ポンド選擧權者を一掃し、かれらを下層階級の中に包攝せしめんと試みらるゝを見るのである。より深き問題の檢討をするまでもなく、明白に次の如く言はねばならぬ。卽ちもし下院が民主化されるならば、かゝる制限されたる環境に甘んずることなく、遂には、現在國王と人民の中間に位する諸制度を一掃し、その起源を直接人民に由來する諸制度によつて能ふ限りその地位を補充するに到るであらう。(註四)

(註四)　Hansard, Parliamentary Debates (3rd Series), 182, 2103—2118 passim. Cf. Robinson & Beard, Readings in Modern European History, vol. II, 1909, p. 251.

勞働階級の政治的鬪爭に對する恐怖はロウのみならず反對者達の一致した根據であつた。特にトレード・ユニオンが「國際勞働者協會」の指導下にあつた點がその恐怖の現實的依據であつたといふことは相當肯定されうる推理だと思ふ。「國際勞働者協會は政府及び支配階級の眼には朦朧と非常に大きく映つた」(S. & B. Webb, The History of Trade Unionism, 1926, p. 235.)。

この法案の最初の試練の機會は地主的トーリーに支持された地主的ホイッグの代表者グロスヴナー卿(Earl Grosvenor)の動議提出によつて與へられた。この法案の第一の弱點は各選擧區の議員定數の整理を省略したことであつたが、第二讀會においてグロスヴナー卿は選擧區變更に關する政府の意圖を聞くまでは選擧權に關する議事を進行せしめないといふ動議を提出してこの弱點に觸れた。スタンレイ卿(Lord Stanley)がこの動議に賛成した。

八日間の討議の後、四月二十七日に、滿員の議會で、グロスブナー卿の動議は僅かに五票の差を以て、敗れた。この投票に際して公然たる自由黨員にして政府に反對の投票をなした者が三十二名ゐたのである。この中にはロウを筆頭に、Horsman, Laing, Lord Elcho, Lord Grosvenor, Lord Dunkellin の名が數えられる。この集派はブライトによつて洞窟派(The Cave of Adullam)といふ輕蔑的な渾名を與へられた。結局この投票の總結果は保守黨二八三票、洞窟派三二票(計三一五票)對自由黨三一八票、保守黨二票(投票計算係をも含めて、計三二〇票)で、差五票となる。

かくて「ルビコン河を渡り、橋を破壞し、船を燒」かんとした反對派の猛襲を辛うじて受け止めたのであつた。次いで政府は少數黨の相對的多數の意見に從つて議員定數變更案を約し、スコットランド、アイルランドにおける改正選擧法をも約した。

五月七日に右の議員定數變更案が上提された。これに依れば人口八千人以下の三十の市邑が從來の定數より一人減じ、十九の議席が小市邑の併合に振り當てられ、四十九の議席が他のより大なる市邑に向けられることになる。相當な異論があつたが第二讀會を採決投票なく通過した。委員會においてはスタンレイ卿が何らの警告もなく選擧法案の延期動議を提出したが二十票の少數で否決された。動議は引き續き提出され、ワルポール(Walpole)は州における借地人選擧權を二十ポンドに引上げる反動的な動議を提出して十四票の差で否決された。

五月二十八日はグラドストンがラッセルに「われわれの改正鬪爭史上最惡の事件」と書いた提案がなされた。即ち買收に關する條項を挿入すべき指令を該法案に加へんとする提案であつて、グラドストンが「厚顔なる投票」と言つてゐるところのものである。ところがこの提案は政府側二三八票、反對黨二四八票、十票の多數で可決された。政府の前途に暗雲が見え出した。次いでハント(Hunt)は州選擧權の基礎を地代の代りに地方稅に置くべきとなす動議を提出し七票の差で否決された。

さて、六月十八日に遂に結末が來たのである。ダンケリン卿(Lord Dunkellin)は市邑におけるこの度の法案の七ポンド選擧權の基礎を借家賃の評價でなく地方税の評價によるべきとなす案を提出し、政府側三〇四票對反對黨三一五票、十一票の差で、政府は敗れた。この場合には自由黨員にして政府に反對投票せる者四十四名を數えてゐる。此の投票における政府敗北の發表は前例のないほどの騒がしい喝采のうちになされたのである。このダーケリン修正案に對して、政府は最初、部分的な技術問題として、借家賃と地方税は容易に調整されうるといふ見込であつたが討議は狹い問題に制限されずに法案の全領域を包含した。かくて前回の敗北を併せ考へ、然もこの度における反對黨の増加を斟酌するならば望はも早絶たれたものと見なければならぬ。

大勢は辭職に傾いたものゝ如くである。解散に就ては院内幹事ブランド(Brand)の首相に對する反對意見が有力であつた、それによれば、黨員は前の總選擧において非常に金を費してゐるが故に、彼等黨員は再び解散がなされることには不贊成であらう、かつまた總選擧は黨を分裂さす危險があるであらうといふことであつた。その生涯の如何なる困難な時期においても、絶對に止むをえざる他は降伏を肯んじないグラドストンにとつては讓歩といふことは甚だ遺憾であつたらう、かれ自身はまだ決定的な辭職の腹ができてゐた譯ではなかつたがとも角も辭職に傾いたのである。

ラッセル卿はヴィクトリヤ女王に辭表を奉呈した。女王の再考せよとの御思召によりラッセル卿は閣議を召集したのである。女王の御言葉の要旨は

「ヨーロッパの狀態は危險である、敗北は單に細目に觸れたに過ぎぬ。問題は總ての黨派がいつにても讓步せんとする準備なくしては解決されない性質のものである」といふことであつた。(註五)

この、解散か辭職かの岐路に立つた內閣に斷然解散を要求したのはブライトであつた。

六月二十四日附グラドストン宛の書簡は解散斷行をグラドストンに強く要請してゐる。

「ブランド君は偉大なる原理、偉大なる目的のための全國的な道德的論爭の力を認めてゐない。前の復活祭は如何に貴下が急激に絕大なる人氣を喚起したかを示してゐる。小生は貴下が破れ去ることを信じない。加ふるに敗北よりも一層惡いことがある、卽ち政府は四十人の裏切者(筆者註、同書簡の他の箇所では四十人の盜賊どもと呼んでゐる)の卑劣行爲によつて毒されて弱められた黨を經營しなければ

ならぬといふことだ。不慮の大事件には何れにしても危險を犯さねばならぬ。何ものかを賭す覺悟でやれば、必ず緊密な大政黨がえられるし將來を期待されるだらう。ブランド君のことは一時忘れ給へ。貴下は改正法案の第二讀會における貴下の大演舌の結びの言葉を忘れてはならぬ。もう一度それを讀んで元氣をつけ、貴下の偉大なる義務を遂行せんことを。」（註六）

然しながら閣議の結果は遂に總辭職の決行に確定したのである。グラドストの日記を引用してこの閣議の樣子を示さう。

「六月二十五日——閣議、二時半から四時半まで……內閣の態度決定の大詰がこゝに來たのだ。1解散、僅かに三、四名贊成。2將來改正するといふ漠然たる保證を與へて切れ拔けんとする意見に對する投票、七名希望、六名反對、一人は澁々默認。自分はそれを實行できない。3ラッセル卿の、條項をもとに戾さうといふ提案、不贊成七名、承認六名、默認二名。4辭職、全部承認、强い反對もない。この最後の日は非常な心配だつた。然し、兎も角問題も落着に近寄つたのは嬉しい。」（註七）

（註五） Morley, op. cit., 629.

（註六）Morley, op. cit., 603.

（註七）Morley, Ebenda.

翌六月二十六日總辭職。かくてダービー卿を首相とする保守黨少數黨內閣が再び政權を掌握した。

後年グラドストンは此の時の辭職問題を回顧し、內閣の投げ出しが餘りに早かつたことを難じ、內閣のとるべき方法が他にあつたことを記してゐる。

「吾々は辭職の理由としてほんの僅かの名義による敗北を餘りに易々と承認したと考へざるをえない。少くとも四つのコースが吾々に開かれてゐた。第一辭職、第二解散、第三審判の終局性を否認し反對投票を取り消す、第四ロンドン選出代議士クロフォード氏が動議せんとしてゐた包括的信任投票に避難する。この中で最後は最もいけない。政治的品位を傷けるから。……解散は冒險である。ごたごた議會から眠れる民衆に訴へるのだから。然し、遲疑せずにしてゐたら、一八三一年のそれに似た、(同一といふことは難かしいにしても)應答を喚起できたし、或ひは喚起したかも知れない。そして次の議會を召集して再檢討したら十中八九勝利する結果になつたであらう。吾々の辭

職によつて、トーリー黨内の一聯の欺瞞陰謀が甫まつた。然し明かに其れが、借家人選擧權の實現を促進したのだ。」（註八）

（註八） Morley, op. cit., p. 629.

第三章　改正運動と恐慌（一八六六年）

既述の如く一八六四年は勞働階級の復活が現出され全國的に聯絡のある組織が生れ、不平等・苛酷な勞働法制の廢棄運動が開始されたいであるが、同時にこの・勞働階級の復活が政治的要請をも伴つたのであつた。既にその頃勞働運動を支配してゐた「ジャンタ」が「インタナショナル」に結盟して以來、一八六四年以後の政治運動は殆んど「インタナショナル」の直接、間接の影響の下になされたのである。政治運動は勞働立法獲得運動に呼應して民主的選擧法改正運動としても現はれた。一八六二年、アプルガス並びにそのグループ「ジャンタ」、及びロンドン勞働評議會は、秘密投票及び普通選擧權獲得を綱領とする「勞働組合政治聯盟」(The Trade Union Political Union)を創設した。一八六三年、この聯盟は「成年選擧權・秘密投票期成協會」(The Manhood Suffrage and Vote by Ballot Association)と改稱し、一八六五年の初めにその基礎を擴大し「全國選擧法改正同盟」(The National Reform League)となつた。急進派の辯護士エドモンド・ビールス(Edmund Beales)を會長とし、ジョウジ・ホゥエル(インタナショナルの委員會の一員 George Howell 煉瓦工)を書記として、主として全國のトレード・ユニオンに基礎を置いて組織された。オッヂャーは同盟の有力な指導者であつた。かくの如く改正同盟は「インタナショナル」の幹部によつて構成され、且つこの同盟こそは改正運動の强力な主體であつたが故に、イギリスの一八六七年の改正法は「インタナショナル」の活動と密接な關係がある譯である。この「インタナショナル」なくしては「改正同盟」は出來上らなかつたかも知れないほど、その指導は有力なものであつた。又會長に急進的ミドゥクラスの代表たるビールスを任命することによつてこの同盟に急進的市民階級をも包含した點などは「インタナショナル」の實踐的政策の結果なのである。この年のベインズ法案が政府の支持があつたにも拘らず否決されたのは、この同盟の「過激」なる要求と直接聯關あるものとして恐怖されたためである。この恐怖は根本的には先に述べた如く同盟の背後にある「インタナショナル」の「理論」に向けられてゐるのである。「洞窟派」の改正反對も亦同じくかゝる恐怖に基いてゐた。この同盟は舊チャーチスト、アーネスト・ジョンズ(Earnest Johnes)の率いる一黨とも充分な聯絡を有してゐたのであつた。一八六五年五月のマンチエスター會議には、ジョンズ、オッヂャー、クリーマー(インタナショナル代表)、ホウエル(改正同盟勞働代表)ビールス及びメーソン(Mason)(改正同盟市民代表)が集り共同行爲が協議された。

この「同盟」とは別に、主として北部イングランドに全國的な改正運動の組織が成立した。一八六一年、「リーズ勞働者議會制度改正協會」(The Leeds Working Men's Parliamentcery Reform Association)はランカシャ、ヨークシャの諸々の改正團體會議を召集した。更に翌年の一八六二年にはロンドンに急進派の代議士列席の下に全國的會議を開催し普通選擧權獲得に關する決議をとつた。然しこの會議は改正運動をあらゆる階級の協同の下に實行せんことを目途したため直ちに全勞働階級的な綱領を要求せずに、借家人選擧權、秘密投票、選擧區變更、議會會期三年を主張した。一八六三年は綿花飢饉で會議は延期されたが、一八六四年に再開され、「全國改正聯盟」(The National Reform Union)を結成した。

「同盟」と「聯盟」――この二つの團體が改正のためのアヂテーションの仕事を分擔した。「同盟」は勞働階級によつて組織され、殆んど完全に勞働組合の指導者によつて支配されてゐた。「聯盟」は多くの勞働階級の支持を有してゐたとは言へ、主として急進的ミドゥル・クラスによつて支配されてゐたのである。一八六六年に「同盟」は七十の支部を有しその中ロンドンに十九、地方に五十一、地方の重要なる中心地には殆んどその支部が設立されてゐた。同年に、「聯盟」は百三十の支部を有し、支部は主としてミッドランズ、北部イングランドの諸地方にあつた。「同盟」はロンドンに、「聯盟」はマンチエスターに中心を置いてゐた。

さて、これらの改正運動の團體は、自由黨政府が改正を約し改正法案を上提しその達成に努めてゐたのでそれに信頼し平靜に其の成功を待望してゐたのであるが、今や自由黨は政權を離れ、改正反對の保守黨之に代るや否や直ちに動搖し甫めた。內閣更迭後僅かに二日目の六月二十八日にトラファアルガル廣場で參加人員一萬の大仕掛な改革促進の示威運動が行はれた。チャーティスト以後最初の大きな運動であつた。この示威運動を指導したのは「國際勞働者協會」であつて、その委員會の一員たるルクラフト(Rucraft)はこの運動の大立物である。民衆はラッセルの總選擧に訴へざりしを非難したが、グラドストンの名は熱狂的な歡呼を以て迎へられた。群集はトラファアルガル廣場からグラドストン邸のあるカールトン・ガードゥンに向つて「永遠にグラドストン!」と叫びながら整然たる行列を以て行進した。グラドストン邸では群集はかれの一場の挨拶があるものと期待してゐたが、折悪しくかれは不在中であつたので、騷動を怖れた警官は夫人とその家族の者をバルコニーに出るべく勸めた。群集は次いで行進を初め、カールトン・クラブの前に止つて少し許り叫んでゐたが、最後は平穩に解散した。

この示威運動があつて、約一月經つた七月二十三日にハイド・パークの集會が「改正同盟」によつて開催された。勿論この集會は選擧權擴張達成の目的を以てなされたものである。內相ワルポールの訓令に基いて警視總監は公園內における集會を禁止したに拘らず「同盟」は示威運動を斷行し、ビールス、ホウエル、アブルガスその他の指導者を先頭に夥しい大群集は公園に到着した。既に警視總監の命令によつて公園の入口は閉鎖されてゐたが、群集は柵の外側で入場を要求しながらざわめいてゐた。故意にか又は意思に反する單なる數の壓力によつてか、公園の柵は五千人の强腕によつて破壞され、配備されてゐた警官の制止も遂に效果なく、大群集は公園に雪崩れ込んだ。ビールスの率ゆるこの勝誇つた群集は公園を實力的に占領して終つた。かくてビールス司會の下に開會された が同時に廣大なる公園內において百を算する即席の集合が持たれた。その間指めた。

導者らは群集の一部を率いてトラフアルガル廣場に行進し、そこで政府の措置に對する抗議のための大集會が持たれた。この實力的な公園の占領は――警官に對抗して公園の柵が利用され、暴動になり兼ねまじき勢だつたので單なる威嚇のため許りでなく、軍隊が出動したのである――支配階級の心膽を寒からしめた。

「この顯著なるエピソードは民衆の意志力と、同時に民衆に對向する政府の無力とを立證した。」（註一）と有能なる憲政史家メイは敍してゐる。

（註一）E. May, Constitutional History of England, 1868, vol. II, p. 433-424.

この事件は民衆に刺戟を與へ改革運動家の活動を促進しその後幾つかの重要な集會並びに示威運動が持たれ人心を昂揚せしめたのである。例へば八月八日にはロンドン市の大集會、八月、九月にバーミンガム、マンチエスターでも大仕掛な示威運動が行はれた。その都度ブライトは卓絶せる雄辯家として民衆に呼びかけたのである。

この政治的動搖と昂奮は恰も時を同じうして襲來しその後長くその餘波を殘

して人々を窮乏に陷入れた恐慌と凶作によつて倍加されたことを看過してはならない。

民衆の示威運動に先立つ五月十六日水曜日、グラドストンの豫算案提出後三日目に、ロンドン商界を根こそぎ動搖せしめた恐るべき崩壞が突然に襲來したのである。一八二五年の冬以來かくも悲慘なるカタストローフは無かつたのであつた。この恐慌は主として金融的性質を持つた。この恐慌の序曲は既に綿布製造業における生産過剩――インド、支那の市場は既に荷嵩みとなつてゐた――に見出される。綿布勞働者に對する五パーセントの賃銀切り下げが開始せられてゐた。この工場地方における木綿恐慌の前觸的襲來によつて、多大の資本は慣例の投資部面から金融市場の大中心地に驅逐されてゐたゝめに、恐慌が主として金融的性質を帶びたのである。Overend, Gurney の如き大銀行の破産はこの恐慌の信號となつて、次いで續々と無數の金融泡沫會社が倒壞した。預金者の未曾有の殺倒によつて次々に銀行は閉鎖されて終つた。この大瓦解の運命は、ロンドンの一大營業部門たる造鐵船業にも訪づれた。この部門に屬する有力な經營はいづれも好景氣の際法外に過剩生産したのみでなく、信用も亦等しく活潑に流動すべきことを見越して、巨額の註文を引受けたのであつた。然るに今や驚くべき反動が生じたのである。

「黑金曜日」はロンドン市の記錄のみならず破產した幾千の家族の歷史において悲しい思ひ出を殘してゐるのである。一般預金者は亢奮のため狂氣染みてゐたし銀行の重役や支配人達も負けず劣らず狂つてゐるものゝ如くであつた。イングランド銀行を救へといふ聲が絕えず聞えた。然し與えらるべき救濟の程度は「イングランド銀行條例」の規定によつて嚴格に制限されてゐたのである。その日の中にイングランド銀行の總裁及び株式會社其の他の銀行の重役達は藏相に面會した。而して深更に及んで焦慮し亢奮してゐる下院に對して、政府は條例の停止を認可する責任をとる旨を發表した。これによつてイングランド銀行は救濟され恐慌は鎮靜に歸した。然しながら「黑金曜日」一日だけで、イングランド銀行の資金は六百萬ポンドに減じ、その他の大銀行の一つは二百萬ポンドを支拂つた。そして他の銀行も同額の手形を支拂つたのである。恐慌がもう一日續いたらロンドンのあらゆる銀行、金融業者が支拂を停止したに相違ない、と言はれた程である。

表面鎭靜に歸したこの恐慌の餘波は過剩生產をその底に有してゐるが故に其の後長く殘つてゐたのである。民衆はこの恐慌をどんな形で受け取つたであらか。當時の新聞の一節を引用しよう。

「ロンドンに於ける貧民の大規模な飢餓！……この數日來、ロンドン市內諸方の塀に左の注目すべき文言を記した大ポスターが張り出された。……『肥えた牛！　餓えた人！　肥えた牛はその玻璃宮を出て、贅澤な屋敷に住む富者を養ひに行き、餓えた人々はその見る影もなき穴部屋の中で朽ち果てる儘に放置されてゐる』と。この不祥文字を記したポスターは絕えず張り換へられてゐた。前に張り出されたものがなくなつてしまふか、他のポスターで張り隱されてしまふかすると、同じ場所なり、他の類似の場所なりに、また新らしいのが張り出される。これ……かの一七八九年の事變の準備となつたフランスに於ける秘密革命團の行動を想起せしめるものである。……イギリスの勞働者が妻子と共に餓死しつゝあるとき、同國に於ける勞働の產物たる幾百萬の金は露、西、伊、その他諸外國の企業に放下されてゐるのである。」(註二)

(註二) Reynold's Newspaper, January 20th, 1867.

更にトーリー派の新聞たる「スタンダード」紙から抜萃しよう。

「ロンドンの一角に昨日驚くべき光景が目撃された。イースト・エンドに於ける幾千の失業者は、隊を成し黒旗を振り翳して市内を練り歩るいたといふ程ではないが、それでも人波は十分威壓的なものであつた。これらの人々が如何なる窮乏狀態にあるかを想起せしめよ。彼等は餓死に瀕してゐたのだ。これ、單純にして且つ驚くべき事實である。彼等の數は四萬に達してゐた。吾吾の眼前に、この驚異すべき首都の一角に、富の空前的大蓄積と密接して四萬の賴るべきなき餓莩が橫はつてゐるのである。此等の人々は今や市內の他の區域にも侵入してゐる。絕えず餓死に瀕してゐる彼等は、吾々の耳に苦痛を叫び傳へ天に向つて哭泣する。彼等はその慘憺たる住宅の中から、就業口を見出し得ざることを、乞食をするも益なきことを語り聞かせるのである。救貧稅納付義務者は、彼等自身、救區から課された負擔のため被救恤的窮乏の淵に追ひ込められてゐるのである。」(註三)

(註三) Standard, April 5th, 1867.

一八六六年の下半期に、ロンドンでは八萬乃至九萬の失業者がゐた。

一八六六年に始まり一八七〇年に脱したところの恐慌が鐵工業部内に及ぼした大きな慘狀の例として鐵工の失業統計を次に示そう。統計は四年間の驚るべき失業者の増大を明瞭に呈露してゐる。(第一表第二表參照)(註四)

第一表

年平均	鐵工失業者率
1855	10.4
1856	9.2
1857	9.3
1858	16.5
1859	5.3
1860	2.9
1861	8.7
1862	14,0
1863	9.5
1864	4.7
1865	3.8
1866	6.7
1867	15.7
1868	17.1
1869	14.8
1870	6.9
1871	2.6
1872	1.5
1873	3.3

第二表

	鐵工失業者數(職工總數ニ對スル%)				
Year	1866	1867	1868	1869	1870
Jan.	4.2	12.4	22.1	17.3	14.5
Feb.	5.4	13.2	20.9	17.1	10.9
Mar.	5.1	15.4	19.8	16.8	8.7
April.	3.6	16.7	18.6	15.6	7.2
May.	5.1	14.9	16.7	15.2	5.0
June.	6.5	14.6	15.8	13.6	4.5
July.	5.9	14.2	14.9	13.3	3.7
Aug.	6.5	13.9	14.7	11.8	4.5
Sept.	6.9	15.7	14.2	13.1	4.9
Oct.	7.4	16.3	14.1	13.6	5.0
Nov.	9.3	18.9	15.6	14.8	5.6
Dec.	13.8	22.6	17.4	15.3	8.3

(註四) A. L. Bowley, Elements of Statistics, 1923, p. 161.

第四章　一八六七年の改正法案

通過（一八六七年）

議會休會中に改正法案を要求する輿論の潮はますます高まつてきた。新ダービー保守黨內閣の施政綱領は異常なる關心と期待と不安とを以て迎えられたのである。旣述の論行に明かなる如く、國內は一般に不安にみち危急の狀態が續いてゐた。一八六六年の收獲は凶く、家畜疫病は撲滅されず、フェニアン黨員は活躍を昂揚せしめたのであつた。一八六六年の十二月はまさしく當時の記錄には「憂鬱にして不景氣な時期」とある。

議會は一八六七年二月五日火曜日に開會された。開會辟頭に當つてヴィクトリヤ女皇の勅語は改正法案を上提すべきことを決定的に宣言したのである。その要旨は

「再び、議會における人民代表の狀態に關して汝等の注意を促すであらう。朕は中庸と互讓の精神によつて處理されたる汝等の討議が、政權の均衡を甚だしく紊すことなく、自由に選擧權を擴張せしむる法案の採擇に至るであら

うことを信ずる。」（註一）

この勅語は保守黨政府の改正法案提出の意思のあるなしに拘らず、絶對的に、政府が改正法案を上提すべき大義務を宣言したのである。從つて六七年の改正法の成立に對しヴィクトリャ女王の占めた役割は無視することのできぬものであらう。

（註一） G. R. Emerson, W. E. Gladstone, p. 294.

さて、ダービー內閣の組閣當時に置かれた狀態はどうであつたか。一政府にとつてかくも困惑せる地位はありうるものではない。

新內閣は自由黨內のアダルマイトに支持されて、グラドストンの頗る穩健なる改正法案を革命的なりとして、僅かに幾日か前に反對した許りの保守黨內閣である。然るにもかゝはらず勅語によつて、その好まぬ改正法案をも何んらかの形で上提せざるべからざる地位に立たしめられてゐる。更に政府は少數黨であり、絕大な反對黨が改正法案を要請してゐる。民衆は選擧權擴張のアヂテーションを以て政府を牽制してゐる。もはやかれらの保守主義は何らの力を持たぬ。

二月十一日藏相ディスレリーは二月二十五日に全院を委員會に解組し一八三二年の改正法を討議するむねを動議した。かゝる手續――法案を提出せんことを要請する普通の方法と異なり――は政府が非常手段を採らんとしつゝあることを示すものに他ならない。二月二十五日にディスレリーは法案を提出する代りに改正法案の基礎工事ともなるべき十三の決議案を提議した。もしこれが通過するならば案の根本原理はある程度保證される譯である。而してディスレリーは彼の演舌においてこの決議案が採用されるならば提出するであらう改正法案の主なる條項を說明した。

それによると新しく四種類の人々に選擧權が賦與される。(一)學位を有する者、牧師等々(二)貯蓄銀行預金年額三〇ポンドを有する者(三)五〇ポンドの公債所有者(四)二〇ポンドの直接税納税者。先議會のダンケリン修正案に關する議會の決議に基いて地代の代りに地方税が Occupation Franchise (借地人選擧權)の基礎となつてゐる。市邑の六ポンド納税者選擧權は變更されず、州の借地人選擧權は五〇ポンドから二〇ポンドに低下した。

更に該案には買收に對する罰則的規定をも包含しており、四つの市邑から選擧權を奪ひ、一八三二年以後發達してきた都市に七つの議席を移した。又タワー・ハムレッツが分割され、新しい州の分割がなされゝば必要となる議席に當てるために小市邑が各一名あての議席を奪はれた。

ロウ及びブライトは單刀直入に法案を提出せずに決議案による手續をとつた事に對して猛烈に政府を攻擊した。

翌日、カールトン・テラスにあるグラドストン邸における自由黨大會において黨員は明瞭に政府の議院手續に反對した。グラドストン自身は勿論法案提出を希望したが、決議案を討議することに別に不贊成ではなかつた。然し大會の希望に從つて決議案を拒否，政府が單刀直入に法案を提出せんことを要求する修正案を動議することを承認した。

ところが、自由黨にとつて（保守黨員の大部分にはより一層）大きな驚きであつたことは、翌二十六日の夜になつて政府は決議案を撤回して三月十八日に新しい改正法案を提出することを下院において發表したことである。

僅かに二十四時間のうちに政府においてかゝる意見の變化をきたしたことは不思議である。何らかの理由がなくてはならぬ。この秘密は三月四日クランボーン卿(Lord Cranborne 印度相)、カーナヴォン伯(Earl of Carnarvon 植民相)、ピール將軍(General Peel 陸相)の辭職によつて明かにされた。海軍省から陸軍省に轉ぜられたパキントン(John Pakington)は改選に際しての必要上陳べたドロイトウイッチの選擧民に對する演舌において政治史の驚くべき一節の資料を呈露した。又數日後には政府側もこれについて說明したのであつた。この秘密の事情は次の如くである。

二月二十三日土曜日、閣議が開かれ決議案は滿場一致可決され改正法草案も承認された。たゞ、ピール將軍は新改正法案による選擧權者の增加についてのディスレリーの概算を否認し辭職を申し出た。然し首相がピールを說伏して共同動作をとらしめたので閣議は先づ明朗なる結束の雰圍氣と談笑のうちに閉會した。ところが翌二十四日、日曜日に、クランボーンは政府發表の統計書及び報告書を調査の結果、ピールの說に左袒し翌朝カーナーヴォン伯に傳へたのである。クランボーン卿とカーナヴォン伯と相談の結果、提案された選擧法はイギリス憲法の將來の運用上、政治的均衡に關して特に有害であり、餘りにも民主的であるといふ結論に達しピールと同道して首相を訪ずれこの旨を通じたのである。狼狽したダービー首相は急遽、閣議を召集したが閣僚は四散してゐて定刻一時半に到るも集まる者なく、止むなくディスレリーは、閣内に重要な地位を持つ、これらの反對閣僚に譲歩するを餘儀なくされて穩和な案を提出することゝなつた。この會見は僅か十分にして終つた。この決議案が十分間法案と言はれる所以である。ディスレリーは粗雜なる曖昧な法案を持つてゐたふたと議會に乘り込んで既述の内容を説明したのである。數時間後ダービー伯は該案を反省して見た。該案は、一八六六年により包括的な案を上提した自由黨によつて承認されないであらう、又改正の必要がある以上、より擴張された選擧權を勞働階級に與へることによつて、かれらを懷柔するを賢明なりとする多數の保守黨員も反對するであらう。結局何人にも反對される案を保持するは無用なりと考へ、内閣は原案に復歸することに決定したのである。かくて三閣僚は辭職し、該決議案を撤回し、改正法案提出の宣言となつたのである。

告示された三月十八日、大きな期待のうちに改正法案は下院に上提された。

該法案によると――市邑における救貧税納付者なる家屋占有者は、二年間の居住期間を條件として、總て選擧權を與へられる。州においては年額十五ポンドの地方税納付者なる土地占有者は同じく選擧權を有する者とされる。

然しながらこの民主的な大提案に對する制限として、假想選擧權(Fancy Franchise)が包含される。——卽ち、貯蓄銀行に三〇ポンドの貯蓄を有する者、五〇ポンドの公債所有者、ある敎育資格を有する者、等は選擧權を有し更に年二〇シリングの直接國税納付者は重複投票權を有す、といふのである。同時に選擧區變更も提案された。

グラドストンは直ちに法案の各條項に對して猛烈な異議を唱へた。特に「混成占居者」(Compound Householder)條項に反對したのである。この條項は、多くの場合「政黨人と推定しても間違ひない敎區委員によつて選擧權が自由に左右されることを包含する。敎區委員會は小借家法(The Small Tenements Act)を採用するか否かの選擇權を持つてゐるのである。ところがこの法律は所有者が占居者に代つて納税することを規定してゐる。然も敎區委員會は主として有産者階級によつて構成されてゐるが故に、かれらは幾千の小家屋占居者に選擧權を與へないであらう。該條項によれば「混成占居者」は自分から納税することなくしては選擧權を賦與されないから。三月二十五日に第二讀會の動議がなされた時、グラドストンは該案を詳細に批判し、該案が承認されるために必要なる變更を數へ擧げたその件の重要なるものは、同居者選擧權の提案、納税選擧權、重複投票の廢止、並びに投票用紙案の廢棄であつた。更に選擧區變更は擴大されねばならぬ、といふ點等であつた。

ディスレリーは同居者選擧權の承認、重複投票の廢止を辭せぬことを明言した。

四月一日、第二讀會における延長討議においてかれは重複投票條項を削除することを委員會に動議する旨宣言したのである。

四月五日、グラドストン邸において二五九名の自由黨員の集會が催された時、委員會に移るための動議に際してコールリッヂが修正案を提出することを決議した。卽ち委員會は課税法則を變更する權限を有することを委員會に指令することと、及び小借家人に普通の借家人と同一な選擧權を賦與することとである。然しこの動議前に、自由黨に又も離反者が出て來た。自由黨の相當數の者が下院の喫茶室に集つて修正案反對の決議をしたのである。そのためにコールリッヂの修正案は前の部分のみに限られたのである。この形で修正案はディスレリーによつて承認され採擇された。喫茶室派は恰も一八六六年の洞窟派の位置を占めた譯である。

法案は第二讀會を投票採決なしに通過した。

五月十一日に地方の改正期成團體の代表者がグラドストンを訪れ自由黨指導者としての彼に對する信任狀を提示したのである。それに對する返答として、かれは、自由黨内の離脱者に言及し、政府案の欺瞞的性質に就て語り、特に「不合理な、不自然な、有害な當人納税」を非難し、飽くまでそれに反對すると陳べたのであつた。

委員會において、グラドストンは當人納税條項に、「貧民救助税を本人並びに家主の何れが賦課されるとも」の句を附加することを動議した。現在のまゝの法案では選擧權賦與に大きな障害が横たはつてゐる。卽ち、市邑においては、價格十ポンド以下の家屋の三分の二の地方税は混成されており、而して、これらの家屋の占居者は實際上依然として選擧權を持たぬまゝになつてゐるが故に、法案は都市における勞働階級に選擧權を賦與しないことになる。納税することによつて占居者は選擧權を獲得するであらうと考へるのは誤謬である。何故なればそうすることは費用を要する上に時間を必要とするが故である。もし法案を現在の形で通過せしむるならばこの法案の欺瞞的性質を知る民衆によつてアヂテーションが開始されるであらう。而してこのアヂテーションはかゝる立法の最後の痕跡が一掃されるまでは止むことがないであらう。

グラドストン修正案は二十一票の差で敗れた。三一〇票對二八九票。四十二名の自由黨員が政府側に投票し殆んど二十名が欠席してゐた。グラドストン自身この變節者による自由黨の結束弛緩せるを見てはもはやかれ自身の修正案の動議提出、及びその他の動議通知をする意思を失つたものの如くである。

この時既に法案は委員會を通過し第三讀會において可決され上院に送付されて修正された。窮局の形において、この法案は、貯蓄銀行、公債、重複投票の條項は削除され、混成占居者は一掃され、選擧權は貧困の故に納税を免除された者を除いて總ての家屋占居者に賦與されたのであつた。エイルトン(タワー・ハムレッツ出身代議士)は住居期間の制限を一年間に短縮せしめ、トレンは年額一〇ポンドの家具なき部屋代を支拂ふ同居人選擧權條項をも通過させたのである。

州における選擧權は十五ポンドの納税者から十ポンドの納税者に低下され、年五ポンドの純益ある不動産所有者乃至借地人は選擧權が與へられた。其の他選擧區變更の範圍は非常に擴大された。

法案は上院において、ケアンズ卿の提案により、大多數に支持されて、少數代表を規定する條項が附加されることゝなつた。この條項は、州並びに市邑においては議員定數三名の場合は二名に對してだけ、ロンドン市においては四名の定數に對し三名だけに投票しなければならぬことを規定するものである。修正案が上院から下院に廻はされて可決された。

選擧法改正法案は一八六七年八月十五日ヴィクトリヤ女王の勅許をえて法律(30 & 31 Victoria, c. 102)となつた。(註一)

(註一) 以上の敍述は次の書を主として參照とせり。
Emerson, op. cit., ch. XXII.
Morley, op. cit., p. 640 ff.
Adams & Stephens, Select Documents of English Constitutional History, 1929, 267, 532 ff.
The Cambridge Modern History, vol. XI, p. 324 ff.

かくて第二次改正法が成立し都市勞働階級約九十萬人に選擧權が與へられた

のである。

さて、この法案を成立せしむるに最も苦しい立場に置かれたのは他ならぬグラドストンであつた。既に述べた如く、一八六六年及び一八六七年を通じてかれは勞働階級をも含めて進步的市民大衆の先頭に立つ、恰も一の偶像の如くにさへ考へられたのであるが、多數黨として議會に臨んでゐる、かれがその領袖たる自由黨は、決して本來の多數黨ではなかつた。黨内は三つの集派に分裂してゐた。一八六七年四月十日、トマス・アクランド(Thomas Acland)は自由黨内の分派を次の如く類別した。

(一)　急進派——借家人選擧權を提案はするがその通過を欲せず。

(二)　ホイッグ主義者——政府と軋轢を起すことを欲せず、極小規模の改正を希望するに過ぎず、剩さへグラドストンに恥辱を與へんと欲してゐる。

(三)　その他——解散を回避する以外には何事にも關心を有せぬ陣笠連中。

即ち「二十時間毎に新な陰謀が現はれる」自由黨とすら指示されたのである。(註二)

(註二)　Morley, op. cit., p. 664.

洞窟派の首領ロバート・ロウ及びその幹部はグラドストンの麾下に復歸したが

その大多數はディスレリーと行動を共にしてゐた。先に觸れた如くロウ一派が飛び出した洞窟には新しい集派ティ・ルームが這入り込んでゐる。從つてグラドストンが實際上、下院内の何れの重要な黨派に對しても、同情、結緣をもたなかつた(ハリファックス卿のベッドフォウド公への言葉)のはむしろ當然でなければならぬ。實にかれの背後には國民大衆が控えてゐる。この意味の無黨派性こそあるひは眞實、自由主義に價したと言へるのではなからうか。この自由主義こそ、當段階における歷史的必然の要請を充分に果し、かくては人氣の絕頂に彼を位置づけたものではなからうか。

「下院の無關心とグラドストンの熱意、下院のだらけ切つてゐるのに對する彼の嚴肅、彼の情熱的な政治的平等の主張に對する下院の冷笑的態度」(Spectator, April 20)。

當時に於ける議會の空氣が上記の引用によつて推察されるであらう。

然らば改正法案は各黨にとつていかなる意味を持つたであらうか。

メイ曰く、

「かくて保守黨をしてこの法案に滿足せしめたる總ての條項は削除され、自由黨によつて主張された總ての修正案が挿入された。下院は歩一歩保守黨も自由黨も全然承認しえないところの、擴張された改正計畫に贊同しつゝあるを見出したのである。各政黨は相互に張り合ひ遂に急進的改革論者(恐らく下院の六分の一に過ぎなからう)のみを滿足せしめたに過ぎない法案が一つの宿命として全體によつて承認されたのであつた。」(註三)

(註三) May, op. cit., p. 438.

同樣な事態をバジョット氏をして語らしめようか。

この場合は、何れの黨も一つの政黨としては意見を發表することができなかつた。保守黨員の多數は、恐らく敎養ある保守黨員の多くは提案の結果を怖れたであらう。單に自己の黨の幹部によつて提案されたが故に好んでこれに反對することをえず、いはば黨の紀律によつてこれを通過させたに過ぎなかつたのである。

他方、自由黨の多數、恐らく敎養ある自由黨員の大部分は該法の成立に愕然としたであらう。かれらは長年月の間改正法案を提出することを慣はしとしてゐたが故に各案の差違を熟知してゐたのである。而してかれらはこの度の改正法案が諸内閣によつてかつて提出されたものゝ中比類なく急激なるものたることを看取したのである。然しその事を口に出すことは好まなかつた。もしかれらがトーリー案に對してそれが餘りにもデモクラティックなるの故を以て反對せんか選擧權者の多數を激怒せしむるであらう。また急進的デモクラシー派は言ふであらう。『人民の敵がかゝる權利を人民に賦與する程に人民を信賴してゐるにも拘はらず自由黨員たる君は人民の友ではないか、而かもかゝる信賴を有しないことにして事實ならんか、二度と君に投票しないであらうと。』

翻つて多數の急進黨員を見るに、長年、借家人選擧權を要求しつゝあつたかれらは、目的達成の機會近かきにあるを見て喜ばんよりはむしろ驚いたのである。かれらは恰も賣買の如く、可能なる最高價格を要求したのであつて、よもやそれが得られようなどゝは毫末も期待してゐなかつたのである。

總ての自由黨員、乃至少くとも極端なる自由黨員は、まるで强ひてドアを開けようとして、突然に戸が開き抵抗がなくなつてもんどり打つて前へ轉んだ人間の恰好であつた。かゝる不快な狀態にゐる人間が有效なる批判をなすといふことは殆んどありえないことであるが、實際、自由黨員は改正法案に對して論

議しなかつたのである。(註四)

(註四) W. Bagehot, Essays on Parliamentary Reform, 1883, London, pp. 192—193.

かく觀ずるならば從來選擧權を有せざりし都市勞働階級にまで廣く選擧權が擴張された(鑛山勞働者及び農村勞働者は除外された、かれらは一八八五年の第三次選擧法改正法によつて選擧權を獲得したのであつた)この度の改革過程の中には異常なものがなければならぬ。

選擧法改正を主要綱領とするラッセル內閣時代におけるグラドストン法案が僅かに四〇萬の新選擧權者增加を意圖したるにも拘らずこれを否決したところの同じ議會が、今や殆んど百萬(註五)の有權者を加へんとする法案を承認したといふ矛盾は如何に解釋すべきであらうか。

(註五) 選擧權者數は一八六六七年における一、三五、九七〇人から一八七〇年の二、二四三、二五九人に增加した。增加數、八九、〇二八九人である。

「一八六六年に論じられ試みられ、行はれたところの總ての一八六七年におけるこの不思議な逆轉の秘密は輿論の潮の滿潮にまで高まつて來たことのうちに發見されうるものゝ如くである。支配階級をして改正法を恐怖せしめたその憶病さが同時にかれらをして瑣々たる人民大衆の示威運動をも怖れしめ、改正法の代償を供したのである。」（註六）（圏點筆者）

（註六） Morley, op. cit., p. 643.

ハイド・パークの暴動、ロンドンからグラスゴウにかけての大都市における街頭行進、バーミンガム、マンチエスター、リーズにおける野外集會等によつて、勞働階級はよし選擧權擴張を熱望してゐないにしても、その拒否に對しては少くとも默視しないであらうことを示したのである。

「當時のおもなる改革の一つですらも議會外の劇烈なるアヂテーションなしには議會において實現されなかつたのである。」（註七）

（註七） Morley, op. cit., pp. 634—35. 例えば一八三二年の選擧法改正は政治的諸聯合により、自由貿易は反穀物條例同盟によつて戰ひとられたのである。

Ramsay Muir はこの改正法通過の矛盾解決の鍵をかへつてグラドストンとデイスレリーの存在といふ個性的偉人に歸一してゐる。

「この一束の矛盾を可能にしたものはイギリス政治が二人の有力者の統治に歸したといふ事實であつた。」

——Muir, A Short History of the Britissh Commonwealth, Vol. II, 1922, p. 584.

この大政治家の側に歴史的過程の窮局因を見出さんとするミューアは當然に「アヂテイション」といふ事實の歴史的抹殺

を敢へてしてゐることになる。

かくして選擧法改正が大衆の壓力によつて實現され、勞働階級が政治の舞臺に登場して來たのであるから(この點が一八三二年の第一次改正法と決定的に異なる特徴である)、勞働階級に對する態度が決定されねばならぬ。

「この大なる立憲的變化が如何にして成就されたか――政治家の熟慮、斷行によつてではなく環境の力による――を考察するならば、その結果は大きな不安を以て見らるることは當然であらう。」

而して、

「多くの思慮ある人々には國家がまさにデモクラシーの懸崖にさしかゝつてゐることを信じた」、としても、又ダービー伯のいはゆる「闇に躍び込むの輕擧」(Leap in the dark)と言はれる不安があるにしても、問題は決して單なる偶然によつて成起したのではなかつた筈である。

故に、積極的な認識態度は次の如く事態の現實性から眼を逭らさないのである。

「國家の衆民的要素が決定的な優勢を獲得したことは正當には疑ふことができない、制度の如何に拘らず輿論は吾々の政治的運命の窮局の支配者となつ

たのである……従つて輿論のうちに吾々の安全と危險とが同時に横たはつてゐる。」（註八）（傍點筆者）

（註八）　May, op. cit., pp. 441—443.

兎も角も、勞働階級は、今や政治的過程の重大なる役割を演ずべき運命を擔つた。この勞働階級の擡頭はイギリスにおける此の時期の社會・經濟的構成の一聯の現象と機構的に結びついて特殊なる具體的契機を隨伴してゐるが故に、この方面における分析を與へることなくしては眞實に選擧法改正なる政治的現象を把握することは不可能であらう。（註九）

（註九）　なほ選擧法改正に寄與せる他の契機としては、ドイツにおける普通選擧制度の施行をもあげなければならない。この制度がイギリスに寄與した點はその施行の結果が甚だ穩健なものであつたといふことである。特にこの點に就いて政府方面では借家人選擧權に好意を持ち甫めたもの丶如く解されるのである。

第二篇　自由主義の基本的特徴とその基礎

第五章　一八六七年——一八七四年の自由主義的政治過程を特質ずける根基的規定

われわれは既に上來選擧法改正の諸內容諸形態を敍述するところあつたが、今こゝにこの段階を歷史的系列において範疇的に捨象することによつてMiddle-Class的自由主義の段階と規定しうるであらう。從つて同じことではあるが政治過程の現實的·特殊的內容はこのMiddle-Class的自由主義の本質的內容によつて包括され、普遍的に把握される。然し飜つて、この自由主義のMidde-Class的性格を把握するならば、このMiddle-Classの主宰する社會經濟構成の根基的特徵との聯關を探ねることなくしては無意味とならねばならぬ。何故ならばこの根基的特徵こそはMiddle-Classの政治的要求の現實的內容の基礎をなし、グラドストンの自由主義的政治的實踐に反映せられてゐるが故である。

一

われわれが史的研究の對象として撰んだ一八六七年――一八七三年の時代はイギリスの自由主義的經濟の發展の最高の段階に屬してゐる。この國の經濟は一八六六年の恐慌によつて可成りの痛手を受けながらもこの恐慌は乘り切りえたのである。だが、一八七三年の世界的な大恐慌とそれに續く長期の不景氣はイギリスの自由主義經濟を終局的に葬つてしまつた。それ以後イギリスの經濟體制は帝國主義的段階へと徐々に這入り込んで行つたのである。

從つて一八七三年を境としてイギリスの經濟體制は重大な變容を受けねばならなかつた。故にこの段階規定の上に立つてわれわれはイギリス史を把握せねばならぬ。一八七三年以後の敍述は後に若干觸れようと思ふが一八六七年――一八七三年の時代は自由主義的經濟體制の最高の發展段階に屬するが故にわれわれはそれより前期の自由主義的段階を回顧することによつてその本質的特徵を把捉しようと思ふ。

一八六七年――一八七三年におけるグレート・ブリテンの經濟的發展は一八四六年の穀物條例の撤廢とそれに伴つて必然的に生じた自餘の財政改革によつて促進された工業生産及び自由貿易の成長の繼續的な又はかへつてその發展の頂

點を形成する過程の連鎖である。

一八四七年の恐慌の後、正確に言へば一八五二年の景氣上向後のFree-Trade政策の勝利に從つてそれによつて刺戟された工業的生產の增大にとつて重要な契機となつたものは、グレート・ブリテンのみならずヨーロッパ、アメリカ大陸にまで及ぶ鐵道、蒸汽船の發展である。この交通機關の實現は商品の流通を世界的たらしめる世界市場の樹立を意味した。更に他の契機はオーストラリア及びカリフォルニアの金山地の發見であつて、これによつて世界の金のストックは增大した。この交換手段の增加が商品流通を刺戟したことは言ふまでもない。

然もこの擴大された世界市場の中心地が、世界に先立つて產業革命を遂行し當時恐らく唯一の機械的生產を增大せしめてゐた大工業國グレート・ブリテンに置かれて、諸他の國は主として農業國としての意味を持つてゐるに過ぎなかつたが故に、イギリスは之等諸國の過剩原料の大部分を消費し、その代り之等の諸國に對してその必要とする工樣生產品の大部分を供給したのである。事實、當時イギリスは多くの工業部門において獨占的地位を有してゐた。そのうち最も顯著なるは製鐵工業部門である。フランスは機械生產に關する限り、低廉なる石炭・鐵を獲得することが困難であつた爲にイギリスと競爭することは不可能であつた。ドイツ及びアメリカはやつと發展し肇めた許りである。ドイツは三つの戰爭、デンマーク(一八六四年)、オーストリア(一八六六年)及びフランス(一八七〇年)との戰爭に國力を賭してゐたし、オーストリヤ及びイタリーは同じく戰爭に從事し、一八四八年と一八七〇年の間の紛爭の復活の用意をしつゝあつた。ロシアはクリミヤ戰爭後農奴を開放しつゝ一般的に經濟體制を近代的編成へと轉換しつゝあつた。アメリカも市民戰爭(一八六一年――一八六五年)を起しその結果の整理に從事しつゝあつた。

グレート・ブリテンはこの總ての交戰諸國に軍需品及び資金を供給してゐたのである。アメリカは市民戰爭とそれに續く保護關稅のために海運業及び造船業の獨占をイギリスに讓渡して終つた。二十年前には米國旗が大洋上において英國旗を凌ぎそうな形勢であつたが、今や昔日の形影を殆んど大洋に認めない。

大陸の大部分が一八六〇年と一八七〇年の間に低率關稅の體制を採用したのでイギリス商品の侵入に對する障壁は殆んどないといつていゝのであつた。更に支那との貿易の開始及び一八四二年におけるホンコンの獲得、一八五八年には更に新しい商港の開放、同年には又日本と貿易の開始、一八五七年のシャムとの貿易開始などは極東貿易を刺戟した。

一八五〇年——一八七三年にグレート・ブリテンはまさに世界の鍛冶屋、世界の運送者、世界の造船業者、世界の銀行家、世界の工場であつた。(註一)

(註一) Knowles, The Industrial and Commercial Revolutions in Great Britain during the Nineteenth Century, 1922, p. 139.

今此の時代におけるイギリスの世界における工業獨占の地位を明瞭ならしむるために之を數字によつて示す。(第一表參照)

輸出入とも着實なテンポで增大してゐる。輸出金額のおよそ四分ノ三は工業製品、原料輸出は石炭で、10分ノ一に過ぎぬ。

輸出品の最高額を占めるものは綿製品であつて輸出總額の四分の一に當る。第二位は鐵及び綱鐵であるが、機械の輸出は特に著るしい。次いで毛織物、リンネン

(第一表) グレート・ブリテン輸出入貿易表

年平均	輸入 百萬封度單位	再輸出 同單位	聯合王國製品輸出 同單位
1855—1859	169	23	116
1860—1864	235	42	138
1865—1869	286	49	181
1870—1874	346	55	235

の順序である。輸入は食糧品が多く其の他工業原料を含む。

輸出額の多い、發展テンポの最も大なる織物、鐵及び鋼鐵及び石炭の數字を擧げて見よう。（第二表、第三表參照）

第二表

單位千ポンド	鐵及び鋼鐵	機械類
1830	1.079	209
1840	2.525	593
1850	5.350	1.042
1860	12.138	3.838
1870	23.538	5.293

織物

單位千ポンド	綿絲及綿織物	毛絲及毛織物
1830	19.429	4.851
1840	24.669	5.781
1850	28.257	10.040
1860	52.012	16.000
1870	71.416	26.658

單位千ポンド	絹絲	衣類
1830	521	983
1840	793	1.290
1850	1.256	2.535
1860	2.413	2.474
1870	2.605	3.881

鐵及鋼鐵は穀物條例廢止前の一八四〇年から一八七〇年までに約十倍、機械は十倍弱、綿絲·綿織物は三倍、毛絲·毛織物は五倍、絹絲四倍、衣類は三倍、何れも增加してゐる。絹類は一八六〇年、コブデン條約によつてフランス絹に對し關稅が除かれたゝめに一八六〇年以後は生產[illegible]體が甚だしく低下した。

第三表　石炭

單位千ポンド	
1830	184
1840	577
1850	1.284
1860	3.316
1870	5.638

石炭は約十倍がた增加を示してゐる。

イギリスの工業生產力の如何に尨大であつたかは、工業生產の條件たる、蒸氣力及び機械の基礎的な前提である燃料(石炭)の產額を他國と比較することによつて明かとなるであらう。（第四表參照）（註二）

（註二）統計は總て Knowles, op. cit., p. 141, 165. に依る。

第四表

單位百萬トン	聯合王國	フランス	ドイツ	アメリカ
1855—1859	66.0	7.5	—	12.4
1860—1864	84.9	9.8	15.4	16.7
1865—1869	103.0	12.4	23.5	26.7
1870—1874	120.7	15.1	31.8	43.1
1875—1879	133.3	16.3	38.4	52.2
1880—1884	156.4	19.3	51.3	88.7
1885—1889	165.2	20.7	60.9	115.3
1890—1894	180.3	25.4	72.0	153.3
1895—1889	201.9	29.6	89.3	189.1
1990—1904	226.8	31.8	110.7	281.0
1905—1908	254.1	34.0	135.3	380.2

一八五五年——一八五九年をとつて見るならばフランス及びアメリカはやつと僅かに工業生產の端緒に過ぎず、ドイツに至つては尙ほ家內勞働の域を脫してゐない。アメリカは一八七〇年——一八七四年に至つて、一八六一年の內亂の結果僅かに自己の資源に賴るようになりあらゆる種類の工業生產物に對する急激の需要を充たさねばならなかつたが、これはアメリカ自身の國內工業を創設する

他なかつた、その結果工業生產は比較的急激に增進したが尙ほイギリスとは問題にならぬ。ドイツは一八五五年頃まではその手工業に基く家內工業のため石炭產額は零である。從つてイギリス工業によつて無殘に蹂躙せられてゐたが次第に機械工業へ移行し、一八六六年以後は確固たる中央政府並びに帝國議會の樹立、統一ある產業立法——卽ち統一ある鑄貨、度量衡の確保などの政治的方便により更に普佛戰爭における戰勝の結果の數十億フランスの賠償金などの流入によつて生產はやはり急激に增大したが、アメリカに及ぶに到つてゐない。尤もこの表に示されてゐる如くアメリカ及びドイツの生產力のその後の發展は遂にイギリスの工業獨占を破壞して終つたのであるが、今茲ではその點には觸れない。

次に人口增加と財產增加の關係を見るならば一八四五年以後七五年まで急激に財產は增大し、人口の增加率に比して遙かに財產增加率が高い

第五表

年	人口 單位百萬人	グレート・ブリテン及びアイルランドにおける動產不動產價格 單位百萬ポンド	人口一人當り額 單位ポンド
1912	17	2700	160
1822	21	2500	120
1833	25	3600	144
1845	28	4000	143
1865	30	6000	200
1875	33	8500	260
1885	37	10000	270
1902	42	15000	357

ことが分る。（第五表參照）（註三）

（註三）L. Brentano, Eine Geschichte der wirtschaftlichen Entwicklung Englands, 3 Bd. 2te Hälfte, S. 44.

かゝるグレート・ブリテンの工業獨占は如何にして發展したか。

グレート・ブリテンは既に十八世紀の末葉の三十年の間に、近代的大工業の組織たる機械と蒸氣力とによる生產の組織が發展したのである。而してこの工業は保護關稅に守られ、然も外國には自由貿易を强制しながら、二十餘年間イギリスの軍艦はその產業上の競爭者を夫々の植民地市場から遮斷しこれらの市場をイギリスのために開拓した。南米の植民地はその母國たるヨーロッパ大陸の諸國の手から離れ、フランス並びにオランダの植民地のある一部はイギリスに侵略され、インドは次第にイギリスに服從しつゝあつた。これらの事實は總てこれらの地域をイギリス工業製品の市場と化したことを表示してゐる。この、實に順調に發展して行つた過程の結果、一八一五年の戰爭が終熄した時には、イギリスは少くとも重要產業部門の總てに對して、世界貿易の事實上の獨占を握つてゐた。

これに續く平和の數年間にこの獨占は更に擴大したが、工業生產の發展はこの獨占せる植民地市場、その他の大陸の市場を以てしても狹隘化した(關稅障壁のために)。この益〻增加しつゝある工業生產物の輸出がイギリスにとつて死活の問題となつて來たのである。然しこの輸出の躍進にとつて重大な障害となつたのは穀物條例による原料品及び食料品への輸入稅と他國の輸入禁止及び保護關稅である。原料品に對する課稅は工業生產物の價格を昂騰せしめ、食料品に課稅すれば勞働の價格が騰貴するのである。かくて製造業者は猛烈なる運動によつて穀物條例を廢止し自由貿易の途へ躍り出した。このイギリスの自由貿易の勝利以後イギリスの貿易はまるでお伽話のように進んだ。第六表に示されてゐる如く、一八四〇年から一八四五年の發展と穀物條例の廢止の一八四六年から一八五三年の輸出を比較して見るならば發展のテンポの差の後者の如何に大なるかを示してゐる。尤も一八四七年の恐慌により一八四九年までは沈滯してゐるが。

第六表

單位百萬ポンド	
1840	51.4
1841	51.6
1842	47.3
1843	52.2
1844	58.5
1845	
1846	[illegible].7
1847	58.8
1848	52.8
1849	63.8
1850	71.3
1851	74.4
1852	78.0
1853	98.9

この期間の前代未聞の工業及び商業の躍進が自由貿易政策の結果であることは勿論であるが、單にそれの

みではない。既に先に一言せる如くカリホルニア及びオーストラリアの金坑の採掘による世界市場における交換手段の増加、更に商品及び人間の運輸機關の一般的變革、――海上では帆船が汽船によつて驅逐せられ、陸上では街道が鐵道によつて驅逐せられた事實も加へねばならぬ。

かくの如く商品輸出に對するあらゆる好條件の具備によつて既に一八一五年に事實上獲得せる獨占は愈〻强固に守られた。

この一世紀近くの獨占はイギリスが工業の中心地であることに歸する。最も進歩せる生産樣式を持つイギリス工業に對してはやつと始まつた許りの工業組織を持つ諸國は少くとも重要産業部門においてはその獨占的優越の前に默視する以外に方法は無かつた。諸國は單に農業的な從屬國に過ぎないのである。

以上が一八七三年までのイギリス經濟史の特徴であるが、この特徴たる工業獨占こそはイギリスの爾餘の社會關係、政治體制の基本的中樞をなすのであつて、この獨占の維持こそが政治家の政策的實踐の中心的課題を形成した。

又この一八七三年以後における工業の獨占の崩壞は、窮局において工業獨占を強化せしめた自由貿易政策の放棄となり、ひいては政治的工作の方向轉換を動向せしむる重要な要素の一となるのである。われわれが一八七三年を區劃して、その前期の最高段階までを取り扱ひ、その年以後除々にではあるが質的變化をイギリスの社會經濟的構成がなす段階を他の機會に讓るのも、右の如きイギリス社會の發展にとつて重大なるモメントたる獨占の發展の最高段階及び崩壞段階を一八七三年が區切つてゐるからである。

以上の如き經濟的構成の上昇的發展を培つてゐる諸觀念は自由貿易の勝利に相應しいものに相異ない。人々の知れる、

Laissez faire et laissez passer, le monde va de lui même.（なすに任せよ、行くにまかせよ、宇宙は自己回轉する）の信條でなければならぬ。カーライルの英譯に從へば Let be 又は Let be alone である。言ふまでもなく政府の任務を秩序維持の限界に止め、いはゆる Non-Interference of State 的立場によつて個人企業の自由を强張するところの經濟的自由主義であつた。更に自由貿易に對するあらゆる障壁の芟除、經費の節減、課稅負擔の輕減、さては平和――戰爭は勞費である――の維持等の諸主張が當時の經濟的支配者のシユラハト・ヴォルトであつたのである。

然しながらかゝる信條のこのまゝの姿は穀物條例廢止を要求しつゝありし變革的努力の時代であつて、自由貿易の最高段階たる七〇年代の初期に至つては自からその基礎的要請は勿論變らないにしても信條の形式は變容して來なければならぬ。こゝには從つて絕對的な經濟的自由主義は存立しえずして、既にして國家的統制が成立し初めてゐる。然しそれは變容といふべき確固たるものであるよりもかへつて最高發展段階に相應しい外觀上の寛大なモラリテであるかも知れぬ。

工業の發展と共に資本の集積・集中を來たし經營規模も次第に大きくなつてくる。從つて勞働者の數も增大してくるが故に勞働者との爭議における損失と營業的煩累は愈々大きくなる。こゝにおいて少くとも重要產業部門においては可能なる限り不必要な爭鬪を避け勞働組合の存立及び力を承認せんとする傾向が生じてくる。巨大なる工業にあつては、未だ產業が幼稚なりし十九世紀初期において勞働階級を人間的存在以上に酷使した如きことは不必要となつたのみではなく妨害にさへなつてきたのである。工業は勞働者を必要以上に搾取することなくして充分に利潤をえた。

この工業生産の發展による巨大工場の出現増加並びにその利潤の増大は、工場主と勞働階級の關係を次第に變化せしめた。工場法は從來工場主によつて絶對に反對されて來たのであるが一八六七年—一八七四年の間にはあらゆる産業部門に擴大された。一八六七年の Factory Acts Extension Acts によつて工場法は金屬、製紙、其の他の産業へ擴大され、五十人以上の勞働者を有する工場が工場法の監督下に置かれることになつた。同年の Workshop Regulation Act によつて五十人以上の工場の幼年、婦人、青年工、の勞働時間、勞働條件、健康狀態に關する規則が制定されたのである。

一陶器工場主は「バーミンガム」紙上に次の如く發表したのである。

「初めて工場法が採用された時、私もその一人であるが陶器工業者二十人の中十九人までが之に反對であつた。ところが今や恐らく二十人の中十九人までそれを手離すことを好まないだらうと思ふ。」(註四)

(註四) Cheyney, An Introduction to the Industrial and Social History of England, 1929, p. 275.

又詳細は後に勞働運動の章において述べるが　ここに一言したいことはたとひ闘爭によつてゞあれ、特に不幸なる勞働階級の地位を規定してゐる法律は次第に廢止されたことである。工場主達は今や勞働階級に對し平和と協調を以て臨むに到つたのである。ストライキでさへ時期の如何によつては有利なりと認められるに到つた。この現象は單に經濟的のみならず、政治的方面からも起つて來た。工場主は自由貿易運動の際においてのみならず、今や日々勞働階級の援助なくしては政治的支配を持續することの困難なることを知り、積極的に勞働階級と結びつかんとする傾向をすら生じ、勞働組合を保護することの必要を感じて來たのであつた。他面既に工業獨占の結果から來る獨占利潤の一部を受けて賃銀にめぐまれたる勞働階級內の內部にも雇主の變化に呼應して自由黨禮讃の聲を永久化せんとする綱領を掲ぐるものが出現するにいたつたのである。

第六章　勞働組合運動と勞働法制

勞働階級に對する自由主義の侵潤を把握するためには吾々は勞働運動の本質的特徴を知らねばならぬ。この時代の勞働階級を支配してゐた「ジャンタ」に就ては既に若干觸れたのであるが、運動の具體的敍述に先立つて、この時代の運動の特徴を簡單に述べておきたい。

當時重要な役割をもつてゐた「ジャンタ」の立場に就いてウッエブは述べた。「かれらは誠心誠意中產階級的反對者の經濟的個人主義に贊意を表し、同階級のより啓蒙的成員ならば讓步することをいとはぬかの團結の自由をのみ要請した。」(註一)

(註一) Webb, op. cit. p. 239.

「かれらの勞働政策は事實善良な雇主ならば自發的に承認するをいとはぬ條件を總ての勞働者に對して獲得することに限られてゐたのである。故にかれらは絕えず、かの、最善なるトレード・ユニオニズムは賃銀增加のための又は賃銀切下げ反對のための一連の總罷業なりとなす熱血漢によつてその冷血性を呪はれてゐた。實際ジャンタは勞働者の解放とは別な方面を見てゐる。」

「かれらは總ての政治的特權の均等化・社會のあらゆる階級への教育的・社會的機會の開放が聯關的に經濟的平等の大部分をもたらすものと信じた。」(註二)

(註二) Webb, op. cit., p. 241.

かくの如き立場からは必然的に勞働組合を議會的鬪爭に使用する議會主義的政策を生む筈である。

これに反して、

「依然選擧權から除外されてゐたトレード・ユニオニストのランク・アンド・フィルは實際上總ての社會的乃至政治的改革には無關心でその勞働團結を以て專ら高額賃銀奪取の手段・又はその仲間をかれらのクラブへ加入することを強制する手段とみなしたのである。このことは特に地方組織に當篏る。そこでは役員も常に非改良主義 Obscurantism に同感してゐるから。」(註三)

(註三) Webb, op. cit., p. 241.

かゝる敵對は、しかしながら舊式の組合又は特殊地方の組合に限られてゐた譯ではない。當時の總ての組合は、ロンドンの組合ですら、政治的行動に對する强固な傳統的嫌惡が依然として殘存してゐて、組合は時に應じてトレード・ユニオニズム自體の防衞のために政治的性質の共同動作に誘はれることがあつても、立法的改革に組合の方向を向けるべく說伏することは組合に大きな勢力を持つジャンタですら出來なかつた。

そこでジャンタは新しく設けられた勞働評議會に眼を轉じこれをトレード・ユニオン界の政治的機關たらしめんとしてその支配の確保のために執拗な鬪爭を開始したのである。

既に一八五八年と一八六七年との間に重要な產業の中心地に永久的な勞働評議會が形成されたことはトレード・ユニオン運動合同の重要な一步であつたのである。

さてこの時期において勞働階級に所關する諸法令改革のための諸組合の團結的鬪爭は一八六四年の「雇主並びに被傭人法」(The Master and Servant Acts)修正の共同的鬪爭を以て火蓋を切つた。この運動は第一階梯に當る。第二階梯は一八六七年に第一階梯よりも重大な局面を展開するところあつた「シェフィールド暴行事件」並びに有名なホーンビイ對クローズ Hornby v. Closs の訴訟事件の判決によつて惹起された。この時の大衆の怒號は、當局による法的彈壓の形を以て脅やかされたのであつた。

第三階梯は一八七一年の勞働組合法 The Trade Union Act 及び刑法修正法 Criminal Law Amendment Act の通過の時期に相應する。

一八六三年の初めにグラスゴウ勞働評議會に對してアレクサンダー・キャンベル Alexander Campbell は「雇主及び被傭人法」を注意すべきことを要求した。此の法律は鑛業部門において常に雇主によつて勞働者に敵對するために利用されたものであるが、更に諸他の産業部門でも等しく使用されたのである。契約違反、仕事の未完成、雇主に對する犯罪等は總て勞働者に對する嚴酷なる刑罰を以て臨まれた。かゝる犯罪に對して多くの場合自身雇主であるところの治安判事の即決を以て逮捕された。雇主は自己に有利な證據を提供することが可能であつたが勞働者は雇主に反對の證據を擧げることはできなかつた。投獄は單に勞働者のみに對する刑罰であつて、雇主は勞働者との契約に違反することがあつても單に損害を賠償することによつて濟んだのである。即ち同じ契約違反でも勞働者の場合は總て刑法上の犯罪とみなされ民法的賠償を認められなかつた。

かくて該法の不公平の苦痛は勞働者には餘りにも痛切に感じられた。一年間に法廷に持ち出された契約違反の事件は一〇、三三九件の漠大な數に上つたことを議會の統計書は示した。恰も、强制的隷屬勞働の範疇を以てすら解せられえたであらう如き性質を有してゐたのである。

キャムベル、マクドナルドの提議でグラスゴウ勞働評議會が該件のアジテーションの方法に關し全國トレード・ユニオン代表者會議を召集した。一八六四年、五月、四日間にわたつて持たれたこの會議は勞働組合史に一エポックを劃するものである。キャムベル、アップルガース、マクドナルド、オッヂャ、ジョウジ・ポッター等、有名な指導者がこの會議に出席したのであるが、ともあれ、トレード・ユニオン代表者の全國的集會が、はじめて、自發的に、純粹に勞働者の問題を勞働者だけの前で論議すべくトレード・ユニオンの組織によつて召集されたのである。

この會議の議事は頗る事務的に運ばれて、國會議員へ猛烈な運動を開始することゝなつた。この運動の結果遂に代議士は下院の喫茶室で集まり、ユニオンの代表者の希望をいれて草案條項を決定してコベットが法案を下院に提出すること〻なつた。同時にグラスゴウ勞働委員會は全國のトレード・ユニオンに代つてアヂテーションによつて法案を支持することを委任された。コベットによつて提案された法案の否決は更に劇烈なアヂテーションを以て酬ひられ、一八六六年、調査委員會が任命されエルコウ卿の報告によつて該案は一八六七年議會を通過した。この一八六七年の The Master and Servant Act (30 & 31 Vic. c. 141)は、最初の積極的なトレード・ユニオンの立法的領野における成功であつて、これによつて議會的アヂテーションの方法に對する自信をえたのである。

この法律によつて、即決的逮捕狀による處分權は廢止され、從つて即決的逮捕が妨止された。そして裁判は治安判事の自宅でなく公判廷においてなされ、勞働者は自己の正當性を表明すべき證據を擧げることを許された等、從來の隷從的な、反市民制的缺陷の一部は叉除されるところがあつた。だが尙充分滿足なものとは言へない。契約違反は依然として、ある場合には犯罪とみなされたる如く重大な點で不正を包含してゐたのである。

他方かくの如き全國的組織の組合の成長(基金並びに組合員の數における)及び組合の相互扶助的闘爭型式が雇主の積局的敵意を刺戟したことは言ふまでもな

た。チャーチスト以後の眠りから更生した勞働階級の力を喰止めるために雇主は再び强力な集團に結合し新しい武器「工場閉鎖」Lock-out を以て敵對した。(註四)

(註四) ドキュメント Document の呈示は從來資本家が勞働階級に對して常套的に使用してきた武器であつて、勞働者が勞働組合員ならざる證明書に自署して呈示するのである。もしこのドキュメントを呈示しないか又は呈示しえないものは解雇された。この方法は勿論勞働者の團結破壞の手段であるが、一八五二年の「合同機械工組合」、一八五九年の建築工の爭議の際に缺陷を呈露して以來ロック・アウト的方法に轉換した。これとて別に新しく發明されたものではないが。ロック・アウトの最初の使用に就ては Graham Wallas, Life of Francis Place, 1918. を參照されたし。

ロック・アウトは南ヨークシャの鑛山主が特に用ひたのであるが、一八六五年には全産業に亘り使用されこの時代の一の特徴とさへなりつゝあつた。(註五)

(註五) 一八六六年にはヨークシャの一鑛山勞働者が六年のうち二年間はロック・アウトされたと不平をこぼした例、ウェッブ前掲書二五六頁參照。

だが、このロック・アウトは勞働階級を刺戟する事に力あつたとはいへ組合破壞の目的を達成するには到らなかつた。

一八六六年の十月、シエフキールドのニュー・ヒアフォード街の一勞働者の家で火藥爆發事件が起つた。シエフキールドは從來から舊型の暴力的鬪爭を以て著名であつて、これもその一例であつたが、過去、數年間、ロック・アウトとストライキによる闘爭の激化につれて、トレード・ユニオンは特に、いはゆる有害植物」として輿論の反感を甚だしく買つてゐた時であつたから、この事件はトレード・ユニオンに對する根本的憎惡を刺發せしむるに到つたと同時にトレード・ユニオンの徹底的調査をなすべしといふ叫びがあらゆる方面(勞働組合自身の側からも)起つたのである。

この事件における加害者の手がかゝりが容易に發見されなかつたので遂にシエフキールドの勞働クラブは町會、雇主協會と共同して政府に調査を要求した。他方ロンドン勞働評議會及び合同機械工執行委員會においても共同の代表者を派遣して該事件を調査せしめたのである。

その代表者は事件調査の結果、

「それに關與するものを狼狽させ全勞働團結の體面を汚さんとする忌むべきラットニングの行動」に對する強い反感を表明してゐる。(註六)

(註六 Webb, op. cit., p. p. 259—60. なほ Rattening に就てはウエッブの前掲書、同頁註(1)參照。

全國に開催された勞働組合大會もこの暴行に對する反對を示し、トレード・ユニオン運動の敵としての位置をかゝる暴行常習者に押印した。

公式の勅命調査委員の任命は一八六七年二月の勅語で表示された。

この調査が單にシエフヰールドにおけるこの度の事件に止まらず全國的に過去十年間に起つたあらゆる暴行事件にまでその範圍を擴大し、更に特定の勞働クラブの犯罪事實に制限せず、トレード・ユニオン運動の有する全問題並びにその效果をも包含する如きものであつたことは勞働運動の現態樣に徵して見て當然のことゝ云はねばならぬ。

かくの如く、舊型トレード・ユニオンの暴力的・經濟主義萬能に對する支配者諸層の敵對感情の昂揚によつてトレード・ユニオンは今や重大な危機に直面しつゝあるのであるがそれと並んで更に他の一の危機が釀成されてきたのである。

卽ち一八六七年、製鑵工組合のブラドフォード支部の會計係が二四ポンドを不當に差控えたことに對する訴訟において、ドレード・ユニオンは一つの勞働組合として『共濟組合法』の領域外なるが故に該法のもとに訴訟を提起しえずといふ決定が與へられ、最高民事法廷にまで運ばれたのであるが該法廷において前判決は確認され剩さへその理由として、組合の諸目的は一八二五年以後、よし現實に罰せられないとはいへなほ職業を抑制する限り非合法的組合であると宣明

されたのである。即ち全國の勞働組合は今まで獲得してゐるものと考へてゐた法律的地位が剝奪されたのを見た譯である。（註七）

（註七）「一言を以て覆へば、組合は（博識の判事の暗示に依らずとも――刑事上）、兎も角、賭博、公共有害物その他公安を害する事由――法律によつて誹難・抑壓さるべき事態に似た何ものかになつてゐる。」ハリソン Harrison の敍述。Beehive, Jan. 26, 1867. Cf. S. & B. Webb, op. cit., p. 262.

アプルガースは判決の直後「勞働組合運動の內閣」と呼ばれた「合同勞働會議」（一八六七年――一八七一年）を召集した。（註八）

（註八）この會議はその名稱の大袈裟なのに比して、實際は五人の指導者並びにその他數人の者の私的な週每の會合に過ぎなかつた。「內閣」と指稱される所以でもあらう。Webb, op. cit., p. 263.

かゝる重大な危機に立つて當時指導的な地位を勞働組合に有してゐた「ジャンタ」の態度は注目すべき、首尾一貫せる固有の特質を呈露した。

此の期に生起した問題の包含する契機が今やトレード・ユニオンそのものゝ存在的性格の一點に集中されたことに關連して、「ジャンタ」はかへつて自己の指導下にある諸組合のセクト的擁護を以て諸他の勞働組合からそれを離隔せんとしたのであつた。

「ジャンタ及びその同盟者の政策は委員（勅命〔筆者註〕）の注意を、無數の小さな地方的舊型勞働クラブに對別せらるべきより大きな勞働共濟諸組合に集中せしむることであつた。」

「合同大工組合の總務書記局は、當時トレード・ユニオン界で第三位の財政的強大さを占めてゐた同組合がストライキを誘發することを止め、主として一保險會社の機能を果してゐるといふ事實を示すことができた。」とウエッブは書き記してゐる。（註九）

（註九）Webb, op. cit., pp. 265—266.

「ジャンタ」は勅命委員會への働きかけにおいてミドゥル・クラス側の同情者・フレデリック・ハリソン、ビースリイ敎授、ヘンリー・クロムプトン、トム・ヒューズを同盟者とすることを以て始めた。

「ジャンタ」はその政策を成功的に實踐した。犯罪行爲は全體としてのトレード・ユニオンにその責を負はすべきでないことが勅命委員によつて明かにせられた。

この勅命委員會に對するジャンタの運動の成功は同時に支配階級の變化した態度に反映してゐる。（註十）

（註十）ブラッセイ氏の議會における劃期的演舌はそのよき例證の一つでもあらうか。大請負師の息子でありながらトレード・ユニオンに左袒して剰さへ次の如く斷定した。

勞働者の性質に有用な影響を與へることによつて、トレード・ユニオンは勞働賃銀を値上するどころか、むしろ低下せしめさへする傾向をもつてゐると。ジャンタの社會的性格が明白に擧示せられてゐる。

C f. Hansard's Parliamentary Debates, July, 7, 1869. Webb, op. cit., p. 269, Note. 2.

一八六八年の總選擧がかゝる事態の經過のうちに迎えられた。一八六七年の改正法によつて都市勞働階級に與へられた特權をかれらが實行するに躊躇する筈もないであらう。「ジャンタ」は「合同勞働會議」の便利な假面を被つて一つの廻章を一八六八年七月に發行した。その廻章は選擧人として登錄すべきこと、及び總ての候補者に勞働組合の關心事を問題とすべく懇願すること等を强調してゐた。諸々の組合評議會は全國的に候補者の說伏を行つた。

「ジャンタ」の影響下に立たぬ諸他のトレード・ユニオンも、トレード・ユニオンの要求を支持する候補者にのみ投票すべしと强硬に主張して各候補者を困惑せしめたものゝ如くであつた。かれらは當選しえんがためには勞働組合に左袒することを約するの餘議なきに立到つたのである。かくて總選擧の結果は自由黨政府の勝利に終つたのである。

だが、自由黨政府及び下院の大部分はあらゆる勞働立法に全くの敵意を抱きかへつて提案を握り潰すための努力をさへ試みたのである。

一八六九年に一つの包括的な法案がフレデリック・ハリソンによつて起草された。この草案はシェフキールド事件に關聯せる報告者の立法案の總てを具體化したものであつた。この草案はマンデラ Mundella 及びヒューズ Hughes によつて議會に提出され、雇主の拒否を受けたのではあつたが、新しく選擧された議員並びに院外の大衆によつて强力にバック・アップされた。全國各地から請願が國會議員の下に達し　勞働者のデモンストレーションがエクスター・ホールで開かれた。

回避最早不可能なるを洞察した政府は遂にその敵對的態度を放棄し、一八七〇年政府案を提出する條件で第二讀會に贊同を與へた。依つて、會期の終り頃に、完全な法案が提出せれるまでの　トレード・ユニオン基金に一時的保護を與へる假法案が議會を通過した。これ卽ち一八六九年の Trade Unions Funds Protection Act (32 and 33 Vic. c. 61) である。「ジャンタ」の政治的鬪爭の最初の勝利でなければならぬ。(註十一)

(註十一)　この假法案はケアンズ伯 (Earl Cairns) によつて上院で劇しく反對された。その論據は、トレード・ユニオンに對してその非難すべき原則の放棄を要求することなく、同じやうに總ての組合基金に普遍的保護を與へることは勅命委員會の報告に眞反對であるのみならず、實にそれは既に竊盗並びに委託金費消に關する法令(Russel Gurney's Act 31 and 32 Vic. c. 116)によつて保護されてゐるが故に今更その保護の必要を見ないと。

だが、ハリソン及びジャンタの僚友によつて強く指摘された如く、その保護とて、たゞ罪を犯せる組合書記を投獄せしめうるに過ぎず、當然に支拂ふべき金額を賠償せしむる權利なく、又いはゆる仕事妨害のための勞働者團結の非合法性を交除するにも至つておらぬ。Webb, op. cit., p. 275, Note 2.

然しながら、政府は其の後と雖も依然として組合の要望たる組合の法的地位の確認に就いて許諾を與へることを好まなかつた。一八七〇年を通じての强硬な請願によつて遂に一八七一年時の內相ヘンリ・ブルウス Henry Bruce (後の Lord Aberdare) は一法案を提出した。特に「ジャンタ」によつて要望された點について該法案は殆んど總てにおいて讓歩を示してゐる。卽ちその原則が刑法に違反せぬ限り總ての組合が登錄することを承認され、登錄によつてその基金の全き保護を與へられ、加ふるに、組合はその內部的組織及び管理の問題に外部から干涉を受けることなき自由を確保し、內部問題に關しては裁判所に訴へ又は訴へらるゝことを妨げうべき登記が案出されてゐる。

かくてトレード・ユニオンはその目的が如何に廣汎にわたらうとも、單に且

restraint of Trade といふ理由で非合法であることはできぬことゝなつたのである。傭主はこの法案がトレード・ユニオンの全要求に實際上譲歩したものだとして猛烈に政府を攻撃した。

だが、勞働階級の觀點からすれば、この法案が組合の法的確認を含むにもかかはらず他面一つの著しき不利益をも同時に具有してゐる。即ち冗長に近き精細を極めたる罰則規定との二本槍を示すものだからである。

この法案は一八五九年の Molestation of Workmen Act (22 & 25 Vict. c. 34)による合法的團體加入の平和的說得の承認の依然たる拒否でさへある。古き團結法の總ての語句、「暴力行使」「妨害」「遮斷」「脅迫」「威嚇」等々が明確な定義乃至限界を附せられずに使用され、剰へピケティングは、截然と脅迫又は威嚇とみなされてゐる。即ち繼續的な追跡又は建物の見張り、包圍、又建物への接近は「脅迫」とみなし、同じく三ヶ月を越えざる懲役又は禁錮の刑を受けねばならぬ。(註十二)

(註十二)　「刑法修正法」The Criminal Law Amendment Act (一八七一年) 第一項。尙ほこの點に關聯する條文については、Hedges & Winterbottom, The Legal History of Trade Unionism, 1930, p. 112. 參照。Picketing の勞働爭議における作用に就ては、Webb, op. cit., p. 278, Note I. 參照。

この政府案は、フレデリック・ハリソンによつてなされたる、特別に勞働者にのみ適用せられる刑罰規定廢止の提案を不問に附してゐるのみではない。過去幾年か勞働運動者の苦杯を嘗めたる諸判決に全く手を觸れず、かへつて、それらの判決を綜合し法典化して、制定することによつて、その效力をより統一的・效果的ならしめんとすら意圖せるものと斷定されうるであらう。

一方において許可せられたるものを他方においては不許可ならしむる意圖を有すると言はれうるのである。

「勞働組合の存在は合法的であるといふ宣言も、もしその目的を達成するための通常の平和的手段にまで刑法が擴張されるならば恐らくその宣言は何らの效用を有せぬであらう。」(註十三)

(註十三) Webb, op. cit., p. 280.

この反對に對する政府の態度が、敍上の如く現在秩序の明白な承認の上に立つ「ジャンタ」の主張に形式的讓歩を示す意圖を有してゐたに過ぎなく、勞働團結を合法の領野に持ち來り、階級對立を協調に基礎ずけ、勞働組合を階級鬪爭の武器として使用するを禁じ、眞に勞働階級の相互共濟的結合たらしめんとする意思の法典化であつて見れば、「ジャンタ」の目的は到達したもの丶如くである。勿論これとて傭主の保守的な反對派の態度に比較するならば一歩進んでゐることは言ふまでもない。然し前述の如く讓歩といふには眞に餘りにも形式的に過ぎず、

「もしトレード・ユニオンが眞にたゞ共濟的組合並びに產業的調和增進のための團體であるならば、政府が不埒な行動を制壓せんとするに反對的主張をなす理由はない筈」であるとしても、又、「事實、政府は全く論理的に、アプルガース並びにその僚反の敬虔なる誓言に適應する行動をとることを條件として勞働組合合法化を表明した、」(註)としても、

又それはなるほど論理一貫してゐるもの丶如くではあるが、政府の立場は、雇主の經濟的狀勢變化による攻勢的態度を全然捨象してゐる點に、トレード・ユニオン側からすれば缺陷があり、從つて「ジャンタ」をすら滿足せしめるに足りないものとされるのである。(註十四)

(註十四) G. D. H. Cole, op. cit., vol. II, p. 104.

この法案を検討するために『ジャンタ』は一八七一年四月に「ロンドン會議」を召集した。此の會議は最初該法案の第三項刑罰的規定廢止問題に討議を集中したのであるが漸次全法案反對にまで發展せんとした。然し、窮局において法案における組合の法的確認の項はそのまゝ承認し第三項のみを削除せしむるために努力することに一致し、代表を內務省に送つたのである。抗議に次ぐに抗議を以て毎日政府及び下院に迫つたのであるが、兩者は雇主の長年の傳統的信條たりし「自由競爭」と「個人契約」を制限するトレード・ユニオンに何等の好意を示さなかつた。抗議によつて窮局的に獲得された點は單に法案を、組合の法的確認と形罰的條項に二分しそれぞれ別個の法律たらしめんとするにあつた。

この「幻想的讓歩」はヒユーズ及びマンデラの、議會における反對主張並びに甚だ少數の支持者の努力にもかゝはらず採決投票なくして第二讀會を通過した。それ以後重大な反對もなく一遮千里に諸階梯を通り過ぎた。上院においては、ピケテイングに對する罰則規定がより嚴重となつて單一的個人による見張り、封鎖に更に群衆のそれをも挿入されたのである。この二つの法案は一八七一年の 34 and 35 Vic. c. 31 (Trade Union Act)及び 34 and 35 Vic. c. 32 (Criminal Law Amendment

Act) として法律となつた。Trade Union Act の第二項の

「總てのトレード・ユニオンの目的は單に in restraint of Trade の理由を以て違法とみなすことを得ず、而してその組合員は謀叛その他のかどによつて起訴せられることなし。」

といふトレード・ユニオンの法的承認と保護は、Criminal Law Amendment Act 第一項の勞働組合の行動に關する禁止條項によつて相殺乃至かへつて强壓された形であらう。(註十五)

(註十五) Cf. Hedges & Winterbottom, op. cit., p. 67. p. 112.

トレード・ユニオンの眼からは明かな敗北であつた。然し合同組合の指導者、特にアラン及びアプルガースは個人的にはその目的を達した譯である。一連の大組合は早速登錄し一八七一年の九月には合同組合會議は『組織された義務から放免された』ので解散して終つた。「ジャンタ」の立場からの一應の成功にもかゝはらず、刑法修正法は堪えがたきものであつた。

この刑罰法規の危險は直ちに明白な形をとつて現はれて來た。新法律の下に形罰的追害が開始されたのである。あらゆる種類の瑣々たる犯罪のために告發

され・投獄された。例へばロンドン機械工の九時間法獲得運動から起つたある事件において、一人の勞働者は他の勞働者に雇主との新規契約をしないやうにと說いたかどで徵役を判決された。つまりこの一勞働者の行動は一八七一年の法律の「脅迫」に該當するものと押印された譯である。更に極端に苛酷に修正法の適用された例證の一つ。一八七一年、サウス・ウエールスにおいて、七人の婦人が一人のストライキ破り(Blackleg)に“Bah!”と言つたゞけで投獄されてゐる。かくの如くして無數の告發が粗暴なる言葉の使用のために惹起されるのであつて見れば、罷業を起した工場に就職しないことを勸誘する勞働組合員のあらゆる行爲は新法の下においては懲役に終る。

翻つてかゝる堪えがたき不正の狀態が他面における傭主の自由によつて照し出されることを識らねばならぬ。

傭主はブラック・リスト及び品行證明書を用ひて危險人物なること明かなる時は雇傭しない。雇主のかゝる形態の脅迫又は威赫は起訴されないのである。

「雇傭主によるボイコッティングは自由に認められ、勞働階級によるボイコッティングは制壓される。」(註十六)

（註十六） Webb, op. cit., p. 284.
ヘンリー・クロムプトン（Henry Crompton）は這般の事態を特徴的に呈露してゐる。「一八七一年の立法の唯一の效果はストライキの目的を非合法ならしめぬことであつた。ストライキは完全に合法的であつた。然しもし使用されたる手段が雇傭主を强制することを目論んでゐるのであるならばそれは非合法的手段であつた。そして合法的行動をなさんとする團結にしてその手段が非合法的なりせば一つの刑事的裁判であつた。換言せば、ストライキは適法であるがストライキを實行するに當つてなされたる行爲は違法であつた。」Digest of the Labourer Laws, 1875.

一八七二年十二月、ロンドン、ガス點火夫が單に一齊に仕事切上げをなすべく準備したことによつて一年の懲役を宣告されたことはトレード・ユニオンの憤激を極端にたかめたのである。ロンドン勞働評議會は代表者會議を召集し討議の結果幾多の代表者が入れ替り立ち替り政府當局、國會議員の下に派遣された。一八七一年から一八七五年に至る四年間はトレード・ユニオンは殆んど『刑法修正法』廢止アヂテーションに終止したかの如き觀あるであらう。

然るに、このアヂテーションの全歷史が證明したことは支配的諸層が一八六七年に選擧權を與へた勞働階級に如何に同情を有せざるかといふことであつた。政府及び下院は一八七一年の立法を以て、多年の懸案たりし問題の充分にして終決的な解決とみなし、グラドストン政府は一八七四年その崩落に到るまで刑法修正法變更の可能を參酌することをさへ頑固に拒んでゐたのである。勞働者が街路で穩和に言葉を掛けることすら此の法律によつて獄に送られるのだといふ代表者の再三の指摘も徒勞に終つた。グラドストンは議會において總理大臣として、一八七二年、此の立法以上の立法の必要を否認し該問題を取り上げることを拒んだ。その會期中において、議會委員は形法修正法廢止法案を進んで上提する議員を見出しえなかつた狀態であつた。

「一八六八年——一八七四年の自由黨政治は、下院における多數の自由・保守兩黨員と同じく、全く、勞働者側の效果的な團體契約に對立感情を有する工場主によつて支配されてゐた」とウエッブは述べてゐる。(註十七)

(註十七) op. cit., p. 285.

一八七四年の總選擧の直前、シエフキールドにおいて開らかれた勞働組合會議の議事錄を見るならば自由黨指導者の勞働者の要求に對する鈍感さに激怒してゐることが明白に看取される。

この激怒は一八七五年のトレード・ユニオン法の制定によつて鎭靜に歸した。此の段階は、然しながら本稿の觸れるべき領野ではない。

第七章　勞働階級と自由主義、並びにその基礎

チャーティズムの失却以後十年間は勞働階級の運動は全く政治的領野から退潮して封鎖的な勞働組合及び協同組合運動の殼に身を潛めて終つた。グラドストンが「富の痲醉的增殖」と下院で演舌したこの形容詞はまさに勞働階級に對して表白されたと解さるべきではなからうか。

急進的自由主義者コブデンはみずから反穀物條例の指導者としてイギリスの經濟的發展の偉大なる寄與者であつたにもかゝはらず自由貿易の效力の餘りにも大なりしにむしろ焦燥をすら感じたものゝ如くである。

「彼等に對して加へられたる嘲罵、侮辱の下にありて餘りにも靜肅である。彼等の間にはその政治上の虐使者に對抗して、奴隷階級敵對の先頭に立つスパルタクスはゐないか。余は現代をしてかくも靜肅ならしめてゐるものはチャーティズムの無鐵砲なる行動に對する反動だと思ふ。」(一八六一年)(註一)

(註一) John Morley, Life of Cobden, 1903, p. 829.

勿論チャーティズムの反動もあるであらう。然しながらコブデンは自己の指導せる、經濟的自己運動であるかの如くでさへあつた富の增殖運動が勞働階級を如何に裕福ならしめたかを默殺してゐる。何故に「智恵の樹の實」を食はざる勞働階級が徒らに敵對するのであらうか。彼等はしかく觀念的存在ではない。進步的史家マックス・ベアは勞働階級への自由主義の侵潤を次の如く總括的に呈露してゐる。

「自由思想の絕對的な支配と、勞働階級の半ば無意識的な、半ば積極的な現存秩序の墨守。チャーティズムの崩壞に續く二十年間はミドゥル・クラス自由主義の黃金時代を形成した。ミルがその論文自由論」において敍述した如き學說の魅惑、イギリス商工業の驚くべき發展、世界の工場としてのグレート・ブリテンの無双の地位等がイギリス自由主義をして自由と富を得んと紛骨しつゝある總ての國民の道標たらしめたのである。經濟關係の調節者としての競爭、平和及び好誼の國際的紐帶としての自由貿易、國內政治の神聖なる理想としての個人の自由は、至上者として君臨し、その勢力の下に過去の社會革命の諸觀念の全構成は姿を消してしまつた。勞働階級は意氣揚々たる自由主義の

一部分を形成してゐた。」(註二)

(註二) M. Beer, A History of British Socialism, 1920, vol. II, p. 195.

包括的に規定された自由主義のこの諸特質が必然なる過程として現出してゐる時「國際勞働者協會」のあらゆる社會主義的企圖も再びチャーティズムの變革的精神を招來せしめうるの力を顯現しうる筈もなかつたのである。チャーティズムの昂揚と沈退も恐慌と景氣回復の波に規定されてゐることを知らねばならぬ。

この時代は勞働階級が戰捷的自由主義の一部分を形成してゐて社會主義は本來の形では全く存在しなかつた、といふことを強調する必要がある。

「國際勞働者協會」に參加せるイギリスの勞働組合指導者達、ヘンリー・ブロードハースト(Henry Broadhurst)、ロバート・アプルガス(Robert Applegarth)、ジョージオッジャー(George Odger)、ロバート・ハートウェル(Robert Hartwell)、ダブリュー・ランダル・クリーマー(W. Randall Cremer)、ジョウヂ・ホーウェル(George Howell)が、どの程度にマルキシズムを理解してゐたか疑はしい。

コールはこの點に言及してこれらの指導者の理論の低さを指摘して、

「この理論に同意を表したイギリスの指導者は恐らくそれを勞働者の國際的

友誼の表明位に考えてゐたらしい。勿論第一インタナショナルが如何なるものとなるかに就ての概念は持つてゐなかつた。かれらの眼から見ればインタナショナルは最初から一のつけたりの見世物に過ぎなかつた」と極言してゐる。(註三)

(註三) Cole, op. cit., p. 87.

さて、進んでわれわれは當時イギリス勞働者が如何なる意識を有しており如何なる生活態度を持してゐたかに就て少しく具體的に敍述するであらう。先ずしばしば引用されて有名な老チャーティスト、トーマス・クーパーが一八六九年及び一八七〇年、北部イングランドを傳道師の資格で旅行した時に、この地方の勞働者の狀態を一八四〇年――四五年と比較して描いてゐる回想記の中からわれわれもその一節を引用しよう。

「古い我々のチャーティスト時代にはランカシャの勞働者達は幾千となく襤褸を纏つており、かれらの多數はしばしば食物を缺くことさへあつた。然しながら彼等の知識は到る處において啓示せられた。かれらはグルウプを作り、成人せる分別のある男子には立法機關たる下院の議會選擧に投票權を與へねばならぬといひ、たゞやうな政治的正義の偉大なる學說に就いて討論し、或ひはまた社會主義の教說に就て熱心に議論したりしたものだ。今はこんなグルウプはランカシアには見られない。勞働者は立派な着物を着て手をポケットに突込んで協同組合や、かゝる組合や建築組合のかれらの持分やに就て話してゐるのを見かける。又或者は白痴のやうに、小さな獵犬に着物を着せ紐を附けて伴れて歩いてゐるのを見るであらう。かれらは競馬を見に行こうとしてゐるのであり、行けば金を賭けるのである。勞働者は考へることを止めそして理論的な話には耳を藉そうとはしなかつた。少くとも、これらの事はかれらの大多數に當嵌る。生涯の大部分を彼等の教育と向上に盡し且つ、彼等のために入獄の苦しみを嘗めそして堪えてきた者にとつては、これらの總ての事は言葉以上に苦痛であつた。」(註四)

(註四) The Life of Thomas Cooper, 1897, p. 393—4.

かくの如き勞働者の生活態度を老チャーティストは昔を回想して嘆じてゐるのであるが、かつてのチャーティストの眼からはそれが如何に惰落の如く見えようとも政治的上層及び政府にとつては健全な態度と言はなければならぬ。既に一八五四年ジョン・ラッセル卿は下院の演舌において勞働者のかゝる主張・意識の變化を指摘し選擧權資格をかれらにも與へるべきであると斷じて勞働階級の市民としての位置を確認してゐる。

「私の考へでは、一八四八年にわが民衆によつて顯示せられた所感、節度、及び常識は、今なほ選擧權を有せざる國民の多數に選擧權を與へるべき機會の全く熟したこと及び、議員選擧權が彼らに附與されることによつて吾が國家並びに社會組織を利するであらうことを示してゐる。」(註五)

(註五) Th. Rothstein, From Chartism to Labourism, 1929, p. 1884—5. Beiträge zur Geschichte der Arbeiterbewegung in England のイギリス版。

ラッセルによつて示されたる政府側のこの見解に恰も呼應するが如くに「普通選擧權協會」が一八六二年に設立された。それに參加したアプルガースはその最初の宣言において勞働者に向つてかれの立場を鮮明ならしめたのである。曰く、

「從來われわれの努力は單に一の害惡の除去にのみ向けられてゐて、われわれが苦しんでゐる總ての害惡が共同の淵源をもつことについては或ひはすつ

かり忘れてゐるか或ひは幾分か記憶してゐるに過ぎなかつた。共同の淵源―それは社會的地位の高い者の手中に政治的權力が過剩に存在することである。われわれは市民であることを忘れてはならぬ。而して市民の資格においてはわれわれは市民權を持たねばならぬ。また、この權利を獲得することによつてわれわれはより效果的に勞働組合運動者としての合法的要求を確守しうるであらうことを想起せよ。われわれの目的は市民權を獲得せんとする目的のために一の組織を創設することである。語を換えて言ふならばわれわれの正當なる政治權力の分前を獲得せんがために。」(註六)

(註六) Rothstein, Ebenda.

チャーティズム以後死滅せる政治的領野における勞働階級の運動の再興たることの選擧權の要求は、然しながらチャーティストのそれとは本質的に異る。チャーティストの要求の中核は「選擧によつて政治權力を戰ひとり、政治權力によつて社會を再建する」ことであつたが、アプルガスは社會を再建する問題には全く關心を持たない。政治權力の獲得と云ふのは宣言にもある如く過剩なる集中せる權力の勞働階級への讓步による權力の分散、分前の要求である。政治權力の絶對的獲得ではないのである。同廻章でアプルガスが續けて主張してゐる勞働組合運動の方向は平和的な共濟組合(Friendly Society)運動である。雇主との關係を調停によつて統整し、組合をストライキの不經濟と不安から解放し、青年の敎育、過剩勞働者の就業、集會所の建設、老人保護ホームの設立等を含む組織を樹立する運動に力を集中せんとするのである。

この同じアプルガスが「國際勞働者協會」の總務委員であることを見るならば既述のコールの判定は至當であると言はねばならぬ。

アプルガスと同じ立場は、「合同機械工組合」のセクレタリであり「ジャンタ」の一員たるウヰリアム・アラン(William Allan)にも見ることができる。かれの指導下にある機械工組合中央執行委員會は實際的に罷業の武器を放棄してゐた。

一八六七年、かれは勅命委員に對して次の如く語つてゐる。

「總てストライキは全然金錢の徒費である、單に勞働者にとつてのみならず雇主にとつても。」

ストライキの費用の源泉たる臨時金(Contingent Fund)は一八六〇年――一八七二年に再三、組合員の投票によつて廢止され、一時復活したが再び廢止された。

かつて能動的組織たりしトレード・ユニオンのかくの如き方向轉換を古い闘爭を記憶してゐるものは驚愕の眼を以て眺めたのである。

アランのこの態度に對しては穩建にして老練なる指導者ジェ・ダンニング（J. Dunning 製本工組合書記）もさすがに嘲罵的に「製本工勞働廻章」（一八六六年一回）に次の如く述べた。

「かつて有力なりし『合同機械工組合』（The Amalgamated Society of Engineers）も今や共濟組合と同じくストライキを斷行する能力を有せぬ。かつてはこの機能を併有してゐたが今やそれは單に共濟的機能の一つをもつてゐるに過ぎない。……『合同機械工組合』は勞働組合として存在することを止めた。」（註七）

（**註七**） Webb, op. cit. p. 321.

他の選擧權擴張運動の團體たる「ロンドン勞働者協會」（The London Working-Men's Association） 一八六六年二月十六日創立）の指導者は、勞働代表を議會に送る目的を有しながら、その目的は「勞働階級の利益と社會の他の利益とを調和」せしめる、ことであると表明してゐる。

ハムフレイはこの團體について「利益調和」の精神の存在することを指摘してゐ

る。（註八）

（註八） Humphrey, op. cit., p. 17.

「新ユニオニズムの勃興、社會主義の發展が、より戰鬪的・獨立の精神を創造するに至るまで、これらの勞働代表贊助の偉大なる目的は勞働者の見識の廣さと、その利益が一般社會の利益と合致することを示すことであつた。」

コールもこの點を證明してゐる。

「新指導者は勞働者の選擧權を欲した。然しかれらは革命をのぞみはしなかつた、かれらの綱領を是認することを辭せぬミドゥル・クラス自由主義者と出來うる限り共働せんとしてゐた。」Cole, op. cit., p. 82.

哲學的急進派の一人ジョン・スチュアート・ミルは勞働階級の現在秩序への調和的動向を明敏に洞察・確認して、勞働代表に對して下院の席を附與することを「不欠缺」のことだと表示してゐる。（註九）

（註九） ヘンリ・キルゴール（Henry Kilgour）宛一八七〇年八月十五日附書簡

「かれらの存在（勞働代表）は勞働階級の特殊の觀點をもつておりますから公益の充分な討論にとつては不可缺であると私は思ひます。」Humphrey, op. cit., Appendice II.

更に他の例證は、一八六七年の暴行事件でごうごうたる輿論の非難を受けてトレード・ユニオンの存在の法的確認を解消せしめられんとしつゝありし危機に對し劇しいアヂテーションを以てトレード・ユニオンの存在確認を戰つてゐたその最中の一八六八年の總選擧に勞働階級が選んだ候補者はノッティンガムの富裕なる工場主マンデラ氏(Mundella)であることによつて表示されるであらう。尤も彼は最も啓蒙的な工場主で團體契約を逸早く自己の工場に認めた一人であつたが。然しこれによつて勞働階級はたゞかれらの特殊的な政治的差別的待遇を極度に非難してゐるのみであつて毫も階級利益の對立を主張するものでないことを裏書してゐるであらう。

かくてこの衆民制的イギリスにとつての祝福さるべき勞働階級の轉換は有能なる憲法史家ジョウヂ・バートン・アダムス(George Burton Adams)をして、一八六七年の選擧法改正の結果を次の如くに要約せしめた。

「選擧法改正は國民的災害の惹起せざりし半世紀の間に、それに對する恐怖を解消してしまつた。社會は分裂せず、財産は危險に曝されず、急進黨は永く政治的占有を保持しはしなかつた。一八六七年の選擧權大擴張ですら政黨の均衡を紊さなかつた。人々の知的確心のみならず、思想及び行動の性質においてデモクラシーは偉大なる進歩を遂げた。」(註十)

(註十) Adams, Constitutional History of England, 1928, p. 463.

さて、勞働階級の自由主義への轉向が市民制的經濟體制の飛躍的發展に因由することと卽ち一八四六年以來の自由貿易による勞働需要並びに超過利潤の勞働階級への振當により、貨幣賃銀並びに實質賃銀が騰貴したことに因由する點に就ては處々で若干暗示するところがあつたが、こゝでやゝ具體的に說明して見よう。

バクスター(Robert Dudrey Baxter, National Income, 1868)によつたマックス・ベーアの計算では、一八六七年の人口を大凡そ三千萬と見積り、そのうち一千萬は賃銀によつて生活する男子、女子及び兒童であつた。而して國民所得は八億一千四百萬ポンドに上り、そのうち三億二千五百萬ポンドが賃銀勞働者に配分された。從つて勞働階級は一人每に大凡そ三十ポンドの年收入をえたことゝなる。この數字は平均であり、然も賃銀率は甚だしく不平等に配分されてゐるのであるから熟練勞働者は遙かに多い年收入を得てゐる筈である。(註十一)

(註十一) M. Beer, op. cit., p. 221.

一八四六年以後の賃銀の騰起を、イギリス産業の古典的·特徵的部門たる木綿工業を例として年代的に露呈しよう。第一表はランカシャの紡績工の週賃銀を

示す。(註十二)

(註十二) A. L. Bowley, Wages in the United Kingdom, 1900, p. 118. Quoted by Rothstein, op. cit., p. 219.

第一表

年	志・片
1806	24. 2
1810	30. 0
1815	28.11
1833	27. 1
1839	22.11
1841	22. 0
1848	19.11
1850	20. 5
1854	20. 0
1859	24. 1
1865	30. 0
1874	33. 0

この表によれば、十九世紀の初期は一八一〇年を最高、三〇志とし、漸次一八四八年まで繼續的に下降し、一八四八年をドン底として、一八五〇年より再び上昇して一八六五年には一八一〇年の水準に達し、一八七四年には遂にこの水準を突破して三三志を示してゐる。こゝで興味があることは、一八一〇年以後の賃銀の下降線の終局であり、本表の全期を通じての最底點たる一八四八年(十九志十一片)がチャティスト運動の第三期に當ることである。尤もこの年は一八四七年の恐慌が未だ回復してゐないためである。その前年の一八四一年(二二志)がチャティスト運動の第二期、またその前年の一八三九年(二二志一一片)が同じく第一期に相當する。この賃銀の段階的下降線の終局點とそれ以前の比較的な低下點でかの革命的な運動が勃發してゐる。一八四七年の恐慌の回復が一八五〇年に始まつてゐるのであるが同期から徐々に上昇し一八五四年以後一八七四年まで

は飛躍的に増大してゐる。この時期こそかのトレード・ユニオンの自由主義支持への轉向時代である。この統計を更に日用食糧品のうち最も重要なる小麥値段と比較するならば實質賃銀の騰起を明確に看取しうるであらう。第二表(註十三)によれば穀物條例廢止前たる一八四〇年は比較的に小麥の値段が高い。その次期たる一八四五年は比較的安いが、それにしても穀物條例廢止後たる一八五〇年に比較すると甚だしく高價と言はねばならぬ。一八四〇年以前の小麥の價格を知りえないのは殘念であるが、兎も角も、チャティスト第一期は賃銀が低い上に小麥の値段は甚だしく高い。從つて實質賃銀は甚だしく低下する譯である。それに對し一八六五年は賃銀が高い上に小麥の値段は甚だしく安く殆んど穀物條例廢止後たる一八五〇年の値段に近い。從つて實質賃銀は甚だ高度な譯である。一八七〇、一八七五年も一八四〇年に比較するならば遙かに小麥の値段は安いから實質賃銀も高い譯である。一八五五年の小麥の値の高いのは一八五四年のクリミヤ戰爭の影響であらう。

第二表

年次	志片
1840	66. 4
1845	50.10
1850	40. 3
1855	74. 8
1860	53. 3
1865	41.10
1870	46.11
1875	45. 2

(註十三) Rothstein, op. cit., p. 257.

○

因みに、木綿工は總ての勞働者の中で比較的賃銀が高いことを注意しなければならぬ。第三表參照。(註十四)その上に統計面に現はれた賃銀は上層勞働者のそれであることも知つておく必要がある。例へば一八六五年の週賃銀三〇志を年收に換算するならば約七九ポンドとなる。故に先に引用せるバクスターの計算による勞働者の平均年賃銀三〇ポンドの二倍半以上に相當する。從つて平均三〇ポンドとなるためには相當多數の低賃銀勞働者がゐなければならぬ。

第三表

工業部門	成年男工	成年女工	少年男工	少年女工	平均
木綿	29/6	18/8	11/6	10/1	19/7
羊毛	26/10	18/10	8/10	8/4	18/9
亞麻	22/4	10/4	7/8	6/7	12/-
黃麻	21/7	13/5	10/11	9/8	14/3
其他	28/1	15/5	10/5	8/11	17/6

(註十四) Rothstein, op. cit., p. 225. この表は單に木綿工賃銀の相對的比較に過ぎぬ。

同じくランカシアの勞働者の賃銀統計を他の統計學者のそれによつて見る。(第四表參照)(註十五)

第四表

1810—16	79.66
1823—24	73.00
1832—33	71.00
1840—41	65.66
1849—50	65.66
1855	70.50
1860	71.66
1870	88.66
1874	100.00

(註十五) 一八八六年を一〇〇とせるインデックス・ナムバーである。Wood, A History of Wages in the Cotton Industry. Quoded by Rothstein, op. cit., p. 219.

この場合も第一表と略〻同じ結果が現はれてゐる。卽ち十九世紀初年一八二三年——二四年を最高とし(七三・〇〇)以後下降し一八四〇年——一八五〇年を最低點とし(六五・六六)に一八五五年より再び上昇し一八七四年には一八八六年のレヴエルに達してゐる。幾分の相違は、ウッドの統計には紡績工のみならず、綿工業部門に就業する總ゆる勞働者をも包含してゐることに歸せられる。異る方法によれる獨立の調査・計算にもよるであらうが。

更に他の産業部門例えば鑛山勞働者を例にとつて見る。綿工業部門程明確ではないが全體として同じ傾向がこの産業部門でも見られる。(第五表參照)(註十六)

(註十六) この統計は日給である。Bowley, op. cit., p. 107. Quoted by Rothstein, op. cit., p. 220.

一八五〇年まで下降し次に上昇し、そして該世紀の後半には突如たる飛躍をすらなしてゐる。一八七六年——一七八〇年の相當劇しい賃銀の下落は一八七三年の恐慌後の相當に長い不景氣のためである。同じく一八四一年——五〇年が賃銀運動の最低點をなし、一八七一年——七五年が最高點を形成してゐる。

第五表

年次	志	片
1811—20	4.	3
1821—30	4.	2
1831—40	4.	0
1841—50	3.	0
1851—60	3.	8
1861—70	3.	9
1871—75	6.	10
1876—80	4.	4

參考のためになほ他の產業部門について引例する。第六表、第七表、第八表參照。(註十七)

(註十七) Bowley, op. cit. p. 107. Quoted by Rothstein, Ebenda.

毛織工業においては賃銀騰起が一八四五年から既に開始されてゐるが他の二工業部門のうち毛絲工業は一八六〇年より、建築勞働では一八五〇年よりそれぞれ上昇が開始されてゐる。

毛織

年	指數
1815	115
1825	110
1835	75
1845	80
1857	85
1860	95
1870	100

毛絲

年	指數
1823—24	105
1827—31	105
1833	90
1838	90
1855	75
1860—61	81
1866—68	94
1874—	115

建築

年	指數
1810—25	57
1827—30	53
1831—40	57
1850	58
1860	68
1870	76
1880	87

以上統計表の指す如く、賃銀は凡そ、一八五〇年の景氣回復時期より上騰し一八七〇年代の初期即ち第一次グラドストン內閣の後期において絕頂に達してゐる。主として熟練工が最も賃銀の上騰率が高かつたのであるが非熟練工も率は相對的によくなく又上騰期間が短期だとしても兎も角、絕對的には上騰してゐる。

かくの如き狀態であつて見れば、既存の社會秩序と利害の衝突する筈がなく、社會主義的社會の仰望の如きは一の妄想でなければならぬ。しかもこの勞働階級の繁榮が自由貿易の結果に歸せられてゐるが故に、自由貿易の擔荷者たる自由黨、殊にはグラドストンが勞働階級の間に壓倒的勢力を有したのも當然であらう。

終篇　選擧法改正とグラドストン

一八三二年の第一次選擧法改正に續く穀物條例廢止によつてイギリスはマニュファクチャラーの支配するところとなつた。實に自由黨はこのマニュファクチャラーによつて支持せられてゐたのである。勿論既に述べた如く自由黨には三つの分派があつたが、そのイニシアティブを握つてゐたのはかれらである。一八六八年以後、グラドストンはこの自由黨の黨首として内閣の首班として、イギリス社會の中心勢力であり、イギリス經濟の未曾有の發展の直接の受益者である産業資本家の要請を端的に實踐した偉大なる政治家であつたのである。

「一八三二年以後勢力を握つたミドゥス・クラス自由主義者はグヲドストン氏の財政的並びに事業的天稟に全く夢中になり同時にその高邁な道德的理想を尊敬してゐたのである」と批評家は一八七二年に述べてゐる。(註一)

(註一) Morley, Glad tone, vol. I, p. 768.

又シャフツベリ卿は一八六八年の狀態を次の如く述べた。

「現在の狀勢を一口に言へばマンチェスター派の勝利の時代が來たのであり、グラドストンはその門人であり機關であると云ふことだ。そして當分かれらは非常な利益を占めるであらう。」（註二）

（註二）Morley, op. cit., vol. I. p. 603.

更にグラドストンはみずから一八六三年四月十六日の下院における豫算案提出演說においてこの事實を裏書してゐる。

「一八四二年から五二年に至る間、我が國の課稅すべき所得は六パーセントの增加を來たした。……更らに一八五三年から六一年に至る八年間には、一八五三年を標準として計算するならば二〇パーセントの增加を來たしたことになるのである！　この事實は、殆んど信じ難きものであるほど、驚くべきものである。……全く有產階級にのみ限られてゐる。……富と權力の斯かる痲醉的增殖は……勞働民にとつて間接に有利なものとなるに違ひない。これがため一般消費の資料が價安くなるからである。富者はますます富み、而して貧者はますます貧の程度を減じて來たのである。だが、貧の極限が變じた

か否かについては、私は敢えて斷言しないのである。」（註三）

（註三） Morning Star, 1863, 4.17, quoted in Das Kapital. Bd. I, s. 617. (Engels Aufl.)

グラドストンがこの國の工業的獨占の繁榮の推進者として立ち現はれるに到つたのは、ロバート・ピール卿がかれを商務局に入れ穀物條例廢止を成し遂げた關税改正の大事業にかれを右腕として信頼した時に始まる。彼は一八三二年には選擧法改正の反對者であつたし、トーリー黨員として殆んど敎會問題にのみ沒頭してゐたのである。從つてかれは貿易、財政には何らの關心を有せず、關心を有するとするならばむしろ保護關税論者でさへあつた。

然しこの與へられた機會は、かれの理性を覺醒せしめピール卿にまして確心的な、非安協的な自由貿易論者となり、この原理はそれ以後のかれの政治的アンカーの一つとなつた。

マンチエスター派の輝かしき財政的指導者をしてのこの出發點は、かれの政治家としての最高の功績がこの方向にあると後世考えられた程印象的な手腕を形成せしむる機緣となつたのである。

グラドストンはレセ・フエアの原理に忠實に富は市民のポケットにある時最も

よき實を結ぶと考えてゐたのである。かれの意識形態はミドゥル・クラス的自由主義を信奉するかれの背後にある産業的指導階級と何ら異なるところがないのである。

さて、既述の如くイギリ社會・經濟の發展と共にミドゥル・クラスは道德的となつた、富の增大と集中におけるフリー・トレード的發展の最高の段階においては、もはやその幼なかりし資本の無鐵砲さは消失して終つたのである。同時に勞働階級のかゝる富の增大への分前的參加はかれらをチャーティズムから自由主義へと轉換せしめたのであつた。社會における基本階級のかゝる變容、特に勞働階級が自由黨の一翼として全體社會を合理的なりと觀じその是認・發展こそが自前の問題であつたと主張するその根據に就ては既にわれわれの確かめえたところである。イギリス經濟の發展は同時に勞働階級の利益をも確保するといふ、兩者の「利益の調和」の存在といふ觀點——は最も現實的な基礎において立證せられたであらう。

されば、フレデリック・ハリソン(Frederic Harrison)が言へる如く「勞働階級は階級ならざる唯一の階級である。それは國民である。」

この意味において勞働階級はゲゼルシャフトよりゲマインシャフトへと、現實的な基礎において止揚されさたのである。

かくの如き社會的變容と共に、財政的エキスパートとしてのグラドストンも、政治的最高指導者としてのかれに飛躍したのである。かれが選擧法改正の主戰士として政治の舞臺に華やかな戰ひを開始したのは恰もこのイギリス社會の變容の時期でなければならぬ。われわれが序說において述べし如く一八六四年を劃する時代以後である。

モーレイもこのグラドストンにおける變化を見逭してはゐない。

「急激にして異常な變化が一八六三年以後グラドストンの地位に起り市めた。この變化はかれの政治觀念の內的發展及びますます顯著となり興味あるものとなつてきた社會的感情の擴大と結びついてゐた。」(傍點筆者)(註四)

(註四) Morley, op. cit., p. 565.

萬花鏡と言はれたかれが選擧法改正の領野においても立役者として振舞ふにいたつた客觀的狀勢を敍して見たい。

當時、ホイッグ的特權貴族は、表面上自由黨を支配してゐたがかれらのリーダーシップは徐々に過ぎ去りつゝあつたのである。

かれらの間には清新にして才幹ある政治家が生れて來なかつた。結局當時における斬新なる政治家は名門の出身ならざる、コブデン、グラドストン、ディスレリの三人であつた。

自由黨の轉換の空氣を當時一政治家は次の如くに描いた。

「自由黨は新人を切に要望してゐる、少くともそう感ぜられてゐる。古いホイッグ指導者は總てを終つた、然しまだ新しいホイッグは出て來ない。コブデン及びブライトは非實際的であり、非イギリス的である、有望な急進派もゐない、權力と勢力の大賞金が賭けられてゐる有様だ。」(註五)

(註五) Morley, op. cit., p. 566.

この新人待望とホイッグ主義の崩壞のよつて來たる淵源は何であらうか。一八六四年を劃して擡頭せる勞働階級である。從つて

「實踐的な政治上の改革の熱と力を、廣大にして自然的な同情を以て、勞働大衆の要求と根源的本能にはつきりと結びつける者でなくては今や非常に明白に接近しつゝある新しき前進を導くことはできない」狀態が現出してゐるの

である。（註六）

この驚嘆すべき結合を試みたのは他ならぬグラドストンであつた。

（註六） Morley, op. cit., p. 566.

一八六六年、四月六日リバプールにおける演舌會においてグラドストンのかくの如き政治的位置が示唆されてゐる。

「もし、現代において、改革の精神を實現し改革の必要な、又は餘地のある事柄を、壓し付けられ餘議なくされるまで待たずに追求しうる特質を持つ政治家ありとするならば、グラドストン氏こそこの素晴しき名譽に價する。」（註七）

（註七） Morley, op. cit., p. 567.

かれの見解は卓絶しており、時代の原動的な力に對する鋭い感受性を持ち、限界が廣く、常に充分に事實に基いて判斷し、人類に對する大きな希望を抱き、加ふるに彼の雄辯は頭腦の力と熱情を表現して壓倒的大衆を魅了せしめえたのである。かれは實に本來の意味のデマゴーグであつた。このような特質を持つかれが國際的な民主々義的契機を無視する筈もなく、この契機に影響された勞働階級の擡頭をも見逭すことはなかつたであらう。時に、この現象の特質的な型態はわれわれが既に行問示したところであるが、グラドストンは慧眼にも、勞働階級のチャーティズムよりの離脱、自由主義的變容を看破してゐるのである。

「今日、舞臺は變つた、勞働者の固定的な傳統の意向は法律、議會は言ふまでもなく政府に對してすら信頼するに至つてゐるのである」(註八)

(註八) Morley, op. cit. p. 568.

この事實については一勞働組合の代表者との會見において更に確めえられたものゝ如くである。グラドストンは勞働階級の政府・議會に對する信頼が選擧權擴張アヂテーションを控えてゐるのであつて、決してそれに無關心でゐるのではないことを確信したのであつた。

ミドゥル・クラスと全く變らない意識形態を有し、ミドゥル・クラス的社會組織の發展に寄與せんとしつゝ、かれらの政府・議會・法律を信頼し、革命的心意を些かたりとも有しない勞働階級——而も選擧權擴張に關心を有するが唯指導者の誠實を信頼してゐる勞働階級を眼の前において、如何にしてかれらが單に勞働階級であるが故に排除されえようか。又如何にしてかれらに選擧權を賦與するの熱情を、かの優れたる性格の諸要素を具備するグラドストンが、缺除したであらうか。

冒頭に掲げたかの有名な自由主義宣言の一節に連結してこの契機が表現されてゐる。

「勞働階級が法律、議會、政府に對して啓示したる如きかの傾向にもかゝはらず、現在廣く行はれてゐる組織がかれらを全然除外してゐるのは正しいことであるか。」(註九)

(註九) Morley, op. cit., p. 569.

かく觀ずるならばかれの「宣言はもはやかれにとつては自明の理となつてゐるのである。

「私はこんなにも大騷ぎをするのを見て驚きました。」(舍弟ロバートソン宛一八六四年五月十四日附書簡)(註十)といふのも當然であらう。

(註十) Morley, op. cit., p. 572.

さて、飜へつてかれの自由主義を包括的に考察するならば上來暗示してきた如くグラドストンの自由主義には大いなる制限が附されてゐるのである。

かの宣言」の註釋をグラドストン自身の言葉のうちに求めて見よう。

「概括的に言ふならば、私の宣言は、安全に選擧權を容認しうる者には總て選擧權を容認しなければならぬといふ主旨でありました。これは私の考へでは一向に不思議なことでも、新らしいことでも、極端なことでもないのであります。私は未だかつて選擧權擴張アヂテーションを勞働者に鼓吹したことはないのであります。むしろ私は私の演舌要旨の如何なる箇所が貴下によつてかゝる意味に解釋されうるのか、理解するに苦しむのであります。」（一八六四年五月十三日附バーマーストン卿宛書簡）（傍點筆者）（註十一）

（註十一） Morley, op. cit., p. 571.

前揭ロバートソン宛の書簡にはより突込んだ表明が見出される。

「『個人的不適當及び政治的危險を除外するならば、殆んど總ての者を排除する、又は排除しうる。然らば君の宣言は形骸と化すではないか』と言はれるのと全く同一に私は理解してゐたのに。」

一八六七年の頁について

「吾々は純粋な借家人選擧權に含まれてゐる如き廣汎な變化を直ちに來たそうとは希望しなかつた。」(註十二)

(註十二) Morley, op. cit., p. 642.

と後の回想錄に記してゐる。

かれの自由主義は、一八三〇年代の變革的な地主貴族に敵對してゐる段階にある自由主義と異なり、既述の如く今や支配的地位に立つて、「前進して來る勞働階級を自由主義に結びつけんとする」段階に立つが故に保守的傾向を帶ぶるは必至的であらう。自由主義の爾餘の保守主義に對する進歩性は勞働階級の保守性によつてかへつて基礎ずけられてゐる。勞働階級の保守性が保證されない限りこの期の自由主義は保守性的楯の裏面をもたねばならぬ。

この保守的性格に就いてかれは一八九〇年五月十六日に、長い政治生活を回想しながら意味深く語つた。

「私は自由主義的政治家にとつてはかんばしからぬ資料を提供すると思はれるやうなある種の觀念をもつてゐる。私は變化のための變化を好まぬ。たゞ、惡しきものをよきものに、よきものをよりよきものに變更する必要がある場

合にのみ變化を欲する。私は古代に對する大きな尊敬をもつてゐる。」(註十三)

(註十三) Morley, op. cit., p. 608.

グランヴィルはより明瞭に、

「グラドストンは政治的指導者である限り保守的人物である。」

と述べてゐる。(註十四)

(註十四) Fyfe, op. cit., p. 72.

次の如きエピソードもまた彼の保守的自由主義を呈示するに役立つであらう。ラスキンがグラドストンの人間平等論に對し、自己のアリストクラシー論を示したに對して、グラドストンは、かれが平等論者であることを否定し彼も貴族主義的原理――最良者支配の確固たる信奉者であると語つたことが傳へられてゐる。(註十五)

(註十五) Hearnshaw (ed.), The Political Principles of Some Notable Ministers of the Nineteenth Century, 1926, p. 245.

このやうな保守的契機を窮局的にかれの自由主義が包含するといふことはか

れの社會的地位の點から見て時代の限界から見て、むしろ當然なことでなければならぬ。

それは越えることの出來ないかれの自由主義の限界であらう。それにもかゝはらず、この同じ時代の限界は彼の自由主義が爾餘の保守主義的分子に對して眞實、時代の要望に沿ひ進歩的であることを立證するのである。ミルが言へる如き勞働階級を自由主義に結びつける任務は既に時代の必然性であつた。

保守的ホイッグと純粹トーリーに支配されてゐた政治形態は既に崩壞すべき運命にあつて新人を時代は要求してゐた。この時代の要望を身に受けたのがグラドストンである。故に古くなつてゐる諸分子との摩擦に惱みながら時代の要求たる勞働階級との結合を實現したのであつた。一八六七年の改正法はその賜物である。この時代の精神をかれが充分に把持してゐた例證は一八六六年四月二十七日グラッドストン案の第二讀會における彼の生活における最大のパフォーマンスが示すであらう。

かれは人々の耳目を聳動せしむる姿態を以て特に保守黨に向つて次の如く絶叫した。

「諸君は未來を敵として戰ふことはできぬ。未來は吾々の側にある。自己の實力と威嚴とをもちて前進せる吾々の討論の喧噪に瞬時たりとも妨げらるゝことなきかの偉大なる勢力は諸君には背を向けてゐる。かれらはわが陣列に集合してゐる。而して、今この戰ひにわれわれが揭げてゐる旗は恐らく一時は力盡きたる吾が頭上に垂れ下がるであらう。だがやがて再び天空に飜へり三王國の團結せる民衆の固き手に支へらるゝ時が來るであらう。易からずといへども確實なる・遠からず來たるであらう勝利のために。」(註十六)

(註十六) Morley, op. cit., vol. I, p. 627.

われわれはその明敏なる勞働階級の社會的役割についての直觀と、かれらを自由主義の一翼として既に思惟してゐるその恐るべき洞察をこゝに見るであらう。

最後にかれの植民地問題に就ての自由主義的見解に觸れよう。

植民地問題については彼はレセ・フェアの原理に相應しい見解を示してゐる。産業における自由競爭主義の全盛期であり、植民地は商品市場としての意味のみを有するに過ぎなかつた時代においてはレセ・フェアの原理は必然的なシステムであつた。帝國主義の狂信者たりしディスレリですら植民地を重荷だと言つてゐた時代である。

一八五〇年、オーストラリア植民地法案の討議に際しグラドストンは曰く、

「經驗は次の事を證明した、即ちもし諸君が植民地と本國との關係を强化し、イギリスの諸制度が植民地において採用され好感を持たるゝことを見んと欲するならば、諸君は植民地にわれわれによつて採用された强力、强制といふ憎惡すべき名稱を結びつけてはならぬ。彼等の自然なる取扱ひはイギリスといふ名稱を愛し尊敬せしむることである。この尊敬はかれらが永續的に國王の臣下であるのみならず、總てのうちで最も價値あるものたるかの忠順――人間の心の奧底から出てくるところの――を示すべき最善の保證である。」（註十七）

（註十七） Hearnshaw, op. cit., p. 243.

更に國際關係に就いて、一八六六年に曰く、

「今日の政治家は自己に開かれた新しい使命を持つてゐる。諸國の闘爭を協

同に代へるといふ使命及び諸國が歩を合はせて强大となるやうに導くといふ使命である。」（註十八）

（註十八）Hearnshaw, op. cit., p. 251.

普佛戰爭に對するイギリスの中立、及びアルバマ問題に對する消極性はかゝる見解の顯現であらう。

以上の如く歷史的に規定されたるかれの政治的實踐並びに政治觀念における國民的熱狂はグラドストン內閣の成立後間もなく崩壞して終つた。彼の絕頂期は一六八八年の總選擧であらう。その崩壞の一端は既に勞働運動の章において述べた。その他アイルランド國立敎會廢止、土地法の制定、敎育令の發布等グラドストン內閣の諸改革、それに次ぐ內閣の崩壞に就て述べねばならないのであるが、これについては他の機會に充分検討したいと思ふ。

附記

資料の蒐集が甚だしく不充分なりしため論究をより具體的に進めえなかつたことは最も遺憾に思ふところであるが、史的發展の基本的動向に就いては若干究明しえたと思ふ。今、務めて資料の蒐集をなしつゝあるから、いつか、充分に補成したいと思つてゐる。

祭祀公業の基本問題

坂 義 彦

はしがき

祭祀公業は祖先の祭祀を目的とする一つの組織である。それと同性質のものは、朝鮮、佛領印度支那、暹羅、印度地方などに亘り廣く見る所であり、臺灣獨特の存在といふことは出來ないやうである。しかし今、その臺灣に行はるゝものについては、單にそれが手近にあるといふのみならず、それが問題として取扱はるべき價値を有するやに思はれる。蓋し比較的に廣大な土地に、其財産的基礎を有し、其土地を小作に附するといふ該制度は、當然に、農政、廣く云へば一般經濟と、更に風致、廣く云へば社會政策と、密接な關聯を持たざるを得ないし、時勢の進化はそれらの何れの點に於ても臺灣社會として大に再吟味すべき問題と爲すに至り、延いて法制的立場に於ても、それをそのまゝに放任しおくべからざることゝなつたからである。これ從來公業に興味を有てる筆者が此機會に敢へて卑見を開陳すべく、蕪雜ながら本小篇をものせる次第である。基本問題と題するも茲には其種の凡てをつくす意味ではなく、他日に割愛したる部分も少くない。大方の叱正を得ば誠に幸甚である。

目次

第一　祭祀公業の意義及其範圍

一　公業の意義及其範圍

公業の意義は之を一定し難い、凡そ公業といふ文字の使用された事例として、井出季和太氏は、乾隆二十一年（一七五六年）江蘇巡撫莊有恭の奏文中の「立祀產以供先生葬嘗、立義田以贍同族貧乏、祀產義田係屬合族公業」（滋圃文集）を引用された。（一）擧人蔡國琳及び玉藍玉等が「公業といふ文字は俗語である、祀產祭田が公業である」と主張し、安藤靜氏は、「祀產祭田は祭祀業であるから、公業卽祭祀業とは謂へない、典籍上、公業なる文字なく又其文字は行はれてゐるとしても、何時の時代より、如何なる意義にて行はれたるや、舊記の徵すべきものなく、從つて意義を解せんとするも不能である」（二）と謂はるるに對して、「支那法の公業は祭祀に關する計りでなく、子孫に對する辨事公業をも包含して居る、蓋し祖先を主とするも、子孫あつての祖先（圏點は筆者附す）であり、又祖先あつての子孫であるから、相關的に祀產と義田を合して公業としてゐることは意義のある慣習である、臺灣現行の公業を獨り祭祀に限るものとしたのは、少くとも舊慣には合致して居ない」とは、井出季和太氏の言である。(三) 或は、公業とは、唐代口分田に對して一家の共同的祭祀料を含む)費用に充當すべきものとして給與せられた土地の意義であつたが、後世は此性質に基づいて、家に專屬する不動産を指稱するやうになつた、(四) との説もあるが、兎に角、公業といふ文字は臺灣に於ては種々な意義に使用せられてゐる。廣義に於ては、私業以外の産業(或は公用に供する財産)は總て之を公業といふのである、(此場合の私業とは、一人の專管に屬して何人と雖も之に容喙するを得ない産業のことである。) 此意義に於ては廟に屬する産業又は內地に於て講若くは會と唱へるものに酷似した集合團體に屬する産業のみならず、純然たる共有の産業も亦之を包含することとなる、(五) 例へば轉典水鷄潭祠爲公業と謂ひ若くは蕃社公業、福徳嘗公業といふやうなものまでを總稱する。次に之等を一括して例示的に列擧して見るとまづ祭祀公業、辨事公業、書田(育才祖、育才公業、學谷—廣東人)をはじめ廟の業、神明會、齊堂、書院、養濟院、普濟堂、育嬰堂、恤嫠局、義塚(同善堂、積善堂)共有、義渡、義學、義塾、等の業。である。

次に共業に對稱して公業といふときは、此場合の共業は純然たる共有關係の意味であつて、公業の意味は、關係當事者の單複を問題としないで、寧ろ一定の目的の爲めに供せられる財産であり且多數の享益者ある場合をいふのであつて、目的の限定といふ點に於て共業と區別する。(六) 例へば、最も普通とする所は、相續財産の鬮分に際し、鬮分字中に「爲公業輪流耕作、歴年以爲祭祀之資」「抽出田園店屋、以爲輪公祀業、竝應用什費」といふやうな文字を記し、又別に辨事公業、育才公業等の名を以て、相續財産中別に留存抽出して鬮分以外においたものを以て公業と呼び、他の鬮分に係る各房所得の産業は之を私業と謂ふが如きものである。(七)

共業とは共有の財産の意味であるが、元來は、業卽ち不動産を共有する場合のみに當る語であつて動産の場合には稍不穩當の觀がないでもない。臺灣では一般に共有の關係を言明するに、公共、公有、合立、合共、共置、相共、公家(漳州人の間に)、相合(泉州人の間に)、大家個(廣東人の間に)、合股、合夥、連財(又は聯財)、湊股(廣東人の間に)、公司(澎湖島に於て最も廣義に使用せられ、未鬮分の業、祭祀業、合資的の商業、船舶、漁網の共有等にも用ゆ)(以上五語は俗に合資の義であり、組合、會社と等しい)及び合置、合建(以上二語は主として不動産に關する)、等の言語が用ひられて居る。そこで此の共業を共有關係の意味をもつものとして、公業と相對立せしめた場合が第二の場合であつた、公業を此意味に

解するときは、第一の場合の如く多種多様には渉らない、左の種類のものを包含する、と謂はれて居る。(八)

(一)　祖先の祭祀を目的として一家若くは一族に屬する產業

(二)　同姓のもの廣く相集り捐金又は土地を捐出して祖先の祭祀に充てた產業

(三)　神佛寄信の爲めに集合した團體卽ち神明會に屬する產業

(四)　廟に屬する產業

(五)　相續人曠缺の場合に於て他日適當な相續人が定まる迄死者の遺產を以て香祀業卽ち祭祀業となし、相續人確定と同時に消滅を來すべき經過的性質を有する產業

(六)　父祖の死後、子孫其の器に非ざるときには財產の全部を擧げて公業とし、其收得を以て各自の生計及祖先の祭祀を支持する產業

(七)　各種團體の財產であつて一個の公號若くは團體名を以て業主(不動產の所有主)と爲し公號若くは團體名は思想上の人格として看做されて居る場合に於ける當該產業

乍併、以上のうちには共業關係も包含せられてゐるやうであるし、悉くが第

二の意義に於ける公業であると斷言出來ないと同時に、以上の七種に限定されてゐるといふのではないこと勿論である。之を文獻に探り本島人士の意見に徵するに、十八十色、定說として見るべきなく、曖昧摸糊として居る。(九)しかし、祖先祭祀の目的を以て別に抽存したところの產業を、公業であるとする慣習の存在については、異說のない所であり、契字(證書)に所謂公業とは大抵は祭祀公業を意味して居る點より見れば、祭祀公業は公業の觀念的核心を爲すものではなからうかと思はれるのである。(一〇)從つて此の祭祀公業に類する點を多少にても有する產業は、之を公業なりと俗稱するも無理からぬことであり、從つて其範圍も亦漠然たるべきが却つて本筋のやうでもある。筆者は、沿革的に、公業の稱呼は祭祀業を源泉として、他の公業はそれより派生し傳播したるものであると、謂ふのではなく、第二の意義に於て、公業と謂へば祭祀公業を主とし、その略稱ででもあるかの如き觀を呈するよりして、公業の觀念的核心として、まづ祭祀公業を見やうとするものである。明治三十七年七月二十六日臺北地方法院に於ける慣習諮問會席上の質問「公業とは如何なる種類の財產なるや」に答へて「公業とは祭祀業、書田(育英公業)恤救寡業(辨事公業)等のことである、祭祀業とは祭祀費に供する產業であつて、之を細別するときは葬式費、祭墓費となる、之を主たる公業とする、其他は從たるものと謂はば適當であらう」と謂ふて居る、以て參考に資するに足ると思ふ。

公業の法律上の性質は、公業の種類により、或は共有、或は法人、或は財團、或は社團等種々異なるべく、總括的に之を斷定するを得ないのは當然である。

二　祭祀公業の意義及其範圍

狹義に於ける公業といへば主として祭祀公業を意味するものであること既述の通りである。そこで先づ祭祀公業の意義であるが、これを本島に於ける諸種の契字及び記錄に徵するも、或は本島人士の意見によるも、相續財產の鬮分に際して其一部を留存し、祖宗祭祀の目的の爲めに供したる獨立の財產を公業又は祭祀公業と稱するのである。それと同時にこのやうな性質の財產卽ち祭祀公業を管理し、其收益より祭祀費用を支拂ひ、其祭祀公業に於て祭祀する祖先の忌辰、年節等の祭祀を執行するところの組織自體をも、祭祀公業と呼んで居るものと解せられる、故に或不動產は祭祀公業であると共に、またそれは、祭祀公業の財産と謂はれることとなる。例へば、公業田と謂へば祭祀公業そのものを意味すると同時に又其の祭祀公業に歸屬する所の田であるといふことになる。

次に育才(英)公業、辨事公業と祭祀公業との關係について一言する必要がある、此兩公業は餘程の富豪、大家でなければ先づ設定しないやうであつて、獨立のものは尠く、多くは祭祀公業に於て、育英、辨事をも兼ね營んでゐる有樣である。育才公業といふのは一家若くは一族内に於て、子孫の讀書學術の進境を奬勵する目的の下に設定せられるものであつて、書田とも呼ばれてゐる、一種の奬學資金の基本財産的作用を營んでゐるものである。又辨事公業は一族の交際費、信教、慈善及び公共事業等の寄附金を支出する目的を以て設定せられる業である。臺灣總督府評議會の議事錄を見ると其公業といふ文字の意味は皆祭祀公業であり、育才、辨事の兩公業は問題とされてゐない、事實上また全島に於ても、寔に少なく、公業と謂へば殆んど祭祀公業を意味するが如く一般から看做されてゐる。(一一)(一二)　臺灣舊慣調査會の報告書によるもそうであり、法院の判決を見ても育才公業、辨事公業に關する訴訟は殆んどない、單に公業といふ文字を使用するも之を祭祀公業と解したのである、故に法令取調委員會は、公業を祭祀公業と解して、祭祀公業は慣習により存續するといふ明文を設けた所が第三回評議會では此點は少しも問題とならずに採決され大正十一年勅令第四百七號第十五條となつて現はれたのである。從つて公業といへば矢張り祖先の靈を祀る祭祀公業であるといふことになる、(一三) それで、育才公業、辨事公業については、茲では、ふれないこととする。

次に神明會も祭祀公業ではないこと判然としてゐるが(或神佛を祭祀する目的を以て組織せる一種の宗教的團體である)第五回評議會に於て簡朗山氏が、公業は神明會を包含するや、と質問せるに對し、一戸參列員は前述せる所のものと同主旨の答辯をして居る(一四)所を見ると、一時は其限界について問題とされてゐたものと見へる。

家廟と祭祀公業の關係についても種々の説があるが、家廟は元來祠堂のことであつて、同宗或は同姓の者たちが相集つて祖先を奉祀するために建立したものである、從つて、獨立したものでなく、さりとて又法人でもない、種々なものを包含して居る、先づ同宗の家廟がある、此中に祖公會に屬するものもある、又祭祀公業に屬するものもある、唯普通の家産(?)に過ぎぬものもある、第二に同姓のものがあり之は祖公會の財産と普通の家産とに分れる、故に家廟中で、祭祀公業に屬するものは同宗のもののうちに存在するわけである、といふ說が、(一五)正解かと思はれる。元來家廟を設ける主旨は、祠堂佛像の建立と同主旨であつて、何ものか尊崇の具象を設備することによつて、その崇敬の心を高め且つ團結の中心を得んと志すものである。今、家廟と祭祀公業の關係を圖示して見ると次のようになる。(一六)

家廟
- 同宗の家廟
  - 祭祀公業(例、臺北、楊氏家廟)
  - 祖會公(例、南投、簡氏家廟)
  - (例、苗栗、劉氏祖廟)
- 同姓の家廟
  - 家產(?)

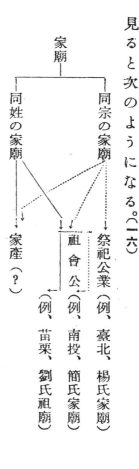

(廟、神明會、祖公會等については便宜上茲の小論の範圍外に置く、然し、是等の問題については近き機會に於て、卑見を開陳して教を乞ひたき用意と希望とを有することを附記しておく。)

林敍盛祖嘗簿序 (同姓同宗の家廟をもつ祭祀公業の例)

嘗讀易之渙、象曰先王以享帝立廟、萃之彖、傳曰格有廟以致孝享、誠是人生大事、首重祀典、而仁人享帝、孝子享親、自天子至士庶、限於分而莫不有廟、而尊祖敬宗、心無窮而皆得自盡、顧祭必備物、而器不容假、禮曰惟士無田、則亦不祭、君子經營宮室、必先宗廟、以置祀田而不及置田者、名之曰蒸嘗、誠重之也、夫世系久遠、音容曠渺、祖考之神靈渙矣、不有廟以聚之、何以萃其精神、春秋匪懈、享祀不忘、子孫之繋念切矣、不有嘗以繼之、何以永其孝思、念我林姓、自長林賜氏以來、苗裔蕃衍、支派分別、雖溯其根源、共屬一堂、而四國散處、各立門戶、玆合近州數縣之子姓、覓地於州城之東、建立林氏宗祠、自仁率親、等以上之、至於祖、自義率祖、等以下之、至於親、罔不附其中焉、廟貌巍峩、祖靈攸聚、前人之精神萃矣、而後人之孝思、必有以永之、則蒸嘗之設、誠有不容緩者、顧爲作者必爲可繼、而善始者務期善終、合祠之子姓、戶列十餘、居分數邑、人繁地遠、勢難湊集、其祀於祠也、則合以薦之、其建乃嘗也、宜分以設之、我伍全之戶、

隱樂翁之嗣、較諸他戶繁且多、歲時享祀不脩、犧牲何以豐、粢盛何以潔、乃以庚申十月、集成伍全之嗣孫、議立祭祀嘗會、各分津銀三錢、每年出息、以供牲牢、俟後累積、以立祀田、春秋無憾、後人亦不得循、是而不廢、非我隱樂翁之嗣、不得與焉、

夫有廟是萃祖考、雖世代渺遠、而靈爽如在、有嘗以脩享薦、將彌萬億年、而孝思不匱、有不擧、擧則必豐、有不祭、祭則受福、祀事孔明、神嗜飲食、有不介爾繁祉、中錫無疆也哉、予是爲序

咸豐四年甲寅歲遜老簿錄

三　祭祀公業の名稱

祭祀公業は祭祀業、祀業、祀田、香祀業、存公業、又は蒸嘗業とも稱する、廣東人の間では主として嘗を用ゐる(例へば烝甞とか、祖公〇〇嘗とかいふ如く)。甲祭祀公業が乙祭祀公業と區別せられる爲には、當然その名稱を必要とするの

であつて其點は格別の理由ある筈はない。それで、「名稱を有したることが祭祀公業を慣習上の法人と解するに至りたる一理由である」（一七）と謂う說には贊し難い。

祭祀公業には如何なる名稱を附するかと謂へば、一定してゐないといふのが簡明なる答であらう、（一八）從つて享祀者（被祭祀者）の本名、（蕭仕鼎 林詳雲）字號、雅號、公號（黃德記 惟順）又は家號等が隨意使用せられてゐる。乍併、また公業たるべき土地と關聯したる名稱が用ひられることも稀ではない（蕭十一甲公 新五甲公）が、號名を附したものはまづないやうである（假に、春記號公業など）。通常は公號を用ゆるものと解して誤りないであらう。

公業調査簿などに於て祭祀公業ならざることを、一見して識別し得るものに、名稱がある、たとへ年一回派下の者を集めて管理人が其祭祀を行ふと雖も祭祀公業ならざるものがある、其名稱によつて識別し得べきものを大略擧げて見よう、次の如きものは神明會又は寺廟等に屬すべきものであつて祭祀公業ではない。

五谷帝會（共義社、廣寧宮）、神德社（土地公廟）、福盛社（福寧宮）、雷神爺會（三聖廟）、集奉社(大上爺)、觀音會(廣寧宮)、喩義社(神農大帝)、盛興社(五谷王)、福德爺會(福德正神)、神德爺會(福德正神)、天蒼會、五穀主會(五穀王)、大道公會(保生大帝)、南瑤宮、聖母會(天上聖母)、關帝會(關帝聖君)、三山國王會(三山國王)、王爺會(三山國王)、觀音會(觀音佛祖)、土地公會(福德正神)、五顯帝會五顯大帝)、興賢書院、大衆爺廟、地藏王廟、廣寧宮、安濟廟、誠敬社、福寧宮(媽祖廟)、三聖廟、饒豐社(三山國王廟)、關帝爺會、上帝會、五爺帝、五爺大帝會、四媽會、二媽社、太陽公、三界公、太子爺會、天公會、仰洎社、謙々社、復韓社、祖師公會、國聖會、五谷主、盈諒堂、聖王會、媽祖會、元師爺、福德祠、國聖爺、等、之である。

次に祭祀公業の大なるものにあつては、公業の名義を表示する所の祀業印を、公業設定の際に其の設定字(設定契約書)に押捺する。公業の收益領收、購耕などの際には〇〇圖章なる印章を用ゆるやうである。(一九)

公業設定の際に定められた公業の名稱は爾後幾代を經過するも變更せられないのが通常らしい。理論としては、名稱の變更が本質的に享祀者の變更とならない限りは、「祭祀公業の名稱に原則的の基準なく如何なる名稱を附するも設立者の自由なりし事實より推考し、爾後派下に於て之を改稱するに何等の支障がない」(二〇)と謂ふことを得るのであるが、事實上變更しないのが通常のやうである。

四　祭祀公業の住所

廣く公業の住所について次の如き訓令がある「公業に屬する土地登記に關し其業主名につき一定の住所を定め難きときは(例之福徳爺か公業たる場合又は死者の名義に於ける祭祀業の如し(筆者曰、福徳爺を引例せるより見れば廣義の公業の意味である)必しも其住所を登記簿に記載することを要せず(明治三十八年七月庶日第七五一號覆審法院長代理訓令)」又「公業は必ず住所を有するものと速斷すべからず本島の公業は內地の法人と異なり住所の定め難きものあれば是等の公業に付ては不動産登記法第三十六條第三號の規定を嚴格に適用することを要せず業主名のみにて取扱ひ差支なしとす。(七五一號訓令參照)公業の住所は管理人の住所と同一なりと解すべからず、從つて管理人の住所が變更するも公業の住所が管理人に附隨して變更するものとなすを得ず(明治四十年六月庶日第九五四號覆審法院長訓令)」と。

管理人の住所が直に公業の住所であるとは謂へないことは訓令の示す通りで

ある。乍併、公業の住所、從つて祭祀公業の住所は、民事訴訟法上裁判籍を定むるの規定(民訴第四條)に依り、祭祀公業の主たる事務所又は主たる業務擔當者の住所を以て之に充つるも毫も不都合はないのみならず、必要なることと謂はねばならない、從つて此點については、既に姉齒氏が「特に事務執行の場所を定めたる場合例へば祖廟其他の公屋を有する祭祀公業に於て其祖廟及び公屋を以て事務執行の場所と指定したるときは其祖廟公屋が住所であり、事務執行の場所を定めざる場合には管理人が事實上、事務執行を爲す場所が其の住所となり、管理人數人ある場合に於ては其管理人中、事實上主として事務の執行に當る者の事務執行の場所が住所となる、のであるから、此事務執行の場所が、偶〻管理人の住所たる場合には、管理人の住所が、祭祀公業の住所となる」(二一)旨を述べられて居る、筆者は祭祀公業を解して法人とするものではないが、しかし、住所については、其の見解を同じくするものであることを述べておく。

第二　祭祀公業設定の原因と其方法

一　總說

朱子家訓に「何氏曰、古人承宗祀、今人承繼財產、非禮也、亦非義也」とある。祭祀を以て嫡長子孫たる者の特權とする觀念は既に早く廢れたものと見られる。而して財產相續は鬮分に依つて平等に分割して相續する慣習を生した爲に、祖宗の祭祀も亦兄弟共同して之を營む慣習を生じ、從つて祭祀費用も亦相續者の一人が之を負擔することなく、相續財產中の一部を留存し又は各子孫が醵出して公業を設定し之に充つるやうになつたものらしい。若し財產の全部を一人が相續するものとすれば、祖先祭祀の費用は其者が負擔すべきであると、爲し得るのであらうが、財產分割相續制を採るときは、祭祀の費用を一人にのみ負擔せしむるを得ないこととなる。要之、祖先祭祀の觀念あるも祭祀相續の慣習なく且財產の均分相續の慣習あるが爲めに此特殊な制度を生じたものらしいといふ說(一)がある。祭祀費用の均分負擔といふ點に於ては論理的の樣であるが果してさうであらうか。或は又、臺灣に於ては、父の財產を鬮分するに際しては父の存生中たると其死後たるとを問はず、父を祀るの經費を支辨するが爲め特に祭祀業なるものを設定するを常とする。是素より、祖先の祭祀を永遠に繼續するを以て其主たる目的と爲すのではあるが、又一つは財産を各房に分配して、其專有と爲すときは、之を蕩盡して、遂に一家の破滅を來たすへきことを豫防するの精神に出てたるものと云ふべきである(二)とか、嫡長子孫のみをして祖先の祭祀を營ましめるは妥當でない　且つは祖先遺下の財産を相續分に應じて分配して仕舞へば、祖先の祭祀を顧みないことになることも想像し得るのである。故に、これらの關係から祖先遺下の財産を分配するに當り先づ存公と稱して、祖先の祭祀を目的とする處分し得ない財産を抽出留存し、之を祭祀公業として子孫共同して祭祀を營むことになつたので、畢竟、祭祀公業の制度が臺灣に發達した所以は臺灣の均分相續制度と關連するものであるともいはれて居る。(三)果して然りとすれば、祖先祭祀の精神は、祭祀費の抽出留存によつて辛うじて維持せられて居るかの如き感があり、まことに情けない崇祖敬宗の精神と謂はなければならぬ。若し祭祀公業がなければ子孫が共同して祖先祭祀を營まないかといふに、本島人士の言に依れば、兄弟幾房かが鬮分の際に其の祭具も亦之を鬮分し、各房各自が其の父祖の靈を夫々祭祀し、其忌辰(忌祭と生忌)、年節淸明の墓祭、五月節、七月節、各節(特に父祖の忌祭(父母、祖先の死亡の日に祭るもの)又は生忌(父母祖先の生誕の日に祭るもの)には各房輪流して他房の人達を招き、共に祭祀し共に親族團欒の夕を送るといふ。まことに、かくあるべきであり、かくてこそ、祖先祭祀の精神は、躍如たるものである。祭祀公業は富豪又は多額の財產を有する家でなければ設定するの餘裕なく、從つてすべての本島人士が、悉く祭祀業を設定するものに非ざる以上、單に祭祀費用の支出の均分と資產を蕩盡して祭祀費の泉源枯渴を懼るるの餘、祭祀業がかくまで發達したるものとは考へられない樣である。素より敍上の事實も亦其一因たるには相違ないであらうが、それのみとは首肯し難い。殊に臺灣に於ては祭祀義務は子孫の共同義務であつて、嫡長子の義務となさず、又道德上の觀念に出でゝ法律上の義務と認めず、卽ち宗祧承繼の念を有せざるに於て殊に然りであらう。(四)今其の素因を假に便宜上、內的及外的に分つて考察して見よう。

二　內的素因

支那では、個人のあらゆる利害は共通の祖先から出たところの一門の利害に從屬されてゐる。支那の國民生活に於ては家族、家柄及び祖先等は重大視せられ尊崇せられる。その祖先の神聖な記憶が後世へまで繼續するといふことは、卽ち祖先祭祀の形式に於てそれが表現されるからである、といふ意味の事が一般に謂はれて居る。果して然りとすれば、逆に之を祖先の側から云へば、永代にわたつて自己の末裔が、自己を追慕し祭祀してくれることを、渴望するものであるとも、謂ひ得られるであらう。連綿たる後裔によつて、香祀不絕といふ情態が來世に於ける彼等の憧憬とすれば、現世に於ける彼等の理想は、長壽、富貴、而してその財產を嗣ぐべき男兒を多く有することであると謂ふ。而して、「分離散在する幾多同祖同宗の民族をして、克く其の和合を保たしめ、家族の感情を和らげ、利害を共にし和親を增し、緣族たるの實を擧ぐるを得しむるものは、祖先祭祀の實行である、啻に各人をして、自ら顧みて同一祖宗の後裔たるを思はしむるのみならず、年々相會して祭祀の典禮を行ふことは、其都度各人の記憶を新にして」(五)祖先は其記憶の裡に永世に生き、子孫は蓋し其結合の堅固を來すとすれば、祭祀公業の擡頭亦必然の勢であらう。

（一）四種の原因と方法

今本島に於ける祭祀公業の設定原因及び其方法を見るに、設定者、卽ち父祖たる享祀者若くは子孫、の設定意思が、何等かの方法にて明示される舊慣がある。(六)(七)　先づ(一)最も通常の方法としては、父祖の財産を鬮分の際に抽出留存して祭祀業を設定するのであつて、例へば五人の男子あつて鬮分の際に十萬圓の財產があれば先づ貳萬圓をとつてこれを公業とし、殘額八萬圓を五人に均分するのである、次には(二)子孫が協議の上、父祖の爲めに各自の所有財產中より醵出して、祭祀業を設定する場合であり、此場合には父祖の財產の分配とは全然無關係である、例へば貧困者の三子は相續せる財產は絕無であつたが、後に致富、相聚つて父祖並に子孫の爲めに祭祀公業を設定する場合の如きが之れである。第三は、親族の祭祀を永遠に繼續せしめんが爲めに、又は繼嗣なくして死せし他人の靈の爲めに、(三四頁以下參照)一人又は數人より財產を寄附して祭祀業を設立する場合であり、第四は、享祀者自ら自己及び自己の祖先の祭祀を繼續すべき旨を遺囑して設定する場合である。尙、(五)死者に遺產あるも、相續人が欠缺せるか又は癈疾無能の相續人である場合に、親族協議の上將來適當の相續人を得るまで之を公業とすることがある。此最後の場合のものをも尙祭祀公業であるとの說があるが、當らないと思ふ。蓋し最後のものは祖先の祭祀を爲す目的でなくして、適當なる相續人を得るまで死者の遺產を散逸しない樣にとの主旨にて遺產管理をする爲めのものであつて、信託的のもので且つ派下も存在しないからである。玆には、親族協議の上設定の場合を述べたのであるが、それが縱令四)享祀者自身の生前設定によるものであつても、同樣に信託的のものであることには變りはないのである。左に四)の例を揭げておく。

(四)の例一

立託付字人、杜印、祖父守已安分、流傳淸白至印家門不幸、竝無後裔所望、此亦天數非人力所能因印自置山林水田埔地、東西四至界址俱登載在大契內明白、唯恐祖宗禋祀有虧、竊聞託孤立嗣自古有之、印亦效古人所爲無奈旣與妻洪氏相議將此業一派付族叔祖祈山弟文讀 鄰右藍彪陳鳳等、交託執掌出贌收利、以作禋祀之費、不論印親疎人等不得變賣、亦不得典掛他人保此業係是印夫婦自置與別人無干、亦無不明爲碍、此係印夫婦甘愿付託、口恐無憑、今欲有憑、合立託付字四紙一樣各執一紙永遠付執存炤

一批明司單連印契一紙交付女婿李淵收執日後取字公用不得刁難批明再炤

代筆人　杜順意
知見　女婿　李淵
在場人　杜火
朱加順
保託付字人　杜祈山文讀　鄰右藍彪陳鳳
立託付字人　杜匡印
妻杜洪氏

（四）の例二　林添秀遺囑抄白

立遺囑定規字人添秀今有承父遺下所有田屋家物等項原係添奎秀自巳物業于叔姪兄弟人等無干玆因患病將危前來請得族戚人等執証倘日后身故悉交妻潘氏看管無論親疎叔姪兄弟不得恃强僥吞如有此人天神共鑑立遺囑字爲照

一北栅之田坵數原契載明係潘氏經管一土庫茅屋併中堂共四間又糞房一所竹兩大墩悉交潘氏管理族親人等不得阻抗一酒壺四枝內番二借去乙枝自己仍有三枝以上數件原係添秀叮嚀囑明倘有無恥之輩天神共鑑

一屋契乙張分單二張北栅田新契二張崇瓚公田新老共契三張叔姪前來酌議悉交達潁陳外甥收存再妻潘氏倘日后不能承林家之祖母併陳外甥不能收存此契通明壽椿公生下叔姪到場再行酌議此字共二張

雲勤收乙張　曾賢玉收乙張

在場見外甥陳達潁　姪壻曾賢玉　弟斗秀東秀　姪俊祿　雲勤　長久　姪孫貴興

代筆姪孫欽叔

道光玖年拾月初拾日立遺囑定規字人　添秀

今將規條開列于后

一議祀典內蹼谷要擧本戶公正的寔人收存倘收存有不公正衆叔姪再行公擧不得徇私立批

一議祀典內每年旣撥出用費凡遇淸明祭祀之時要請本戶老成及經事之人到坟登席以便當衆清算以昭公允不得偏私立批

一議祀典內田業倘有不良之輩背胎背典者衆叔姪另除不認外行公罰不得徇私立批

一頓物庄崇瓚公屋宇地基竹木凡居住看管不得私爲變賣立批

一頓物庄叔姪凡崇瓚公東秀公田園屋宇只可互相看顧不得私爲典賣亦不得私爲爭奪立批

公業の意義並に祭祀公業設定の原因と方法の圖示

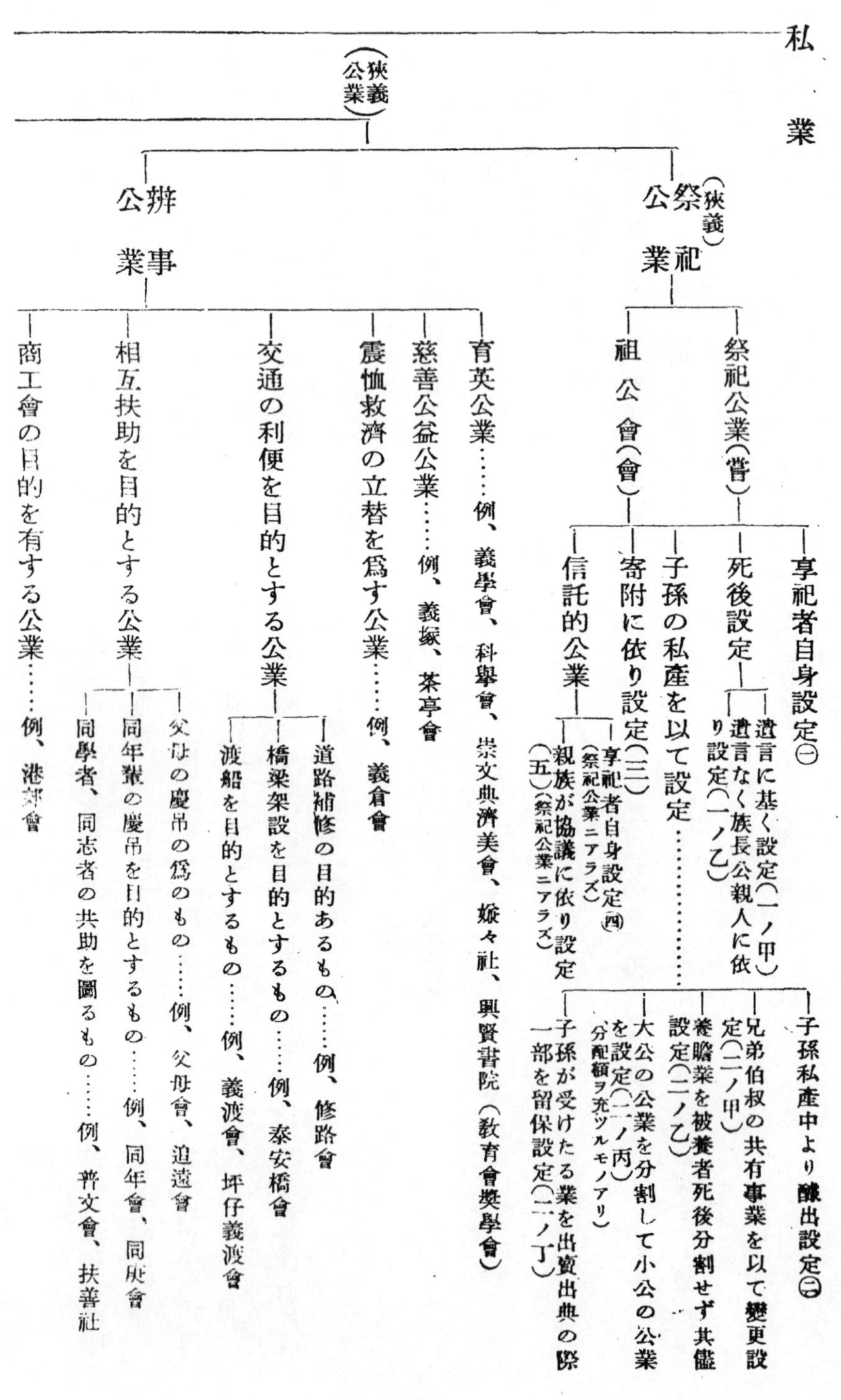

- （廣義）公業
  - 水利の便を圖る公業……例、新莊埤會、長潭埤會、坡塘會
  - 養老事業を目的とする公業……壽儀（享老會）
  - 抗爭對立を目的とする公業……例、刀仔會、銃庫會
  - 共同娛樂を目的とする公業……例、大聖會、後推伯公會
  - （共業）
    - 神明會（必シモ共業ト限ラズ）
      - 神仙佛を崇拜する公業
        - 社寺、廟宇、又は神仙、佛像を有するもの……例、元帥爺會、注生娘會、城隍爺會、天神會、天上聖母會、國王會、太子爺會、觀音會
        - 社寺、廟宇又は神仙、佛像を有せざるもの……例、福德會、五賢倉結會、聖母會
      - 偉人、賢人、忠烈、等功勞者を崇拜する公業
        - 社寺廟宇又は像を有するもの、例、韓文公會、忠義亭會、義民會、忠勇公會、關帝會、山王廟鄭成功
        - 社寺廟宇又は佛像を有せざるもの、例、文武二帝會、大成會、孔聖會
      - 子孫なき者を祀る爲めの公業……例、無祀會、古君會、普渡會、前朝古人祀典
      - 安寧幸福を祈る爲めの公業……例、祈福會、端陽會、春秋福、冬至會
      - 大自然（天地日月）を崇拜する公業……例、太陽會、太陽祀
      - 其他例年節會……元宵會、清明會
    - 共有の目的にて公號、家號を以てせる公業……例、鐘德隆、鐘廣隆
    - 佛寺、廟宇の所屬財產……例、天后宮油香祀

（桑原政夫氏案）

○ハ筆者ノ便宜上挿入シタルモノデアル

偖而、右の四種を基本として考察して見ることとする。第一の場合卽ち享祀者自身が設定する場合に、生前鬮分を爲すとすれば、祭祀公業の設定者は享祀者自身であつて、享祀者は死後に自己の祭祀が其の子孫によつて永遠に營まれることを期待したものであり、其の子孫たる各房は皆鬮文字、卽ち此場合には同時に公業設定字であるが、之に連署することによつて、其祭祀業の派下となるのである。(一)の例を次に掲げる。(八)（(一)、(二)、等は公業の意義並に祭祀公業設定の原因と其方法圖示」に附したる符號である。參照を要する）

（祭祀公業の設定字の各種の例は、舊慣調査會第三回附錄參考書第一卷下三一八頁より四一五頁までに七十六種を收錄する、本例亦其中の一である）

(一)の例

聞嘗粤稽、張公藝九世同居、猗歟休哉、古風之降也、而今人罕多觀也、然觀於水之一源、常分爲萬派、本生本一輪、幷發爲千枝、物理固有如斯、於人何以異是、念余完娶陳氏、生育三子、俱已冠婚、續娶莊氏、幷無生養、欲追古風而同居、難見田眞之兄弟、玆當桑楡晚景之候、爰邀親戚到家參議、將所掙置田業、預先抽起、以爲祭祀輪流之費、另又踏耕牛二隻付長孫、係此牛及秧田、不要批明約後、其餘產業及屋宇物件、分作三股、恪立囑咐、各令各執壹紙承管、庶免後來爭長競短、傷却骨肉之情、既分已後、各宜憑鬮遵諭、確守成規、知穆敦愛、慈孝相承、奕世克昌、雖難效古人而同居、無負吾言之至囑、則父母其順矣乎、所有條件、開列于左

計開

一祖父及老身養贍田、在倒廓一段
一莊氏養贍田、在東勢頂一段

知見人房親兄垂寶　外戚女婿諸葛福官

乾隆四拾參年九月　日立囑咐人祖父莊有敬

代書人弟　垂亮

一次子鬮份田、在埤埒壹段拾坵、甲圳頂五坵三鬮五鬮　一長孫鬮份田、在大份壹段拾坵
一三子鬮份田、在埤埒壹段、六鬮拾坵甲四鬮八坵　一長孫耕牛二隻、秧田壹坵已經不要批、去銀七十六元
一長子份下田大份、祖父開墾、無文契、一次子份下田三鬮、祖父開墾、無文契、帶秧田壹坵
又另收成之日、踏起栗參拾石、及壇弟借去劍銀拾五員、俱撥付三女粧奩、　一三子份下田四鬮六鬮、祖父開墾、無文契

再囑莊氏百歲以後、令三子發兒生育二胎、發與莊氏奉嗣、議將養贍田物業、付發兒掌管、以爲祭祀之資此頃日後不得再議、凡生事、葬祭俱歸發兒抵當、不得拖累長次二房、倘日後發兒二胎兒孫、不肯與莊氏繼祀、將此田業輪流充公、批明再照一祖父養贍業田、契貳紙粘司單、及林氏養贍業田、契壹紙、粘司單幷買陳竹又典契陳南厝、契共參紙、付許收存、不得擅自典當、批明各鬮書後、再照

又死後鬮分が爲されるとすれば、まづ、遺言による場合には、享祀者は同時に設定者であり、其子孫は派下となる、一ノ甲 の例を次に掲げる。(九)

一ノ甲の例

次房　○世圭　五房　●球
同立鬮書人長房　孫○○　四房　瑞●
三房　○茂林　六房　●南

竊謂木皆有本木大則枝分水皆有源水盛則流別我兄弟侄輩承父遺命却欲傚九世同居之盛跡但家事浩繁一人難以獨理于是母親令各家分爨各房致富成家邀請衆公人秉正議論將父親遺下水田山宅樹木裸子除生前預批契後以作公業以授長孫者遵命不遺至有缺來銀項就所缺去物業存下完納其餘然後瓜分六份寫作六條字鬮藏之礶內置在父親龕前點灼燒香誠心以告序各房拈起就鬮內開示項業以爲應得物業自立鬮書后各房各自掌已業不得爭長競短反悔生端此係各房甘愿各無抑勒口恐無憑同公人立鬮書六紙壹樣各房各執壹紙其公私物業一々開列于後以爲存炤

公業　一存門口洋買過李猜水田伍分又買過李斗园一分貳厘半又買過李經田分园18分

長孫　應份得浦興庄前水田一段一甲七分又墓前田一段八分五厘批炤

長房　鬮分應得浮圳脚水田一段與四房半分一半一甲租六十石又門口洋買過李任水田伍分租五十石又本庄店仔后檳榔菁四份得一份東至車路西至石岸南至車路北至四房石釘爲界批炤

次房　鬮分應份得中圳外水田壹甲零七厘租六拾石又石厝庄洋水田貳分租拾貳石又本庄店仔后檳榔菁仔宅四份得一份東至車路西至四房石釘南至四房石釘北至三房石釘爲界批炤

三房　鬮分應份得梅淵庄水田壹甲壹分租滿五十石又內灣庄洋水田八分租參拾八石伍斗又店仔后菁仔宅四份得一份東至車路西至廉弟石釘南至次房石釘北至菁家厝地爲界批炤

四房　鬮分應份得浮圳脚水田與長房半分一甲租二十石又中圳內田伍分租二十七石又店仔后菁仔宅四份一份東至石

釘西至石岸南至長房石釘北至廉弟石釘爲界批炤
五房應份鬮分過中圳內水田十七甲與六房半分租九十石又買陳接枝田十四甲與墜生叔同買三份得一份又姜仔寮抗山宅一所以六房半分一半批炤陳接枝田在許厝寮庄批炤
六房應份鬮分過中圳內水田十七甲以五房平分租九十石又與墜生同買陳高生田十三甲三份得一份址在許厝寮又姜仔寮坑山宅一所以五房平分批炤

在場知見母親楊氏　公人堂象兄叔侯叔兄○兄　憑代筆人堂侄三陽忠

批明浦興庄前中圳內洋水田壹甲六分肆厘于咸豐玖年拾貳月間先抽出北勢水田壹甲壹分賣過與堂伯瑞肖掌管批明再炤

次房●世主憑　五房●球憑

咸豐參年拾貳月　日同立鬮書人長房孫●●憑　四房瑞●憑

三房●茂林憑　六房●南憑

又遺言がなくとも、父祖の神位(位牌)の前に於て族長若くは公親人が鬮を拈して定める場合には、公業設定者は享祀者の子孫たる各房であつて、これが派下となる。(一ノ乙)派下たるべき者は必ず鬮分字中に表示せられるから、設定當時に於ては何人が派下たるやは疑問を生じない。此遺言による場合は生前鬮分の場合に於ける享祀者卽ち設定者の心情と同一であると解するも差支ないと思料されるのであるが、然し遺言なき場合については、第二の場合卽ち子孫が土地を醵出し又は金錢を醵出して土地を買入れて祭祀業を設定する場合と同樣であると見ることが出來るのである。第二の場合は、派下たる者は出捐者たる設定者に限るのを原則とするも、貧困などの爲めに出捐不能なりし子孫などが存する場合には之をも派下と爲す旨を合約字に定める場合もある。(二)以上二つの場合に於ては、設定者は父祖の祭祀の基礎を永遠に定め、其靈を安んじ、以て一門一族の將來に加護あらんことを、ひたすらに祈念するものであつて、自己の祭祀を期待するものとは緣遠き樣であるが、此場合には、又寧ろ後に述ぶる外的素因が作用して居るものではあるまいかと思はれる。

此第二の場合の變形として次の如き種々の場合がある。例へば兄弟の共有事業を以て變更設定し(二ノ甲)或は(二ノ乙)母の生前鬮分に於て養贍業を設け母の死後之を以て祭祀公業と爲す場合である。(注意すべきは、負債は鬮分者に於て負擔辨濟すべきものとし又鬮分者の一人に對し産業を別抽し指定の債務を辨濟すべきものとし其他二年間の收益のみを以て長孫額とし其以後は祖公の祭祀業と爲すべきなどを定めてある點である)又(二ノ丙)大公の公業より生ずる分配額を以て、又は大公の公業それ自體を分割して、小公の公業を設定する場合である。(派下系統圖參照)或は又、子孫が受けたる業を出賣出典の際一部を留存して設定する場合(三ノ丁)等がある。何れも第貳の場合の一形態と見て說明が出來る。

次に(三)、(一〇)(三の甲)(一一)(三の乙)(一二)(三〇丙)(一三)及び(三の丁)(一四)の例を掲げる。

(三)の例、仕江公簿序

嘗思　父何謂考考者成也能成事業也

憶我

先考仕江公當其襁褓甫離而秉姿穎異賦性恬淡稔聞乎

先祖與族中諸父有言皆許先考具此風規卓越品貌魁梧自可上恢先緒下裕後昆者也稍長而禀承先祖義訓從師肄業篤志芸窓以期上進及冠而於高祖家塾訓蒙原爲親老家貧之資所以敎學相長之義繼而試輒不售即於癸亥之春輟敎讀之暇而束身來臺歷覽人情世態盱衡往古來今

先考因效端木氏遺蹤辭儒林而就商門時也載月披星不憚經營之苦沐雨櫛風弗辭貿易之勞越數年而以義是權貨常生殖亦越數年方娶源母繼而名列雍宮生源兄弟迺來田廬式廓則先考雖非詩書顯達而送源兄弟延師受學其隆盛之至無忝於慇懃者矣至如處世而驕諂胥泯愛敬相維遇窮而憫孤救急脫驂解衣此又其姿心之出於自然者矣迄乎長仲兄俱以職膺而源獨以遊泮四五弟相繼而璧沼馳譽種種飄香何一非先考之厚報又何一不足徵

先祖與族中諸父之言爲不謬也歟哉源等思念

先考艱苦成家難忘報本爰於癸卯之秋集兄弟五人捐金而歛爲祀典迄今生息稍長置有産田數處聊可爲每年掃坟之

嗇惟願後之人繼前人之志而毋懷私見而勿起貪心庶幾祀典永著千秋俎豆馨香萬載俾子孫世世相承行見庶而富熾而昌亦可叨　祖德而黌門鵲起藉　宗功而申第蟬聯斯上可以報　祖宗於萬一而下可以紹先志於無窮矣此則予之所厚望也夫是爲序

咸豐拾年庚申秋月日三房 學源 敬撰

仕江公嘗

今將議定規條列後

一議每年兩季所收贌谷係依照聖會價拆銀不得過於低昂永爲定規至經理之人不拘何房經收總要公平正直不得挾懷私見如有欺呑嘗祀者祖其鑒之

一議每年掃坟訂定于春分前日享祀衆處席銀貳拾肆元係照房輪流首事週而復始永爲定規立議

一議裔孫有志包庴者衆帮船費銀陸元準領一次立議

一議裔孫有年登六十者準領肉資銀壹元有年登七十者準領肉資銀貳元有年登八十者準領銀肆元有年登九十者準領銀捌元有年登百歲者準領肉資銀壹拾陸元如有呈請加帮銀拾貳元以爲呈請之費立議

（二の甲）の例

同立妥議永爲香祀約字人長房郊勻 次房文徵 兄弟等、有共承祖父遺下菜園一所、……、四至界址明白、茲因勻等同堂妥議、將此菜園一所變成水田、以爲榮芳公香祀之需、按作長次兩房逐年次序輪流、自此立約以後、永爲香祀、不得假公行私、以干陰靈罪咎、此係報本追遠敬祖尊宗之大議、務宜全始全終、口恐無憑、筆乃有據、同立妥議永爲香祀約字一紙、存照

締議執筆人宗親范邦
在場知見人宗親范基

同立妥議永爲香祀約字人范郊勻 范文徵

（二の乙）の例

立鬮分字人簡黃氏、籍謂、張公九世同居、陳氏百人合食、千古高風、于今遺烈矣、氏傳三房子孫、長連興次連金三連茹、本期予大宏圖、詎忍一旦分居各食、但因樹大分枝、水盛分流、家務浩繁、難以合理、不得已而爲分爨之計、於是爰請公親族長、將氏承夫遺下田園屋宇家物器具、除扣抵還債項併存公以外、其餘配搭作三房均分、錄明于後、拈鬮執掌、自分以後、惟愿各宜克勤克儉、大振家聲、無怠無荒、恢宏先緒、切勿爭長競短、致傷和氣、是所原望焉、今欲有憑、合立鬮書一樣三紙、付與各房執照

一批明此紙係長房連興應份批明存照

代筆郭長淸

在場胞叔敦楚

公親母舅黃光全　薛汝常

族長簡信奎 簡登房

立鬮分字人簡黃氏長男連興次男連金三男連茹

同治七年九月　　日

（中略）……

一批明、抽出下林頭洋田七分五厘、又王生順興大租寔公七石、麟角收二年、以爲長孫之額、以後存爲祖公香祀之資、照三房輪流、週而復始、不得强、批明存照

一再批明、抽出祠堂前田八分、以爲長孫麟角應份之額、其祠堂前田一甲二分、北勢仔洋田八分、又店尾一座、以上三欵爲母親養贍、批明存照

（中略）

一批明中廳存爲公廳、不得糊、批明存照、

一再批明大廳後厝半間、大廳前擴地一所併行、俱存爲公司、日後三房、照序輪流、不得恃强佔、批照

一批明、母親養贍之田、及店一坐、日後母親百歲後、除開喪費明白、所有一概存公、作三房輪流、批照

（二の丙）の例　仕江公新嘗記

我曾祖考仕江公曾祖妣淩氏婆大生有六子長曰振芳次曰振勳三曰振灝四曰振桂五曰振萱六曰振千我淩氏婆大鑑於耀江祖伯公之無出卽以振千承其後且有遺言云耀江祖伯公遺產無幾凡有耀江名義之田產及嘗會份均息自應歸振千承繼而仕江公之財產則宜作六房均分以敎親親之誼是以分仕江公財產時已暨作六房均分今般恭信與各房派下協議之結果以爲此新嘗是仕江公對各嘗會收入之均息以組織成立者與仕江公原有津歛嘗不同宜遵曾祖妣婆大淩氏婆大之前記遺言而行今後仕江公名義對各嘗會收入之均息及高祖考漳文公以上祖先名義對各嘗會所有均息分配到仕江公耀江公之分額者從來雖係照前記作六房另行處理今無必要應宜仍照舊例合在本嘗結算除每年課稅等及祀掃仕江公仕江婆並外世攷墓費用外之殘金定於每年舊曆十二月二十日作六房平均分配待至翌年舊曆正月二十八日祀掃日以便記簿結算永爲定例各宜遵守是以爲記

一仕江大誕辰舊曆十二月十八日仕江婆大舊曆六月二十八日生日每逢二佳辰之際各處金六圓以爲辦牲儀香帛之資立批

一派下裔孫逢添男丁有做新丁粄奉獻墓前者賞與金壹圓以爲小兒餅菓料立批

一本日議做新簿六本編爲銓權源熙基蓉六個字號收執如左

銓字號長房

權字號二房

源字號三房

熙字號四房

基字號五房

蓉字號六房

此本編爲銓字號長房收執

昭和五年庚午舊曆正月二十八日曾孫恭信謹記

（二の丁）の例

同立抽出永遠掌管合約字人蔡捷 許光彩等、緣捷有明買過許家房內人等大份田業壹段、置在擺接保秀朗庄、東西南北四至界址、載在契內註明、玆就契內抽出厝字連地基竹圍壹座、東至蔡家田爲界、西至蔡家田爲界、南至蔡家田爲界、北至黃家田爲界、又抽出東片竹圍脚外菜園田壹坵、留爲歷年香祀之需、又抽出祖墳風水四穴、橫直任做方員、卽日同中將抽出厝字連地基竹圍並菜園田壹坵、及風水四穴、各面踏分明四至界址、仍交付光彩房內等、永遠掌管爲業、永爲香祀、後日二比子孫、永不得言及長短、滋生事端、此係二比甘愿、各無迫勒反悔、口恐無憑、筆乃有據、同立抽出永遠掌管合約字貳紙壹樣、各執壹紙、爲照、

代書人楊廷振爲中人蔡艮

在場見人許成群 許養

同立抽出永遠掌管合約字人蔡捷 許光彩

道元丙申拾陸年拾壹月　日

第三の場合は寄附贈字を以て設定するものであつて、先づ親族を享祀する場合には、享祀者が父祖でなく、派下は享祀者の子孫若くは同時に繼嗣者と定められた者であつて、設定者は公業に財産を寄附した者なのである。(三)(一五)

(三) の例

同立繼嗣約字人藍遠芳、同堂弟婦尤氏林氏等、芳父親兄弟七人、鬮分之時長三次四倶各去也、長次三各有立嗣、維四房未有後胤、議將溝漕底、抽出水田參坵、東至大房田、西至六房田合石界、南至大房田、北至四房田爲界、西至明白、年配納番大租粟壹斗正、鬮約内批明留存、候四房立嗣之人掌管、玆因芳心思四伯父未有後裔、不忍坐視、是曰與弟婦同房親人等相議、將弟二男名喚旺泉、與四伯父繼嗣爲孫、將此水田交付旺泉管掌、不能變賣、亦不得典借、永遠爲香燈祭祀、螽斯衍慶、瓜瓞綿々、今欲有憑、同立繼嗣約字一様參紙、各執壹紙、永遠存照

代筆人謝長綿　爲證人許江山　房親人藍丁敎

堂弟婦人尤氏林氏　同立繼嗣約字人　藍遠芳

明治三十二年卽舊巳亥六月　日

(二) 祭祀公業は祖先の祭祀を目的とする。

然し乍ら、繼嗣なくして死せし他人の靈の爲めに、祭祀業を寄附設定した者は勿論派下ではない。舊慣調査會の報告によれば、

「此種の祀業には派下なる者なし、通常は個人によつて祭祀は執行せらる、故

に此種の業は祭祀業なりと雖も通常の場合と異なり變例に屬す（一六）と、而して其一例として例へば土地の業主が、其土地の開拓に功勞ありたる者が繼嗣なき爲めに、或は土地の事業主にして繼嗣なき者の爲めに、其土地の一部を割き若くは租石の一部を抽して永遠に其祭祀費と爲すことあり、此等の實例は稀ならざる所にして幾度業主を變するも祭祀業を廢することとなし、蓋本島人は財產を遺して禋祀を繼ぐ者なきときは死者の靈魂永く其財產の上に執著するものとなし厭祟の爲めに其一部を靈魂に寄附するものなり、此種の祭祀業は寄附贈字を以て設定せらるることあり、或は又業主移動の際に作成せらるる契字の上に初て設定を明にすることあり」（一六）と說明されてゐる。然し乍ら、卑見によれば、此種のものは祭祀業でないのではなからうか、今「……（略）……每年帶錢粮銀參元、贌佃實收租谷拾石、以爲祭祀、交就近總理庄耆、輪流辨理、永遠作爲祭祀用費、此乃雲自己發心樂施、即邀總理庄耆、公同妥議、創建△△、喜捐施樂之田業、曰後子孫、不敢異言、……、

批明、此田原帶雲自己大坡水灌蔭、應歸雲之佃人耕作納租、不可別贌別佃、誠恐水源爭放反爲不美、立批是實、再批明、丈單係徐景雲共丈單內批炤、」庄者

……徐雲與、李乾信、莊阿三、胡恒源代筆曾文郎、庄紳耆謝合源、……總理劉兆榮、同立合約創建△△業戶徐景雲、光緒十九年次癸巳參月」(一七)並に「立贈送字業主南崁社土目掌順、蓋聞陰功爲本、積德爲先、緣有員仔湯店庄原佃管宅、自開庄、伊始承買古佃胡敏益手內田業四坵、及店地參間、以來迄今日久、茲有佃人楮夜、承典黃載之手、其業現在、乃夜管耕、順係該庄之主、念及管宅崇祀無依、視爲成德之事、愿將遞年冬季應納大租銀肆錢付托耕佃承管之人以爲春秋祭祀之費、順 係仁心積德、遞年該社之主、冬季給單、付佃執照、耕者既托、仍將租銀先後分爲兩季動用、於今之議、功莫大焉、今欲有憑、合立贈送字、付照
道光陸年貳月日立 樂助南崁通社 在場李再與 知見易成功 依口代筆蘇振東」(一八)を比較するに、崇祀する者なきために他人が捐出して、永遠に祭祀を絕たざらんことを圖るものであつて、其の主旨に至つては同一と見ることが出來やうと思ふ、前者は無主の棺骸を埋葬したる後に於ける、被埋葬者の靈位の春秋二季の祭祀費、祠堂其他の修理費を支出するものなるによつて、之を義塚と呼び、後者は單に、慰靈の爲めの祭祀費其の他を支出するものであるから、祭祀公業であると謂ふならば、それは餘りにも、祭祀の二字に囚はれた所の觀念で

あると謂はねばならない。論者は此の兩者の別を如何なる點に於て求めんとするのであらうか、或は埋葬の有無によつて、或は一つは不特定多數人たる被埋葬者の靈位を祭祀し、他は特定人の靈位を祭祀するの點に於て區別せんとするは良しとするも、乍併、祭祀を爲すは共に死者の裔孫ではないのである。一つは居村の紳士、先輩に其管理を委ね、他は個人に之を托するの差あるのみである。

卑見によれば、兩者は共に、死者の慰靈の爲めに祭祀費を支出し得べき財産を擁するものであつて、(尤も前者は其他に埋葬といふ目的をも併せ有してはゐるものの)一種の財團といふことが出來るであらう。要之、前者は義塚と呼ばる る財團であり、後者は無緣(或は有緣か)供養の財團である。萬善同歸又は有應公といふのがある、これは無緣者の遺骨を拾收合葬する爲めの、ささやかなる納骨堂である、これも無緣者の供養のための財團である。從つて單に、死者の祭祀を目的とする公業は、所謂祭祀公業ではないのである。舊慣調査會は、前述せし如く、此種の業は祭祀業ではあるが通常の場合と異り變例に屬するものであると認むる點よりすれば、多少の疑問の點を殘して居るやうにも見へるのである。乍併、姉歯氏は、祭祀公業の享祀者卽ち被祭祀者は設立者の祖先に限らず、死者を以て足れりと說かれて居るし(一九)判例亦同旨(昭和三年上民第九七號同年七月十日判決例集五三頁)臺法月報の質疑應答亦然りである(臺法月報昭和七年民問第十八應答)。

判例に曰く「民法施行前或繼嗣者なき死者の祭祀費に充つる目的を以て其の子孫に非ざる者が自己の所謂財產を抽出して設定したる獨立の財產も亦祭祀公業なることは本島の慣習上是認せらるる所にして此の場合は享祀者の子孫存せざるを以て其の派下は設定者の子孫たるべき者と謂ふべし」、應答に曰く「絕嗣せし死者特定人を祭祀する爲め死者と何等親族關係なき者が民法施行前に創設したる公業は大正十一年勅令第四百七號の適用上祭祀公業として存續す」、姉歯氏曰く「積極說は祭祀公業の範圍を多少擴張せんとするものにして苟しくも祭祀を目的として設立せられたる公業なる以上自己の祖先に限らず繼嗣なき死者の爲めにも亦祭祀公業の設立を許すべきものなりとする、が消極說は祭祀公業は設立者が其祖先の祭祀を目的として鬮分前抽出したる財產を以て設立したるものに限るべきものとし祭祀公業の範圍を最狹義に定めんとするものである、以上兩說の可否に付ては、理論的に觀察するときは甚だ惑なきを得ざるも、元來此問題は慣習の有無にあるを以て慣習存在したりと觀るときは積極說を可とすべく、慣習上存在せずとせば消極說を可とすべきものなるも、余の考ふる所によれば、今や祭祀公業の設定は殆ど不可能なるを以て民法施行前設立の公業中祭祀を目的とするものは之を廣く祭祀公業中に包含せしむるも甚しき不都合はないと信ずるから第二說に從ひ祭祀公業として存續せしむるを實際に適するものと思ふ」と。寔に姉齒氏の述べらるる如く、元來「此問題は慣習の有無に」よつて簡明に決定出來るのである、慣習にして存在すれば、明白に祭祀公業であると斷言するに躊躇しないであらう。然るに其慣習の存否が先づもつて不明瞭なることは、姉齒氏が「慣習上存在したりと觀るときは、積極說を可とすべく、慣習上存在せずとせば、消極說を可とすべきものなるも」と述べられ、しかも、其結論が前述の如く、積極說を採らるるにも拘らず、其理由としては、慣習の存否につき一言も觸れられざりし點よりしても、(殊にそれが本島の慣習についての權威者たる姉齒氏の論結であるが故に)筆者は、慣習の存在につき疑問を有するものである。乍併、判例は明瞭に、慣習の存在を肯定する、玆に於て筆者は、判例によつて其存在を肯定される所の慣習自體が、恐らく姉齒氏をして首肯せしむるに足るだけの價値をもたなかつたのではなからうかと思料するのである、蓋し姉齒氏の論策は昭和三年九月の臺法月報誌上に於て發表されたものであつて、判例は七月十日のものであり「最近高等法院上告部が此點に關して判決を爲したるを以て其の紹介旁々一言せん」と述べられてゐるからである。判例の所謂慣習にして、斯くの如き性質のものたる以上、果して祭祀公業として之を認むるを適當とするや否やは、之が祭祀公業の本質的要素を具備するや否やによつて決定されなければならないのである。換言すれば、祭祀公業本來の面目よりして論定しなければならないと考へられる。此點、姉齒氏が日頃の明快の理論潤達の筆鋒にも似合はず、論點は慣習の有無に係るものたることを明言せられながら、其存否の考證を避けられ、理論的には惑はざるを得ずと、述べられつゝも、之を理論的に斷定せられたことを惜しむものである。而して肯定理由として、「爾今祭祀公業(慣習によるもの)の設定は不可能だから、祭祀を目的とするものは廣く祭祀公業として存續せしむるのが實情に適する」と謂はれたことは、慣習上の祭祀公業の意義を緩にして其の範圍を成るべく廣く認めんとせらるゝ一つの意義によつて決定せられたものと、見ることが出來るのであつて、若し夫れ反對に慣習上の祭祀公業の存續をなるべく否認せんとする主義を採つたとすれば、消極的決定を見たのではあるまいかとの、疑問を生ずる餘地が十分あるやうである。夫故筆者は、全く別個の觀點より之を論じ、上述の如く義塚と比較して、それは無緣供養の財團であつて、死者の祭祀を目的とする公業である、しかし乍ら、祭祀公業ではないと結論したのであつたが、尙ここに祭祀公業の本質上よりして、それが祭祀公業ならざる理由を述べて見やうと思ふ。

支那に於ては、古來祭祀を以て禮の重きものとして、天子より庶民に至るまで祖宗の祭祀を鄭重にする、臺灣に於ても祖先の祭祀は人道の大義として直系嫡長の男子之に當り、其系譜を絕たぬ樣に努めて居る。(戶婚律の疏議に「妻者傳家事承祭祀、……嫡妻年五十以上無子者得立庶以長、……子者男子也」とある)實男子なければ、同宗同姓或は異宗同姓の養子卽ち過房子を認める、更に本來ならば認められない所の、所謂「神は非類を歆けず民は非族を祀らず」といふ異姓養子卽ち螟蛉子を認めてまでも、祖先祭祀の絕へんことを懼れ、子孫は共同して祖先を祭祀するのである。

祖先の祭祀を宗祧と謂ひ、その祭祀者たるの資格を相續することを宗祧相續と謂ふ。宗を承け祭を繼ぐを目的とするのが相續の本體であつた、卽ち相續は祭祀の繼承者を得るに始まつたのであつて、祭祀の義務を財產とは不可分の關係であつたのであるが、螟蛉子を認むることによつて宗族制は廢頽し、時代の思潮は祭祀相續卽ち祭祀を司る義務の繼承よりも、財產相續卽ち家產の管理と家族支配の權利の繼承に重點を置くやうになり、次第に祖先崇拜の人道の大義も一片の儀式的のものにさへ化し去らんとしてゐる現狀である。しかし乍ら、他方に於てはまた、傳統的習俗は其の精神の如何に拘らず容易に遷移するものではない。祭祀公業をはじめとして、養贍の制、祠堂の重視等その一例である、從つて家祭(禮に所謂家祭を必しも守るものでないことは明瞭であるが)の費用に充當するために、特定の財產を指定して其の處分を禁じ、之を永遠に保存持續せしむる制度である祭祀公業の基本觀念としては、祖宗祭祀の重視でなくてはならないのである。(二〇)(二一)「祖先の靈は其子孫の禮拜に非ざれば之を享けず、其祭祀には家族の外、他人の之に與かることを許さず、人生の不幸は子孫なくして其の祭祀を絕つより大なるはなし、子孫不幸の罪は父祖の祭祀を絕つより大なるはなし、祭祀を絕つは父母を殺傷すると其の罪同じ、祖先の靈は家の守護の神なり」(二二)と謂ふ位である。

今、朝鮮に於ける制度並に慣習を見るに、祖先の祭祀は最大重要事として居る。此事については、淺見倫太郎氏は、半島家廟の制は祖先崇拜を目的とするも、其制たるや、後高麗の恭讓王三年二月の判に、文武官六品以上、祭三代、七品以下祭二代、庶人、則只祭考妣(二三)とあつたに始まり、僧侶の跋扈に反對して起れる一部の儒生が、支那大陸の儀文を輸文して立法せるに過ぎぬ、されば必しも半島固有の習俗に合致せるものにあらず現今半島の慣習調査書に、吾が本土の上世に發達したる氏上の制度、併に中世以後特種の訓練を經たる家督總領の制度を以て、半島人民の慣習たるが如く看察する傾向ありと雖も、半島の史實に合はざる虛妄の見解たること明かなり、と否定して居られるが、縱令、固有の習俗に合致せぬとしても新に生成した習俗として、肯定出來ないものであらうか。疑なきを得ない。偖而、祭祀相續は長子孫(長男又は長男系の長男孫)が祭祀者たる地位に立つべきこととなつておるが、若し其の地位に立つべき子孫なきときは、養子(男子に限る)を爲して其の繼絶を防ぐこととなつて居る。之を奉祀と稱する。(若嫡長子無後、則衆子、衆子無後、則妾子奉祀、長子死無後、更立他子奉祀、凡無子立後者、既已呈出立案、雖成生子當爲第二子以立後者奉祀、嫡妾俱無子者告官立同宗支子爲後)(二三)或は全く繼嗣なき場合には、死者の最近親族中の男子(戶主の弟なるを通例とし、弟なきときは、四寸親族中の男子とする、女子に祭祀相續を認めない)に於て祭祀を攝り(之を攝事又は攝祀といふ)死者の遺産につき相續人なきときは、一時攝祀者に於て之が管理を爲し且つ其家に於ける祭祀を管掌する。此攝祀者は一人に限り、攝祀者の相續人は攝祀並に財産管理の權利義務を承繼しない。(二四)又、他姓の乳兒を養つて子と爲し其の姓に從はしめたる場合は、收養子であつて、收養子には祭祀相續の資格はない、故に收養子が事實上、養父の後を繼ぎ祭祀を行つたとしても、慣習上之を祭祀相續と認めない。收養子は別に一家を創立したるものと視るを相當とする、收養子の子が更に其の後を繼いだ場合は、唯〻實父の奉祀者となつたものであつて、養家の祭祀相續をしたものではない。從つて收養祖父の祭祀を行ふを得ない。朝鮮に於ける祭祀相續は、其家に於ける祖先の祭祀者たる地位を承繼し同時に戶主相續及び財産相續を爲すものであり、一家の系統は祭祀相續者に依つて連續する(戶主たりしものと雖も女子は家系の世代に加へない)ものであつて、相續中最も主要なる地位を占むるものである。

従つて、此祭祀相續の觀念を以て直ちに本島の祭祀公業に於ける祖先祭祀を爲す資格の準據となすを得ないこと勿論である。唯々然し、奉祀せらるゝ者と奉祀する者との關係が相當に重要なる血緣の連鎖によつて繋れてゐる場合に於て、はじめて、祖先祭祀と謂ひ得らるゝものであることの例證となすに足るであらうと思はれる。

本島に於ける慣習によれば、祖宗の祭神は嚴格に、高祖父母、曾祖父母、祖父母及び父母等の四世に限ることなく、本島渡來最初の祖又は、支那に於ける祖先發祥の祠廟に祭祀する祖宗等、何等の制限はないのである。祭場は富者なれば家廟を建つるものもあるが、一般にあつては、祖龕を正寢に安置するか、或は廳堂の正面に卓を置き、其上に神主又は祖牌を安置するのである。偖而、今祭祀費を寄附して設定せし者と死者とは系譜の關係はなく、祭祀を爲す者は、其公業田を耕す佃人である所の公業を目して、之をしも祭祀公業と呼ぶことは何人も躊躇せざるを得ないであらう。筆者は、祭祀公業は、單に祭祀を爲す公業ではなく、飽くまでも祖先の祭祀業でなければならないと思料する。敢へて諸賢の叱正を待つ次第である。

三　外的素因

外的素因とは、積極的に産業上、經濟上に於て、自家一門一族の勢を張り、以て他姓を凌駕して覇を唱へんとするの目的を有するか、或は消極的に、他姓のかくの如き唱覇の目的に對抗防禦の意味に於てか、何れにしても、土地を基礎として其の開墾、出贌を爲す場合に於て、其子孫の繁榮と、團結の核心を、祖先祭祀の點に求め、以て子孫の違心散逸を防ぎ、一致協力して自家一門の勢力伸張の紐帶と爲し以て其の產業的伸展に資する所あるべきを、期したるものと考へられるのである。「共同祖先に對して有する尊崇敬愛の念は卽ち血族團體の求心力である。共同祖先に對し每年行ふところの祭典及之に關する莊嚴なる儀式等は、多數の族人間に絕へず彼等は同じ祖先より出で同じ血統に屬する者なる記憶を新たにして其求心力を弛めず、同血族の各員を此中心に引付くる作用あるもの」(二五)である。從つて祭祀業は元來祖公を祀るが爲めに設定した業であるから、契字中に之が處分を禁じたると否とに拘らず之を永遠に傳ふべき性質を有して居る、故に份額（フン）(筆者は收益權の割合と解す)を有する者の總員が一致することあるも賣却又は出典をするを得ないのを本則とする、是れ祭祀業（祭祀公業の組織でなく、不動産そのものの意味に於ける）を賣買する者は靈鬼の罰をうくべしとの俗説ある所以である、（二六）といふ位であつて、其設定字には「逐年收租以奉祭祀、不得私行典借變賣」「爾兄弟子孫世々公同奉祀、序次輪流、不許分折」「永遠輪流祭祀」「永奉煙祀、世々綿々」「永爲祀業、不許典賣」「不得出借」等の文字を連ねてゐる。祭祀を永遠に絶たざらんが爲めには其費用の淵源も亦處分出來ないことは當然であるが、末世の子孫の生計の資の源泉として、より重大視する要があるであらうことは、公業存廢論（別項參照）に於て、何人も窺知し得る所であらう。勿論直接的には、祭祀公業は家産の散逸を防ぎ、其强制維持を目的としたものではないと謂へるが、しかし「子女の結婚費、長孫額、養贍費等を支辨せしむることがあつても、是れ唯實際の便宜上よりして、偶々之を負擔せしむるに過ぎず」（二七）と輕々に論斷し去るべきではあるまい。元來、祭祀公業そのものは、一般庶民階級に於ては設定し得るものではない、殊に中流以上の祭祀公業に於ては、辯事公業的事業及育才公業的事業をも營み、その費用支出を定めおるものも尠くない、およそかゝることは、總て、外的素因より派生したる現象であつて、これを單に便宜上の理由として解するのは、餘りに單純すぎはしないだらうか、大公業の沿革を見るとき、その發展の跡を辿るとき、祭祀公業存在理由の一本は、此外的素因にあるものであるといふも敢えて、過言ではないであらう。

四　實例

内的素因及び外的素因の典型を茲に二、三記載して見やう、○○甲○○甲祖由緒の記する所によれば「○○家の公祖子玉祖は漳州府南靖縣社に子孫を傳へ其數は大多數に渉り、芳遠臺と稱する祖廟を建設して其處に祖公を祀つた、其後の子孫は渡臺し、多く其子孫を嘉義、新化、淡水、宜蘭等の各地方に殘した。就中新化は最も繁榮を示した。其後、前の大武郡堡即ち現在の員林郡に建基した、當時の者が尊祖敬宗の情、熱きが爲め金錢を鳩集して公業を設立し、名付けて○○甲と稱した、其收入した金銀は陸續支那に送りそれを以て祭祀之資に供した……一つは報本追遠以て孝子慈孫之心を盡し一つは賢人を養い才人を育て以て耀祖榮宗之地と爲し、……即ち○姓の本、末は百世に渉り其蒸嘗は前古にわたる、所謂孝思不匱、且つ永遠に○姓の人々をして大多數たらしめることである、源を同じくしたる所の子孫は一人として其の美名に浴しない者はない、云云」(二八)といふのであつて、之れを見れば自家の祖先を祀り自姓の現在に於ける活躍を劃し將來子孫の據つて以て益々其勢力を擴張せんことを念ずるものにほかならぬのであることが明瞭になる。又、田中庄に於ける蕭姓公業十三件陳姓公業四件許姓公業一件について其の設定目的を見るに(1)祭祀兼利益のため、四件(2)祭祀兼育英のため、十二件(3)祖先を永遠に祭祀せんがためのみ二件である。蕭舊公業は派下千二百人蕭舊五甲公業は派下千人を擁するのであつて人材の養成は結局一族一門の富貴繁榮を冀望するに外ならぬのであり、其團結心の中心を宗祖の祭祀におくものである。

祭祀公業の事業としては、當然に、祭祀、敬老、育英、香典、廟修理新築、支那へ送金、剩餘金の配當、公業財産増加等が擧げられてゐるが、畢竟、是れ一門の繁榮を劃策するものでなくて何であらう。今一つ次に實例を紹介しておく。

林敍盛祖新嘗簿序、

昔先王之祭祀也春禴夏禘秋嘗冬蒸時不同名不同報本追遠之意無不同至於大夫士有田則祭無田則薦春韭夏麥秋

黍多稻亦無非報本追遠之意若乃報本之中又報本追遠之中又追遠此孝子饗親無異仁人饗帝非仁孝誠敬之致者不能及然不能及者仁孝誠敬之心而所當念者木本水源之義我

敏盛祖系出三仁源流卜德本固南山苗蕃東海上承百世之宗家立三房之祖子孫之林林總總世代之繩々繩々世愈遠而丁愈多人彌稠而業彌廣士食舊德農服先疇雖沐皇恩之浩蕩實沾祖德之帡幪使秋霜春露之所濡而俎豆馨香之無且無以報

祖宗之赫曷以昭子孫之誠昔年在臺叔姪續斂有敏祖新嘗多歷年所未能擴充皆由不善設法爰於光緒九年六月合族父老妥爲酌議依照老嘗規例公立會簿註明各分公舉經理濫費不得妄開業產雖微出息雖小荀有始而有終自可久而可大如河海不擇細流若泰山不辭土壤積少成多集腋成裘致異日母子盛大廣置田園東作西成富歲子弟多賴迎牲薦幣春秋祀事孔明衣食足而禮義興粢盛潔而祖靈濯鎮邑臺疆子婦咸知木本閩邦粵嶺丁男共識水源雙桂家聲不朽九龍世澤常新豈非三房之盛事哉是爲序

光緒九年癸未裔孫廩生奎光敬撰

公業の意義並に祭祀公業設定原因と方法の圖示。

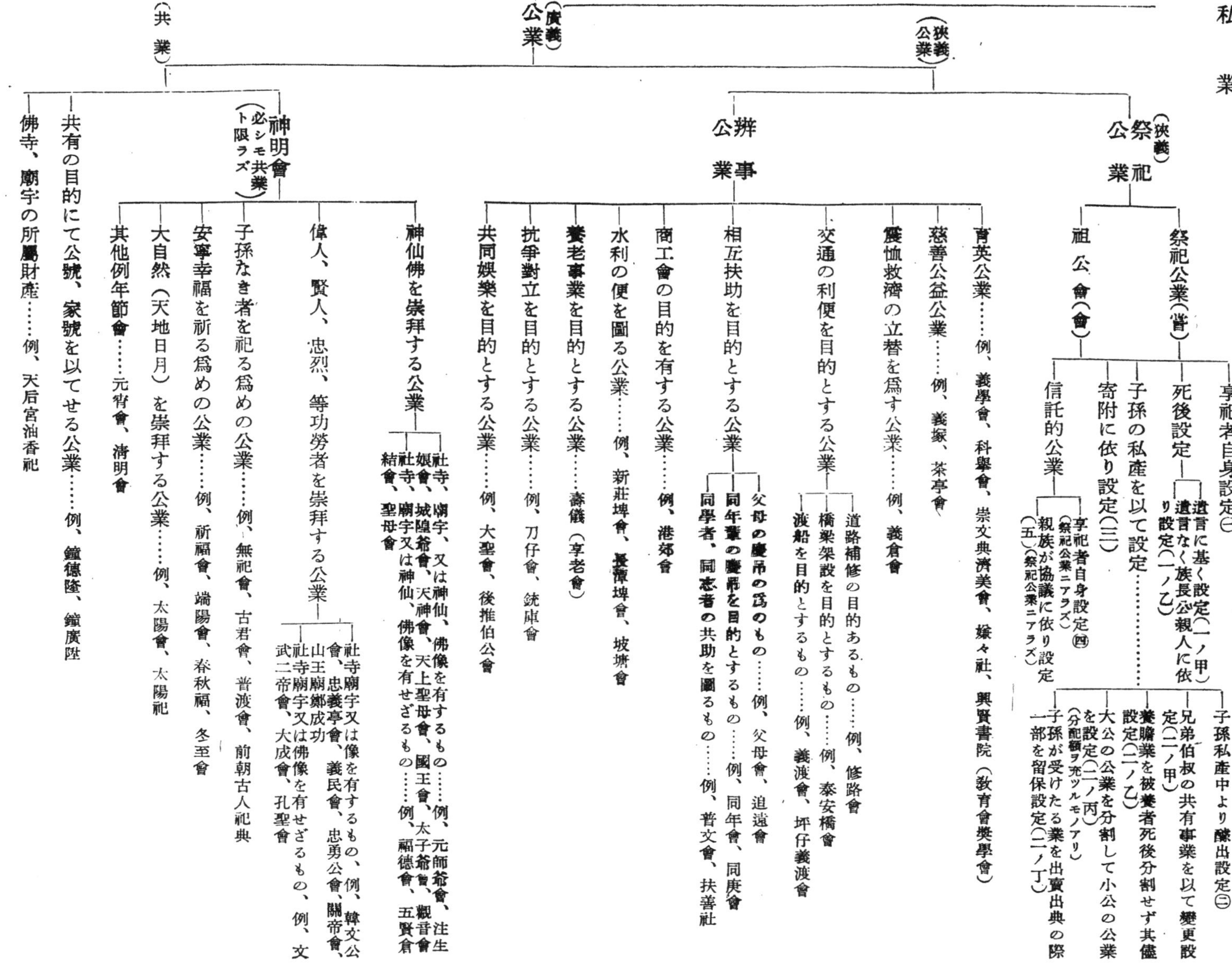

第三　祭祀公業の法律上の性質

一　序説

大正十一年九月十八日勅令第四百七號臺灣に施行する法律の特例に關する件は、臺灣に民法施行の際に（大正十二年一月一日施行）其の經過法として發布せられたものであつて大正十二年一月一日より施行せられたものである。其の第十五條に「本令施行ノ際現ニ存スル祭祀公業ハ慣習ニ依リ存續ス但シ民法施行法第十九條ノ規定ニ準シ之ヲ法人ト爲スコトヲ得」と規定してゐるので、但書の場合は之を別として（此但書によつて法人としたものは一件もないといふことである（一））、一般に祭祀公業は、慣習に依り存續してゐる祭祀公業の實體を明確に把握して之を法律的に檢討して見る要があるものと謂はねばならない。そこで先づ祭祀公業に關する慣習を出來るだけ正確に認識しなければならないのであつて、此の點について一度誤謬錯誤あらんか、爾後の法律論はそれが如何に巧緻を極めてゐても、恰もそれは砂上の樓閣に等しきものであらうことは、贅言を要せざるところであらう。

しかし乍ら、其慣習なるものは不明瞭且不完全なものであることは周知の事實である。例へば「舊慣調査會の報告書に依れば、殆んど財團の説明をして居るが、祭祀公業には法人格を認めない、卽ち總派下から獨立した人格者を認めないのであるが、今日の法院の判例を調査して見ると、殆ど法人格を認めて、管理人を法律上の代理人といふ樣に説明して居る、之は詰り、慣習が不完全な爲めに、又不良な爲めに、法院の判例で、漸次かういふ趣旨になつた次第と思はれる。尙派下の權利義務及び管理人の選任の方法並に公業の範圍についての慣習が不明瞭であり、公業の監督に關する點については全く慣習はない」(二)とか、「其の慣習なるものも、甚だ曖昧であつて、漸次裁判立法により之を補ふて居る現狀であるから、特に考慮を拂ふべきである」(三)とかの意見は以て其の一班を示すに足るものであらう。

或事項に關する慣習にして全く存在せざるものは何とも致方がない。恐らく當該事項については、古來、一般の問題とならなかつたが爲めでもあらうか、と思はれるのであるが、その缺如せる事項について、且缺如せるが爲めに却つて、今日俄に訟庭事繁しといふに至つては、或は現今の複雜なる社會事情に不適應となつてきた爲であるのか、或は、權利義務に覺醒せる徒輩が、當該慣習の欠缺を奇貨措くべしとして紛爭を爲し、基因を爲せるか、何れにしても裁判立法によつて之を補はざるを得ないであらう。不完全なるものについては、夫れを補完する意味に於て同樣なことが謂へるであらうし、不良なるものについては、―不良とは現代の公序良俗を標準としたるものと解するが―當然、之を認むるを得ないと共に、其の補正の點に於て之亦同趣旨の結論に到達するであらう。

次には或る事項に關する慣習は存在するも地方地方によつて其一致を見ない場合がある。概して純然たる慣習といはれてゐるのは、公業設定に近き時代に於ての慣習であつて、それがその儘に相傳へ相繼ぎ、以て今日に至つたのではなく、次第にその一つの慣習に從ふべく困難なる事情が發生したる場合に、應時隨處、多少の變更が爲されて來たために、各地方に於て、所謂慣習の一致を見なかつたり、又は、必要なき慣習は跡を絕つたのではなからうか、列へば「派下全員協議」といふことについて見ても、其初めは、既に述べたるが如き有樣であつて、房數も少く從つて總派下の同意といふ形式を執るにしても、少しも差支へない計りでなく、否却つて、それが一門親族一同の協議としては和衷、協同の名實共に副ふことになつて、至極名策であつたことと思はれる。恰も一家内一同、父子兄弟の意見の一致といふ事と同様であらうから。然るに數代、十數代を經て派下數何十、何百、或は千に餘る有様となるに於ては、總派下なるものの捜索にも困難であらうし又總派下の集合も困難となり、假に總派下の會合が可能としてもその總派下の意見の一致なるものは不能に近い。數代、十數代の末を見透しての派下一同の意見の一致といふ定めでもなかつた事と思はれる、恐らく當時の時勢と、設定當初の情況からして、實際上の取引にも適應してゐたと考へられる。假に設定字に、右の如く定めてあるとしても、百年、貳百年もの不變文字と見る要もあるまい、從つて遠慮なく、既に從來とも適宜に事實上は變改を加へて、時代の情勢に適合させ、取引の觀念に適應させて、今日まで實行して來たのもあるであらうし、そのまゝ、必要なくば、當時の規定を株守して居るのもあるであらう。極言すれば、これは一つの比喩に過ぎぬが、設定字毎に異なる點もあるであらうし、所謂家風によつて異なるといふも差支ないかも知れぬ。故に據るべき慣習が地方によつて一致せず、不明瞭なる場合の存するのも、やむを得ないことであり（別項公業存廢論參照）、此不明瞭の慣習を基礎にして立論するは、寔に危險至極のことであるが、併しそれが明瞭なる範圍に於て、それを素材とするのも亦やむを得ぬこととして許さるべき歟と思ふ。かゝる立場に於て、祭祀公業の法律上の性質を斷定せんとするものである以上、公業に關する調査がより一層周密に進められるに從ひ、反對の慣習が發見立證さるゝに及べば、此の斷定はその誤謬を自覺せざるを得なくなるであらうし、又それが當然なる歸結である。要之、現在に於ける公業調査資料に基く限りに於て、一應の斷定に達したるものに過ぎないことを玆に一言しておく次第である。

偖而、祭祀公業の法律上の性質については種々の見解がある。今その重要なるものについて之を分類して見ると、次の如くである。

（一）享祀者主體說—本島人間の在來の觀念、小島由道氏

（二）財團說—守田次人氏、舊慣調査會第一回報告書

（三）特殊法律關係說—舊慣調査會第二回報告書一卷〟

（四）共有說—上內恒三郎氏、安藤靜氏、舊慣調査會第二回報告書二卷〟上〟

(五)合有說―岡松三太郎氏、大里武八郎氏、眇田熊右衛門氏、伴野喜四郎氏(總有又は合有との說)舊慣調査會第二回報告書二卷下、第三回報告書一八下

(六)法人說―谷野格氏、高田富藏氏、藤井乾助氏、伊藤政重氏、姉齒松平氏、高等法院判例(現時の實際上の取扱はこの說に依る)

二　各說の批判

(一)　享祀者主體說

享祀者主體說は享祀者たる死せる父母を以て財產權の主體とみとむる說である。法律上の觀念としては、勿論認めがたいものであるが、支那法には支那法の特質があり、敢へて歐米の法理に依存する要なし、家祖を財產權の主體として、家長を其の管理機關とするは、一般に認められた所であると說く者もある。(四)享祀者主體說は、祭祀公業は個人たる家長並に派下とは別箇の存在なることを暗示せるものであり此點に於て重要なる示唆を與ふるものであるが、それと共にまた、家長並に派下が管理機關であるといふことは祭祀公業に對して派下

が特殊なる地位を有する旨をも表示して居ると思料せられる。事死如事生、事亡如事存、孝之至也といふ本島人の觀念よりして、享祀者主體説が生成したものとすれば、所有權の縦の延長たる相續についても、或は、父祖との共有關係も考へられさうである。遮莫、享祀者説を詳しく紹介するものに第三回報告書第一巻下がある。抄録して以て重複を防いでおく。(五)(別項、國體と祭祀公業參照)

『本島人の通俗の觀念より歸納し普通生し得べきは享祀者即ち公業に依りて祭祀せらるべき父祖が公業の主體にして派下は單に之を管理する者たるに過ぎずとなすの見解なり此説の根據とする所を擧ぐれば(一)公業の業主名は享祀者の諡號又は其本名を用ゆるを例とす而して其業主名を以て法律行爲を爲し即ち享祀者を以て出典賣買の當事者とす故に享祀者を以て公業の主體なりと云はざるべからず(二)公業を設定したる鬮分字を見るに第一次に公業を抽出し然後其殘餘に付分割を行ふを例とす其抽存と云ひ留保と云ふは相續財産の一部は元の儘に分割繼承せられずして存在するを云ふ即ち抽存せられたる財産は分割前と其權利主體を同ふするものとす蓋し本島人の觀念に於ては業主たる父祖死亡するも其財産は直に相續を開始し子孫各自の業に變ずるものにあらず鬮分に依りて始めて子孫の業となる換言すれば父祖と子孫の間に直接の財産承繼なし而して公業は鬮分外に抽出留存せる父祖の財産にして子孫が其財産を各自の業に變ずるに必要なる鬮分なきを以て子孫は業主權を取得するものとなすを得ず(三)父母が生前に於て財産を衆子に分與するに當りては養老の資として養贍業若は養贍租を留存し而して死後は養贍業は通常公業として保存せられ祭祀の資となす其抽出の形式を見るに「生爲養贍死爲祭祀費」と謂ひ生死に依りて業の主體を變ずることなし唯自ら收益すると子孫をして保管せし

むるとの差あるのみ故に養贍業の主體は永遠に公業の主體たるものとす（四）更に一般本島人の觀念に從へば父祖を以て公業主と爲す是父祖の成せる財產は父祖の靈魂執着す公業を設くるは父祖の靈をして餓ゑざらしむるが爲にして公業は死者在すが如く之を支配するものとなす從て公業は之を他人に讓渡するを得ざるものとなし他人も亦之を承買するを欲せず又子孫は公業を分割するを得ざるものとし公業の持分なる觀念なし又公業の收益は凡て祖先祭祀の費用に充つべきものにして子孫は之を收益するを得ず子孫が祭祀費用を控除したる殘餘額を取得することありと雖も是唯公業の管理祭祀の執行の勞に報ゆるが爲に外ならず之等の慣例は一に享祀者を以て公業の主體となすの觀念に基くものとす

然れども以上述べたる享祀者を以て公業の主體と爲すの見解は之を法理上より觀察すれば正當なりと云ふを得ず（一）公業の名義が享祀者なるが故に公業の主體は享祀者なりとなすは說明を盡さず蓋父祖の名義を用ふるは公業は專、父祖の祭祀のために用ひ、派下の自由の處分を認めざるが故に實際の便宜上より父祖の名義を用ふるものと解すべく法理上直に父祖を以て業主なりと解するを得ず故に父祖の名義は單に形式たるに止まる、問題は形式上父祖の名義たる財產は實質上何人に屬するかを定むるに在り（二）鬮分前に於ける相續財產を以て父祖に屬すとなすは非なり父祖の死亡に因り子孫は當然其財產を相續するものにして鬮分前に在りても相續財產は既に共同的に子孫に屬するものとす子孫は鬮分前に於ける相續財產に對する相續分を處分するを得ざるべしと雖も是父祖が相續財產の業主たるが爲なりとなすを得ず後に述ぶるが如く合有關係成立するが爲なり（三）又養贍業を以て被養者の死後其公業と爲すも是亦實際の便宜に基きて生ぜる慣習たるに過ぎず（四）一般に本島人は公業を以て享祀者の業となすの觀念を有す然れども是禮教に基ける觀念にして法律上の觀念にあらず公業は主として禮に淵源す蓋し禮の觀念は漢人種に特有なるものにして凡人事に關する規矩準繩は皆禮に基因す祭祀の制其源は禮の宗法に存す本島に於る祭祀公業も亦實に玆に萠す古にありては禮は專、人事の關係を規律せしと雖も後世に及ては禮の畛域は漸々法律に侵食せらるゝに至れり別籍異財を罰し祀產の賣買を禁ずるが如きは卽之に屬す故に公業慣習は一面は禮教觀念に支配せられ一面は法律的習俗に化成せり從て禮教觀念のみに依て公業を觀察するときは「事死如事生、事亡如事存、孝之至也」(禮記)「祖宗非死也、子孫而死之則死」(錢維城)と云ひ祭祀公業を以て父祖の業なりとなすは當然の結果なり然れども是禮教に基くものにして直に之を以て法律上の觀念なりとなすを得ず(五)上述する所に依り享祀者を以て公業の主體なりとなすは根據なきのみならず且若享祀者を以て公業の主體なりとなすときは死者を以て財產權の主體となし主體なき財產權を認むるに至り法理上之を認むるを得ず』

(二) 財團說

祖先の祭祀を目的として一家若くは一族に屬するもの及び同姓のもの廣く相聚り捐金又は土地を捐出して祖先の祭祀にあてたるものなどの公業の法律上の性質は、之を財團と見るべきや又は共有關係と見るべきやについては大に疑問をもち、契約の文字又は實例の上より見て、其何れに決定するも共に誤謬たるを免がれないが、しかし此種の公業は、之を以て家產とする主旨であつて、分割を許さないものであるから、恰もFideicommissumに於ける如く一種の財團であるといふ說がある(六)、併しながら、其財團近似點として擧ぐる、(一)公業設定の目的が主として祭祀を營むにあること(一)子孫に於て之を他に典賣すべからざる旨を明記するもの多きこと(二)收益の剩餘を積立て公業の增殖を圖るものあること(四)設定後多年を經過し子孫多く到底其關係者を定むるに由なき場合あること(五)公號を有する場合多きこと等を見るに(三)(四)(五)の三點の如きは未鬮分の父祖の遺產にも共通する所であり、公業の特有でない、又財團は財團自體に於て權利主體たると共に、(七)其設定者は之に對して應得分を有しない、隨つて其收益を分配し或は協議によつて其財產を分得するの權利のないのを本則とする、然るに公業は派下に於て房份を有し、之を他の派下に歸就し其他收益の一部を分配する等財團關係としては、異色があまりに多い樣に思はれる、(八)財團說は派下の關係を說明するに不充分であるといふ缺點を有する。

（三）　特殊法律關係說

臺灣の慣習上、公業の範圍が一定しないから論斷が出來ない。或は共有、或は社團的法人、或は財團的法人、或はそれ等の何れにも屬せず一種特別の法律關係を成すものと認むるを適當とするものがある、殊に祭祀公業は卽ち特別の法律關係であると信ずる、といふ說であるが(九)其の特別の關係の內容を判然と説明しないので、如何なる關係なるや明白でなく、從つて公業の主體の問題も解決されないのである。要之、問を以て答となす類である。

(四) 共有説

共有説を力説するものを茲に引用して見る、まづ祭祀公業は恰かも父祖又は房中の一人が專有するの外觀があるが決してさうでない、各房の出捐によつて設定したる祭祀公業は各房の共有たること論なく、從つて其管理は輪流の方法に依るを普通とする、生存せる父の名義の祭祀公業と雖も元來一家の共産たる家産の一部を其儘存置したるものに外ならないから此場合に於ても該祭祀公業は父の專有ではない。

要之、祭祀公業は其本來の性質上、一人の專有に屬するものではない。次に祭祀公業は恰かも一種の財團法人たるかの如き外觀がないでもない、しかし乍ら、臺灣に於ける實際の慣習を見るに、祭祀費に充つる爲めに或財産を鬮分外におくことによつて又は各房の出捐によつて設定せらるゝものに外ならずして、該財産を以て或特種の主體に屬せしめる趣旨でないのを普通とする、かくの如く、一人の專有でもなく又法人でもないとすれば、該公業の設定の趣旨及該財産の本來の性質に基き之を該設定者及其子孫の共有に屬するものとするを以て至當と爲さゞるを得ない、蓋し各房の出捐に基き設立したる祭祀公業の如きは、其設定者及其子孫の共有財産たること殆んど疑を容れない所である、然るに鬮分の際、特に祭祀公業として一定の財産を指定したる場合に於ては、在來の家産の一部を祭祀費に充つるが爲め之を鬮分以外に存置したのと同樣である、從つて純然たる家産主義より言ふときは、(一)從來一家の共産たりし財産が祭祀の目的の爲めに、鬮分以外に保存せられたればとて、共産たるの性質を變ずると謂ふことはない。然るに近世に及び家産が漸次父祖の專有に歸する傾向になつて來たので一概に共産主義の理論を以て論ずることを得ないとするも、祭祀公業は各房に於て輪流管理を爲すといふ事實に徵するときは、祭祀公業は各房の共有に屬する所の財産と見るを至當とする。例へば父母の祭祀公業は兄弟間の共有に屬し、祖父母の祭祀公業は從兄弟間の共有に屬し、曾祖の祭祀公業は再從兄弟間の共有に屬するといふやうなものである。

かように、祭祀公業を以て各房の共有とするときは其當然の結果として、祭祀公業は之を家産の一部と爲すのが至當である。蓋し鬮分の際に設定したる祭祀公業は前に述べたるが如く、從來の家產を分割せずして其の儘に保存するに外ならないから之を祭祀公業と爲すも家產たるの性質を變ずべき謂れはない。而して各房が皆一家の家族であるときは、祭祀公業の全體が家產たるは勿論であるが、若し各房が各一家を分立したときは、總祭祀公業に對する各房の有する想像上の持分を以て其家產と見るべきである、又各房の出捐に依つて設定した祭祀公業も、亦右と同一に論ずべきものであると信ずる』(一〇)といひ、次に、「祭祀業は法人的性質を有するもの、との說がある、然れども予は假令ひ例外にもせよ分割することがあるから祭祀業は寧ろ共有の性質を有するものと信ずる、……分割を許さないことを以て本則とするも(一)貧困に迫り分割を請求するの已むを得ざる境遇に至りたること、(二)祭祀業の關係者即ち有份の人々全體に於て之を承認したることの二條件を具備したる場合に於ては、例外として分割を許すのである。又、祭祀業の有份人全體の合意に基くときは、祭祀業の全部を第三者へ賣却することもある』(一一)とか或は又、「其財產が本來家產たると其設定の趣旨が各房共同の目的に存するとの二理由よりして祭祀公業は之を其設定者及其子孫の共有財產と見るを以て至當と爲さゞるを得ず、何者、各房の出資に基き設定したる祭祀公業の如きは設定者及其子孫の共有財産たること殆ど疑を容るべき餘地なく又鬮分に際し祭祀公業として抽出留存したる場合の如きも唯家産の一部を祭祀費に充つるが爲めに存置したるに過ぎずして、本來家産たるの性質を變ずるの謂なければなり、又祭祀公業は之に關係ある各房に於て輪流管理を爲し一人の專擅に委するを得ざるの事實に徵するも各房の共有に屬する財産なりと見るを以て至當とす、……一家の祭祀公業は又家産なること明にして唯、特定の目的に供せらるるが爲に他の家産の如く分割を許さざるものたるに過ぎず、而して各房皆一家に屬するときは祭祀公業の全部は卽其家の家産を成し若各房が各一家を分立したるときは其祭祀公業に對し各房の有する持分は、卽ち各家の家産を爲すものとす、祭祀公業が從來の家産を以て設定せられたるに非ずして各房の出資により新に設定せられたる場合には之と同一に論ずることを得ざるが如しと雖も苟も祭祀公業として設定せられたる以上は從來の家産を留保したる場合と其性質を異にすべき理由なく新に設定せられたる祭祀公業は新なる家産を構成するものと認むべし。」(一二)といふ。

乍併、家産は共有であるとしても祭祀公業は、家産であらうか、否家産の一部であらうか、兄弟相出捐して祖先の香祀費の爲めに永久の公業田となしたるものを家産と見ることを得るであらうか。又、共有であるとすれば各房は夫々持分を有すべく、又其持分を處分し得なければならないし、分割の請求をも爲し得べきである。然るに祭祀公業に關する慣習は之に反してゐること今更言ふまでもない。輪流管理を爲すこと又は例外的にも分割することが有り得ること等を以て共有の根據と爲すのは當らない。

支那法に於ては、墳墓にはこれが祭祀の費を得る財源として一定の財産を設置してあるものがある、これが卽ち祭田である。「祭田は一族より集めた土地であつて一族の共有に屬し、承領せる長支は只之を管理せるのみであり、其處分には共有者全員の同意を要するも使用收益權は之を承領する者之を有する。祭田の收入は先人の祭祀の費用に充て、その幾分を生活費に充つることとなしとせず」(一三)と說明せられてをるが、果して、純粹の共有なりや否やは、これだけでは斷定出來ない。

(五) 合有說

「支那法に於ては、財産については家産の主義を採り、財産は一家を組織する尊長及卑幼の共有に屬する故に此點よりいへば純然たる財產の相續を生ずることなく唯共有財產の分割あるに過ぎないものと云はざるを得ない。然し乍ら支那法に於る家產共有の關係は……寧ろ獨逸法等に於ける Eigentums gemeinschaft zur gesamten Hand の共有關係に類似し一種の集合的所有權に外ならない即ち家產なるものは家族の共同團體に屬するものであつて之が管理處分の權は一家の尊長に於て之を總攝し、卑幼は其家產に對し各自獨立したる共有權を有することなく尊長の許可あるにあらざれば擅に之を私用することを得ない、換言すれば「家產は家族各自の共有に屬するに非ずして家族全體の團體に屬し、尊長は其團體の代表者として專ら管理處分の權を有するものとす、從つて其管理者死亡し家產の分割を生ずるときは家族の各自は此に初て其分割されたる家產に對し自己固有の權利を有するに至る……支那法に於ける家產の分割は創設的效力がある、故に家產の分割は名は分割にすぎないが、實は權利を取得するのであつて之を承繼といふも妨げないと共に亦尊長は卽ち被承繼人であつて、家產の分割を受けたる者は卽ち承繼人である。殊に近世に至つては數世同棲の美風は廢頽し世を易ふる每に家產の分割を生ずるに至り、實際に於ては、宛然たる遺產相續の實がある」（一三）と。

今、假に所說の如く、家産が家族全體の團體に屬し、一家の尊長が團體の代表者として專ら、管理處分の權を有するものとすれば其管理者たる尊長の死亡は、新たなる管理者の出現を要望することにはなるであらうが、丁度公業を家産とし、公業の管理が兄弟より從兄弟に漸次に移ると說くが如くに家産の分割を生ずることにはならないはずである、家産の分割を生ずるときは、家族の各自は初めて分割されたる家産に對し自己固有の權利を有するに至るとは、今迄結合されてゐた持分權が自由に行使され得る情態に至つたこと卽ち共有情態になつたことを意味するものであらうか、疑なきを得ぬ、元來、「家産は家族各自の共有に屬するに非ずして家族全體の團體家族の共同團體と云ふ字句も用ひられてる）に屬し」といふのであるから、公業は派下の共同團體又は派下全員の團體に屬するといふ意味となり、其所有形態は、團體所有形態を意味するものではないかと思はれる。果して然らばこれは合有ではなくて總有なのである。合有とすれば各派下は公業財産に對して、直接支配者たる地位をもつべきである。卽ち持分を有すべきであることは共有と變りはない、唯だ、祭祀といふ目的の爲めに持分は結合させられてゐるだけである。

合有權とは共同權利者が各自の有する持分權を自由に且つ單獨に處分し得ない共有權であつて、通常の共有權と異る所は持分權の結合に在る。即ち合有の場合でも持分權は存在する從つて所有權は各人に歸屬する、然し其他の點については總て共有の規定によるべきなのである。(一五)

合有說は Gesamthand といふにも拘らず、實は總有關係を說明してゐるやうに筆者には思はれてならない。合有說——そしてそれは總有說と思はるるところのもの——をより明瞭に公業について力說してゐるのは岡松三太郎博士である。其儘次に引用する。

「以上論ずる所に依り公業は享祀者の業にあらず又法人にあらずとなすときは公業は派下全員に歸屬するものと爲さざるを得ず、而して是最本島人の觀念に合す、蓋公なる文字は共同なる意義を有し個人に屬せざることを示す。故に字義より論ずるも派下全員の共同的財產なりと解せざるべからず。又派下全員の一致あるときは公業財產を自由に處分し又之を分割することを得るより見るも公業の業主權は派下全員に屬するものと解せざるべからず。特に子孫貧困に迫れる場合に公業を分割するを得るは舊慣上一般に認めらるる所とす蓋子孫ありて始て祖宗の祭祀を絶たざるを得、故に子孫が貧困に陷り生活の困難を來せる場合には子孫の生存の爲めに公業を處分するを認めざるべからざるが故なり若公業を以て派下に屬せずと爲すときは派下が鬮分によりて分得することを得る理由を說明するを得ざるに至るべし。之に依りて見れば公業の業主權は總派下に屬するものと解せざるを得ず。

如斯公業は派下の共同に屬すとなすも公業は共有關係卽組合にあらず。換言すれば公業には自由に處分することを得べき獨立せる持分の觀念なし。共有關係の最顯著なるは合股にして獨立せる持分卽ち股份なるものを認む。反之公業にありては獨立せる持分の觀念なし。公業が祭祀の目的の爲に存し人的合同を基礎とする點より論ずるも亦持分なる觀念は之を認むるを得ず。故に公業財產は一體として派下全員に屬するものとす。從つて各派下は獨立して處分することを得べき權利を有せず各派下は輪流して公業財產を管理し使用又は收益し又公業財產を分割するときは平等に分攤す此割合を房份と稱す。然れども房份は單に割合を示す計算的標準たるに止まり、實質的權利にあらず。故に房份を以て共有の持分となすを得ず。之に依りて見れば總派下が一體となりて公業財產の主體たるものにして公業は獨逸法に於ける合有關係（Rechtsgemeinschaft zur Gesamthand）なりと解するを適當とするが如し」（一六）と謂ふ、偖而、（一）公業は派下全員に歸屬するといふ其理由を派下全員の一致あるときは公業財產の自由處分を爲し得る點に求めたこと（二）公業は組合に非ずとして其理由を自由に處分することを得べき獨立せる持分の觀念なき點においた、組合の共有關係に於ても亦自由に其有する持分權の處分は出來ない情態もあり得る（日民第六七六條及び獨民第七一九條參照）そして此の組合のかゝる狀態に於ける共有關係が合有關係なのであるが、組合に非ずとして、持分の觀念なき點を高調せること、（三）總派下が一體となつて公業財產の主體であるとしたこと、等は寧ろ公業は總有關係であると結論するの妥當なるを覺へしめるのである。總有說については後に述べるであらうが、玆には、合有關係なりといふ結論に似合はず其理由とする所は總有關係のそれに都合よきものであるといふことをのみ述べるにとどめておく。伴野喜四郞氏は祭祀公業の本質を目して合有又は總有であるとせられるらしい。蓋し氏は其の公業廢止論中「同一祖宗の下派下數百人に及ぶも其總有に屬すべき祭田を認め其處分は派下全員の決議に因るべきものとし毎年祭祀を行ひたる殘餘收益は之を輪流收租し又は派下の股份に應じて之を分配するといふが如き制度」（三頁）又公業なる制度は一面より見れば社團法人なるが如く他面より見れば財團法人なるが如く而も其本質は社團法人に非ず又財團法人にも非ず多數の權利主體が同一財産を總有又は合有する所有權の一體樣にして勿論共有とも異るものである」（四頁）といふ說明がある。之れによつて觀れば、氏は恐らく合有又は總有說をとらるゝものと見ることが出來る。如何にして然るやは、窺ひ知るを得ないのは遺憾であるが、公業廢止論が主題にして、公業本質論ならざる以上、やむを得ぬことである。唯然し、「之を根本的に改めて民法の法人と看做すは格別」（五頁）と明言せられる點よりすれば、法人說に左袒せられる立場でないことだけは明白である。

（六）法人說

法人說は今日の通說である。祭祀公業の法律上の性質は法人であるといふ見解は、今日に於ては說明を要しないほどにまで一般的となつて居る。否それは敢へて今日を俟つまでもなく、既に大正十二年第二回の總督府評議會に於てすら、普通にはかく信じられて居たのである。然しそれと共にまた一部にはこれに對して、疑惑の念を懷く者がないでもなかつた、例へば、その二三を紹介すると、次の如きものがある。「今日では祭祀公業は人格者であつて管理人は法定代理人なりと謂ふ前提の下に皆様が御議論になつておりますが、夫は過去二十有餘年間に法院の判決例に依つて管理人は法定代理人である、即ち祭祀公業は人格者であるといふ如くなつて來たのであります。公業なるものは祖先の御靈を祀る爲めに抽出されたる一定の不動產であります此點から申しますと民法の寄附行爲で財產を提供するのに當ります、而して民法では其財產に人格を認めて財團法人になる、それには理事があつて理事が業務を遂行するので管理人は財團の理事に相當する殊に祖先の靈を祀るといふ點よりして民法の財團法人に當て嵌めて決して差支ないのであります併し乍ら公業には派下なるものがあつて一定の不動產、卽ち祖先祭祀の爲めに抽出したる不動產に對し派下は始終權利義務の關係を持つて居る卽ち利害關係を持つて居る、之れが果して、財團法人として律し得るや、今日法院に於ける訴訟の多數は其點に關係するものが多い」(一七)又、「此公業は法人なるや否やについて論議されて居りますが、私は法人とは認めない之は法人なるが如くに取扱はれて居りますが之は相續未定の財產が民事訴訟法に原告と被告の訴が出來ると同じく法人ではない。若し法人としてきまつてゐるなら法人の規定を適用すればよい」(一八)「祭祀公業は第一に祖先を崇拜する子孫がなければならぬ、第二に祭祀費用の源泉となる所の財産をもつことが必要である、私共の見る所に依れば現在の公業といふものは社團法人若は財團法人に結びつけられないのではないかと思ふ、兎に角之は社團法人でも財團法人でもなく一種の特點をもつて居る」(一九)等々皆、當時既に通說たりし法人說に對する一種の疑念の表現であつた。

實際上之を法人として取扱ひ來つたものとしてはまづ土地調査規程(明治三十四年四月訓令第十一號)第二十六條に、番社、祠廟、公號、神佛又は祖先等の名を以て業主と爲すの習慣あるものは其名義に於て頭目、管事、董事、其他の管理人より申告せしむべし」と規定するを見るも、これよりさき、臺灣土地調査規則施行細則(明治三十一年九月府令第九十一號)申告書様式、凡例第三號には、「氏名は本名を記入し公業又は團體の土地は其公業名、團體名及管理人の住所氏名を記入すべし」とあり、「公業を以て權利主體と看做したる嫌ひあり、一見人をして公業は必ず法人なるかを疑はしむるものありと雖も、然かも此等は決して其性質を定めたるものに非ずして却つて其性質の如何は之を他日の研究に讓り總ての關係者を掲ぐるの繁を避け便宜上公業名と管理者とを以て調査を終了せんとしたるに過ぎない(二〇)のである、此場合はかくの如き取扱を爲すに非れば到底短期間に於て劃期的創始調査を終了することを得なかつたであらうし、又それで充分であつたのである。併し乍ら、爾來此便宜上の假說は其儘に通說として判例に學說に相當の支持を見るに至り今日の盛況となつたのであつた。今、法人說を仔細に檢討するところの判例祭祀公業論は之を別項に讓つて、玆には其近著によれば、法人說をとるゝところの姉齒氏の說明によることとする。(二一)

『一、法人說は從來の裁判例等に於て是認せられ來り今日の通說となつて居る。(註とあるも本文と同樣に取扱ふべきもの と考へ筆者の考へで本文に組入れた)本島人の考では祭祀公業は死者の祭祀を行ふものであるのみならず死者の遺した財產を分配せず其儘(鬮分に伴ふ祭祀公業を基本としての考である)抽出(存公、留存)して之を公業と稱するのであるから、享祀者が該財產の主體で派下は之を隨意に處分することが出來ないものだとするものの如くである。此の意味は法律的に說明すれば、結局法人說に從ふものではなからうか。何となれば、祭祀公業を派下と獨立した財產とするものであつて、然かも享祀者は死亡して存在しないものであるから法律的に觀察すれば唯財産が祭祀公業で其の祭祀公業が派下と獨立して存在することとなるからである。祭祀公業の多くは祖先の祭祀を目的として設立せる一種の財團にして夫れ自身權利義務の主體となり裁判上及び裁判外の行爲を爲し得べき適格を有し其の股分者たる派下とは獨立の存在を爲すものと解するを至當とする。（昭和二年五月十三日高等法院上告部判決判例集二八〇頁）

（イ）祭祀公業には鬮分に關連して設定せらるるものと然らざるものとあると共に派下の存するものと存せざるものとあるから、其の性質は祭祀公業全體に通ずるものでなければならぬ故に派下又は鬮分に拘泥して決定することが出來ない。

（ロ）（一）祭祀公業に關する取引の沿革を觀るに派下なきものは勿論、派下あるものと雖も全く祭祀公業自體が取引の當事者であつて派下は直接當事者として關與せざるを通常として居る。（二）祭祀公業には常に管理人なるものがあつて此の管理人が祭祀公業を代表して取引の衝に當り且公業の事務を執行して派下ある場合と雖も特別の規約なき以上派下をして關與せしめない。（三）又派下の存する祭祀公業に於ては派下總會なるものがあつて最高決議機關の地位を有し、祭祀公業の解散をも決議することが出來ることとなつて居る。(四)派下ある祭祀公業に在つては派下も亦公業財産を自己と獨立したる財産と確信して疑はない。從つて享祀者を主體とするものの如く考へて居る。(五)特に派下なき祭祀公業の如きは財産其のものの存在に外ならない。(六)しかも祭祀公業は慣習法上存續するものである等の點より推[illegible]するときは、祭祀公業は自然人と大體に於て社會的活動の價値を同うするものだと云ふことが云へるから、所謂實在する組織體であるから、法人として是認して何等差支ないのみならず斯く解し、之を法人とするを以て祭祀公業に關する疑問を一掃することが出來るのである。

二、祭祀公業が法人なりとすれば、之を民法上の法人に比し其如何なる種類の法人に類似すべきか。

(1)派下を有せざる祭祀公業は民法上の財團法人に類似するものであつて此の祭祀公業は營利を目的とするものでないから、民法上の營利法人に類似するものではないけれども、民法上の公益法人に類似するや否やは別問題である、何となれば不定多數の利益(公益)の爲に存するものにあらずして、單に設定者の目的としたる享祀者の祭祀者の爲めにのみ主として存するものだからである。

(2)殊に派下の存する祭祀公業にありては(一)規約の存する場合は規約に從ふべく(二)何等規約なきときは管理人より祭祀執行に要したる費用以外、殘存收益あるときは之を派下に分配することを慣習として居るし、派下は公業解散の場合は其の殘餘財産の分配に與ることとなつて居る。(三)、又規約により輪流收租又は輪流使用收益を爲す場合もある。(四)、各派下は派下總會により派下權の行使が出來るし派下の一人又は數人は派下たる資格に於て祭祀公業の爲め保存行爲が出來ることとなつて居る。以上の點より觀れば派下の存する祭祀公業は民法上の公益財團法人にも類似し、しかも營利法人にも類似するかの觀がある。然れども其の主たる目的は祭祀にあつて唯だ收益の殘餘を配當するものであるから社員の利益を唯一の目的とする營利法人と同一に觀ることは出來ない、要之、祭祀公業は派下の存否に拘らず民法上の公益法人に近似するものであつて營利を目的とする法人でないとの結論を與ふるの外はなからうと思ふ。

(3)祭祀公業は派下の存すると否とを問はず設立者の定めたる享祀者の祭祀を行ふことを目的とするものであるから一般公益を目的とするものとは云へないが、其の享祀者を一般禮拜の目的に委ね供する場合にありては或は之を公益と稱し得べきも、祭祀公業は一般的には斯る目的を有するものでないから何れにしても民法上の公益法人と同視すべきものだといふことは出來ない。

(4)要之、祭祀公業は慣習法上の法人であるから之を强ひて民法上の法人に類似する點を探求するの要はないのであつて、祭祀公業自體の法人としての性質を究めればよいのである。

(三)以上の如く祭祀公業は公益又は私益各一方を目的とするものでないから、之を公益私益の中間を目的とする中間法人といふことが出來る。

(四)然らば、祭祀公業が法人として如何なる性質を有するや即ち祭祀公業の本質如何といふに祭祀公業とは社團的派下の存する)又は財團的(派下の存せざる)組織により獨立したる財產(土地を本體とする)を有し其の收益を以て設立者の定めたる享祀者の祭祀を目的とする慣習法上の法人なりと結論することが出來る。』といふのである。

右の法人說の非なる理由を一言にして謂へば、祭祀公業の實體についての認識の相異から由來してると思ふ、之を詳說すれば、

(一)　本島人には祭祀公業を人格者と爲すの觀念はない。

「公業の主體が何人なるやに關しては舊慣に於て觀念明確ならず……本島人の適法の觀念より歸納し普通生じ得べきは享祀者卽公業に依りて祭祀せらるべき父祖(死者と稱せず)が公業の主體にして派下に單に之を管理する者たるに過ぎずとなす見解」であり、「畢竟祭祀公業を以て法人なりとなすに歸着すべ」きこと寔に論者の說の如し。「然れども本島人の觀念に於て公業を以て人格者となすの觀念なき」(二二)ことは既に(公業設定の原因と方法、參照)之を詳述せる所にして、玆に再び贅言するを欲しないのであるが、「臺灣に於ける實際の慣習を見るに祭祀公業は祭祀費に充つるが爲め財產の處分の目的を一定し、之を鬮分財產以外に置くに依り、又は各房の出捐に依りて設定せらるるものに外ならずして、該財產を以て或特種の主體に屬せしむるの趣旨に非ざるを普通とす、故に臺灣に於ける一家の祭祀公業は之を以て家廟又は寺堂其ものに屬せしむるの意思明確なるものの外は、總て法人の性質を有するものにあらずと云はざるべからず」(二三)との言を引用しておくにとゞめやう。

(二) 本島人の觀念によれば、祭祀公業は祖先の祭祀を目的とするものであつて、廣く死者の祭祀を目的とするものではない。

此點についても亦別項に詳述した所であり再述を避けたい。唯、論者の引用さるゝ如く「多くは祖先の祭祀を目的として設立」されたものであるとすれば、祖先祭祀を其本來の眼目とする點は承認さるゝ所であらうと思ふ。乍併、たとへ、例外的にしても祖先ならざる死者の祭祀を目的とするものの存在する以上兩者を包括する所のものを以て祭祀公業とすべきであるとせらるゝのであるが包括せらるゝ所の例外的のもの自體が既に本質的に祭祀公業ならざる以上は當然之を除外すべきであらう。論者の引例せらるゝ所の「一人又は二人以上の設立者が自己の祖先又は親族以外の人にして人格識見の高き者を崇拜するの餘り其の死後其の祭祀に供する目的を以て又は土地の開墾其地方の開發に貢獻ありし人の祭祀に供する目的を以て自ら處分を許さざる財産を設立した」（二四）といふ様なものは、法律的に之を觀れば、祭祀を目的とする財團法人である、從つて論者が、「之等の財産を以て祭祀公業にあらずとせば歸屬不明の財産が存在することとなり利害關係人との權利義務の上に於ても又其の管理の上に於ても妥當を缺く結果を招來することとなるの恐れがある」（二五）と謂はるゝが如きは畢竟杞憂に過ぎないのであると謂へやう。尚又「事實上祖先以外の者の祭祀を目的としたる獨立の財産ある以上之を祭祀公業とするも祭祀公業本來の目的に反するものではないから斯る場合をも祭祀公業とするを可とすと說くのであつて實際の必要より論ずるのである」（二四）「加之、祭祀公業は死者の祭祀を斷絕せしめざる目的を以て處分を許さざる財産を設定したのであるから特に祖先の祭祀を目的とする場合に限り祭祀公業なりと限定するの要はないのである。故に余は後說（筆者謂ふ即ち死者の祭祀を祭祀公業とする說）に從ふを相當と信ずる者である」（二五）と述べらるゝのであるが、第一に死者の祭祀を祭祀公業とするは祭祀公業本來の目的に反することは、別項に於て詳述せし所であり、第二に實際の必要上亦其理由なきこと右に述べし所であり、第三に祭祀公業は死者の祭祀を斷絕せしめざる目的を以て處分を許さゞる財産を設定したとの理由は問を以て答とせるが故に理由とならぬものである。蓋し、死者の祭祀を斷絕せしめざる目的を有するものが祭祀公業なるや否やが問題となつて居るのであつて、先祖の祭祀を斷絕せしめざる目的を有するものは祭祀公業として問題ないからである、要之、祭祀公業は死者の祭祀を目的とするものでなくて先祖の祭祀を目的とするものである。

（三）　祭祀公業の本質上派下を除外することは出來ない。派下なき祭祀公業なるものを認むることは出來ない。

所謂派下なき祭祀公業とは、論者によれば、「設立後派下絕滅したる場合に存するのである。蓋し設立者なき祭祀公業なく設立者は卽ち派下だからである」と(二六)然らば、論者の定義によつて之を解すれば、祭祀公業は必ず社團的法人として設立せられ、設立後派下の絕滅したる場合には財團的法人として存續するものとなる。當初に於て、社團的法人として存在するや否やは別として、それが後日、派下絕滅の曉には、財團的法人として存續するものとは解し難いやうに思はれる。論者の說の如く派下なき祭祀公業は、初めより存在しないのであるる。而して、その派下が絕滅すれば、祭祀公業の實質が消滅したのであるから、その祭祀公業は全く崩壞したのである。蓋し、享祀者ありと雖も、祭祀者なくんば、祭祀公業は存在の基礎を失ふものであるからである。社團的法人は其社員の缺亡によつて當然解散せらるべき運命にあるものではなからうか、唯、主として祭祀費用に充當すべき資產を派生する所の土地其他の財產が殘存するのみであつて此の財產の所有者たりし社團的法人たる祭祀公業が絕滅し其處分につき豫め何等の方法も講せられざりし時は、理論的には無主の財產となるのである。社員が缺亡せるの故を以て社團的法人が、財團的法人に當然變質するの理由を發見するに苦しむのである。

(四)「祭祀公業自體が取引の當事者であつて派下は直接當事者として關係せざるを通常とする」ことは、毫も法人說の根據と爲すに足らざるものである。蓋し、權利能力なき社團、組合等に於ても其の社團若くは組合等を取引の當事者とするは社會一般の通念であり、社團構成員若くは組合出資者が直接當事者として關與せざるを通常とするからである。

(五)管理人が祭祀公業を代表し、事務を執行することも亦法人說の根據と爲り得ない、組合に於ても事務執行を數人の組合員に委任することあり、又祭祀公業の管理人たるものゝ性質は別に述ぶるが如きものであるから、之を以て法人の理事に相當する法律上の地位を有するものと見ることを得ないからである。

(六)派下總會が最高決議機關たる事實も亦法人說の積極的理由となすに足らない(後述結論參照)。

(七)派下が公業財產を自己と獨立したる財產と確信せることも亦法人說の根據たり得るものではない。組合財產も亦組合の目的の下に集合してゐる特別財產であつて各組合員の財產から區別されてゐるのである。又公業財產に對する房份の觀念及び房份を更に其房に屬する者達の間に於て、均分份額に頒ちて之を各自の歸屬とする觀念の存在することは、法人說にとつての障碍であらう。但し、派下の私債のために祭祀公業に對し、執行を認めたるものなく、又反對に祭祀公業の負擔したる債務については派下は直接に之を分擔し若くは公業と共に連帶債務者たる責任を負ふものに非ず（二六A）との判例あれども元來法人說を採る判例の立場としては當然の言であり、之を以て祭祀公業は法人なりとする理由とはならない。祭祀公業の負債を生じたる場合には、公業地を分賣して、之が償却に充つるも尙不足の場合には、全公業地を出賣せずして派下のうちの比較的富者が祖先祭祀の業を出賣するを恥ぢて、自己の財產より辨濟を爲し、次年度に收益額よりまづその償還を受けし實例がある。

負債は派下各房が共同して負擔すべき性質のものであるが、しかしそれは、綜合人としての派下全體が負擔すべきものである、從つてそれは、綜合人たる祭祀公業の有する公業財產の限度に於て債務責任を負ふべきこととなる。派下個人の負擔に歸すべきものではない。

（八）派下なき祭祀公業は財産其もの丶存在に外ならぬとは論者の説の如くである。しかし乍ら、筆者は既述の如く祭祀公業にして派下なきに至れるときは、そは祭祀公業にあらずと確信するが故に、その財産は無主のものとなる、茲に何人かあつて從前の如く享祀者を祭祀すべくその財産に依醵したとすれば、それは全く、當初の祭祀公業とは別箇の財團であつて、それは、偶々、當初の享祀者と同一人を享祀者とするに過ぎないものである。

（九）祭祀公業が派下と離れ別に獨立の名稱を有したることが祭祀公業を慣習上の法人と解するに至りたる一理由である（二七）と云はる丶も例へば特定の公號を以て純然たる共有財産の業主名義となすものある如く、獨立の名稱は、法人に非ずとも之を有するのが通常であり、從つて之も亦積極的理由となすに由なし。

（十）其他公號を以て純然たる共有財産の業主名義となすものあり、從つて「業主又は物主の名義如何は直に祭祀公業の法人たるや否やを決する標準と爲すに足らず、又永遠に保存するを目的とし之を分割せざるを本則とすと雖も此等の事實も亦必しも財團法人に限るの特質にあらずして共有財産にして亦此性質を有するものなきにあらず」(二八)。

尚、法人説を唱ふる者にして主として財團法人説に傾く者は(姉齒氏は主として社團法人説)、公業田を中心として觀察し、派下の存在を輕視するが爲めであること既述したる和田一次氏の言の如くであるが、更に最顯著なるものを示せば、(一)「從前舊慣によつて作りました所の臺灣祭祀公業令は別に財團法人とちつとも違ふて居る所はない」といふ説である(二九)、筆者は其の第五條を見るに「公業財產は總派下に屬す」とあるは財團法人として差支なきやと疑惑をもちつゝ更に評議會議事錄百六頁を見るに、果然、末松偕一郎氏の言「谷野君の御擧げの點は殆んど同じと思ひますが其第五條によれば……管理の方法は云々とあつて、大上段に振かぶつた太刀は、颯と其儘鞘に收めてある點が今以て不思議でならない事を附言しておく。

(二)「現時土地臺帳に公業名義を以て登錄せる祖先遺產(何時にても鬮分し得べきもの)の法律上の性質如何(明治三十八年七月新竹出張所請訓、同年同月庶日第二六七一號臺北地方法院長回答)との問に對して「何時にても鬮分し得べき公業名義を以て土地臺帳に登錄せる祖先の遺產とは如何なる種類を指すにあるか質疑の文意不明なり、質疑者の意思は祭祀公業、書田業、恤孤寡業等の公業を言ふに在るか、將た相續人未定の祖先の遺産を言ふに在るか、若し後者にして唯財産管理人を定め死亡者の名義に登錄しあるものなるに於ては公業といふべき性質を有せざるべく、若し前者なりとせば其法律上の性質は恰も財團法人の如きものなりと思料す」と回答して居る。

(三)祭祀業、恤孤寡業等の公業は財團法人であるㇾ(三〇)といふ理由としては、(一)業主は必ず公號を用ひ派下一個人の人名を用ひない、(二)管理方法は特に一管理人を設くるか、又は派下各人が輪流管理して、各人の私業と混淆せしめない、(三)管理人ある場合に其公業の爲に負債を生じたときは、其辨濟方法は、必ず公業財産の次年の收入又は其元本より支出して決して派下各人の財産に對して何等の關係を有しない、(四)收入は目的の事業の爲めに使用し、剩餘あれば公業財産中に繰入れ、目的以外のことに使用するを得ない、勿論祭祀業の剩餘は之を分配し、尙其他の公業も全員一致を以て之を分配するは差支へない、(五)故に之等の公業は一私人の私業とは別個の財産である。と以上の點が擧げられて居る。

要之、「祭祀公業は屢々反覆せられたる裁判例及官廳の取扱上本島の舊慣によ る不動産權の獨立主體として法人格を認めらるゝに至つた」(三一)のであつて姉齒氏は、祭祀公業とは社團的又は財團的組織により獨立したる財産(土地を本體とする)を有し其收益を以て設立者の定めたる享祭者の祭祀を目的とする慣習法上の法人なり(三二)と結論せられ、之が今日の通説となつて居るのであるが仔細に之を點檢すれば法人説は、結局、便宜説ではなからうか、法人説は成程、實際の取扱上としては誠に便利であり此點、「法人といふ官服」を被せたものであると曾つて筆者が比喩したことがあつた(三三)が、判例及び官廳の取扱上が法人説であるといふことや、又祭祀公業立法が、近き將來に於て試みらるゝ際に、之が法人として規定さるるといふことを假定するとしても、それらの事實からして、必然的に、慣習上存在する從來の祭祀公業の法律上の性質が法人であるとは斷定出來ないことであるといふことは慥かである。繰返し比喩を以て言へば、法人の官服を從來着用させて來た事實と、將來も着用させるかも知れないといふ事實からして。現在その官服を着用してゐる本體が、必しもその官服を着る資格があるとは誰も謂ひ得ないであらうから、といふのである。

三　結論——總有説(卑見)

イ　管理

公業財産の管理は總房卽ち派下全員が共同して之を爲すを原則とする。公業設定字に之を明記して「良一力抵當」「公事公當」と謂ふのは卽ち共同管理たることを意味しておる、「鄭成功の時代は至極簡單であつたが、道光時代から漸次全派下の同意を要するといふやうになつた、それ迄は族長の指名する家族會議といふやうな形ですんで來たのであつた。族長といふのは例へば派下が八房あるとすれば必ずしも其長房でなくともよいのであつて、何房からでもよい、又必ずしも其の年長者たるを要せぬが尊屬、年長、德望、財產、智識、地位等が標準となるから、勢ひ次房の子より長房の子の方が重んぜられ易いかも知れない」(三四)と謂ふ言は總派下否、總房の共同管理を否定する時代もあつたと謂ふことではなくして、依然として昔より總房の共同管理たりしことが窺へるのである。會議の形式に於て各房の構成員が全部集合しないで便宜、族長に指名されたる房長たちのみが集合して相談したのであつたのが、時代の變遷と共に全部が集合するといふことになり、全房の共同管理なのだから總派下の同意といふ樣な事が何時からとはなく唱へられる樣になつたのであらうと思はれる。

要之、管理行爲は共同管理の形態を執つておるものと見てよいのである。唯々現代に於る如く派下數百を數ふるに至つては到底その實行は不可能に近しと謂ひ得るのであり、從つて其の救濟策は當然講ぜらるべきであるが、それは別問題である（祭祀公業存廢論參照）。而して次に、「管理方法には輪流管理と專任管理とある、輪流管理も表面的には各房輪流して管理（各房順序を追うて每年交替して管理することであつて、此方法にも種々ある）をするのではあるが、實際は派下一同が共同管理して居るのである」（三五）、又專任管理は特に有力なる信賴せる派下をして、專ら其管理を爲さしむるのである（專任管理の例は舊慣に於ては尠し）、從つて「管理人に不正がなければ決して替らない、管理人は經理と稱して事務を專ら司るものであり、公業のことについて權限はないものである」（三四）、然るに玆に領臺後新に公業管理人なる者が出現するに至つた、それは「明治三十一年律令第十四號を以て臺灣土地調查規則を發布し、同年九月府令第九十一號を以て公業に屬するものは管理人を定めてそれを申告しなければならないこととなつたので、其時初めて公業管理人といふ名目で以て各房の派下から一人宛選出したが領臺前は此種の公業專任管理人はなかつたので此の者が往々種々の不正、狡猾、専横の行爲を爲すのである」(三六)、何れにしても派下一同卽ち總房が輪流管理方法を執るか、專任管理方法を執るかを議して之を定むるか或は設定字に定むる處に從つて何れかの方法を執るものであつて、常に總房又は總派下が管理を爲すの繁瑣を爲さざるだけのことであつて共同管理の精神は失はれないのである。蓋し前述設定字の「良一力抵當」と謂ひ又たとへ値年管理者を定めた場合と雖も重要なる管理行爲は總派下の決議を要するものとする舊慣より見るも管理行爲は派下全員が之を爲すを原則とするものと解するを正當とする。從つて公業財產の管理權は個々の派下に歸屬するものに非ずして、一體としての派下、全體としての派下に歸屬するものであると謂はねばならない。然りとすれば、管理に伴ふ管理費用の支出亦全體としての派下の責任であらねばならぬ事となる。

ロ　處分

「公業財產の處分を爲すには派下全員の一致を要する、公業の典賣、分管等に關しては房份を問はず、派下が如何に多數であつても總房の同意を要する」(三七)のである、本來より謂へば公業財產は處分を許さゞるを原則とするものであつて「永遠作爲祭祀費用」「財產永遠保存」「子孫不得變更」「逐年收租以奉祭祀、不得私行典借變賣」等の文字が設定字にも用ひられてゐるのであるが、既に述べたる如く特別の理由の存する場合に限り之を許さるゝものと解せざるを得ない、但し、「今日に於ては一般に公業財產は派下全員の一致ある時は何時にても處分を爲し得べきものと」考へられるやうになつたのは事實である。が、「以前は各房の代表者が集議して決定したものである。それが後年全派下の相談、一致といふ形に變つた」とのことである(三八)、何れにしても公業財產の處分には派下全員の一致を要するのであつて、處分に際しては契字を立て、契字には全派下悉く出名するか又は各房の房長が其の房を代表して出名(左記の例參照)するのが通例である。但し、現今に於ける事實上の取扱としては、交通機關の發達と共に派下は四散し必しも鄉土に居住するものでもなく、又派下全員の證明も既述の如く大に困難なる事情と爲つて來て居るので　法院では「多數の意見で決したものは全體で決したものと看做す」といふ意味の判決をしたことがある、之などは便宜上の取計ひとしては蓋し、適當なる判決であらう。しかし、此判決も亦處分は派下全體によつて爲さるべきであるとの思想を其基底として居るのである。茲に記載の同意書なるものは全派下の署名捺印あるものである。

要之、公業財産の處分權は個々の派下に歸屬するものではなくて、一體としての派下、全體としての派下に歸屬するものであると謂ふべきである。

同意書

臺北市東門町六六番の五

一 道 路 參厘參毛參糸

同 所八二番の二

一 道 路 壹分六糸

此賣渡代金四千九百十圓七十七錢也

右土地は祭祀公業○○○の所有の處今度道路敷地として前記代金を以て臺北市へ賣渡に就ては管理人周福生周苦力周水杜周仁周韜か取次申請を爲す事異議無之同意候也

昭和十年 月 日

祭祀公業○○○派下

周氏阿鶴㊞

周氏阿春㊞

周紂阿㊞

周再興㊞

周金生㊞

周　秋　風㊞

右周金生周秋風親權者周林　娘㊞

周　福　生㊞

（以下三十七名、筆者省略す

八　祭　祀

祭祀公業は祭祀費用を支辨するの目的の下に設定せられたものである、公業は其財產よりの收益を以て年々の祭祀費に充當するを要する、祖先祭祀は祭祀公業の目的である。從つて派下共同して春祀秋嘗斡旋之を擧行すべきが原則であるが、之亦管理に輪流値年者ある如く、管理値年者をして其任に當らしめる樣である。所謂祭祀事務の値年者と解すべきであらうが、祭祀者が値年者に限らるる筈はないのである。祭祀者は祭祀に列する者卽ち各房の全員であつて、總派下は共同一致以て其崇祖敬宗の實を致すのであり旁々親族一門和衷親睦久濶を叙し、或は此機を利して派下總會を開く例亦尠くないのである。

派下は祖先の祭祀を一定の忌辰及年節に於て營むべき義務を有すると共に、派下に非ずんば爲すを得ないのであるから、同時にまた權利と稱することが出來る。蓋し祖先の靈は其子孫の禮拜に非ざれば之を享けず其の祭祀には家族の外他人の之に與かることを許さないからである。而して此の祭祀義務卽祭祀權利は個々の派下が之れを果たし得るのであらうか、忌祭こそは一定の日であるが個々の派下が個々に祭場に於て禮拜するを以て充分なのであらうか、偶〻來り合せたる數名、十數名の派下の共同拜禮を以て足るものであらうか、否、祭祀は派下一同の共同祖先を尊崇するの最重要なる典禮であり、祭祀公業の主眼目である。本島に於ける公業の祭祀は禮に所謂家祭に相當するものならんとの說あり、蓋し然るべく、派下は派下全體として、祖先の靈に對して尊宗の祭祀を爲すの義務を果たさなければならないと共に、全體としてのみ此祭祀權を行使し得るのである。全體として之を爲すことによつて初めて意義ありといふは、派下の一部が祭祀をなさざることあらば、派下は共同祖先を祭祀せりとは云ひ難いからである。或派下が祭祀し、或派下が祭祀せずといふ問題ではないのであつて、祭祀公業は祖先祭祀の爲めに設定せられたものたる以上、祭祀公業自體が祖先祭祀の實ありや否やといふ問題なのである。從つて、總房、卽ち派下全員は、全體として祭祀しなければならず又全體としてのみ祭祀し得るのであつて、かくあつてこそ初めて、派下は祖先祭祀の義務を盡したものと云ひ得られるのであり、祭祀公業自體も亦祭祀の實を盡し得たものと謂ふべきである。祭祀を營むには祭祀費用を要すること當然である。從つて、「祭祀之費用」「烝嘗之費」「香煙之費」なるものは公業收入のうちより全體としての派下の支出すべきものであること亦言を俟たぬところであらう。

二　收

公業財産より生ずる收益のうち、先づ祭祀費用と管理費用とは之を控除するを要するは上述したる所である。而して控除したるも尙殘餘の存する場合に、之を公業財産に編入すべきや、或は又派下各自の所得として分配すべきやの問題を生ずる。殘餘額を公業中に積立つべき旨を契字中に定めたものもないではないが、(三九)實際の慣例は多くは値年の派下の所得とする。之を値年份と稱する、蓋し派下が房份に應じて輪流に收得するものであつて最も普通に行はるる方法であり、値年者が全收入のうちより、祭祀費用及び管理費用を差引きたる殘額を收得するものであるから、値年份又は値分と呼ぶのである、或は値年の公租ともいふ。從つて、管理費用などの未拂金額は尙此値年份中に包含せられてゐるのである。此輪流收租即ち輪流收益の方法のほかに均分收益の方法を設定字に定むる場合もある。「直接派下の房份に應じて殘餘額を均分するのであつて間接派下であるところの各小房では頂房に配當せられる額を更に均分することもあり、(四〇)或は輪流に之を收むることあり或は之を其房の祭祀費に充つることあり、或は父母の養贍費に充つることもある。」(四一)而して、收益均分の場合には、此の收益權、即ち殘餘金に對する權利換言すれば利益分配に與るの權利は、各派下は自由に之を處分することを得るのである。然し派下以外の者に讓渡するを得ずとするの慣習が多いやうであるが、必しも一致しない。派下各房に通知すれば讓渡するも差支なしと說く者もある。

輪流收租の場合には收益權は値份中に包含せられ純然たる剩餘金收取權のみではないから此權利即ち値年份の讓渡は派下たる資格の喪失を來たすこととなり公業より脫退するの結果を招來する。從つて其讓渡は派下間に於てのみ許さるゝに過ぎぬことは當然のことであらう。かくの如く、縱令派下たる資格の喪失を來たす場合にあつても收益權の處分をゆるす點に注目する要がある。

輪流收租の場合でも均分收益の場合でも、收○益○權○を(四二)出典(質入)又は出胎(抵當)することは他の派下に對しては勿論派下以外の者に對しても爲すことを得るのである。

公業財產中使用を目的とするもの例へば公廳、前庭、稻埕、放牧地の如きは共同にて使用し、房份を論せず、嚴格なる制限もなく、各派下隨意に之が使用を爲すを得しめて居る。勿論使用權を他人に讓渡するを得ない事は謂ふまでもないことである。

要之、收益權及使用權は派下たる資格ある者についてのみ之を享有し得るものであり、而して、管理權、處分權、祭祀權の如く、派下全體として之が行使を爲すものでなくして、箇々の派下が各々その行使を爲し得るものと解せられる樣である。

祭祀公業に於ける收支の細目と派下各房への殘額分配の實例を左に示して見よう。

昭和十年三月三十一日（舊二月二十七日）

張名鄉公心喬、鑾先〇力後巽公收支決算書

張名鄉公事務所

嘉義郡溪口庄溪口六四九
主事　○○○

其の一

收入		支出	
科目	金額	科目	金額
上年分繰越金	三二九一三	地租	八九五三六
新丁納入金	四九〇〇	水租	七四三五七
新婚納入金	八〇〇	授業料	一一七八〇
貸付金	七七八五	雜費	一八八九四
借入金	一四二〇七	祭祀費	八二六二五
雜費收入	四八九五六	旅費	一〇四三二
利息	一一七二	役員總會議費	一九九四四
小作料	六、五五七〇〇	寄附金	五八一八九
	七五六三九	印紙代	二七〇
		修品修繕費	一五〇
		修品費	二四二八

項目	金額
計	八、四二〇七二

項目	金額
新婚拜祖	三〇〇〇
文具費	一六八〇
電燈料	九八九七
戸税	六三四三八
喪費	二〇〇〇〇
利息	五一六〇
磧地金	一〇〇
慰勞金	六〇〇〇〇
給料	二七〇〇
舊存下艮	九〇五〇
小作料金償還	六一五〇
貸付金	四〇〇九
丁昆配當金	二、〇四九〇〇
繰越金	二三〇八三
計	八、四二〇七二

小作料未收金	八〇〇	（十年分）
〃	一、六四九 九四	（内七年分九四九九四錢 七年以前分七〇〇一）
計	一、六五五 九四	

其の二　張心益公分

收入		支出	
科目	金額	科目	金額
上年分繰越金	圓 一一	地租	五六五 圓 四一
小作料金	四、二八九 五〇	水租	五一三 〇三
〃	六八 七八	祭祀費	二八〇 七五
利息金	二 三三	新婚粧祖	一二 〇〇
雑收入	三八七 六三	喪費	三〇 〇〇
		慰勞金	二八〇 〇〇
		諸給料	一三五 〇〇
		磧地金	一 〇〇
		小作料金補逐	一九 五〇

收入		支出	
		貸出	一二七 〇〇
		丁良配當金	二、二六六 〇〇
		雜費	四八二 五六
計	四、七四八 三五	計	四、七一二 二五

差引残金三六圓十錢也

未收小作料

敷地金貳圓〇〇

小作料金一四五圓〇二

計　一四七圓〇二錢也

其の三　張肇先公分

收入		支出	
科目	金額	科目	金額
上年分繰越	三四圓七八	地租	五一圓二六
小作料金	五二二 〇〇	水租	四九 九四
〃	二七 〇〇	祭祀費	七四 六六
利息金	五二	小作料金補还	三 五〇

收入科目	金額	支出科目	金額
		丁良配當金	三三〇〇
		貸出	七〇七〇
		殘存金	二四
計	五八四三〇	計	五八四三〇

其の四　張興萬分

收入 科目	收入 金額	支出 科目	支出 金額
上年分繰越金	一〇圓七九	地租	一六四圓七三
利息	八九	水租	一二三三七
雜收入	一〇五〇	祭祀費	六八三六
小作料金	一、四三一〇〇	積地金	一〇〇
〃	一一六四	要費	四〇〇
借入金	一六九四六	借入金償還	一〇九八五
（内張心益より一、二七圓張名鄉より一二、四六圓後異より三〇〇圓）		丁良配當金	一、一二八〇〇
		殘存金	三七〇二

計	一、六三四二八	計	一、六三四二八

小作料金缺

一、小作料金二五九圓

其の五 張俊異公分

收入		支出	
科目	金額	科目	金額
上年分繰越	四五七九圓	地租	九八九四圓
小作料金	七四三〇〇	水租	八九一三
〃	四九八〇	小作料補还	三〇〇
利息金	一〇	積地金	一〇〇
貸出收入	三〇〇〇	貸出	一一五〇〇
		要費	四〇〇
		丁良配當金	四四六〇〇
		殘存金	一四七一
計	八六八六九	計	八六八六九

小作料缺

一、小作料金九圓

昭和十年分派下員配當金調　派下二〇三名の中、抄錄

房	派下員氏名	家族人員	配當金額	役員名	慰勞金	分配高
房長	張世局	五	八〇圓〇〇		二〇圓	
	張世養	二	三二〇〇			
	張世禮	四	六四〇〇			
	張武正	一	一六〇			
	張江忠	二	三二〇〇			
	張世水	四	六四〇〇			
	張溪生	三	四八〇〇			
	張武串	一	一六〇〇			
房長	張武炎	五	八〇〇〇		二〇	
	張武耿	六	九六〇〇			
	張武雨	三	四八〇〇			
房	派下員氏名	家族人員	配當金額	役員名	慰勞金	分配高
	張武來	六	九六〇〇圓		圓	
	張同慶	二	三二〇〇			
	張天祐	三	四八〇〇			二、圓七六
	張進國	五	八〇〇〇	主事	二〇〇	四、六〇
	張天啓	四	六四〇〇			三、六八
	張清嚴	三	四八〇〇			
	張鳳閣	二	三二〇〇			
	張尙權	三	四八〇〇			
房長	張武雲	三	四八〇〇		二〇	
	張武露	五	八〇〇〇			
	張西廓	一	一六〇〇			

張國	四六四・〇〇	監事	六〇	
張鍊	三四八・〇〇			
張武開	三四八・〇〇			
張眇	一一六・〇〇			
張萬鼎	三四八・〇〇			
張武略	二三二・〇〇			
張武鎮	三四八・〇〇			
張新枝	三四八・〇〇			
張世樸	二三二・〇〇			
張界	二三二・〇〇			
張世羅	二三二・〇〇			
張武份	一一六・〇〇			
張武清	四六四・〇〇			
張藤頭	二三二・〇〇			
張武盛	四六四・〇〇			
張武眶	一一六・〇〇			
張老羗	三四八・〇〇			
張曾沈	二三二・〇〇			
張世賊	二三二・〇〇			
張發	七〇三・〇〇			
張鳳	二三二・〇〇			
張珠	四六四・〇〇	監事	六〇	三、六八

ホ　結語

總房の同意とか派下全員の一致とか又は派下全員の共同とか謂ふ字句によつて表現されてゐる所のものは、「本島人の觀念に從へば祖先の意思なのである」(四三)、祖先の意思は一にして二なし、一にして且つ全體である、派下全員の一致とは、派下全體としての一である、全體が一としての意思である。甲、乙、丙、丁箇々の派下の意思の集合ではないのである、祭祀公業とそれを構成する派下は、茲に融合して一つの調和形態を形成した、これは所謂實在的綜合人（Genossenschaft）である。故に、此實在的綜合人は卽ち祭祀公業である、祭祀公業は公業不動産を所有してゐる。此公業不動産の管理及處分等の支配權能並に祖先の祭祀を爲す權能は實在的綜合人たる祭祀公業に歸屬し、其使用收益の權能は各房に、從つて各派下に、歸屬して居ること、上述の如きであるとすれば、然してそれが果して實情に適合するものとすれば、此關係こそゲルマンの村落共同體の所有型態たる總有（Gesamteigentum; propriété collective; Collective property）そのものであらねばならぬ。

然らば、總有權とは如何なるものであらうか、「古代の民族は血族團體であつて血族團體として土地に定住し村落を構成した。血族團體內に於ては共同經濟が行はれ村落は共同的農業を營むに必要な土地を占有し、村の占有した土地は其住民全體の共同財であり共同經濟の基礎であつた。部落住民の土地に對する權利の取得は唯其部落の住民たる身分を取得することに因るのみであつて他に何等の取得名義を必要としなかつた、この村落が住民の總合體として村地に對した所有權が總有權であり、村は土地總有團體である。……村の總有地に關する事項は總て村の戸主會議で決定され、その利用方法は素より村の費用は一切總有地の生產物を以て支辨された。又總有地に對する……住民の利用權は平等であつた。然し總て村の定めた規則に從つて利用し且利用の範圍は各戸の需要の範圍を超えることを得なかつた。以上の如く總有團體たる村落に於ける土地所有關係は一つは村落の團體的權利として現出し、他は住民の個別的利用權として活動した。……此村落の有する團體的權利と各住民の有する個別的權利とが村の規則によつて組織的に結合した所有關係が卽ち總有關係である。……總有權とは法律上人格の付與をうけない團體が總有團體として物を所有する場合に於ける共同所有の型態である。總有權に於ては所有權の內容を爲す各權能が團體內部の組織法によつて質的に分割され、管理、處分の如き支配的權能は團體が之を有し、使用收益の如き經濟的權能は團員が其の成員たる資格に於て量的に分割して各自之を有し、此團體の全體的權能と成員の個別的權能とが團體の組織的統制を定める內部規則によつて綜合統一されて所有權の全內容を實現してゐる。故に目的物の管理又は處分については成員全體の同意又は團體の規則に基く多數決によらねばならぬ。又各成員は團體の定めた管理方法に從つて物を使用し收益せねばならぬ。成員の或者が團體の規則に違反して使用收益するときは團體は其行爲の停止及び損害の賠償を請求することを得る。尙必要ある場合には成員全部の同意を以て其者を除外することも出來る。……又成員以外の第三者が成員の利用權を侵害したときは、團體は團體として其の侵害の排除並に損害の賠償を請求し得るのみならず各成員も個別權の侵害を理由として各自單獨に其侵害行爲の排除及び損害の賠償を請求することが出來る。團體成員の有する使用收益權は其の成員たる身分に隨伴し、其の身分の得喪によつて取得し又は喪失するから、其身分を離れて相續又は讓渡の目的となることを得ない。又物の管理處分は團體の全體的權能に屬するから、共有に於けるが如く各成員に分割請求權がない。總有權に於ては各成員が物に對する經濟的權能を有してゐるからこれによつて各自の利己心は滿足される。總有權は絕對的私有權と絕對的國家所有權との中間的型態をもつ團體所有權である。それは個人主義的法律理論に則しない社會法的構造をもつ新らしい所有權の型態である。」（四

四）

村落の代りに祭祀公業を、血族團體たる村住民の代りに血族團體たる派下全員を考へて見よう。さすれば祭祀公業の所有地は公業田でありその管理、處分、祭祀は祭祀公業たる派下全員に屬することは村有地の管理、處分が村落たる村住民全員に屬すると全く同様であり其間技巧的の説明を弄するの間隙はない。

唯、總有關係は權利能力のない社團が團體として物を所有する場合の共同所有形態であるといふ點について、或は、祭祀公業は、實際上の取扱に於て、祭祀公業として既に人格を是認せられてゐるとすれば、妥當ならざる見解ではないかとの抗議があるかも知れないが、それは、便宜的に人格を認めたといふ事實があるといふに止まつて、それが本質的のものでない以上、少しも總有權説の不當を難ずるの理由にはならない。又、縱令、行政上、便宜的に人格を認めたと假定しても、それは形式的には法人たる祭祀公業の所有する土地其他の財產として派下とは無關係と見ゆる形態をとるのであるが、實質的にはなほ派下全員の綜合人たる祭祀公業の總有たるを脱するを得ない。從つて人格を賦與せられたると否とによつて本質上の差異を來さない。要之派下の綜合人たる祭祀公業は財產の管理、處分の權能を有し、派下各員は收益權能を有する。卽ち、總有權の本質上、權利は質的に兩者に分屬するから派下の綜合體としての祭祀公業自體は管理權、處分權、祭祀權を有し派下各員は使用收益權を有するから、此の意味に於ては夫夫權利の主體であるといふことになる。(四五)(四六)

守田次人氏は祭祀公業は、派下の死亡其の他に關係なく依然として存續し得るから、夫自體派下を離れて存在し權利の主體であると說く、しかしながら、若し、派下の死亡とは、全派下の死亡を意味するのであれば公業は存續しないのであるし、個々の派下の死亡なれば派下全體が綜合人であるといふ立場よりしては、甲派下の死亡によつて甲の長房次房が新たなる派下としての資格を有することゝなるか、或は、例房して、甲派下の房份は消滅するかは別として、公業が綜合人としての立場からは少しも不都合を見ないのである。論者は理論上は派下を要せずとも祭祀公業は獨立財團の人格者なりとしながら、派下に依て共同祖先を祭祀することを目的とするから二人以上の派下がなければ、其目的の遂行は出來ぬとの說明は、派下そのものが、祭祀公業自體の重要なる要素なることを自ら語られて居るものではなからうか。姉齒氏は派下の滅亡したる場合に初めて財團的法人と爲ると說かれるのに對し守田氏は派下の必要を說かれて居ることは面白い對照と謂はねばならない。このことは姉齒氏が死者の祭祀を以て足れりとせらるるに對して、守田氏は祖先の祭祀なることを主張せられ、從つて祖先を祭祀する子孫があることを祭祀公業の性質の一要素として擧げられてゐることとの相違から派生する所の結論の異る點であらう、と共に祖先の祭祀と子孫たる派下の必要を是認せられたる點に於て、筆者の說の一半を論者も亦肯定せらるることと信ずるのである。總有說をとる結果としては略次の如き事が謂へる。

派下總會は綜合人たる派下全員卽ち祭祀公業が其共同管理を爲し又は處分行爲を爲すところの一形式である。この形式を通して祭祀公業は共同管理を爲すのである。例へば派下又は非派下から何人かを管理人に選任することが出來る、そして個々の管理行爲を爲すべきことを管理人に委任する、管理人はそこで所謂權限の定めなき代理人の地位を獲得する、それは民法の第百三條の法理によつて說明され得る、管理人は公業財産の管理を爲すのであつて、その保存行爲、卽ち財産の損失の豫防、現狀維持などに必要な行爲の一切を爲し得るし、その利用行爲卽ち社會通念より客觀的に見て財產の性質を變更しない程度に於て財產より收益を爲し若くはそれを有利に使用する權限がある。尙又、改良行爲卽ち財產の性質を變更しない程度に於て財產の價格を增加せしむることも出來る。管理人の權限は原則として以上の如きものであるが、その權限を派下總會に於て制限することは勿論差支ないが、その制限を知らないで取引を爲した所の第三者卽ち善意の第三者に對してはその制限を以て對抗出來ないのは當然自明の理であらう。

派下總會は又管理人に專任管理を任せず、派下に輪流管理を委任する方法を執ることも隨意である。此の方法が、最も普通に行はれてゐる方法である。

要之、總有制と合有制との別を約言すれば總有制の場合には財產に對する管理權、處分權は團員の全體に屬し、各團員は管理權處分權を有しないが、合有制の場合には團員の有する管理權處分權は合手的に結合し、全員共同に行使し、處分すべきである。總有制によれば團員の全體は管理組織體卽ち組織的團體を構成してゐるから、團體の決議は各成員の意思とは獨立した團體の意思である。この團體の意思により、代表者其他の團體の機關は活動し、其行爲は團體の行爲である。反之、合手制に於ては各人の意思から獨立した團體の意思がなく團體の意思の總和にすぎない。從つて團員も自己の有する管理權、處分權を行使するにすぎない。要之、總有制は組織體であり、合手制は法律關係である。(四七)人の團體が一物を總有する場合には團體の組織法が行はれ、所有權が質的に分割され、管理處分の支配的反能は團體が之を爲し、使用收益の經濟的權能は各構成員が成員たる身分の反映として之を有するのである。

第四　我國體と祭祀公業

一　祖先祭祀

父系制を基礎とする民族社會に於ては、共同祖先の崇拜と女子妻妾の絶對服從を其の特徴とする（祖先祭祀については穗積陳重博士著祭祀と法律に說いて詳かである今此小論に必要なる點について其要旨を抄錄する）（一）祖先祭祀は靈鬼崇拜の一種である。靈魂とは人體に伴ふ精靈のことであつて、此靈魂は人の生前に於て一時其の宿體たる人體を離脫した時は生靈となり、又死亡に因つて永久に體軀から離脫した時は死靈となる。文化低級の人類の信ずる靈魂なるものは其の離脫の際に於ても、仍ほ有形有情であつて其の宿つて居た體軀と略ぼ同一の屬性を有するものであるとするのを通常とする。（祭祀公業について享祀者主體說のいづる所以である）

靈魂は斯くの如く物質的形體の無いものであるが、其宿體を離れたときに於ても仍ほ其宿體と同樣なる影形心性を有し、喜怒哀樂愛惡欲の七情を具ふることは、其宿體內に在つた時と決して異なることが無く、且つ超自然力をも有するものであるとするが故に、喜び愛するときは福を與へ、怒り惡むときは災を降す等の報復的行爲が有ると爲し、又一方に於ては靈魂に對する他人の感情も其宿體たりし人に對する如く或は之を賞敬し或は之を敬愛し追慕し或は之を畏敬するのである。而して之を敬愛追慕するときには祠堂を建てて靈魂の鎭座所と有し其前に拜跪し之に酒饌香華を供し、或は舞樂を奏して其の視聽味臭の諸感を樂ましめる如きは卽ち靈魂を以て其宿體たりし人と同形同情であると爲すに始まつたものと謂はなければならぬ。靈魂を畏懼する場合も亦之と同じであつて其欲する物を捧げ其好むことを爲して其怨靈を鎭慰するのである。此の如く生者が死者の靈に對して爲したる感情の表示は卽ち祭祀の起原であつたのである。(一)而して父母は人の最も敬愛するところであるから孝子は其父母を喪ふときは之を追慕する至情に耐へずして常に其の嗜むところを思ひ其樂しむところを憶ひ其靈位の前に拜跪し之に飮食を捧げ香華音樂歌舞を供へて其敬愛の誠を表する。是れが祖先祭祀の風習の起る所以である。畢竟祭祀は其敬愛謝恩の情を表する形式に外ならぬのである。故に孔子は、「祭ること在すが如し」(論語)といひ「死に事ふること生に事ふるが如く、亡に事ふること存に事ふるが如し」(中庸)

といひ、本邦に於ては「まつる」は「齋ひ奉る」の意にて卽ち「穢れを齋み愼みて祀る」の義と爲し「倭訓栞」には「待の義なるべし」として奉仕の義に解した。支那に於ては「說文」に「祭」の字を解して「示に从ひ手を目て肉を持す」と云ひ「孝經疏に祀」の義を說いて「祀は似なり先人を見んと將るに似る也」と云つたのは皆尊長を崇敬して之に奉侍する意義でないものはない。朱子の「家禮」に「凡そ祭は愛敬之誠を盡すを主とするのみ」と云ひ「禮記」の「祭疏」に「祭は養を追ひ孝を繼ぐ所以なり」と云ひ又「孝子の親に事ふるや三道あり、生けるときは則ち養ひ、沒するときは則ち喪す、喪畢れば則ち祭る、養は則ち其順を觀るなり、喪は則ち其哀を觀るなり、祭は則ち其敬して時なるを觀るなり、と云ふが如き皆祭祀の道德的基礎を明かにし其起源の主他的情緒に在ることを示すものである。禳災祈福の如きは、祖靈は必ず其の後裔の幸福を冀ひ之を愛護するものであるとの信念有るが爲めに、子孫は其祖先の在世の時に於て保護を乞ふが如くに、其死後に於ても靈魂を崇敬して之を祭ると同時に、其愛護をも祈請するに至るものである。祖祭は一方に於ては孝情の延長であると共に又利己心に基づく、卽ち幽鬼に對する恐怖である。故に一般的にいへば祭祀には敬愛に基くものと恐怖鎭慰に基くものとあることになる。

古語に曰く、『恐怖は神を作る』と(Timor fecit deos)。子が亡父の靈に對して表する崇敬の形式は其子たる孫に傳はり延いて曾孫玄孫其他の末孫に及ぶものであつて始祖其他の祖先の記憶は其一族一家の傳說となつて繼續してゆくのである。即ち主祭者より之を觀れば祭祀は子に始まり近裔より遠裔に降るものである。又祖祭は近きに厚く、特に三世以内の祖に厚く遠きに薄い。しかし一家一族の始祖は殊に之を重く祭り以て血族團體の基礎を鞏固ならしむるに至るものである」。

二　我國體と祖先祭祀

祖先祭祀を說く者は必ず謂ふ。

「今若し我國にして千古の國體を萬世に傳へ忠孝の大義を永遠に維持し以て國家鞏固の組織を不朽に貽さむとせば、祖先の祭祀を重んずるの國風は愈々之を盛ならしめざるべからず。國體の精華は寔に此處に存すればなり。此國風にして衰退することあらば、我が民族固有の特性は遂に失墜せんとす」(二)と、又曰く、「祖先崇拜にして國民のそれと統治者のそれとが歸一せざること他國に見るが如きときは忠と孝とは別個の觀念と爲ること、例へば支那古來の思想の如し。若し反之兩者崇拜の的が唯一共同始祖であつて相乖離し相分裂することなきことと我國の如くならんか、忠孝一本となり兩者は離るべからざる同一觀念と爲らざるを得ない、又從つて忠君と愛國とが西洋諸國の如く別物視せられることなく兩者は常に一致するに至らざるを得ない、敬神崇祖、忠孝一本、忠君愛國の一致、是れ卽ち惟神の道の大本である」(三)と、果して然りとすれば、祖先崇拜と祖先祭祀は、單なる抽象的觀念に於てのみ之を取扱ふべきものでないこととならう。蓋し至當のことである。從て玆に被統治者は其の祭祀し崇拜する祖先を統治者と共同にするや否やといふ問題がのこることゝなる。

三　我國體と祭祀公業

祭祀公業は祖先祭祀を其の目的としてゐる。尠くとも、主眼としてゐると謂はれて居る。玆に祖先の祭祀といふ。その祖先とは何人を指稱するか、先代、先々代、五代の祖、渡臺當時の家祖、幾代か前の中興の祖、等等卽ち之である。約言すれば親、祖父、曾祖父、高曾祖父又は何代か前に遡つての家祖等をいふのである。而して、例へば林姓の者は林家の家祖を祭祀することあるも陳姓の家祖を祭祀しないであらうやうに各々はその家祖を異にするが故に、共同始祖に遡るとしても、それは遂に同一平面上の平行線の如く、異姓に於ては勿論、同姓に於ても共同始祖を見出すことは不可能なる事であらう。況んや其の祭祀する祖先は到底統治者と共同なるものではない。然らばかくの如き形式と精神とを有する祖先崇拜は我國體と相容れざるものであらうか。或者はいふ「歐式法制道德の行詰りは多く個人主義、狹義の生存競爭といふが如き思想を基調とした結果であるから相互扶助(mutual aid)社會連帶(Solidalité social)といふが如き思想を以て土臺替へを試みんとすれども、其眼目とする所は平面的であり類似の連帶(Solidalité de la Similitude)及び差別分業の連帶(Solidalité de division du travail)を以て現代人を合力分業せしむるに止まり横的結合たるに過ぎぬ。祖先と子孫とを一貫する立體的縱的連結ではないやうに思はれる。吾々は今や平面的相互扶助、平面的社會連帶に止まらず過現未三世を一貫せる主體的相互扶助、立體的社會連帶の精神を强調して一切を論じ一切を爲さねばならぬ。而して是は祖先崇拜の思想就中皇室と國民との祖先が一致して、兩者の對立せざる横に縱に同心一體を成せる祖先崇拜の思想を一層强大化し、一層普遍化することによつて始めて之を期待し得ることを確信する者である。幸なる哉我國は上に萬世一系の天皇在しまし、下に之より分派せる千家萬家億兆家ありて悉く夫々一系の各戶主權を繼承して前後相連結し、斯くて昔ながらの一心同體たる立體的國家を構成して居る、……惟ふに最大の愛國的熱情、最强の民族的結束は祖先崇拜の行はる社會國家に於て始めて之を認むることを得る……純潔無比なる殉國的精神は祖先崇拜の源泉より湧き來る所のものに外ならぬ、故に祖先崇拜の存廢は殉國的精神の消長に關はり國運の隆盛に影響する」と(四)かくの如き結論は、寔に論者の謂ふ如く、一國の國民が、其統治者と其祖先を共にする場合に於てのみ、謂ひ得られるものであつて、祖先崇拜に於ける一つの特殊なる形態である。またその特殊なるが爲にこそ、我國體の萬邦に比類なしとして誇示し得る所以でもあらう。偖而、然らば、再び謂はん、祭祀公業に於ける祖先崇拜の形態は此の萬邦無比の國體と相容れざるものなりや。今祭祀公業それ自體についてのみ之を觀るに、例へば五代の祖李德仁を享祀者とする七大房よりなれる祭祀公業の現在派下二百人は、それは三世の祖陳景恵を享祀者とする三大房よりなれる祭祀公業の現在派下百人とは全く沒交渉であるのみならず遠く遡るも其祖を共同にしない。兩者の祖先祭祀は、祖先の祭祀を爲すといふ一つの共同現象を呈示するものではあるが、具體的には何等の交渉關係を惹起しないのである。況んや之を內地人と比せんか、その祭祀し崇拜する所の祖先は、舊來の我國民のそれと共同なるものではないことは明白であり從つて統治者の祖先とは別異なるものなること言を俟たぬ。されば、別異なる祖先を崇拜しその祭祀を嚴守し之を尊敬して仕ふること尙在ますが如く奉祀するとせんか論者の云ふ如く別異なる系統に於ける縱の連結は鞏固になると共に吾人同胞としての橫の連結は脆弱たらざるを得ないことゝなるのは當然の歸結であらう。

かくの如く祭祀公業に於ける祭祀の客體は吾人の祖先祭祀の客體とは全く異なるものとすれば、論者の所謂「祖先崇拜の思想就中、皇室と國民と其祖先が一致して兩者の對立せざる橫に縱に同心一體を成せる祖先崇拜の思想」を玆に見出すことを得ないのは勿論であらう(此點は朝鮮に於ける祭祀についても同樣に論結し得られる)。然らば吾人は單なる祖先崇拜といふ抽象的觀念の滿足を以て足れりとしてよいものであらうか。此點については「我らの身體は筋肉計りではない、精神が最も大切である、吾々の精神といふものは祖先からばかり享けたものではない。孔子、正成、其他英雄豪傑義士功臣等の人々の色々の教へが吾々の頭に這入つて居て、是等の偉人の精神的子孫とも云ふべきである。故に是等の人々を崇敬するのは一方に於て血統上の祖先を崇敬するに對して精神上の祖先を崇敬するものである」(五)といふものがあるが、しかし乍ら精神上の祖先、それも外國の祖先とでもいふか、それを崇敬すること厚く、血統上の祖先には薄いとあつては、如何なるものであらうか。おそらく精神上の祖先とは一つの比喩に過ぎないとすれば格別、かゝる語法は時として誤解され易いのではなからうか。同じ論者は又次の如く謂ふ、「奉天に於る支那の宗廟といふものは、愛親覺羅氏の宗廟である。國民の崇敬は其處に集つて居るのではない。帝室の崇敬の中心であるけれども、國民の崇敬の中心ではない、國民より之を見れば己れ等を征服し、明の衣冠を更めたる敵の先祖である、少なくとも國民の崇拜といふものと、此國民の主權者の崇拜と云ふものと相一致して居らぬ、即ち清國の中心が一所に集つて居らないで相反して居る。支那の革命は餘りのことであるが、かゝる結果を生じたといふのは即ち帝室の崇拜と國民の崇拜とが相反して居つたといふことが一つの大なる原因であるといふてよろしい」(六)。又他の論者は謂ふ「我國の政事は祖先祭祀と一致して行はるべきものたることを知るに足るであらう。思ふに我國の主權—統治の大權—は上御一人の大御心であるが、其大御心は神聖なる御祭祀に因り、神人合一の境地に達せらるる御修養の成果として、至仁至愛の聖德を發現するに至り、以て四海に光被し萬民を潤澤する。群卿百僚は勿論、民族悉く祖先祭祀の修養を積み日本精神を磨き來つて明かき淨き心を我大君の御爲に捧げて翼贊し奉らねばならぬ」(七)と。穗積博士も亦「國家隆昌の基も實に此皇祖皇宗の祭祀と國民の祭祀との合一に依りて統一されたる國民の團結力に因るものなり」(八)と謂はれる。是等の所論を肯定するとすれば、我國に於ては、國民は一元的のものでなければならない、一民族であらねばならぬこととなる。果して、我國民は一元的であらうか。此問に答へて、「神代以來天孫民族以前の民族が必ずしも本支の關係によつて團結して居たとは考へられないといふことは一應尤もなる疑問であらう。乍併、民族の同一なるや否やは唯だ、一に血統の連鎖のみに因るものではなく言語、風俗、習慣、法制、道德、政治、經濟、風土、氣候等の作用によつて統制せられ又結合せられて一心同體となれば一民族を成すに至るものであつて同化力(九)といふものによつて之を論斷すべきであると思ふ。顧るに、日本民族は偉大なる同化力を有して居たもので此力こそは今日の吾吾國民を形成するに至つた原動力である」(一〇)との說明がある。

此說によれば異民族は同化力によつて一元化されるといふのである。同化力は質的にも量的にも種々の問題を包藏してゐるやうである。論者の比喩を借用すれば「小流の濁水、洋々たる大江の清流に合すれば忽にして淨化されて亦清流となる」とは畢竟、量の問題である、一億の人口を擁する民族と五百萬のそれをもつ民族とはかくの如く決して「忽にして」融合さるゝものではない。又曰く「我々が外界の物を攝取して消化し、吸收する限り我骨肉となり血液となり内外彼此の差別なく何れも皆我れに同化して一體を成す」と。此比喩に於て同化し一體を成す前提として、我吾の攝取作用、消化作用、吸收作用が擧げられてゐる。甲民族が乙民族を攝取し消化し吸收するといふことは、如何なる過程を意味するものであらうか。これは頗る重大である。たとへ攝取するも容易に消化と吸收は出來にくいのではなからうか。それが今問題となつてゐるのである。茲では質及び量が其重點である。イングランドとアイルランド、アメリカ合衆國とフイリッピンとの關係は何を吾々に示唆するものであらうか。論者は最後に「結婚を見ずや。血統なき他家より來る者之に因つて此方に同化し了りて、同一家族として缺くべからざる要素を成すにあらずや。誰か一家の主婦を以て血統なき爲めに之を他人と爲す者あらん。是れ亦同化作用の結果一心同體となるものに外ならぬ」とする。然し乍ら、結婚に於ては、同化さるべく古き家を出て新なる家に來たるのであつて、同化者、被同化者は其の目的を同一にするものであり、ローマ古典に所謂、女子は生家を去り婚家の祖先を其の祖先として夫と共に夫家の祭祀を奉ずるのである。女子にとつては、婚姻は再生なのである(一二)。同化の容易なること當然である。

要之、論者の引例は同化作用の説明としては格別、同化力による民族の一元化の比喩としては全く適切でないやうである。しかし吾人も亦論者と同じく「天孫民族には偉大なる同化力ありて今日の日本民族は、異種族を包容して大成したといふ所に最も尊ぶべき特長があると思ふ。九州の熊襲、隼人でも、大和の土蜘蛛でも歸順すれば皆同胞に加へられた。……吾人は今日の日本民族を斯くの如く天孫民族が、異民族を包容して同化し以て不二一體と爲したる一大家族であると解する者である」が、唯々、今日に於る日本民族は過去に於て發揮せしが如き同化力を、現在に於ては、如何なる形態に於て最も有效に作用し得るやが茲では問題なのである。現在に於る日本民族はたとへ、其血統に於ては異つてゐても其同化力によつて一元化されたものであると明言し得るであらうか。過去悠久、五千載、國家の一大溶鑛爐に於て、熖々たる同化の灼熱によつて一元化されたことは何人と雖も首肯し得るであらうが、果して現在、「我國は皇室國民上下合一して共同の始祖を祭祀し横に現代九千萬の國民を結合するのみならず縱に幾億幾萬人を結合し縱横の立體的國家を構成して居る」(一二)ものであると斷言し得るであらうか。躊躇なく斷言し得るとならばよし、然らずとせば、一日も早くその同化の達成に努力すべきであらう。同化力の促進のために萬全を期すべきであらう。之に對しては悠々五千載を閲みして今日の一元民族となつたのであるから、焦慮、早急は禁物なりとの説も出るかも知れない。然し乍ら、從來は如何なる異民族と雖も、我民族の同化力の强大なるが爲に、之を包容して一大日本民族たらしむるに至つたといふ前提を執る限りに於ては、その同化といふ目標に邁進すべく努むべきであつて、夫れを妨ぐる一要素は如何に微なりと雖も之を除外するに努力せねばならないのであらう。或論者は、同化の根底は共婚を以て第一であるとせらるゝのであるが、朝鮮及臺灣に於ける内鮮、内臺の結婚は實に寥々たるものであることは周知の事實である。祖先祭祀の事たるや頗る重要事であり、且つ既に述べたるが如く人生自然の性情の發露であり、機微なるものであるから、素より之を抑壓すべき限りでないこと言ふまでもない。唯、祭祀公業といふ組織によつて祖先祭祀を營むといふことそれ自體について、大に考慮さるべきではなからうかと思ふのである。

瀨戸致格氏は、朝鮮民族と神社問題に言及して曰く「横田康氏著朝鮮神宮紀には在鮮日本人名士の感想のみを掲げて朝鮮人の感想を知るに由なし。祭神問題については朝鮮統治上重大問題を惹起せんとする形勢ありしと傳へられる。小笠原省三氏著朝鮮神宮を中心としたる内鮮融和の一考察に於ても詳述さるゝところにして又余の學生時代筧克彦氏の講義に於て此祭神問題に付て考慮すべきものあることを論せられたるを確かに記憶する。我が日韓合併の根本精神たる東洋永遠の平和の維持の意義に於て朝鮮統治の本源たる朝鮮神宮には日本民族の右二神の外に朝鮮國土創造の神を速に追加して奉齋すべきなり……今若し鮮人の神を祀らざらんか、朝鮮神宮は內地人のみの神宮となり鮮人とは比較的緣故の薄きものとなり鮮地將來のため決して好結果を來さざるは火を睹るより明かなり」(一三)と。鮮臺は全く事情を異にし、本島人の祭祀すべき國土創造の神なるものなし、況んや一家の家祖についての永遠祭祀の組織を保護せんとするか、此朝鮮神宮論は、以て他山の石とするに足ると思はれる、玩味咀嚼の要がある。序ながら、神社については、筆者は思ふに「神社は國家の宗祀であると同時に國民崇敬の對象であり、國民思想統一の本源である。既に國家の宗祀たる以上は神社に對し相當の尊崇を致すべきは國體、國家、國民全體に對する國民個人の義務である。玆に相當のといふは、蓋し神社に對する個人の崇敬は、人により或は深刻なる宗教的信仰によるものあるべく、或は單に道德的禮儀又は祖先崇敬の範圍に止まるものあるべく、其の何れに屬するも凡て個人の自由であらうからである」。(一三)

要之、祭祀公業の存續は祖先崇拜といふ觀念的美風に於て滿足するものなりや、或は、具體的に生家の祖先を祭祀するを放任するや、將又、婚家の祖先を祭祀せしむべきやは一つに自己の祖先を崇拜し祭祀する所の新郎が新婦に對する決心如何に係はるのである。此點、爲政者の深甚なる戒心を要する點であらう。

附　言

「本島人諸士は祭祀は實に貴重で、之なければ人にして人に非ざるが如く思ふて居られるが吾々内地人も等しく祖先を祭る民族である、卽ち伊勢の大廟を祭り歷代の皇祖皇宗を尊崇し、家に在つては祖先を祭る、之は支那民族に劣らない、然し乍ら公業といふものはない、之がなくとも祖先の祭祀は出來るのである、廢止したらよい」、(一四)といふ議論も成立つて來る、「現在の公業のうちには眞に崇祖敬宗の實を擧げて居るのもあるのであるが、派下は四散し、殘存派下も銘々自宅にて祭祀を行つて居る、私廟は自然に廢頽に任してゐる」(一五)といふ現狀である、若し眞實に祖先祭祀の誠意を有つて居るものならば公業といふ組織によらなくとも如何なる方法でも出來るものである。(一六)　公業制度の弊害は、然し臺灣に限つたことではないこと勿論である。(一七)

第五　祭祀公業存廢論

祭祀公業存廢論は重大なる問題である、多數の派下人員の重大なる權益問題であり、多大の耕地の利用に於ては、農政上、社會政策上亦輕々に論ずるを許されぬ問題である、況んや祖先祭祀のことは皇國の風教の根幹である、それらの問題を今、此小稿に於て取扱はんことを企圖するのではない。筆者は別項、我國體と祭祀公業に於て疑問の一石を投じておいたのであるが、茲に於ては存廢の是非を論ずる意向ではなく、存廢論の一班を紹介し併せて公業の缺陷につき多少の檢討を加へて見やうと思ふのである、

一　公業の存續と特別法の必要

本島に民法が施行さるゝに際して大正十年の總督府評議會に於て、次の如き祭祀公業存廢論が相當に賑はつたやうであり、又當時、新聞の報道を誤解して地方人心に可成不安の渦をまき起したやうに仄聞する。廢止說は通常何時の場合に於ても見る如く急進的の卽廢說（五年說、十年說三十年說とあつた）と漸廢說とに分れた。卽廢說

は漸廢說こそ人心を不安ならしむるものであると謂ひ、漸廢論は、派下の自覺によつて漸次解體を圖るのが自然的で穩和であるといふ、之に對して存續說は、この祖先祭祀の美風は永遠に存續せしむべきである、唯、現在見るが如き缺陷を矯正する方策を講じ之に處すればよいのであつて、それは特別法によればよいと論じた。

以上何れの說にしても制度の缺陷を擧げて行政權又は立法權の發動を希望して其の旨を申述してゐる、例へば、

行政處分か何かで漸次、民法の規定に據らしめることにしたい(一)とか、或は既に勅令第四百七號第十五條で、公業は慣習に依つて之を存續せしむる旨を明にせられた以上、之を廢して變形しやうと云ふやうなことは難いことかと思ふ、然し弊害を救濟する爲めに、保存、管理、代表の機關及び監督の方法を定めて此の法令を發布せられたならば公業の基礎も確立することゝ思はれる(二)、とか或は又祭祀公業といふ善良な制度も人類が澤山になり祖先の遺族が夥しくなると共同生活に適しないことになる、かくして祖先崇拜といふ美しき目的を滅却される狀況になつて只今では公業ある爲めに親睦なる家庭、幸福なる家庭

は殆んと稀となり、此爲めに親族相爭ひ、骨肉相食むといふ現狀である、制度その物は惡くないが、制度の缺陷は此儘では補ふことが出來ない(三)といふやうな類である、

次に存續說の二三を擧げると、(一)開臺以來公業は臺灣に存在してゐた、それを今日一時に廢止するは由々敷ことである、何とか救濟の方法施設を希望する、惡人は其廢止の機を利用して何をするのもわからぬ、善い舊慣は殘すべきである、祖先を尊ぶならば政府に對しても尊敬の念を拂ふやうになる、特別法を設けてほしいものである(四)、

(二)內地延長主義をとるとしても舊慣を尊重して特別法を設くることは不都合ではない、一視同仁の德を昭かにする所以である、公業といふことについては吾々の智識は不完全である、若干の弊害あれば取締法を別に設けてもよいではないか、法院に訴へた者も相當に多く十ケ年に千七百件とか承つてゐるが、一年に百七十となる、之が四萬の公業に對する割合は約千に四件、これは訴訟にしても多い數字ではない、私共の見る所によると公業は社團法人でも財團法人でもなく一種特別のものと考へる(五)、

(三)一朝一夕に無條件に廢するといふことは本島の統治安寧上に於ても一大事である、公業の目的は美である、何人も反對は出來ない、既往のものには特別法を設けなければ弱者は强者に全部取られはしまいかと杞憂を抱いてゐるのである(六)、

(四)一般民度が進み其民度の角度に於て視た所が不都合なしと各自が自覺するやうになれば自ら公業を廢するであらうと信ずるので無期限説を主張する、五年、十年、三十年の間に整理しやうといふのは出來ないことである(七)、

(五)　公業には祖先を祭るものと神佛を祀るものとある。何れも祭祀公業であるが、民心に惡影響を及ぼすから忽に廢止するのは不可である。(八)

かくの如く、無暗に列擧するの必要を見ないかも知れぬ。兎に角、諸説とも缺陷を認めて法規によつて取締られんことを希望してゐる點は一致してゐる。他力によらずして自力にて弊害の改革は出來ないものであらうか。とにかく此の待望久しき特別法は、其後既存公業に關する弊害が可なりに甚しい(員林郡下の祭祀公業參照)にも不拘、何等其の制定を見るに至らずして今日に至つた。最近に法院に現はれたる爭訟件數を取調べたく着手したのであるが、此項を了る

までには整はなかつたので次の機會にゆづる事とするが、とにかく、右の存廢論は、移して以て現時に於る好參考資料であると考へる。何れにしても、現在の公業の實況を如實に知悉する爲には、大規模の調査機關を要する、先づ、此事實調査の後に、廢止論にしても、特別取締法規の立案にしても爲さるべき筋合のものであらうと考へられる。

二　公業の缺陷について

しかし、右の如く存續說とても、現在の缺陷を熟知して居るのであつて、この矯正の方策については、取締法なり、特別法なるを要求して居るものである。そこで、その所謂缺陷なるものについても、種々の立場よりして、詳細に檢討することとすれば、矢張り、調査機關による調査報告を俟つべきであらうかも知れないが、現在に於て旣に論議されてゐる所の周知のもの丶みにても之を列擧し而して卑見を加へて見やう。(九)

(一) 派下に關する問題 (甲) 派下現在數不明のもの尠くないこと、(乙) 從つて派下證明の困難なること、之を詳說すると、

（甲）設定後數代、十數代を經過したものは何十人何百人の派下員數となり、それが北は基隆、南は高雄、或は臺東、花蓮港といふ具合に全島に散在する計りでなく對岸の福州廈門等に住んで居る者もある。此場合に純然たる慣習によつて派下一同を召集して其の同意を求めるといふことは非常に困難な事實である。最近、林敏盛公業の如きは或必要があつて公業自ら巨費を投じ、年餘を費して島內、對岸の派下系統圖を作製した、從つて先づ一定の期日を指定して其の期間內に夫々申出すべき旨を公告して、申出ざる者は派下失權とするといふ方法により派下を確定し、派下名簿を作製させることが急務であり、次には派下全員同意の舊慣を多數決制に變更する必要がある。此事は舊慣上祭祀公業の性質を總有關係と見る立場からは矛盾するやうであるが、總有關係を其儘に是認することが、現在及び將來に於て妥當なりや否やは別問題なのである。

（乙）派下證明。甲公業の全派下の員數、其氏名、住所の證明、或は、乙は甲公業の派下なりとの證明が派下證明である。（一〇）「市街庄に於て取扱はれる證明の大多數は公業の派下證明又は系統證明であるように思ふ、試みに我が萬巒庄に於ける昭和六年度の證明件數を調べて見れば一八三件のうち公業の派下及系統證明が一三五件ある樣な情態である。所が斯くの如き證明は調査上如何なる資料があるかと申せば實に何もないのである。只警察所管に屬する戸口調査簿に記載の事項が唯一の資料である。併し戸口調査簿上の動態が明確となつたのは明治三十八年第一回國勢調査以後であつてそれ以前に係る記載の事實は往々誤謬がある況んや數代又は十數代前に遡る系統上の調査は實際不能である。然し乍ら目下の場合、調査資料少き理由を以て悉く之を却下したならば島民の財產確保上由々しき問題を生じ又爲に財產權の行使上大なる支障を來す故に市街庄當局としては恰も暗中模索に等しい事實を或は鬮分字、族譜の類を索め或は祖先の位牌を査し墳墓を訪ね古老に問ひ區委員隣佑各關係者に聽き、あらゆる手段と苦心を拂うて辛じて其事實を確める等の場合が多いのである……大なる公業は派下數百人もある且つ其財產が祭祀公業であるか大正十一年勅令四〇七號第十六條の共有に屬するものなるか判別に苦しむ場合も多い……又平和ならざる公業にあつては種々の事情によつて、調査資料容易に得られず市街庄事務進捗上支障を來たすことが往々ある樣に思ふ。(一)從來明確な戸籍もなかつたし、自分が臺南の區長時代の任務は多く派下權の調査に過ぎなかつた。派下一員の調査も中々困難で、公業に管理人が置いてあつても派下權がどうなつてるか知らぬ始末、書記が裁判所へ證人として呼ばれぬ年はないといふ繁雜さである、(二)と謂はれてゐる位であつて、派下證明は中々重大且困難な問題である。左に派下證明の法規と實際の手續きを示しておく。

祭祀公業派下全員證明に關する取扱方の件

昭和五年八月九日
內教寺第一五〇號の五內務部長回答、臺北市尹宛

昭和五年七月二十一日附臺北市庶第四〇〇號の六を以て御照會に係る首題の件了承該證明書は單に登記官廳の參考資料に供せらるるに過きす而して右證明に際りては十分愼重に內容を調査し過誤なきを期すへきは勿論の儀に候も萬一證明に漏れたる者あるときは民事裁判に依り派下員たる確認を求むるの途も有之へく從て市が之に對し損害を賠償すへき筋合にあらさるものと思考候

右回答す

祭祀公業派下全員證明に關する取扱方の件

昭和五年七月二十一日
臺北市庶第四〇〇號の六臺北市尹照會

六月六日附內教寺第一五〇號の三を以て首題の件御回答相成了承仕候處尙左記の場合に於ける取扱方に付爲念御意見伺度

右照會す

記

祭祀公業派下全員證明に際し派下全員たることを證すへき資料を缺く場合又は若干の資料あるも充分ならざる場合御指示の通公告を爲し其期日迄に何等の申出なき爲全員と看做し證明書を交付したる後に至り派下員たる證據物件を提示して異議を申出たる場合は五月十二日附內敎寺第一五〇號の一御指示の通再ひ證明書を交付すへきも該公告が何等の法律上の效力を有せざるを以て前の證明書に依り財産の得喪等を行ひ其の爲め損害を被り市に對し損害賠償を要求したるときは市は如何なる理由を以て之に抗辯すへきや

昭和五年六月六日
內敎寺第一五〇號の三內務部長回答、臺北市尹宛

祭祀公業派下全員證明に關する取扱方の件

昭和五年五月三十日附臺北市證第四〇〇號の四を以て御照會に係る標記の件全然派下員たることを證すへき書類を缺く場合に於ては御申出の方法に依る外なしと認められ候條

右回答す

追て系統其他多少の證憑書類あり管理人利害關係人等の口述にも相當信を措き得る場合等に於て其の證言に依り聽取書を作成し特に「管理人の申立に依り相違なきことを證明す」と奧書證明したる事例も有之登記官廳に於ても別段の支障なく今日に及び居り候條參考迄申添候

祭祀公業派下全員證明に關する取扱方の件

昭和五年五月三十日
臺北市證第四〇〇號の四臺北市尹照會

昭和五年五月十二日附內敎寺第一五〇號の一を以て首題の件御指示相成候處第二項に依る派下員の戶口抄本及公業地の土地謄本等のみを添付し派下員たることを證すへき資料なき願書に對する取扱は申請者の申立に據り公告を爲し其の公告期間內に於て申出人なき場合は直に證明差支無しとの義に候哉何分の御指示相仰度

右照會す

昭和五年五月十四日 內教寺第一五〇號の一內務部長回答、臺北市尹宛

祭祀公業派下全員證明に關する取扱方の件

昭和五年二月二十二日附臺北市誌第四〇〇號を以て御上申に係る標記の件左の通御了知相成度經伺

右回答す

記

一、證明方法は御申出の方法に依り差支なし

一、公告期間後漏れたる關係者より更に證明を申立てたるときは精査の上事實相違なしと認めたるときに限り證明を與ふるも差支なしと認む

一、公告は行政官廳又は公衙が證明上遺漏なきを期する爲めに行ふ便宜手段にして民事訴訟法上の公示催告の如き法律上の根據を有するものにあらず從て法律上效力を有するものと認め難し

祭祀公業派下全員證明に關する取扱方の件

昭和五年二月二十二日 臺北市證第四〇〇號臺北市尹上申

祭祀公業派下全員證明に關し從來大凡左記表示の通調査資料として提出せしめ申請者の申立と一致するや否やを確め稍一致する向に對し果して全員出願の通なるや認め難きものに在りては市報又は新聞に其の全員の氏名を記載し相當期間を定め其他の關係者あらば申立つへき旨公告し期間に申出なき者に對し證明書交付し來り候處派下員の戶口抄本及公業地の土地謄本等のみを添付し派下員たることを證すへき資料無之願書に對し單に申請者の申立に據り前段の廣告を爲し其の公告に對し申立人なきときは證明差支なきや此の場合公告期間後に

於て關係者漏洩在りて申出たる場合は如何に處理すへきや該公告の法律上效力に付差當り疑義相生し候條何分の御指示相仰度

右上申す

記

一、戸口調査簿抄本各一通宛

二、公業地の明細書（土地臺帳謄本又は登記簿謄本）

三、土地持分權契約書（又は契約書の如きもの）

四、土地收益に對する收支計算書

五、派下員系統圖（先緣又は家譜）

六、派下全員數出願の通相違なき旨同意書其他に關係者一切無之ことの申立書

尙、祭祀公業派下證明に關する件について參考として次の書面を掲げておく。

大正〇年〇月〇日

臺灣總督　△△殿　　△　△州知事　△△

本島舊慣に依り存續を認められつゝある祭祀公業は祖蘖祭祀の目的を以て生したる制度なるが歲月を經ると共に其所謂派下なるもの增加し而も之等は轉々各地に散在し居る狀態なるを以て其の所在を知ること能はざる者あり一旦全員の同意又は連署を要する場合全く實行不能に終ることなしとせず而して管理人の改選又は財產處分等に際し知事郡守又は街庄長の證明せる派下全員證明書を添付するに非れは之が登記を爲すこと能はさるを以て如斯場合所轄街庄長に其證明を願ひ出る現狀なるも當該街庄長は前述の如く古く創立せられたる公業に

對しては其派下關係を明にすること能はさるのみならす管轄外の居住者を調査すること至難なるを以て之か證明を爲し得さるものとす翻て管理者並派下の側よりせは證明を得さる爲め管理者の交代並財産處分等に付法規上の手續を爲し能はさる結果幾多の紛爭を起し或は不正の行爲行はれ遂に祖嘗祭祀の目的を破壞するは勿論法廷に爭ふ不祥事を惹起することありて風敎上看過すへからさる儀と思料せられ候に付ては右派下全員の同意又は連署を要する場合如何にして完備せる書類を作成すへきや又街庄長は資料薄弱なるに如何にして證明を與ふへきや之等は何れも法規の根據を要するものなるも現在取扱上の不便不尠候條何分の御指示相仰度候也

之に對して如何なる指示があつたのかは不明であるが兎に角か丶る不便は官民共に痛切に感じて居る點であり派下登錄名簿作製は急務であらう。

祭祀公業派下證明願（全派下列記、筆者省略）

祭祀公業　〇〇〇

臺北市下奎府町一の一二〇

派下　周　氏　阿鶴

大正元年十二月十五日生

臺北市下奎府町二の一

派下　周　氏　阿春

明治三十六年六月六日生

臺北市下奎府町一の一二〇

派下　周　斜　阿

臺北市下奎府町二の一

派下　周　氏　乘

大正十年八月七日生

同　上

派下　周　氏　美

大正元年十月十五日生

祭祀公業〇〇〇の派下に相違無之事御證明被成下度此段奉願候也

昭和十年十二月6日

祭祀公業　〇〇〇

臺北市下奎府町一の二三

願人　周　福　生㊞

臺北市御成町五の九三

願人　周　苦　力㊞

臺北市新富町五の七六

願人　周　水　杜㊞

七星郡汐止街汐止字汐止五七番地の二

願人　周　仁㊞

七星郡士林街社子字港滘一三三
願人　周　　　嚭㊞
（右五名は管理人である）

臺北市尹　松岡一衛殿

○○○祭祀公業設定及每年の收支計算に付きて（收支計算書なき理由）

抑も○○○祭祀公業は今より△△年前に設定したるものにして卽ち當時○○○自身か其の所有に係る多くの土地の內より別紙目錄記載の土地を祭祀公業として永遠に其の土地の收益を以て祖先祭祀の資と爲し報本反始の目的を以て殘されたるものにして爾來今日に至るまで每年定めたる別紙記載の忌辰日に祭祀を爲すものなり

而して同○○○か死去せられたる後は殘されたる長男周必勅、次男周必美、三男周必榮、四男周必韜、五男周必全の五人に每年順番に其の祭祀を行ふものとし其の番に當りたる者は其の土地の收益を集めて之を其の年の祭祀の費用に充當し祭祀を爲すの日に當りては五房の人々か一堂に會合して嚮食を共にし祖宗の德を追慕するものにして其の收支計算は全然之を爲さす其の年の收支は一切其の年の番に當る者か之を引受けて爲すのみ故は收支計算を爲すと爲さざるは其の年の番に當る者の自由にして全然之を公表するの必用はなきものなれは何等の帳簿を設くることなく收支計算も全然之を爲さざるものなり

而して其の後明治四十一年四月に至り同土地に付きて所有權保存登記を爲すに當りては五大房の內各房より一人の代表者を出して其の土地の管理人とし卽ち周德虎、周火獅、周諒、周圭婆及周金福の五人を其の管理人としたりしも同祭祀公業の收支及祭祀の方法は從來の如く之を行ひ少しも變更せさりしを以て今日に至りても別に右公業に付ては計算簿を有することなきものなり

派下員系統圖

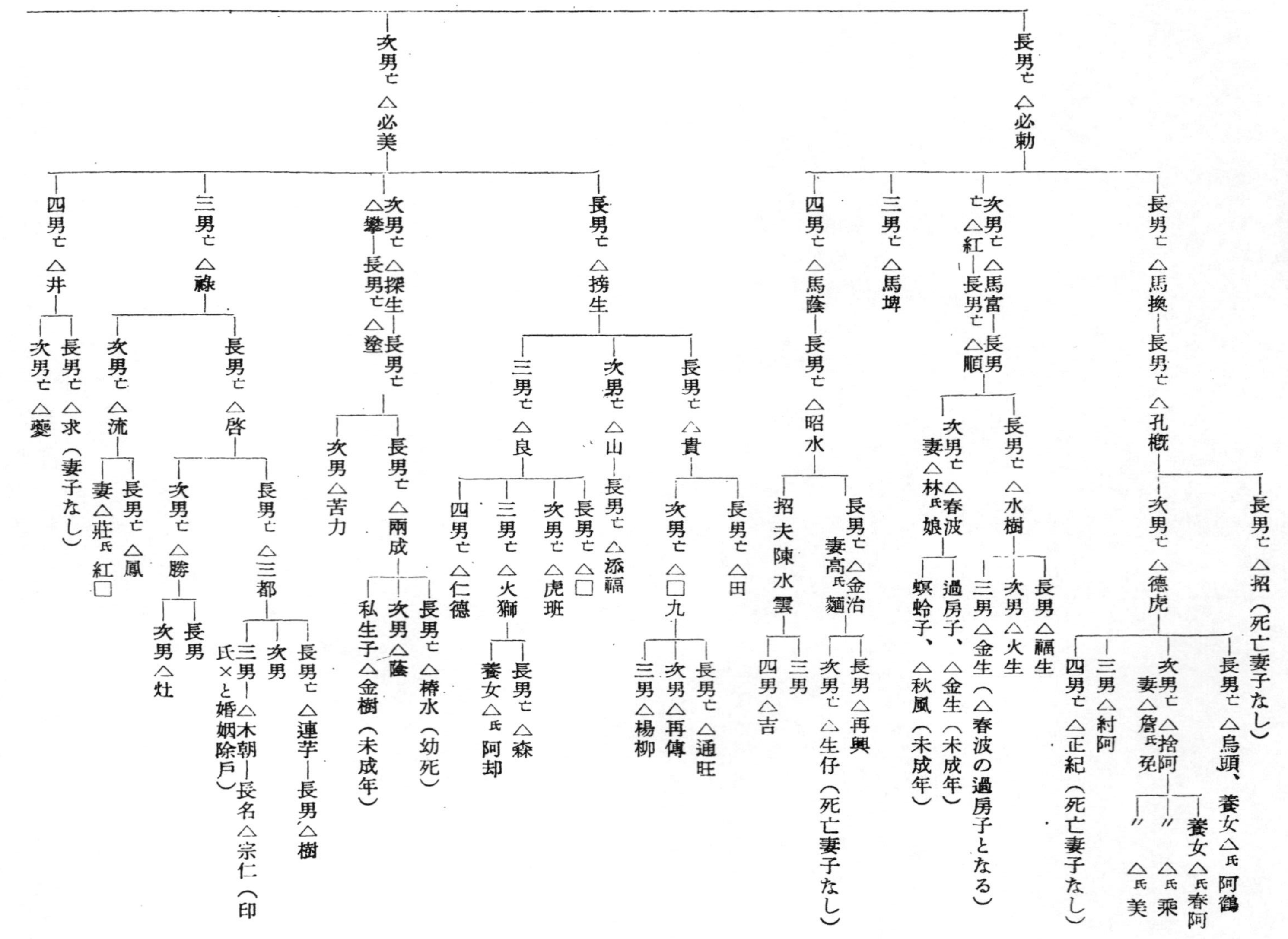

長男亡 △必勅
長男亡 △馬換—長男亡 △孔概
長男亡 △招（死亡妻子なし）
次男亡 △德虎
長男亡 △烏頭、養女△氏阿鶴
次男亡 △捨阿 妻△詹氏兎
養女△氏春阿
〃 △氏乘
〃 △氏美
三男△紂阿
四男亡 △正紀（死亡妻子なし）
次男亡 △馬富—長男 亡△紅—長男亡 △順
長男亡 △水樹
長男△福生
次男△火生
三男△金生（△春波の過房子となる）
次男亡 △春波 妻△林氏娘
過房子、△金生（未成年）
螟蛉子、△秋鳳（未成年）
三男亡 △馬埤
四男亡 △馬蔭—長男亡 △昭水
長男亡 △金治 妻高氏麵
長男△再興
次男亡 △生仔（死亡妻子なし）
招夫陳水雲
三男
四男△吉
次男亡 △必美
長男亡 △捞生
長男亡 △貴
長男亡 △田
次男亡 △□九
長男亡 △通旺
次男△再傳
三男△楊柳
次男亡 △山—長男亡 △添福
三男亡 △良
長男亡 △□
次男亡 △虎班
三男亡 △火獅
長男亡 △森
養女△氏阿却
四男亡 △仁德
次男亡 △探生—長男亡 △攀—長男亡 △塗
長男亡 △兩成
長男亡 △椿水（幼死）
次男△蔭
私生子△金樹（未成年）
次男△苦力
三男亡 △祿
長男亡 △啓
長男亡 △三都
長男亡 △連芋—長男△樹
次男
三男—△木朝—長名△宗仁（印
氏×と婚姻除戸）
次男亡 △勝
長男
次男△灶
次男亡 △流
長男亡 △鳳
妻△莊氏紅□
四男亡 △井
長男亡 △求（妻子なし）
次男亡 △夔

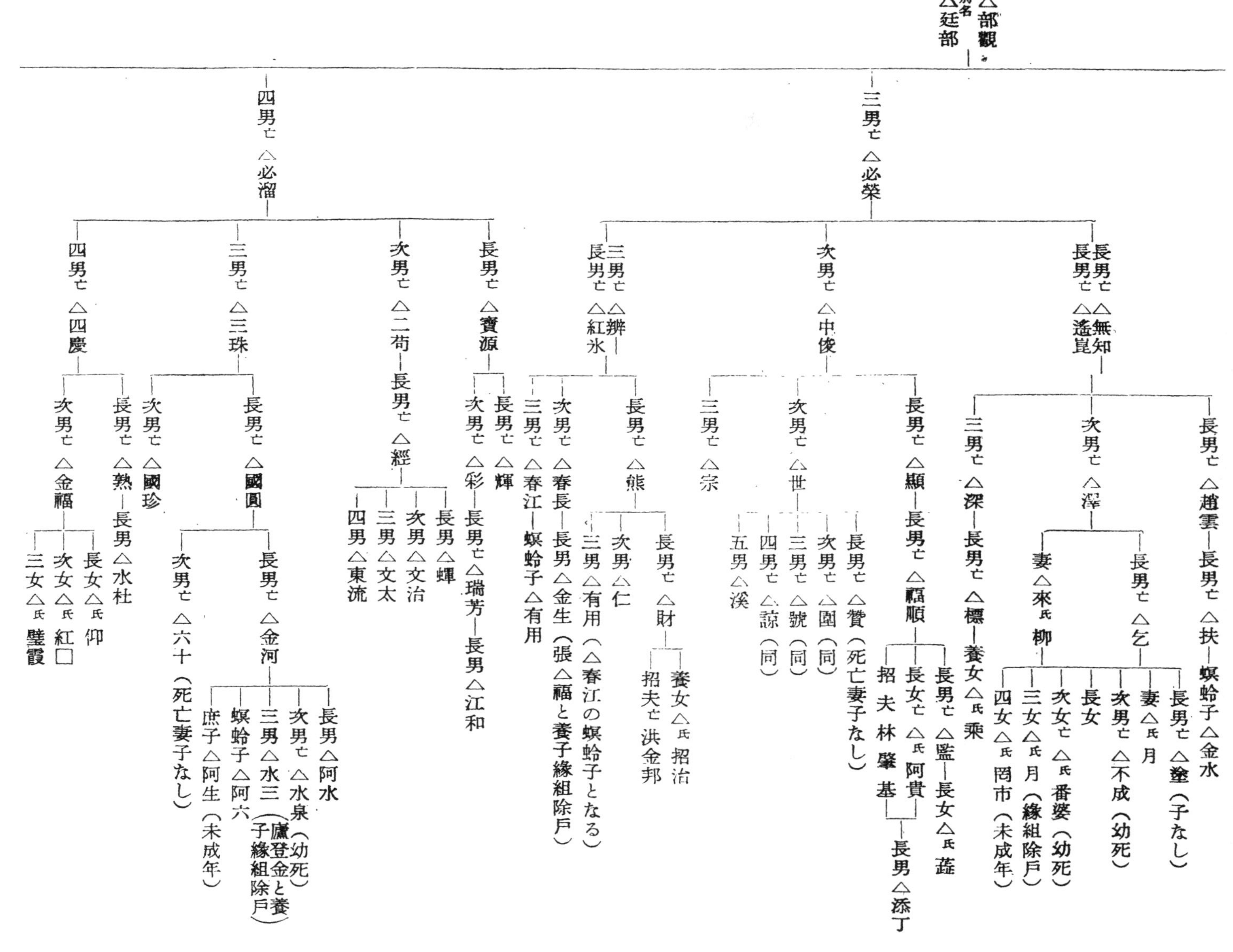

△部觀
別名△廷部
三男亡△必榮
四男亡△必溜
長男亡△無知
長男亡△遙崑
次男亡△中俊
三男亡△辦
長男亡△紅氷
長男亡△寶源
次男亡△二苟
長男亡△經
三男亡△三珠
四男亡△四慶
長男亡△趙雲—長男亡△扶—螟蛉子△金水
次男亡△澤
三男亡△深—長男亡△標—養女△氏乗
長男亡△乞
妻△氏來柳
長男亡△塗（子なし）
妻△氏月
次男亡△不成（幼死）
長女
次女亡△氏番婆（幼死）
三女△氏月（緣組除戶）
四女△氏岡市（未成年）
長男亡△顯—長男亡△福順
長男亡△監—長女△氏蓮
長女亡△氏阿貴
招夫林肇基
長男△添丁
長男亡△贊（死亡妻子なし）
次男亡△世
次男亡△園（同）
三男亡△號（同）
四男亡△諒（同）
五男△渓
三男亡△宗
長男亡△熊
長男亡△財
養女△氏招治
招夫亡洪金邦
次男△仁
三男△有用（△春江の螟蛉子となる）
次男亡△春長—長男△金生（張△福と養子緣組除戶）
三男亡△春江—螟蛉子△有用
長男亡△輝
次男亡△彩—長男亡△瑞芳—長男△江和
長男△蟬
次男△文治
三男△文太
四男△東流
長男亡△國圓
長男亡△金河
長男△阿水
次男亡△水泉（幼死）
三男△水三（盧登金と養子緣組除戶）
螟蛉子△阿六
庶子△阿生（未成年）
次男亡△六十（死亡妻子なし）
次男亡△國珍
長男亡△熱—長男△水杜
次男亡△金福
長女△氏仰
次女△氏紅□
三女△氏璧霞

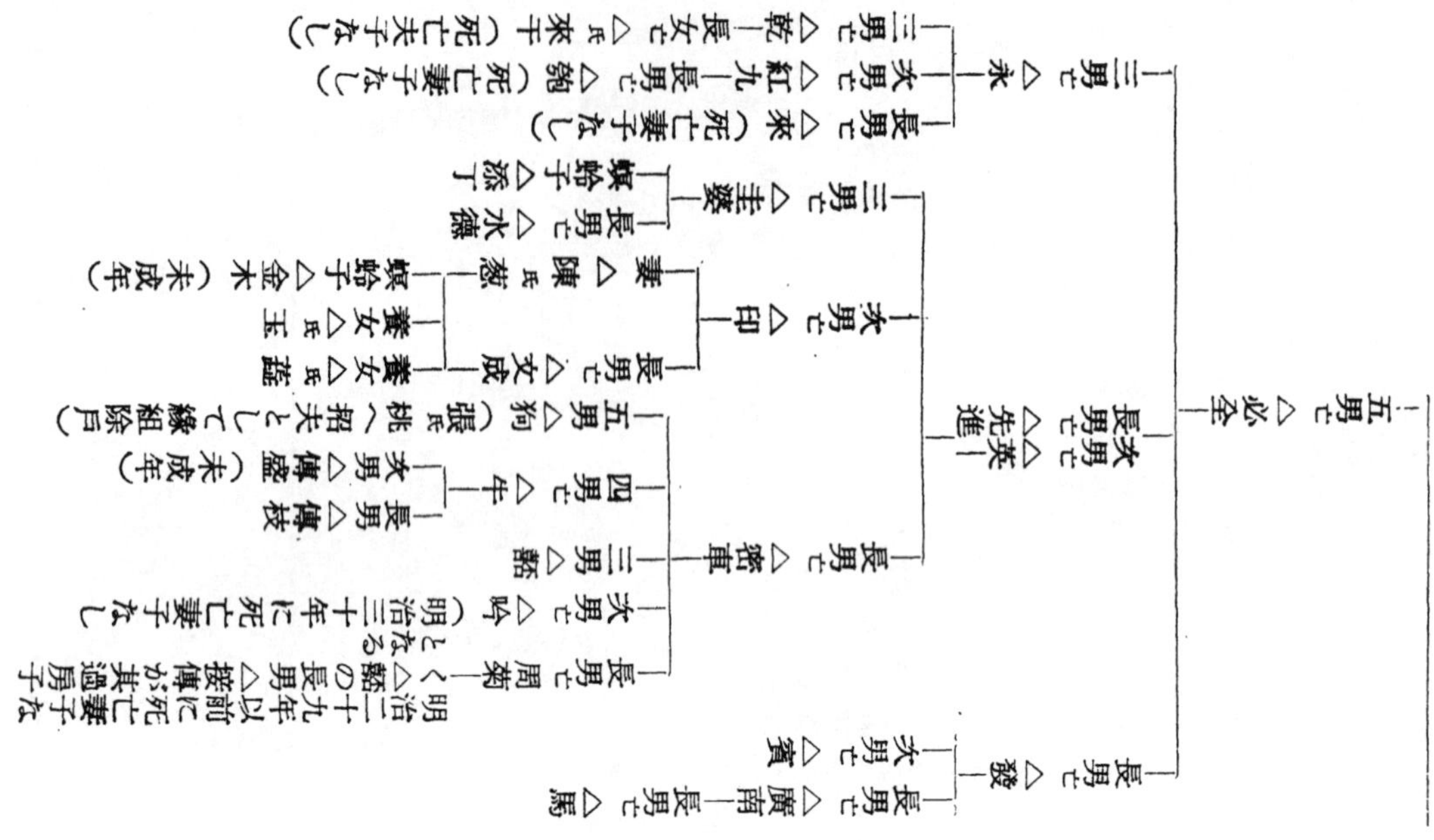

五男亡△必全
長男亡△先進
次男亡△英
長男亡△發
長男亡△廣南
長男亡△馬
次男亡△賓
長男亡△齋軍
次男亡△印
三男亡△主婆
長男亡△周菊
次男亡△吟
三男亡△谿
四男亡△牛
五男亡△狗
長男亡△文成
妻△陳氏
三男亡△永
長男亡△來
次男亡△紅九
三男亡△乾
長男亡△鉤
長女亡△來干
長男△傳枝
次男△傳盤（未成年）
長男亡△水蘇
螟蛉子△添丁
螟蛉子△金木（未成年）
養女△氏玉
養女△氏蕊
（死亡妻子なし）
（死亡夫子なし）

昭和十年十二月十六日

祭祀公業　〇〇〇

臺北市下奎府町一の二三

願人　周　福　生㊞

同市御成町五の九三

願人　周　苦　力㊞

同市新富町五の七六

願人　周　水　杜㊞

七星郡汐止街汐止字汐止五七

願人　周　仁㊞

同郡士林街社子字港墘一三三

願人　周　嚭㊞

理由書（派下名簿の備付なき理由書）

〇〇〇祭祀公業設置當時に於ては單に同公業の所有に係る土地より生産したる收益を以て每年祭祀を爲す費用とし其全生産額を以て其の全費用に充當し一切を管理人に一任して單に祭祀を爲す當日に於て一堂に其の子孫たる者か會合して會食を爲すのみにして別に計算分配等の必要無きにより特に派下人名簿を作成し其の限界を明かにする必要無きを以て全然帳簿は無く從て派下人名簿も作成せさるものにて御座候間此段理由書を以て申上候也

昭和十年十二月二十六日

臺北市御成町五の九三

周　苦　力㊞

同市下奎府町一の二三

周　福　生㊞

同市新富町五の七六

周　水　杜㊞

七星郡汐止街汐止字汐止五七　地の二

仁　周㊞

七星郡士林街社子字港墘一三三

周　謠㊞

臺北市尹　松岡一衞殿

位　牌　寫

十二世祖維篤周公〇媽洪氏孺人神主

皇清大特贈顯考諡孰成周公一位神主

孝男必勅（必美必諮 必榮必全）同奉祀

淸顯妣周媽諡恬肅安人鄭氏一位神主

孝男必美必韜 必榮必全同奉祀

顯妣諡 勸慈鄭媽謝氏 神主

忌辰簿寫

一、正月一日　四回　年始の祭
二、同月九日　一回　維篤媽の忌辰
三、同月十三日一回　外祖媽の忌辰
四、同月十五日二回　上元の祭
五、同月二十日一回　廷部媽の忌辰
六、二月清明日四回　墓参りの祭
七、五月五日　二回　端午節の祭
八、同月十一日一回　廷部公の忌辰
九、六月十六日一回　廷部媽の忌辰
一〇、七月八日一回　維篤公の忌辰
一一、七月十四日二回　中元の祭
一二、十一月冬至日二回　冬節の祭
一三、同月二十二日一回　廷部公の忌辰
一四、十二月三十日二回　年末の祭

右の通り相違無之候也

昭和十年　月　日

（尙、祭祀公業〇〇〇派下員死亡月日調あり）

請　書

祭祀公業〇〇〇派下證明願出に對し添付せる管理人選任決議書並に派下同意書の通り連署を求め今般願出に付ては爾後新管理人たる願人に於て不動產處分等確實に之を行ひ尙他より派下員の簇出せさることを確認候間左記願人連署御請仕候也

昭和十年十二月十六日

臺北市御成町五の九三
願人　周　苦　力㊞
同市下奎府町一の二三
願人　周　福　生㊞
同市新富町五の七六
願人　周　水　杜㊞
七星郡汐止街汐止字汐止五七番地の二
願人　周　仁㊞
同郡士林街社子字港△一三三
願人　周　　鍇㊞

公業派下人員調査の一例

公業△△△甲　一四五九人

內　譯

公業名	派下人員	公業名	派下人員	公業名	派下人員
△德榮	一二四	△德仁	一七四	△斗山祠顯盛	九二
△永志	二七	△德禮	五	△團清	四〇
△團圍	九四	△永仁	七四	△團武	六一
△仕朝	一一二	△斗山祠顯宗	一三二	△永崇	六八
△德惠	一一二	△顯隆	一三	△伯河（海）	一六
△德義	一六九	△顯榮	一一二	△團環	二四

公業△新△甲　八一七人

內　譯

△德仁　一七四 —— △德禮　五 —— △德榮　一二四 —— △永志　二七

△德惠　一一二 —— △德義　一六九 —— △仕朝　一一二 —— △團圍　九四

公業△△△甲　八一七人

內譯は第五甲に同じ

公業△△副　五七九人

△德仁　一七四一　△德惠　一一二一　△德義　一六九一　△德榮　一二四

公業△欽　五七九人　內譯は元副に同じ

公業△仕鼎　五七九人　右同

公業△團圍　九四人

公業△三甲　五八四人

△德仁　一七四——△德義　一六九一　△德榮　一二四一　△德禮　五

△德惠　一一二

公業△奮（蕭神主座）　千十六人

△永崇　六八——△團圍　九四——△永志　二七——△德禮　五

△仕朝　一一二　△團清　四〇　△德仁　一七四　△團環　二四

△德惠　一一二　△仕經　六　△德義　一六九　團武　六一

△德榮　一二四

公業△仁蕭三甲　一七四人　長房德仁ノ派下ノミヲ以テス

備考、俗に長、二、三、六と稱するは長房蕭德仁二房蕭德惠三房蕭德義にして六房は蕭德榮なり

（二）　管理人に關する問題

管理人の選任の方法及其權限については、慣習は不明瞭である。卽ち、其の權限は純然たる法律上の所謂管理事項に限るや、或は所謂處分行爲に觸るるや

否や、其點慣習は明瞭を缺いでゐる、（一三）との說があるが、管理人が獨自の見解を以て處分行爲を爲し得るとの實例は殆んど聞かないやうである。

一、管理人の選任については、現在では、左の如き決議書を作成せしめて居る。勿論派下總會を召集し、派下の多數の贊同を以て之を選定せしめた上のことである。

管理人選任決議書

土地表示

臺北市東門町六六番の五

一田　參厘貳毫參糸

同　所八二番の一

一田　貳分六厘貳毫八糸

以　上

前記土地に對する公業主〇〇〇管理人周德虎は大正元年八月十七日管理人周火獅は大正六年三月一日管理人周諒は大正五年九月二十六日管理人周圭婆は大正八年三月十四日管理人周金福は昭和三年三月二十日何れも死亡に付〇〇〇の派下全員集合協議の上左記派下員五人を管理人に選任し此決議書を作成し派下全員署名捺印す

昭和十年十二月　日

記

臺北市下奎府町二の一二三
周　福　生㊞
同市御成町五の九三
周　苦　力㊞
同市新富町五の七六
周　水　杜㊞
七星郡汐止街汐止字汐止五七番地
周　仁㊞
同郡士林街社子字港〇一三三
周　嚭㊞
臺北市下奎府町一の一二〇
派下　周氏阿鶴㊞
同所　二の一
〃　周氏春阿㊞
同所　一の一二〇
〃　周　紂　阿㊞
同所　一二三

右公業主〇〇〇管理人に選任す

〃　周福生㊞

同所同番地　周火生㊞

（以下省略）

二、管理方法は、二つに分れて、輪流管理と專任管理とある、名稱は各房輪流管理といふのであるが實際は派下一同が共同管理をして居るのである。領臺以前の輪流管理の方法によつて管理するのは最も普遍的であつて別段甚しい弊害もない、其中一、二の不正行爲をする者があつても必ず社會の制裁を受けるのであつた。例へば自己の管理せる祖宗祭祀の公業を處分せんとしてもそれを相手にして買受ける者がないのであつた。然るに領臺後明治三十一年律令第十四號を以て臺灣土地調査規則を發布し、同年九月府令第九十一號を以て、公業に屬するものは管理人を定めてそれを申告しなければならないこととなつたので其時に初めて公業管理人といふ名目が出來たのである、之を各房の派下から一人宛選出した。領臺前は此の種の公業專任管理者がないのであつたが、專任管理者となつて狡猾なものは專横であり收支不明にして横領を企てその爲連年訴訟が止まないのである。(一三)又派下の管理する場合管理人を經理と稱する前經理より初めて引繼いた際は之を接理と稱し次年度より經理と呼稱(一五)する。管理人は不正がなければ交替しない、經理と稱するのは事務を司るからであつて、公業のことについては權限はない。(一六)

次にとにかく管理方法は當を得ておらぬのであるが、然し「從來の公業は何等の規定なく單に道德上の問題として取扱ふて來たのであるから管理人の考へ方によつては祭祀を爲すのも爲さないのもあるし、法律上の制裁は一向になかつた。故に法人としての取扱ひを受けると制裁の規定もあるから完全であらう」(一七)といふ意見もあるのである。偖而如何なる點について管理方法が非難さるゝかと謂へば、(一)春秋祭祀の計算不明、(二)租谷徵收の不明、從つてまた蹼耕料も不納となりがちである、(三)決算報告の疑惑、(四)管理人は有產階級であるから無產の派下は事每に反對する、(五)管理人に對する報酬の不明確等である(一八)。

三、管理人の不正行爲について、

管理人の不正行爲については種々の實例をまづ擧げることとする。

1、土地賃貸借のときは一般民間の貸借例に(競爭入札に)依らずして左記に依

り貸借を爲すこと

(イ)派下佃人に貸借の場合は其の佃人を身方として引入れるため態と安い租谷を以て貸借をなすこと

(ロ)異性(非派下)佃人の場合は裏面に於て不當利得を計るため態と安い租谷を以て貸借をなすこと

2、收入及支出は收支證憑書類に基いて收支を爲さるゝこと

3、公業財產よりの收入金及剩餘金は信用組合又は銀行に預入をせず私有金として流用し又は不合理な理由を附て支出をすること

4、收支決算及業務の狀況は每年(派下多數の場合の公業は全然收支決算を爲さざること)派下に報告を爲さゞること

5、收支決算總會の時は收支決算書を(決算書の印刷物なき爲)出席派下に配付をせず單に記事不明瞭の收支帳簿一冊を以て全派下の回覽に供し其收支の內容及業務狀況等は全然報告を爲さゞること

6、公業に必要なる諸帳簿(別紙調書に依る帳簿は全然調製せざること

但し收支原簿は調製してあるも內容の整理は不完全又は不確實なり

7、　租谷賣出の場合は左記に依り不正行爲をなすこと

（イ）租谷高及賣出月日及賣出店は絕對秘密にして實際の賣原價より不當利得を計ること

（ロ）租谷は各個人の宅に於て販賣を爲したるも更に租谷收入として運賃を支出すること

（ハ）收入租谷は總て惡品種の下等谷（賣買不合格籾）として安い價格を以て決定すること

8、　貸借租谷は平年作に於ても佃人と結託をして種々不合理な理由を附して態と租谷の減收を爲し又は收入をせざること

9、　收支決算總會に於る派下の響饗會は左記により不當利得を計ること

（イ）派下戶數（每一戶一人若は公業成立當時の出資丁數（每一丁一人）に應じての相當の饗餐を（一棹八圓程の價値あるものを）なさず態と全派下多數の男女老幼に極く粗末なものを稻藁を地上に敷て食棹とし宛然豕犬に食物を供する如き有樣にて）供し一囘百四五十棹以上二百棹以下の饗餐會費中より（一棹三圓以下の價値に相當するものを慣例に依り八圓として支出し一棹五圓程の不當利得）莫大の不當

利得を計ること

10、管理人が自己の身方派下に對しては甲長若は房長として推選し相互に不當利得を計ること

四、剩餘金の處分方法

關係派下少數の公業は一般派下に配當をなし派下多數の場合は全然無配當の儘私有金として流用し又不合理な理由を附て支出を爲すこと（一八A）

又、「公業なる字義は廣濶にて一定せざるも玆には統然たる共有關係を有するものを除外したる多數享益者ある財產を公業と指稱するとして、共有關係のものは普通私法の原則によりて律するを得るも、然らざるものは、常に紛爭を惹起するのみならず、其結果は常に一二奸黠の徒を利し朴訥仁に近き者は故なく祖先傳來の產業を奪取せらるゝに至る卽ち派下は自己の權利證明の具を缺如するが故に勢力家にして貪慾飽くなき管理人の爲めに其の非望の犧牲に供せられる、公業管理人に對し其派下が自己の權利を主張する訴訟の頻繁にして、管理人の敗訴したる事の殆ど絕無なる實例は公業に關する法規の至急設定の要あるを示唆して居る」（一九）又、祭祀公業のうちには「眞に崇祖の美風を擧げてゐるのも

あるが派下は四散して、現在殘存せる派下は銘々自宅にて祭祀を行ふてゐるし、私廟まゝ荒廢するにまかせて居る、又輪流管理の場合に輪番の派下は祭祀を極めて簡略にして祭祀金を自由にしてゐるのもある。管理人も亦祭祀を獨斷して、公業の收益金の大部分で私腹を肥し祖先の祭祀を輕んじてゐる。又資本集中の名に支配されて一部の優越した派下が之を專擅せんとし、又自分の權利義務に闘する自覺が向上すると公業分割說を唱ふ者も多くなり、崇祖の風は地を拂つて、漸く財產に對する爭奪は數を增しつつある。財團法人とするか、共有にするか又は分割しなければ不可である」(二〇)「或は行政處分か何かで漸次民法の規定に據らしめることにしたい」(二一)との意見も尠くないようである。

上述の如く、管理人の不正行爲の中心を爲す「計算の不明瞭」は如何なる點について爲されるであらうかを謂ふことは別項桑原政夫氏稿の員林郡下の祭祀公業に詳細を極めてゐるが、玆に參考の爲に一二の公業計算書を示しておく。以て其の祭祀費と總收益との均衡の一班が窺へるであらう。

〔第一例〕

昭和五年度收支計算報告書　公業△仕鼎

第一期分收入之部　一、一六八圓一〇錢（内譯組谷代一、一六八圓一〇）
〃　支出之部　一七三圓六四錢　内譯
八二圓七三　公課　三〇圓八一　租谷運搬費　四九圓一〇　祭祀費　一圓　房長旅費　一〇圓
奬勵金
差引殘金　九九四圓四六錢
第二期收入之部　二、六八七圓五八錢　内譯
九九四圓四六　第一期より繰越金　七六〇圓　借入金　一圓八〇　貯金利子　九三一圓三二　租谷
代
支出之部　二、六六八圓三〇錢　内譯
八八二圓二二　公課　三一圓九〇　祀香費　七圓七五　租谷運搬費　七〇二圓　祭祀費　七〇圓
四九　工事費　八五圓　慰勞金　二七圓三六　農業倉庫費　一〇圓　地上物賠償金　四圓　奬勵
金　四圓　草席借入代　三九圓一九　上元冬至用祭品償金　一二四圓八〇　春冬二祭轎夫代　一六圓
拜禮　六圓六〇　禮新丁　六五六圓九九　事務所費
差引殘金　十九圓二十八錢
附記
一籾六石五斗也（官斗）　第一期滯納租合　一金四九圓五〇　第二期滯納租谷代
右之通
昭和六年月日
公業△仕鼎管理人　△　良山

〔第 二 例〕

昭和四年度收支決算報告書　公業□欽

收入之部　五一八圓九六　內譯　五一八、九一　租谷代　〇五　貯金利子

支出之部　四一七圓四九　內譯

七圓三〇　農業倉庫費　一三圓九〇　會議費　六圓三三　組谷運搬費　一六圓　祭祀費　一七九

圓一六　公課　一圓五〇　工事費　一九三圓二〇　事務所負擔金

差引殘金　一〇一圓六七

附　記

一籾二百拾五石參斗（官半斗）　滯納租谷

右報告ス

昭和六年月日

公業□欽管理人　□　鐘　祥

□　紅　英

□　輔　鐘

□　添　登

㈢　財産處分に關する問題

統然たる慣習は派下の全員一致を必要とするが現在に於ては今日の時勢上且つ取引觀念上適應しないのである。此點は既に㈠の場合に於て、多數決制に變

更せざるを得ないであらうと述べておいたが、「昔は公業財産の處分に際しては各房の代表者が集議して決定したものであるが後には全派下の相談一致といふ形と變つた」との說もある。(二二)處分方法は派下の多數決によるとしても、財產そのものが既に問題であると思ふ。即ち、當初の精神は祖先祭祀といふ美點に基くかも知れないが、財產が多くなれば、祭祀は唯〻名義のみになり、財產そのものを派下各自が目標とするやうになりはすまいか、此點については「公業の財產は祭祀費用又は祀廟修繕費を支出出來る位に減少し餘分の財產は派下に分配することにしたい。又小公をなくして大公の公業のみにしたい」(二三)といふ案もある。

(四) 公業の監督に關する問題

此點に關しては全く慣習がない、主務官廳の許可事項とか解散を命じ得る場合とか其他の事項を考慮する要があるであらう。

(五) 祭祀公業の人格を認むるや否やも重大な問題である。舊慣調査會の報告書によれば祭祀公業には人格を認めない、殆んど財團の說明をして居るが法人格を認めない、即ち總派下から獨立したる人格者は認めないのであるが、今日の法院の判例を調べて見ると殆んど法人格を認めて管理人を法律上の代理人といふ樣に說明して居る、之は詰り慣習が不完全且不良な爲に法院の判決例で漸次かういふ趣旨になつた次第と思ふ、今後若し依然法人としての立法をするとすると假定するならば舊慣法人でなく純粹の法人形として規定した方がよい。

(六)　公業が祖先の祭祀をして餘裕がある、此餘裕を基として育英、公共的の事業を兼營しつゝありや否やがまことに不明瞭である。從つて、其結果公業を以て寧ろ收益の主體といふ感がする(此點すでに第三に既述)。從つて收益の訴訟、管理人の訴訟が多い。

公業缺陷と目さるるものを訴訟事件を通して觀察することも亦其核心を窺知するに足る一方法である。訴訟にまで到らざる此種の爭ひが尠からざる存在をもつものであることを牢記しなければならない、評議會では此訴訟件數によれば、大した爭訟數でない、從つて意とするに足らぬと謂ふやうな意味の言葉があつたやうであるがそれは訟廷にまで到らざる夥しきもの(?)を見落した言ではなからうか疑を存しておく。と共に參考の爲めに次の統計を附記しておく。

公業に關する訴訟種別（自明治四十四年至大正九年）

調種別 ＼ 法院別	高等法院	臺北地方法院	宜蘭支部	新竹支部	臺中地方法院	臺南地方法院	嘉義支部	計
管理人の資格に關する訴訟	四	四四	一一	三	六九	四〇	〇	一七一
管理人の權限に關する訴訟	〇	一六	一一	〇	一七	二五	一	七〇
派下なりや否やの訴訟	一	一五	五	一	二九	九三	一	一四五
公業なりや私業なりやの訴訟	六	四一	六	四	六〇	一三二	三	二五二
收益に關する訴訟	二	二五	二八	四	四九	八四	一	一九三
其の他の訴訟	七	八四	七〇	二二	一四八	一二六	七	四六四
合計	二〇	二二五	一三一	三四	三七二	五〇〇	一三	一、二九五

備考

一個の訴を以て二個以上の爭訟か競合したる場合例令は管理人の資格に付て爭を生し且其收益に付き訴求せるもの又は派下權の有無と同時に私業なりや公業なりやに付爭あるもの其の他之に類する場合は其主要なる爭と認めたるものに因りて之を種別せり。

大正十年二月四日（次の種別調に本文あり）

別紙公業に關する訴訟事件取調書（七通）

公業に關する訴訟事件々數調（自明治四十四年至大正九年）

法院別＼年別	明治四四年	明治四五年大正元年	大正二年	大正三年	大正四年	大正五年	大正六年	大正七年	大正八年	大正九年	計
高等法院	—	—	—	—	—	—	—	—	七	一三	二〇
臺北地方法院	二〇	二七	三六	二三	一六	二一	一九	二一	一九	二三	二二五
宜蘭支部	一四	一九	一一	九	八	一六	九	一九	一五	一一	一三一
新竹支部	—	—	—	—	—	—	—	—	一九	一五	三四
臺中地方法院	三〇	三五	二二	二九	二三	三二	三一	七一	六七	三二	三七二
臺南地方法院	四五	六一	五一	六四	二五	三七	五九	五五	五九	四四	五〇〇
嘉義支部	—	—	—	—	—	—	—	—	七	六	一三
合計											一、二九五

公業に關する訴訟の原因調の一（年次別最近十年間）

訴訟の原因	明治四四年	明治四五年大正元年	大正二年	大正三年	大正四年	大正五年	大正六年	大正七年	大正八年	大正九年	計
公業の設定に關するもの	—	—	一	一	一	一	—	—	—	—	四
公業解散に關するもの	—	—	二	三	—	一	四	三	九	五	二七

公業なりや私業なりやに關するもの（主として派下權の有無に關するもの）	二〇	三〇	三二	一九	一四	一四	一七	三一	二二	二四	二二三
公業管理人の資格に關するもの	一六	三九	三五	二七	一三	一〇	一九	二二	二八	二四	二三三
公業管理人の行爲に關するもの	二二	三四	三七	三二	二六	二六	二五	四二	四四	三四	三二二
公業派下權の有無に關するもの	一六	一八	一三	一四	六	八	一八	九	二八	八	一三八
公業地の輪流收租權に關するもの	八	七	六	五	三	四	一二	八	九	一一	七三
公業地の賣買（登記）に關するもの	一八	二三	二四	二五	四	一四	七	二一	三二	二一	一八九
公業地の贌耕權に關するもの	九	一〇	七	一二	五	一〇	一三	二〇	一六	一八	一二〇
公業地の贌耕料に關するもの	二三	一九	七	一一	八	一二	一一	一八	二七	二〇	一五六
公業家屋の賃貸料に關するもの	一	一	｜	四	｜	｜	一	四	｜	一	一二
公業地の引渡に關するもの	一一	七	三	八	四	一四	九	一〇	一一	五	八二
其の他	一四	五	一二	一二	一一	一九	二二	二六	三二	一九	一七三
合計	一五八	一九三	一七九	一七三	九五	一三三	一五八	二一四	二五八	一九〇	一七五一

備考

一、本表は主として訴訟の原因に依り區別したるも偶々訴訟の目的に依りたるものもあり

二、一個の訴訟にして二個以上の原因あるものは其の各原因に付き即延件數を計上す。

三、管理人の行爲及其の他の大半は派下權の有無が爭の原因なるべきも原被告の爭點明確ならざる爲め止むなく前記二原因中に掲く。

公業に關する訴訟の原因調の二（法院別）（自明治四十四年至大正九年）

訴訟の原因	高等法院	臺北地方法院	新竹支部	宜蘭支部	臺中地方法院	臺南地方法院	嘉義支部	計
公業の設定に關するもの	—	—	—	—	—	四	—	四
公業の解散に關するもの	一	—	—	—	二	二三	一	二七
公業なりや私業なりやに關するもの	六	四四	二	二	三五	一三三	一	二二三
公業管理人の資格に關するもの	四	五五	三	三三	七五	六二	一	二三三
公業管理人の行爲に關するもの	三	六二	五	四二	一〇九	一〇〇	一	三二二
公業派下權の有無に關するもの	一	一八	三	七	二二	八七	—	一三八
公業地の輪流收租に關するもの	二	一一	—	一	一九	三九	一	七三
公業地の賣買(登記)に關するもの	一	一二	五	七	二九	一三二	三	一八九
公業地の贌耕權に關するもの	一	三五	五	一二	三八	二七	二	一二〇
公業地の贌耕料に關するもの	—	二三	八	二六	八二	一六	二	一五六
公業家屋の賃貸料に關するもの	—	—	—	三	七	二	—	一二

公業地の引渡に關するもの	ー	一〇	一	六	三八	二七	ー	八二
其の他	二	二一	五	一三	五六	七〇	五	一七二
合計	二一	二九〇	三七	一五二	五一二	七二二	一七	一七五一

備考

一、
二、　本調の一に同じ
三、

四、高等法院分は覆審部に繼續又は同部判決の未確定に係るものなり（大正十年一月二十五日）
五、新竹支部嘉義支部分は其の開部卽ち大正八年二月以降のものなり。

以上

要之に、祭祀公業存續論の主張する所を見るに公業の美風なる抽象的觀念と、均分相續弊害の防止との二點以外には出でず、存續理由の根據薄弱なるを免がれない、却つて杉本榮次氏の、祭祀公業を廢止すべし、及び伴野喜四郎氏の、公業廢止論に力說する所の廢止論理由、一、公業制度の弊害を列擧して其恐るべき實例をかゝげ、公業は目的を滅却して其の形骸をのみ止むるに過ぎないこと、二、特別立法は至難なること、三、祖靈を慰むるに非らずして却つて犯罪誘致の源泉となり、祖名を汚辱するに至ること、等の論旨の人をして首肯せしむるに足るの觀がある、或は紛糾する公業整理の一案として公業田を各房に分管せしめて仕舞ふのである。然らば各房は自己に分管をうけたる公業田については自己の派下のみの相談にて之を處分し得ることとなり、甚だ便宜である。舊慣の派下全員の同意は玆にも其不用を叫ばれて、分管卽分割の狀況を各派下は滿足に思ふ樣であるとのこと(二三)である。(しかし乍ら、一般的に謂へば富房が貧房を併合するの傾向は拒まれない自然の勢らしいやうである何れにしても、祖先の遺業たる、「數十町の美田を公業として飮食の爲に盡すが如きも現狀思想に反する處であつて、千七百の訴訟のほかに民事調停などは計り難いほどであり、管理人の私印盜用、詐欺橫領等刑事問題も夥しいと思ふ、兄弟相爭うて祖先の位牌を法院へ持出し、位牌を削り石塔を削つて臨檢を仰ぐといふ樣な狀態は(二四)」實に祖先祭祀の目的と凡そ背反するものであらう。次に存續論の二三を紹介して此稿を終ることとする。

一、公業制度は一種の世襲財產制度である、故に財產の融通を妨ぐる弊害も大であらうが、他方に於て均分相續の弊害を防ぐの手段とすることは最適當と思ふ、公業制度を改善し、適當の方法を以て之を維持してゆくことは必要かと思はれる。(二五)殊に派下は佃人として公業田を耕作して、甚だ低廉なる租谷を納めて居る故、公業の解散には反對たること勿論である。

二、本島に於ける舊慣中最善最美のものを求めばそれ公業乎祖先を奉祀して永遠の遺法を欽し人才を薫育して邦家に貢獻し神明を祭りて向上一念の渇仰を醫し鰥寡孤獨を救恤して民をして怨聲なからしめ或は零財を鳩集して荒蕪を開拓するが如き眞に功利一偏の本島民族の習慣にありては萬綠叢中紅一點の感なくんばあらず。(二六)

三、祭祀公業之原委與關係

試先就其功寔近者而論之。我粵之有祭祀公業。猶乎國家之有大藏。我部民生聚安定。誠不可一日無比。故自先代創立以來。兩百餘年。世食其賜。不特尊祖敬宗。春秋報賽有可恃。每年除公款外。餘惠所及。即家庭生活。仰事俯畜亦有可賴。基本既厚。文明之活動自然愈多。衣食足而禮義興。人情皆然。如歷來社會公益。藉祭祀公業以贊成者有之。前淸時地方累變。用祭祀公業擠勤王兵費之任者亦有之。自改隷後。當局政治賢明。人心安謐。所謂世變籌防之款。固不必勞及祭祀公業矣。然而對於官衙工作後援之經費。猶津津樂助焉。如內埔派出所建築後。設備不足之項。一經警官勸諭。各嘗會卽刻慷慨寄附數千圓。是其明證。故淺見以爲粵庄之祭祀公業。宜永久保留。誠有百利而少弊害者也。此卽切寔近者而言也。

試再就其迂濶遠者而論之。聞我粵民族。寔由大陸黃河流域而起。間關播遷。南下閩廣。厥後東渡臺灣。安居山麓。從來性質。島陸相同。亦以敬天、法祖、仁親、尊賢爲尙。凡歲時祀天。喜慶酬祖。與手始祖、鼻祖、高曾等有嘗。倉頡孔子關公等亦有會。是其表示。蓋其沐浴於數千年之禮敎者深矣。如中庸云。郊社之禮。所以事上帝。宗廟之禮。所以祀乎其先。曲禮云。萬物本乎天。人本乎祖。此事。祀二字及本字。各涵有精義在焉。本此義以發揮光大。而祭祀公業。遂爲敬法尊親之結晶體。夫崇德報功。東西兩洋。皆同此趣向。竊謂人類之有功於社會後世者。不特生存之時。應該旌表以榮其身。卽其人旣亡。尤當血食千秋以著其績。庶幾有感於人心。有益於風化。我粵祭祀公業當日之創設。大率遵此。而燕翼貽謀之善。猶爲餘意。準此論之。我等祭祀公業之存在寔爲一種行政外觀感民風之利器。而謂可忽畧乎。隆之以神祖之名。大衆旣有所遵仰而不敢褻。

行之以祭祀之寔。後世又得沾其澤而有所憑。意美法良。正合韓非所論名以定事。事以檢名。蓋名定則物不競。分明則私不行。試看從來個人私業。變易者累矣。惟我等祭祀公業。屹如山立。利及遐邇。豈非名定分明之效果乎。（二七）

第六　員林郡下の祭祀公業

桑原政夫氏稿「祭祀公業と業佃事業」より抄錄

はしがき

本稿は現基隆市尹桑原政夫氏が篋底に藏されたる舊稿を筆者の目的の爲に特に貸與されたので、其の全稿を茲に揭ぐる筈の處、或事情のため「業佃事業」の割愛を餘儀なくされ尙其上、漸く其筋書のみを抄錄するの結果となつた。筆者は氏の御厚意に對して自責やまざるものあるが、切に今回は御諒承を乞ふておく次第である。

氏は曾つて、公業紛爭の巢窟として有名なる員林に郡守たりし日に、快刀よく亂麻を斷つて公業問題を整理せられ、ために治績大に揚りしことは周知の事實である。此稿は當時の氏の手記の一端であり、公業の動態を觀察するの好資料である。氏に乞うて茲に其一端(實はその筋書)を錄する。

第一　祭祀公業の發達原因と設立の理由

臺中州員林郡は上表に見る如く祭祀公業については相當な高度の率を凡ての點に示してゐる。祭祀公業は員林郡に於て何故にかく多數の設立を見、何故に斯く發達せしか、今その理由を列擧すると、(一)開拓の歴史が古い、(二)一定種族の移住が多かつた、(三)移殖に好適せる土地、(四)宗祖の美風の傳承、(五)同族擁護の感念强烈なること即ち(イ)異姓との爭鬪に供する軍資金調達のために豫め各房より抽出したるもの(註、抽出財産にて公業財産を組織する意)(ロ)同族親中の累犯者賠償金即ち連累親者の賠人命費を支出したるもの、等である。(六)家族制度の上より組成せらるゝ公業これは當員林郡は中部臺灣中特種の狀態に見らるる一家居の戶數極めて多數にて一屋敷(一荆竹圍)中に雜居する數房を見甚しきは同族に永年隷屬して居つた小作人が同列居住するもある、之は畢竟周圍が低濕なる水田なるこ

	調査年	件數	筆數	財產	派下員數
全島	明治四十一年	二二、一九九	九六、九〇三	不明	不明
臺中州	大正十二年	三、八七三	一四、三七〇	(昭和四年)三、七七三甲	不明
員林郡	大正十二年	一、七三八	四、七六〇	(昭和四年)一、三八二甲	三三、一二六人

とと舊時に於ては他族又は匪族の襲來を防衛する意味から來たものであらう其の結果自然一家居毎に公業を組成するものとなつた様に見ゆるのである。(七)祭祀輪流の關係から組成せられたる事例は大公仕鼎の祭祀は其の派下五房の輪流祭祀することになり管理人より祭祀費として支辨せらるるものは此の祭祀に不足する故に其の不足額を補塡する爲め豫め小公仕鼎公業を組成し之を利用する慣習がある。(八)公業內部の紛爭の結果に依り分裂したもの　、(九)配當のため分割せられたもの、(一〇)慈善社會事業の爲めにするもの、之は當時保良局なる名稱の下に民設保安事務取扱所が設置せられ總理の支配の下に各種の懸案紛爭の調停の任に當つたものであるが之れが出資は大部分公業より支出せられた、尙同族中の有力者は武東堡七十二庄の總理に任ぜられ之が部內道路橋梁の補修貧民救恤等各種の社會事業に出捐せしめて治績を擧げたので之れが爲め公業の抽出を見た。(十一)法規制定を見越して分割せられたもの、之は明治四十年前後法規の制定によりて公業は總て官沒歸趨に至るべき豫測の下に數個の小公業又は一私業に分割せられたものをいふ。

今、一例として△公業をとり、而して其發達の徑路を辿つて見ると一族連綿

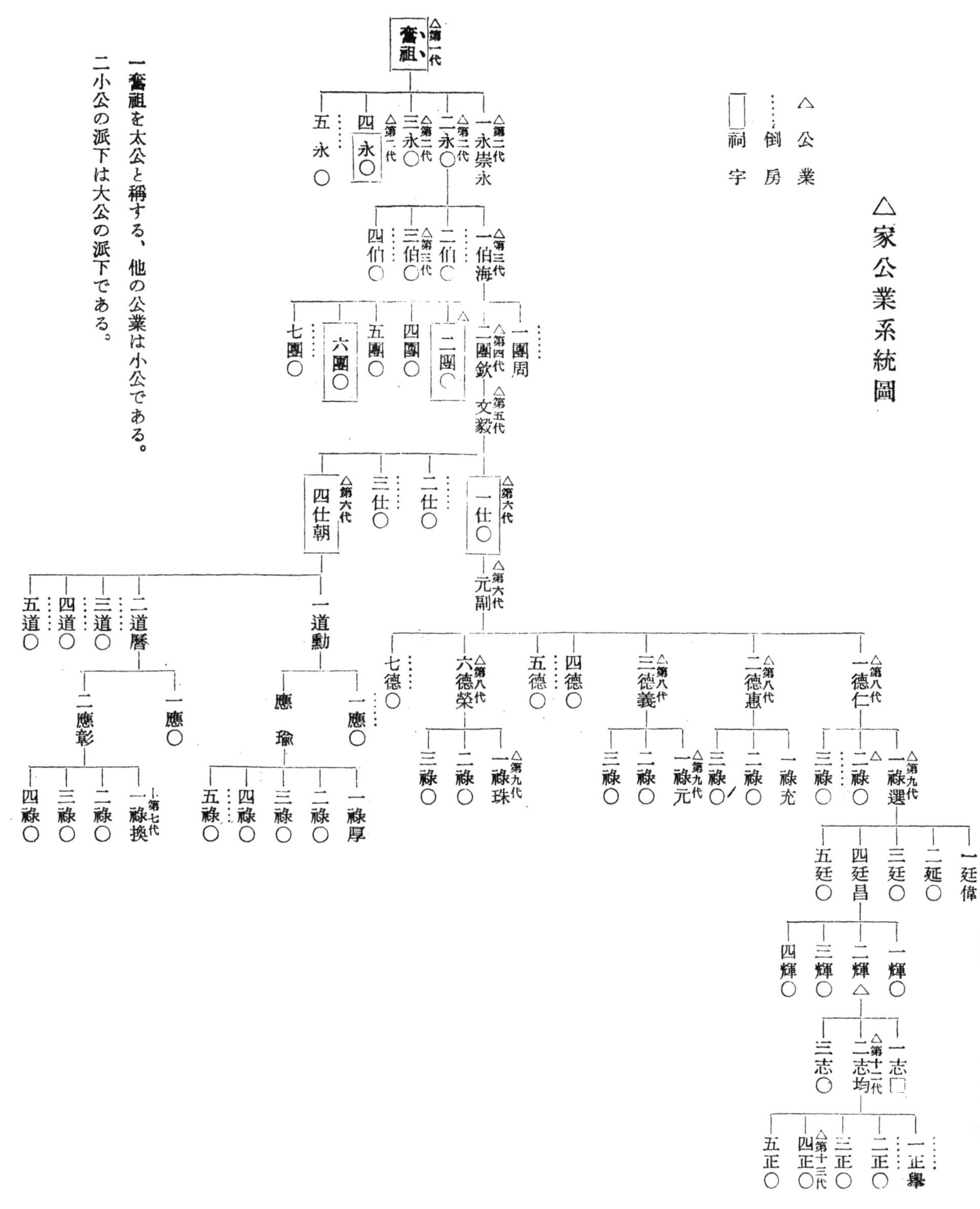
△家公業系統圖
△ 公業
…… 倒房
□ 祠字
一 奮祖を太公と稱する、他の公業は小公である。
二 小公の派下は大公の派下である。
△第一代 奮祖
△第二代 一永崇永
△第二代 二永
△第二代 三永
△第二代 四永
五永
△第三代 一伯海
二伯
△第三代 三伯
四伯
一圜周
△第四代 二圜欽
二圜
四圜
五圜
六圜
七圜
△第五代 文毅
△第六代 一仕
二仕
三仕
△第六代 四仕朝
△第六代 元副
一道勳
二道曆
三道
四道
五道
一應
二應彰
一應
應瑜
△第七代 一祿換
二祿
三祿
四祿
一祿厚
二祿
三祿
四祿
五祿
△第八代 一德仁
△第八代 二德惠
△第八代 三德義
四德
五德
△第八代 六德榮
七德
△第九代 一祿選
二祿
三祿
一祿充
二祿
三祿
△第九代 一祿元
二祿
三祿
△第九代 一祿珠
二祿
三祿
一廷偉
二廷
三廷
四廷昌
五廷
一輝
二輝
三輝
四輝
一志
△第十二代 二志均
三志
一正舉
二正
三正
△第十三代 四正
五正

二十二世當代迄に及び本島に渡來したのは第八世頃である。鄭氏の統治後、著しく漢民族の移殖を見た前後であつて二百年前頃よりである。最初は主として太祖の祭祀費を故國支那に送金して居たが、太祖の爲めに大公公業が出來、次に二代の當主並に各房主名を以てする公業が生れたのであるが、漸次殖民の定着となり上記各種の理由に依り、辨事公業の爲めに十一甲、五甲、六甲、三甲半等抽出股分又は抽出區域の名稱を係數にて表示する公業が簇出するに至つた。當郡下に於て最も盛なる地方は社頭(東ともつくる)庄、田中庄を中心とする△家公業で之に刺激せられて他姓も競爭的に出來たものと思はれる。參考の爲め△家公業の系統と公業名とを圖表すると左表の通りである。

第一代奮祖媽林氏、書洋(支那)に祠宇を建立し書洋山と名づく。四房永仁公派下は早くより出祖し大三房と別離し永仁公を奉祀する祠宇を建てて獨立する。五房は倒房した。

長房永崇公派下を大房長の派下と俗稱する。同樣に二房永富公派下を大房二、三房永志公派下を大房三と俗稱する、年租谷額、千七百餘石(官半斗)。

祭祀に關しては七股に分たれ大房長二股、大房二は四股、大房三は一股である。

第二代永〇公媽陳氏。支那書洋郷後田に祠宇あり之を見龍祠と稱するも臺灣に祠宇はない、財産の創立は入丁法によつて(二三三七丁)構成したものである。

第三代伯海公媽賴氏、永富公と共に支那書洋郷後田に祠宇を有する、財産分配は六股であつて二房園欽派下は二股他は一股である。園欽の二股は任鼎十分の六、仕朝十分の四に之を分つ、租谷二百餘石(官半斗)。

第四代園〇公媽簡氏、支那書洋郷上坪厝に祠宇を建て龍祠潭と稱する、臺灣に家廟なきこと同樣なり、多年租谷收支は廢墜して祭祀も出來兼ぬるほどである、財産は仕鼎公派下の長、二、三、六、の四股に分配してある。任朝公派下は早くより分出した。

而して社頭庄に於ける各姓公業の數及其所有土地甲數の一覽を示せば次の如きものである。

姓	數	土地甲數
蕭	一四七	五二五甲八九八四

劉	七〇	一三一甲〇七五二
張	二六	二一甲七七五七
陳	一一	一八甲〇九七九
邱	八	八甲四六七〇
謝	二	一甲二八三九
賴	三	〇甲八五〇〇
吳	一	〇甲一三一五
趙	二	二甲六四九六
洪	一	一甲四一一五
呂	二	二甲四五四〇
詹	一	〇甲六四一五
潘	三	一甲二二三七
計	二七七	七一五甲九五九九

第二　祭祀公業の經營事業

一、祭祀

祖廟にて祀祭者の忌辰春冬の祭典を行ふこと。此場合管理人は祭祀費の定額を支出し忌辰の祭禮をする、祭祀は各房にて輪流執行する。輪流値年の嗣孫當番執行し祭典の司祭は所屬同輩の進士(近來は中等學校出身者をも同様に待過する)中より一人抽籤決定し陪祭は各房長又は主事が任に就く。

二、敬老

1 祭祀の際六十歲以上の老人に對し一回長衫賃を贈る(一枚二圓)
2 祭祀出席の轎賃を支拂ふ
3 祭祀翌朝の飲福餘肉の禮に列せしむること
4 七十八歲以上年に六圓、八十歲以上十圓の養老金を支出する

三、育英、獎學

1 公學校生徒の授業料を支給する
2 島內中等學校在學中の者に、年、六圓―十二圓、
3 內地同程度留學生に、年、二十圓―二十二圓、
4 中等學校卒業者に三十圓―六十圓、

5　大學卒業者に百圓を給する
6　祭祀の司祭者となる
7　祭祀の翌朝飲福徐肉を受く

四、香典

五十歳以上の死亡者に對し、六圓—八圓、
六十歳以上　　　　　　　　六圓—一〇圓、
七十歳以上　　　　　　　　八圓—一〇圓、
七十八歳以上　　　　　　　一二圓を支給する

五、廟の修繕改築

祖廟の新築、改築又は修築等を行ふ

六、支那へ送金し以て年々祭祀又は廟の修理の費用に充つ

七、社會事業又は慈善救恤のための寄附

八、公業保存行爲

公業の存續上必要なる係爭事件に要する出費又は天災による業地の復舊工事施行

九、剩餘金の配當又は積立

分配公業では剩餘金の一部を股份に依り配分することがあるが、祭祀目的の公業は剩餘金を積立金として保管する。

第三 祭祀公業の組織

一、管理人

任期はない、公業の最大なるものでも管理人は十名、死亡管理人の代りには代表者を設くる公業がある。普通は三人以下である、世襲的の慣習があつたが現今では選擧を希望してゐる、房中の有力者有資產家を推す。

管理人の報酬は極めて少額である。

二、房長

欠落した房を除き存續房中、房長を決定する。部落別に設くる場合と輩門の別に定むるものとある。世襲を除き他は選擧による。

房長は管理人の委囑により公業事務の一部を執り又房內の意見を代表することがある。

三、甲長

一甲は一地區を意味し又は抽出地積の區劃をも表はし之が長を世襲又は選擧により取極めておく。公業名に甲を以て示すものに甲長を置き管理人の行爲を一部委囑を受けて小作の取立、減免の立會又は甲内派下の意見を代表することがある。

四、派下

公業を組成する主要部分であつて、年々累進遞增するから派下證明は困難である。

祭祀の場合『報新丁』と云つて新に何房某長男二男として申告するものを系譜に基き整理記帳して置く。

總會に於ける決議權を有する。

分配公業ならば剩餘に對する份額請求權がある。

派下にして佃人たるものは通例の小作料の半額を普通とする。

五、總會

派下多數を召集して總意を決定すべく總會が開催される。多く祭祀と同時でれる。事業報告及び決算報告にとゞまらず往々管理人選擧が行はれる。當に食卓の準備等多額の出費を要する。

六、輪流收利

管理を輪流する場合に其値年者は各種の事業の支出を決し剩餘は當然の所得として收納する。此場合には二十年目とか三十年目とか相當の年月を經て順次管理に當るものであつて何れも大公業が多い。

七、管理方法

(一)管理人の專管が大部分であつて輪流は極めて少數である。

(二)專管の弊害を救ふために房長甲長の援助を受くる場合は例へば(1)小作の減免檢視、(2)小作料の取立、(3)災害地の實地檢證、(4)總會に於ける援助、(5)其他重要なる事項の諮問等である。

(三)公業地の貸付に當つては多く房長甲長の所屬內派下に兩者の手を經て貸付す。

從來公業組成當時の小作料を定額として增減することを尠し、佃人も同樣餘り異動せず。

（四）現金は管理人の專行にあり貸付又は放資を通例とする。
（五）租谷收納は房長甲長の手を經て取立つるもの及び代人として籾摺業者を介し一定の仕切値段に依りて換算徵收する場合と現穀を徵收する場合とある。
（六）公業の佃人は派下佃人と異姓佃人との二種に分れる。普通派下佃人の數多し、此の場合の租谷は普通平均籾七〇石内外のときにも尙其半額三十五石以下が多い。
異姓佃は他の常例より幾分安く六十石内外である。
（七）其他は建物の修築位を主とする、大改修以上は總會、房長會等の決議により取極め實施するを通常とする。
（八）財產を特に增殖することは近來餘り行はれない。

第四　公業財產

一、土地

公業財產の主要部分は土地である。公業の年代を經るに從つて種々なる地目の增加となり、田、畑、山林、池沼、建物敷地、等に分れて居る。今、有名なるS家公業の一庄内丈の區分をあげて見ると、田五六五甲、畑一八甲、建物敷地三三甲、計六一六甲。

二、現金

毎年決算期の剰餘金及積立金であつて其保管方法は近來では信用組合等に貯金することになつて居るが舊來は之を善良に管理する意味に於て貸付金又は有利なる投資に當てて居つた模様である。

三、建物

公業所屬の建物は主として祀廟と附屬建物等である。S家公業一五〇の公業中、祖廟の建立あるもの六ヶ所に及ぶ。

第五　公業の缺陷

(一)「不正の事實ありと見らるゝ事項」を管理人、房長、甲長、代表者と稱する者、佃人、不正中間者等について之を見るに、先づ

一、管理人については

1、祭祀執行總會開催の場合に、食卓は數百棹以上ともなり殊に一般の派下

のすべてに卓子を用意することの出來ない場合が必ず發生するから「落地掃(ラウテイサウ)」と稱し藁を地上に敷き其の上に盃盤を供へる、之が計算上疑點となる。

2、小作及租谷徵收上

(1) 換算……兌糶(トエチェク)……取立と記帳との上に時價と穀數に疑あり。

(2) 減免……求減(キウキャム)……佃人は必ず減免を要求す管理人は之を理由に記帳す。

(3) 猶豫……缺去(キャムキイ)……今年は不作故、來期納付する約束を與ふ。

(4) 消耗……消蝕(シャウシュク)……現品保管中消耗する。

(5) 取立旅費　管理人若くは房長等の取立費用。

(6) 佃人中都合惡るきものは却つて異姓佃に代へ自己勢力の扶殖に努む。

3、房長、甲長又は不正佃人と結托する。

4、配當金を生せざる樣にする。公業の所得は祭祀及辨事何れも之を行ふことを本態とするから古來より派下の多數なる公業は餘り配當にしないのを普通とする。夫れ故に、

食一當(チャエートン)……配當には當らない食ふて仕舞ふ。

份食(フンチャ)……配當の代りに總會等にて食ふことにより分け前とする。

食公……公業はみんな喰ひ潰です。
右の如き言葉が遠慮なく使用される位に常習的になつて居る。
5、記帳が不正確である、出納帳小作臺帳、財產臺帳等が定備して居るものは尠い。
6、土地及現金の處分に專斷が往々行はれる。
二、房長、甲長、代表者と稱する者等については、
彼等の如き階級が中間に介在して、自己に都合よき行動を取り、勢力の扶殖、コシミッションを意味する利益又は代辯的の所得をあげんことに努める。尙自己名義にて贌耕し他人に轉贌耕せしめ其間の鞘を儲ける。
三、佃人
1、土地引揚げを虞るゝ餘り、管理人房長甲長又は有力者等に對し「田岸貰」と稱し最高一甲に付き四百圓內外、普通百圓內外の周旋料を一時內密に提供して其の意を迎へ契約の繼續を支持する。異姓佃に於て此弊が多い。
2、同樣の意味で「湳後手」と稱するもので、之は前者よりも稍〻手輕なものであるが佃人より中間者に出して居る。

3、借受けた土地の地積は、地圖も臺帳も完全である現今に於て、尚舊慣により「新丈（シンチャン）」「舊丈（クッチャン）」と俗稱する測法により「舊丈何分故租谷幾干」と云ふことにして居る。之が問題の起り易い基であつて、業佃何れも云ひがゝりの出來る樣になつて居る。

4、租谷の納付場所は最初は管理人の家に迄持參したものであるが漸次に中間取立人を置き叉換算利益を考慮する樣になり必ず取立に來るのを待つて自宅にて納付する。籾値段の上昇氣配の場合には籾現物か左なくば時價にて現金を納付する。派下に小作せしむるときは公業組成當時の小作料とする。普通六十石のものを三十石内外とする、之を變更すると怠納する。

5、滯納は常習的である。之は前述猶豫の形式にて口約し翌年滯納となる。

6、減免の要求、旱害、水害、虫害、肥料負け等何れも減免の口實ならざるはない。管理人も强腰に出られない結果益ゝ增長の傾向にある。

7、佃人側より進んで「籾販仔（チエクホワンナー）」と結托して安價に仕切ることあり。

8、家族大勢遂に食ひ込み納付現物なしと主張する。

9、「作公田無好尾（ツーコンサンボーホーボエ）」…公業地の佃人は元も子もなくなる、有終の美を爲し得ない、之は自業自得であるとの意味、手入管理施肥耕耘何れも自作地は勿論他の普通の小作地より惡しき傾向にある。

10、管理人が告訴せられ又は死亡する等の事故あるときは必ず夫れを機會に小作耕の怠納を當然の事として行ふ。

11、異姓佃は概ね眞面目である、然れども管理人若くは房長甲長等の爲になる佃人は却つて結托して不正を行ふ

12、異姓佃は、田岸賃、澁後手等を利用することが多い。

13、近來派下佃人は派下權を主張し又多數を頼みて事故の申出が多い、之は中間に「公鑽」と稱する不良(公業ゴロ)の煽動によりて惡化の傾向にある。

14、口頭契約が多い、中には磧地金を出し管理人より利子を取るが如きものがある。斯るものは書面を以てする。書面中實租荒旱不得減少求久」とある、之に對する利子額一圓に付官斗三升早晩兩季納租の際之を控除清納すると謂ふ意味が記載されてある。

15、小作地の轉贌耕は餘り多いことないが土地の過少なる當地方(員林郡)故且つ公業小作の有利なるが故に之を入手せんとするもの夥しきは當然從つて往々貸借關係等の情實あり轉贌耕を約定し管理人も之を認むるものあり、約定書中

には「左記公田今般喜悅將該公田讓與何某永遠耕作又昭左記條件履行決無反悔口恐無憑特立讓耕字壹通云々」など證書の入れてあるのがある。

四、不正中間者

通稱公業ゴロと謂はるるものに三種あるやうである。以上の如く上に向つても下に向つても全く缺陷の多い關係にあるから之を摘發せらるゝことを恐れ懷柔策を講ずるのが當然でありそこに此の種の特異分子の存在するを見るに至つたものである。

1、鑽仔(ツンナー)……時々强談(ユスリ)、騙取(カタリ)ゴロ的行爲に出づ。

2、公鑽(コンツン)……專門的に徘徊し脅迫告訴等を行ふ。

3、公崙稚(コンルンナー)……管理行爲などを爲す間に自然に公業により產を爲すといふ、高級羽織ゴロ的のもの。

斯る人物は相當に一般よりも其存在を認識せられて各種の戒告、注意をうけつゝある常習的のものと、巧妙に潛行的に行動するものとあるが、何れも「嫖、賭、飲」といふ三拍子揃ふた徒輩であり一般風敎を害すること甚だしきものがあ

(二) 紛爭の重點

紛爭の生ずるは主として如何なる點についてであらうか、

一　管理人の管理方法及處分に對する不滿
二　決算報告の疑義清算の追求
三　配當の要求
四　自稱代表者が派下の一部の認容を得て管理行爲を敢行し又は管理人に對抗する。
五　派下權の主張
六　佃人たる派下が多數をたのみて租谷不納又は減免を要求
七　公業ゴロの介在煽動誘惑による紛爭
八　贌耕料及贌耕權について
九　輪流收租を亂すもの卽ち「侵佔霸收」あること
一〇　分管分配整理の要求
一一　派下佃人が異姓佃を驅逐排除せんとする
一二　管理權爭奪

一三　佃權惡用
一四　小作料の支拂方法（籾納、金納）について
一五　租谷の靑田賣
一六　口頭契約又は不合理な書式契約
一七　管理人が不正な借金に對し贌耕權を胎とせるもの
（三）　重大なる紛議例として記さるゝものが五件ある。
一、　侵佔覇收の實例―△君△公業は管內坡心庄其他に跨り公業地約百甲、佃人百人、長房次房三房に分れ五人の管理人があり以下各房の嗣孫輪流收租することになつて居るが輪流年限の延長と收租額の巨額なるより亡失嗣孫を虛僞の方法に依り再興し覇收せんとして之が紛議の原因となつて居る。目下租谷は上記五名の管理人連名にて便宜農業倉庫に收租方を依賴し保管中である。
二、　管理行爲に對するもの―幾多の公業訴訟は概ね派下の一部より管理人に對し其の管理所有につき不滿を表明するもので S 家公業中比較的大規模なる公業數個に目下係爭中のものがあるが全く其保管金始末を問題として居るのである。實に告訴相次ぎ公事紛訟とは此事である、一例を示すと S 家公業一四〇に

對し紛議中のもの二十一件ある。

三、管理人解任と佃人土地引渡拒絶――張某公業の土地三十二甲數年前管理人不良なる故に總會に於て解任の決議を見たのであるが舊管理人は佃人を煽動して不納同盟を起さしめんとしたから新管理人は此土地を他庄の有力者張甲に贌耕の登記を爲し張甲は新に佃人を定め土地の引渡を請求中なれども兩者對峙して譲らざる狀勢にある。

四、租廟及祀業の荒廢―大村庄R甲公業は祀業地三十甲關係佃人二十數名であるが管理人同士間に紛爭を釀し惹いて佃人二派に分れ就中異姓佃は此間に在つて板狹みとなり一方よりは土地の引揚を强要せられ派下佃人に於て之に代らんとし爲めに業務妨害に問はるる等紛議絶へず兩三年間其の土地は完全に耕作出來ず徒に美田荒廢して鬼萱の繁茂するに委ね又其の祀廟も修理を怠り見る影もない狀況に陷つて居たが、幸に興農倡和會によつて相互圓滿解決を見て三年目に漸く耕犂の好運に廻り會つたと喜悦して居る。

五、不當な贌耕契約と租谷の横領―大村庄R甲公業の管理人は本年臨時總會を派下側より召集せられ解任の決議を見、新管理人に業地四十甲の引繼を爲す際內十四甲步は數千圓の不明瞭な借金の「かた」に贌耕登記を爲し契約面の租谷は二十石であるが事實佃人よりは四十石を徵し半分を利拂にあて殘餘は管理人に於て贌耕權者と密約し取得して居つた事件が發覺し土地の引渡請求及横領等が問題になつて紛糾を重ねて居るのである。

(四) 紛爭の影響

一、犯罪特に詐欺横領事件夥しく、員林郡に於て法院をわずらはせる事件中詐欺横領の件數は大正十五年百三十三件昭和二年百十六件昭和三年百三十二件あり、そのうち公業關係の詐欺横領は昭和三年中四十件にて丁度三分の一に相當する。

二、告訴費用の增加―或部落の如きは訴訟費用辯護士費用の爲め全く公業地を半減するに至つたものさへあり年々莫大の費額にのぼる結果各方面に無理がゆくことになる。

三、風敎上の重要問題―崇祖の美風は事實に於て衰へ折角の遺業を紛爭の目的物たらしめ派下は管理人と相反目し同輩相互扶助の精神地を拂ふに至る。派下權の主張、階級觀念の惡化、忠實勤勞の氣風の欠缺等と相俟つて靑年壯年を問はず一樣に祟祖の風は敗退に向ふ樣に見受けられる。

四、納稅成蹟向上の困難―生產實力は相當あるにしても公業關係の紛爭、業地の轉在、管理行爲の不撤底、佃人の不眞面目等は結局納稅期に告知書を諸所に持ち廻ることになり遂に未納者を出すに至り他方面に於ける督勵義務の勵行も此一點に於て水泡に歸し由來當郡の成蹟は最低位にあつたのである。今年上半期地租官租等に於て特に公業地の納稅に注意したる結果非常な向上を見たのであるが矢張公業地の多き社頭庄、田央庄は完納を見ることが出來なかつたのである。

五、衞生狀態の不良―今社頭庄田央庄につき臺中州衞生基本調査により考察して見た結果次の事柄が謂へるやうである。

(一)盲目其他不具者が比較的他より多い。

(二)死亡率は郡平均數、千人に付二十七人であるのに二拾三・一人を示して居る。

(三)死因中、胃病、老衰病、肺病、腎臟病、幼兒の疾病等は何れも郡平均數以上である。

(四)人口の自然增加率は、周圍の員林、永靖、名間、二水等の各庄が何れも千人に付十五人乃至十七人であるのに僅々十人内外に止まつて居る。醫療機關の設備は郡下平均二八%なるに二三%内外なれば幾分少きも他の附近部落と大同小異であるから之を理由とすることは出來ない。怠業、徒食、因循等の然らしむる所と見ることが出來るであらうし、又是等が公業に起因するものであることは明瞭である。

六、登記關係の煩瑣——員林登記所について調査するに次の如き件數を得た。

(一) 管理人變更　一ヶ年平均　五〇件
(二) 公業名義について土地取得　同　五件
(三) 共有公業の分割　同　三〇件
(四) 贌耕登記　同　四〇件

之等登記に要する街庄長の公業派下證明は、その完備迄の手數は實に繁雜極まるものである。

七、産業の不振——産業の中心地と目せられたる當郡中に特に社頭庄の如きは左記の如き不振の状況を呈して居る。

(一) 精農篤農家少し

(二) 深耕犂、改良豚舍の普及少し

(三) 農業戸數一、六五〇戸に對し自作戸數は僅に一四七戸にして自作兼小作戸數五一三戸、小作專門戸數九九〇戸といふ不合理なる分配數を示して居る。

(四) 農業者は大正十一年に比し現今幾分減少せるに反し、日稼人は十一年一二一人昭和三年末二四九人となり倍加して居る。

(五) 畜産中養豚は他の街庄は盛に管外に搬出し其額百萬圓以上であるが當庄は漸く自給自足の域に止まり寧ろ屠殺頭數の如き增加の傾向にあるのである。殆んど祭祀其他の爲めに養畜して居ると見ても大差はない。

(六) 産業上特産、名産物なく適當なる副業が起らぬ。

(七) 産業組合の内容は郡下何れも相當に發達して居れども當地方は必しも良好なりと云ひ難く怠納金整理は不良である。

(八) 土地の分配は産業的に見て遺憾と思はれるのは、墓地、祀廟敷地、建物敷地等比較的多く農耕地は漸減の傾向である。

(九) 農業倉庫に於て收谷の委囑を受けたる成蹟によると籾の良否は次の如きものである。一般自作者七六%以上、異姓佃七五%、派下佃七三%以下(昭和四

年第一期に付籾摺歩留調査）

第六　公業整理の方針並其經過

員林郡下に於ける產業經濟は勿論農村社會の各般に亘つて非常に脅威となつて居る本問題の整理改善は尋常一樣のことでは出來ない。歷代支廳長又は郡守など皆相當に努力され其論爭の極點に達して個々の公業には夫々漸次解決を見るものがあつた譯であるが、如何せん何等準據すべき根本法規のあるのでもなく全く義俠的に努力斡旋したに過ぎないのであつた。今回當郡は先づ郡下の業佃改善事業に手を染むることになつたのを機會として最も之と密接不離の相關性を有する公業整理事業に着手する機會を與へられた譯である。

之に對する整理方針は先づ祭祀公業は本島に於ける善良なる美風であるから現在如何に紛糾しても之は大體に於て關係者相互の諒解と覺醒によつて組成當時の良心を汲み、立て直して行くべきものといふ前提の下に立つて居る。之を分配又は廢滅することは全く考へないことにする。即ち恰も業佃疎隔紛糾を親善融和に導くと同樣な精神で進めてゆく趣旨から出發したのである。整理の順序方法等の大綱は州の諒解を得て本年四月以降から實施して居るのであるが、一時此趣旨が一般に理解されない爲め整理によつて明暗黑白が分明となるによつて都合あしき分子が策動し一時は甚だ困難に思はれしも最近大に曙光を認めしにより懸命の努力を拂ひて實現を期して居る。

方法及經過

一、比較的公業數の多き地方より着手す
二、紛糾せる親公業(大公公業)を先にし範を示す
三、告訴の取下
四、派下有力者懇談會の開催(管理人辭任したるものは此會合にて大體管理行爲を暫定す)
五、總會の召集準備及開催
六、整理事務所の開設及事務員、委員の決定
七、佃人の懇談會
八、小作契約の締結
九、管理人房長甲長の選任

一〇、清算の促進
一一、公業財產管理規約の制定
一二、小作料の徵收保管
一三、公業費用の所辨
一四、分配公業の整理
一五、紛議の和解協調
一六、派下臺帳財產臺帳小作臺帳の制定
一七、祭祀、總會開催方法の改善
一八、公業事業の發展助長
一九、貧窮派下の救濟
二〇、公業地の災害復舊施行
二一、公業地に對する產業組合の土地管理方法の研究
二二、取締立法制定に對する建議
二三、社會事業の促進

尙整理事務所は△家公業の爲めに設置し與農倡和會と連絡を取り着〻進行し他

の街庄に於ては之に刺激せられて整理又は調停を委囑する向あれば總て與農倡和會に於て引受け盡力して居る結果今日迄重大なる紛議公業は大體解決に向つて進展し概して順調と認められて居る。員林郡下に於て特に業佃事業を重視し州下他郡に率先して實施するに至つた原因のうち公業に關係する部分を擧げると、(一)人口に比して土地が狹少なること、卽ち一農家當一甲一分なること、(二)公業の小作慣行不良なる爲め一般の業佃關係に波及して來て居ること、(三)耕地面積の五割八分が小作地であり農業人口の三割七分が純然たる小作人である。公業と私業とを區別して取扱ふことが出來ないのであつて例へば公業の最も盛なる社頭庄に於ては、田畑合計一、八五七甲、出贌面積一、四五二甲、公業面積七一五甲、書式契約面積二五〇甲(內公業地六七甲)といふ有樣である。

第七　結　言

本島各種舊慣中傳來の美風は何所迄も尊重し發達せしめて之を時代的に改善することに努めなければならないが玆に略述した公業と業佃の問題の如きは、利害關係極めて重大深酷で一朝一夕の事業ではない。乍

(はしがきに斷はりし如く、本項には乍殘念、業佃問題を省けり)

去思想の變遷、時代の推移に從つて自然に解決の道が啓けて來る機會が到來するものと信ずる。恰も思想、經濟等諸事情混亂の後を受け今や協調精神を發揚するに好適の時期となつた。此所に對立の關係を融合親和に導く大道が設けられたのである。今一つは管理人と謂ひ派下と稱し又は業主と云ひ佃人と唱ふ何れも其の立場と自己本來の內容を點檢して全く反省自覺しなければならない秋になつた。更に社會一般も官となく民となく之等の事實を正視して公平に批判し公正に正邪を明確にする事に骨を折るべきものであると思ふ。公業に對しては現に論議盡されたる法規並に手續等の制定を要し、小作問題に對しては根本法規は勿論協調機關の發達助成等に一層務められ以て世論を嚮導することが必要であらう。關係當事者に於ては進んで整理事務所、硏究調査機關等を整へて自ら解決に當る意氣を表されんことを望むものである。之は一族一鄕一地方に因果關係の深いものであること申す迄もなく殊に祭祀公業の發達にしても小作事業にしても此の樣に自然に財產的に發達膨脹したことは本島の秩序の維持と生命財產の安固と經濟事情の好轉等の致す所である。然るを徒に舊慣なり、私事關係なりとして不合理なる事實を看過することは全く申譯のない事柄と考へ

ねばならない。聊か實情を開陳して弊害の除去と公明なる農村部落の安寧を冀願してやまない次第である。（文責在筆者）

第七　臺灣總督府評議會と祭祀公業問題

大正十年六月一日勅令を以て臺灣總督府評議會官制が發布せられ、十一日に其第一回の評議會(會長田健次郎氏)が開かれた。十三日の議事日程第二號第二は民法を臺灣に施行するに付き除外例を說くべき事項如何といふので、其調査委員會主査は谷野格氏であつた。十月第二回評議會(會長田健次郎氏)に於る委員會の報告は「民法施行後は新に從來の如き意味に於ける公業を設くる必要はない」といふのであつたが、「從來よりの公業の處置は如何」と謂ふ問題となると存廢についての議論は相當あつた樣である。然し結局、將來は民法によつて社團法人又は財團法人にすれば、それで出來るのであるから、わざ／＼特殊の意味に於る公業を別に設くる必要はない、既往のものについては法令取調委員會で能く審査させようといふ事になつた。そこで大正十二年十一月十二日、第四回評議會(會長內田嘉吉氏)の議事日程は、現在の公業に關し執るべき措置如何といふのであつたが、更に研究と調査を爲すべく特別委員七名を會長が指名して審査せしめた。昭和二年十一月三日第五回評議會(會長上山滿之進氏)に於て議事日程第一號として現在の祭祀公業に對して執るべき措置如何といふ諸問事項となつて改めて現はれた。從來は、公業と稱してそれを祭祀公業の意に解してゐたのを祭祀公業と改め、その案の說明として一戶參列員は特に次の點を高唱した。次に列擧の事項は旣に第四回評議會に於ての說明として和田參列員が縷々力說せしものと大同小異である（和田氏については別項公業存廢論參照）。

第一、派下證明の困難と其權利義務についての慣習の不明確。

第二、公業管理について管理人の地位權限及選任方法についての慣習の不明確。

第三、公業の財產の處分についての慣習の不明確。

第四、公業の監督については慣習上認むべきもの殆んど無し。

第五、公業財產の範圍の不明確。

第六、公業關する登記又は登記に類するものは慣習上何等見るべきものがない。故に第三者に對抗する法律上の保護がない。其他收益分配の方法も不明であり、公業の人格の有無も確定して居らぬ。

要之、從來の慣習が明瞭でないか、或は不足であるか、或は慣習は存在するも今日の複雜なる社會事情に不適當なのか何れかに基因するものと推察せられる。何れにしても此際相當の措置を執る必要を認めるので諮問する次第であるといふことであつた。此回も八名の特別委員が指命されて、愼重調査審議することになり、其主查は相原祐彌氏であつた。

十二月十八日に第六回評議會開會(會長山上滿之助氏)議事日程第一號は現在の祭祀公業に對して執るべき措置如何であつて、其際、主查よりの報告の主旨は「公業廢止論は出なかつたが次の四箇條を決議した」といふのであつて、滿場一致で此報告に贊成を表した。

偖而其四箇條は筆者には不明であるが、相原氏の要旨は大略次の如きものであつた。

第一、祭祀公業と然らざるものとの區別を爲すこと

土地臺帳並に登記簿には公業といふ名義で所有權を取得したものがある。其の公業は果して祭祀公業であるか、神明會であるか若くは私廟であるかといふことは其記錄では一向に不明である。一々其の事案について調査しなければ何れに當るかといふことは決し兼ねるのである。偖而其標準としては、祭祀公業は前に參列員より述べられた通り、同じ系統の子孫が其の祖先を祀る爲に抽出

したる所の一定の財産であつて、其他寺院、寺廟に屬する財産は内地の寺院、神社の財産と同樣に取扱ふべきものと法律はなつてをる。神明會の如きは神佛を崇拜する目的を以て財産を醵出して其財産から生ずる利益を以て其の費用を辨ずるといふ會である。是は祭祀公業と目的は異る。又祖公會は祖先を祭祀する團體ではあるが、是は同じ系統の子孫たることを要しない。是等を區別して見分けることは專門的に機關を設けて幾分の强制力を有たして取締を進めなければ祭祀公業なりや否やの區別を見ることは出來ない。

第二、公業管理人又は派下には或期間を定めて公業に關する一定の事項を示して申告させ、申告を怠つた際は制裁を加へる要がある。派下は公業設定當初は分明してゐるが、十數代後は何百房にも分れるので、從來戶簿關係の不明瞭の本島では派下總數は不明であり、從て箇々の小房が有する權利の分量(房份)が夫夫幾何なるやの調査は困難である。又公業財産の種類及數量も不明瞭であるから相當の日數をかけて調査の要がある。

第三、公業は判例上は法人と殆んど同樣に取扱はれて來てゐるので此際明瞭に法人格を認めて戴きたい。

第四、公業財產の管理は小さいのは輪流、大きいのは管理人を定めて管理して居る樣である。管理人の職務權限については、明かに規定を設けて取締る必要があるものが相當にあると思ふ。

第五、公業の處分を爲し得ずといふ原則があるが、一派下が自己の持分を他の派下に歸せしめる如き場合もあつて、遂に他人に歸する樣な場合には公業は存續せしむる必要なしといふ樣に法規を設けて解散を命ずることにしたい。

第六、祭祀公業臺帳を相當の官廳に設けることが必要である。而してその臺帳を有力なる證據とする樣にしたい。行政官廳の監督は法人格を認むる以上易易たるものであらう。

第七、公業財產は祭祀費用に充つるに必要な限度にとゞめ、それ以外の財產は之を削るやうなことにでもしてはとの意見が委員會では出たが議題とはしなかつた。

此報告は滿場一致で可決されたのであつて評議會としては、現在に於てはこれが最後の而して最近の對策なのである。此對策が爲されて以來既に拾年の歲月は流れた、評議會の答申の核心を爲して居る所の有力なる調査機關はまだ設置されてゐないし、又祭祀公業の監督方法についての要望も充たされて居ないやうである。評議會は諮問機關であつた、評議會は諮問事項に對して上述の如き答申をした、祭祀公業問題は評議會の手を離れたまゝである、拾年前に比較して公業問題は其紛糾の度を減じ、監督の要も認めない情態と變じたのであらうか、法院に現はれる爭訟統計は何を語り、派下證明の第一線に立つ市街庄吏員の勞苦は昔日に比して、增すとも減ぜずといふ情況は何を暗示するか、筆者は答申案について論ずべき機會を他日に讓り、玆には、祭祀公業への關心の重點は、如何なる人々によつて、もたれてゐるかといふ點について深き考慮が爲さるることを希望し評議會に於ける經過の素描にとゞめておくであらう。

第八　祭祀公業の調査

一　序　言

祭祀公業に關して全島的の調査が從來幾度となく繰返されて來た、然しながらそれは、何時も根本的のものではなかつたやうである、或る目睫の間に迫つた一つの目的の爲めに、至急に取調完了を要すといつた具合で、常に調査後に於て、當事者と雖も充分なる確信をもてるものではなかつたやうである。差し迫つた特定の目的を滿たす爲めには、勢ひ短時日といふことと、且つ調査人員と調査費用とに缺くる點が尠くないのであるから、調査の結果を云爲するのは酷である。徹底的の大調査を一回行ふておけば、その後は至極手數を要しない位のことは周知のことであるが、それが領臺四十周年後の今日に於ても未だ決行されてゐないといふことは、公業に對する根本方針が確定しなかつた爲か、否、調査を行つた後に、その事實に立脚してこそ、根本方針も確定し得るのではなからうか、然らば公業は、調査するに價しないほどのものであるのか、否、祭祀公業存廢論の喧しく又訟庭事繁き事實は、その然らざるを物語つて居る。祭祀公業存廢論は別項に見る如く、民商法實施直前に問題とされた、そして慣習によつて存續するといふことに決定されたらば、其後の無關心な態度は、どうであらうか、舊慣調査會の法案審査會に於ても、祭祀公業令草案が出來上るまでの苦心は相當なものであつたことは、それまでの經過を議事錄に徵し、委員に親しく聞くことによつて想像が出來るのであるが、それが、法人說でなく、合有說の上に立脚してゐるので、でもあらうか、爾後そのまゝに埋れてゐる。祭祀公業立法論については、之を他日に讓るとするも、兎に角、公業に對して無關心であつたことは否まれない事實である。稅金滯納の事實の前には稅務關係者が、派下證明のわずらはしさの爲めには、市街庄の關係吏員の人達が市街庄事務進捗上支障を來たすものとして、同時に市街庄の徵稅事務進捗上の障害を來たすものとして、夫々苦惱を忍ばれつゝ今日まで經過したのである。筆者が祭祀公業についてまづ現存の件數と關係派下の員數と公業の財產たる土地建物の種類、甲數、價格等を概略にても諳んじおく爲めに、調査報告又は統計表の類を探究しはじめたるも、筆者の寡聞、井蛙の性たるためか、未だ全島に涉りて徹底的の統計なるものを見聞するの機會に惠まれない、然し乍ら、部分的には可成に精密なる報告書類等も有ることを承知し、朝野各位の甚大なる厚情によつて種々の角度よりせる統計書類に接し得たるは欣快に堪へないと共に、それに立脚して立論すべく、それはまた餘りにも部分的なのである。今玆に沿革的に、その調査報告書類の一部を掲げて、後日蒐錄の便とし且つ將來調査上の參考資料に資せんとの微意に出づるのである。願くば、徹底的の有力なる調査機關の一日も早く設置されんことを切望してやまぬ次第である。尙、足らざるを補ひ、誤れるを正し、部分より全般に及ぼす主旨の下に玆に集錄したる次第なる故、今後諸賢の不斷の垂教を渇望する所以である。

二　各種の調査報告及調査方法

(一)　明治四十一年の調査

臨時臺灣舊慣調査會第三回報告書第一卷下に掲載せる「明治四十一年臺灣總督府の調査に係る全島公業の數」なるものが、恐らく、祭祀公業に關する第一次の統計ではないかと思はれる。本調査は如何なる目的の下に、如何なる方法に於てそれが爲されたるものなるかを、筆者は審にしない。しかし乍ら、臺灣總督府評議會に於ける公業諸問案討議の場合は勿論其他公業統計と謂へば殆んど例外なく引用されてゐるのが、本統計表である、それだけまた普遍的なものと謂へる。公業數約二萬三千件などゝ記されてゐるのは皆本表に基くものである、次に掲げる。

（二）　大正十年の調査（公業に關する土地登記調査）

其後大正十年六月第一回臺灣總督評議會開會に先ち「公業に關する土地登記取調」（既往十年間に涉るもの）が爲された。其調査方法は、次に示す「照會」によつて其大要が察知されるであらうと思はれる、可成に精密なものであるが、登記されたものに限るのであつて、然らざるものについては、此表外である。公業登記の制が出現すれば、調査の勞は省ける譯である。

此調査が爲された後に於ても總督府評議會に於てすら次の如き區々たる評價がなされてゐた、「委員會での說では本島には約四萬の公業がある、其財產約四億圓位との推定であるから五步の利としても二千萬圓の純益を擧げて居る、それが種々な方面に利用されてゐる」（二）と唱ふる者もあるし、「四萬と謂も實は三萬

明治四十一年總督府調査

現在名	廳名	土地ノミヨリ成立	土地以外ノ財産ヨリ成立	土地及他ノ財産ヨリ成立	合計	
臺北州	臺北	三三三	二二	六六	四二一	
	基隆	一二〇	—	一一	一三一	
	宜蘭	四二七	四三	一三九	六〇八	
	深坑	九二八	一九三	四三一	一、五五二	
新竹州	桃園	七五九	三七	五四	八五〇	
	新竹	四三〇	五五	二三五	七二〇	
	苗栗	五一〇	三七	一三	五六〇	
臺中州	臺中	一、〇〇三	八	一三二	一、一四三	一、六五〇
	彰化	三四八	一五	一七	三八〇	
	南投	一二三	二	二	一二七	○
臺南州	斗六	一一四	二	—	一一六	
	嘉義	四、六四〇	一、六六四	五	六、三〇九	○
	鹽水港	七三六	三七	六〇	八三三	
	臺南	一、五〇一	四	一〇	一、五一五	
高雄州	旗山	五九一	四三	二	六三六	
	鳳山	二七	七七三	二、三〇四	三、一〇四	○
	屏東	二、九七七	—	—	二、九七七	
	恒春	五二	四	二	五八	○
臺東廳	臺東	—	—	—	—	
澎湖廳	澎湖	二	四	一五三	一五九	
總計		一五、六二二	二、九四三	三、六三六	二二、一九九	

備考 (1)法院月報二巻四號(明治四十一年四月號)には右總計を

一七、九八〇　三、四五〇　二一、四三〇

とし公業財産の價格五千圓以上のもの四百七十八件である。

と掲載して居る(○印は計算の符合せるもの)。而して「右は各廳とも急に調査せる處なれば精密なる數なりとは斷言し能はざるも亦本島公業數の一般を知るに足るべし」と附言してゐる。

(2)井出季和太氏は大正十四年一四、七〇〇餘、昭和三年一一、四〇〇餘、に減退した、其理由は弊害の簇生を時勢の進運に伴はないから。而して昭和三年十一月調の財産總額土地、二五四八萬圓、建物三萬六千圓、土地面積一、八〇〇甲、民有地總坪數の一、五%と報じられてゐる。

餘で財産は決して四億圓はない其半數としても約二億圓は多い」(三)と謂ふ者もあつた。これでは折角の公業諮問への答申も、推量の件數と價格に立脚してゐるかの如き疑問をもたざるを得ない。

（照　會）

公業に關する土地登記取調の件

明治四十四年以降昨年末日に至る既往十ケ年間に於て取扱ひたる公業設定の場合の土地登記並に保存登記件數及び筆數を左記様式及び調査例に依り調査の上別紙に記載し來る二月十日迄に當部へ到着の見込を以て御通知相成度右照會す（様式は別表の通り）

調査例

一、本調査は新に公業を設定したる土地登記及び既設公業に關する土地業主權保存登記の件數及び筆數のみを取調ぶるものとす

二、本調査は主として祭祀公業を調査し其以外の公業ある場合は其の公業の種類及び件數筆數を備考欄に記載すべし。但し總督の認可を經ざれば處分することを得ざる宗教團體（明治三十八年十一月府令第八十四號參照）に關する分を除く。

三、本調査は公業の設定及保存のみに限り其他の登記（假令、公業管理人の變更登記の如き）は取調ぶるに及ばず。

四、本調査は總て受付當時の件數及び筆數を取調ぶるものとす。

以　上

公業に關する土地登記取調の件

公業に關する土地登記にして既往十年間（自明治四十四年至大正九年）に於ける祭祀公業新設（第一表）、同公業保存（第二表）、登記件數、筆數を各登記官廳別及年別とし別表の通り取調への上供覽

大正十年三月二十二日

△△課長

參　考

一、土地總筆數二、三二九、二三〇　內（有租地二、〇一二、七〇五（大正九年一月現在財務局調査）無租地三一六、五二六）

二、自明治三十八年至大正七年十四ケ年間土地保存登記筆數一、七〇八、五九九（本部調査）

三、自明治四十四年至大正九年十ケ年間祭祀公業土地登記筆數七二、四八二　內（新設七、〇一二 保存六五、四七〇）（別表第一表第二表參照）

四、別表第一、二表同第三表に對する記事

イ、別表は祭祀公業にのみ限り取調べ宗教團體に關するものを除外す

ロ、祭祀公業以外の公業は祭祀公業取調の際併せて之を調査し備考欄に記入報告せしめたるも其調査稍正確を缺くの嫌あるも這は登記取扱上果して宗教團體なりや將た公業なりやに就て不明のもの多きに依るなるべし此調査は別表第三表に揭出せり。

ハ、祭祀公業に就ても出張所によりては登記簿上單に公業とのみ記載し共種類の明記なきを以て其調査困難なる爲め總て祭祀公業中に併記せしものもあり。

第一表 自明治四十四年至大正九年 十ケ年間祭祀公業廳別土地登記取調表（新に公業を設定したる場合）

廳別		明治四十四年	明治四十五年大正元年	大正二年	大正三年	大正四年	大正五年	大正六年	大正七年	大正八年	大正九年	計
臺北地方法院	件數	二	—	—	一	二	一	一	—	一	一一	一九
	筆數	二五五	—	—	一	三	一	三	—	八	八五	三六五
淡水	件數	二	二	一	—	—	—	—	—	—	—	五
	筆數	三〇四	一五	六	—	—	—	—	—	—	—	三二五
基隆	件數	—	—	—	—	—	一	—	—	—	—	一
	筆數	—	—	—	—	—	一	—	—	—	—	一
新店	件數	一	—	—	—	—	—	—	—	—	—	一
	筆數	二	—	—	—	—	—	—	—	—	—	二
桃園	件數	一	一	—	一	一	二	五	一	三	一	一六
	筆數	六二五	五一	—	四	三	一四	一八八	六二	五七	一	一、〇〇五
中壢	件數	二	二	三	二	一	一〇	一四	一七	一九	二六	一〇五
	筆數	一四八	五	三	八	六	三八	五八	六八	二二三	一三三	六九〇
新竹支部	件數	二	三三	一八	一五	二八	三七	三三	四二	四七	三〇	二八三
	筆數	二	一六五	三六	五三	二五二	二八一	一三三	二〇四	六四七	一三〇	二、〇七二
苗栗	件數	一八	六	四	一三	一〇	二	二四	一〇	一七	三三	一四六
	筆數	六六	一九	八	五三	三三	一七	六七	四六	五一	一一八	五三八
宜蘭支部	件數	一	—	—	一	一	—	—	八	—	三	一四
	筆數	二二二	—	—	一〇	五	—	—	一四	—	二三	二七四
臺東	件數	—	—	—	一	一	一	—	—	—	—	三
	筆數	—	—	—	三	一	一	—	—	—	—	五
花蓮港	件數	—	—	—	—	—	—	—	—	—	—	—
	筆數	—	—	—	—	—	—	—	—	—	—	—
玉里	件數	—	—	—	—	—	—	—	—	—	—	—
	筆數	—	—	—	—	—	—	—	—	—	—	—
臺中地方法院	件數	—	三	三	—	—	—	—	三	一	四	一四
	筆數	—	二六	一三	—	—	—	—	一五	五	一五	七四
大甲	件數	—	一	二	二	一	—	—	—	二	一	九
	筆數	—	一	二	六	一	—	—	—	一四	一三	三七
彰化	件數	—	—	二	—	—	—	—	—	—	二	四
	筆數	—	—	四	—	—	—	—	—	—	六	一〇
北斗	件數	—	—	—	—	—	—	—	一	二	一	四
	筆數	—	—	—	—	—	—	—	一	三	一	五
南投	件數	—	—	—	—	—	—	—	—	—	—	—
	筆數	—	—	—	—	—	—	—	—	—	—	—
埔里	件數	—	—	—	—	—	—	—	—	—	二	二
	筆數	—	—	—	—	—	—	—	—	—	八	八
臺南地方法院	件數	—	二	三	五	四	五	二	三	三	四	三三
	筆數	—	三	八	一六	一七	二一	七	三九	一九	二二	一五二
麻豆	件數	—	—	—	—	—	—	—	一	—	—	一
	筆數	—	—	—	—	—	—	—	一	—	—	一

計	鹽水	北港	斗六	朴子	嘉義支部	馬公	旗山	屏東	恒春	東港	鳳山	岡山	新化
一、七〇 七八	二五 九	— —	三 一九	— —	二 七	— —	— —	— —	— —	— —	五 二	三 三	— —
三三二 七五	三 九	— —	五 五	— —	八 三	— —	一 一	一 一	— —	— —	四 四	一 一	四 二
三六五 七四	五〇 一四	— —	二 二	一 一	六 二	— —	— —	二六 八	— —	— —	四 三	— —	一五 八
二五七 九四	四一 二五	— —	七 二	一 一	一五 七	— —	五 一	二九 一三	— —	— —	二 一	— —	三 三
四七九 八七	一 一	— —	— —	— —	二四 一四	— —	六 三	二〇 一七	— —	— —	五 二	— —	二 一
七一〇 一一九	四 三	三 一	三八 五	四 三	五 二	— —	七 四	六二 二三	— —	— —	八 五	五 三	一四〇 三
五二九 一一三	二〇 九	— —	— —	一 一	八 五	二 二	二五 八	七 二	— —	二 一	五 三	一 一	四 三
七〇〇 一三四	六七 二二	— —	三 二	— —	一七 六	— —	一〇 二	二八 七	— —	— —	二 二	五 五	一、〇九 一三
一、三〇〇 一七〇	一七 四	— —	二六 九	三 三	三 二	— —	二三 二〇	一三 二	— —	二 一	六 五	一七 九	四五 一二
六三〇 一四九	八 六	— —	二三 四	— —	三 二	— —	— —	— —	— —	六 四	三 一	三六 六	一八 八
七、〇二三 一、〇九三	二五五 九一	三 一	二三六 四八	一〇 九	三八 五九	二 二	一六七 三九	二七七 七二	— —	一〇 六	四四 二八	七八 二六	三四〇 五二

第二表　自明治四十四年至大正九年　十ケ年間祭祀公業廳別土地登記取調表（公業の土地保存登記）

年別＼廳別	臺北地方法院	淡水	基隆	新店	桃園	中壢	新竹支部	苗栗	宜蘭支部	臺東	花蓮港	玉里	臺中地方法院	大甲	彰化	北斗	南投	埔里	臺南地方法院	麻豆
	件數／筆數																			
明治四十四年	三／六〇	三／一〇	七／三	一〇／八四	二／一四	—	七三／二〇九	一六／七八	六／一五	—	—	—	七三／三八八	五／一〇	一八／三七	一四六／二九八	一〇／一六	三／五	二三五／四四〇	六二八／一、三三九
大正元年	五〇／一八三	四／三	八／二五	六／二三	一七／六七	九／三〇	三三〇／一、二六	一七／八八	九四／三〇八	—	—	—	二八八／八六八	一五／三三	一九／四四	四二一／九〇二	一〇九／二二七	九／一五	四八三／八七四	一、四二六／二、九九三
大正二年	二四／七〇	一／五	七／八六	二／六三	六／三七	二／二	八二／四〇六	三／一〇	二八／九七	—	—	—	七四／二三三	二／二	二八／五〇	一八九／三八七	七／一三	—	五三九／一、〇四四	八八七／一、七四三
大正三年	二四／八五	一／三七	三／一八	九／三	三／二五	—	二七／九三	—	三／一九	三／七	二／九	二／二	二八／八〇	四／一六	七／一五	三九／八三	四／三	—	二六八／五七四	四〇一／八四四
大正四年	四／三	一／一	六／八	五／六九	—	一／六	二三／九九	五／一七	四／一五	—	四／一三	—	六七／一四九	二／三七五	一三／二	二七／六一	—	一／二	一四五／三〇九	一九三／三三六
大正五年	一三／五二	一／四四	二／七	七／五三	一／二三	二／四	三二／五〇	四／一二	三／九	—	三／三	一／一	三／一三	五／九九	三／七	一六／二一	二／三	—	一六七／三六四	三〇一／六〇七
大正六年	一三／一〇二	七／六五	三／五	一／九	一／二	二／三	二三／九〇	一／一	一八／一七	—	—	—	三五／一六五	三／三五	二／四	三／四九	二／四	一／一	一五四／二九一	二六八／七三〇
大正七年	四／一九	四／二四	五／一〇	二／六	一／一	四／三	一四／四二	八／四〇	八／三二	—	—	—	六七／二六〇	一／一	九／一七	四／九九	一／二	—	一一〇／二三一	二〇八／四六一
大正八年	一三／二七	三／八	四／一三	七／四一	六／二九	二／一八	一六／六三	九／四九	一九／八〇	—	一／二	一／三	二四／九四	二／四	一五／四〇	三〇／七九	二／二	—	一二五／二五八	一八三／二七六
大正九年	七／二三	—	一／二	七／二九	二／二	二／七	九／二五	六／四二	三／五	—	—	—	三四／一九二	—	一二／一七	三／五七	一／六	—	一〇六／二四四	一三七／三〇六
計	二〇三／七三二	二五／二〇六	四六／一八五	七五／三九九	三九／二〇九	二四／一〇〇	五一八／二、二〇三	六九／三三七	一八六／六九七	三／七	一〇／二七	四／六	七三三／二、五二〇	三九／五七五	一二五／二五一	九六七／二、〇三六	一三八／二八五	一四／二三	二、三三三／四、八六九	四、六五二／九、五三五

計	塩水	北港	斗六	朴子	嘉義	馬公	旗山	屏東	恒春	東港	鳳山	岡山	新化
三、二二九 / 七、三五一	二九五 / 七四九	二四九 / 四一八	一三八 / 二五〇	一三四 / 三二七	三八一 / 七八〇	— / —	五〇 / 一三五	九三 / 二四六	五 / 五九	四五 / 八四	一三八 / 二九二	二四九 / 六五八	二一五 / 四五八
一四、四〇三 / 三一、〇三〇	一、八四六 / 三、七〇九	一、八二一 / 三、〇七一	六一八 / 一、一三三	八一七 / 一、二四六	二、七八三 / 六、〇五二	— / —	三六五 / 七八一	四四一 / 八九四	一四三 / 七〇九	四一一 / 九五七	五七八 / 一、三〇五	七〇八 / 一、五三四	六八七 / 一、八三三
四、八三二 / 一〇、一六三	一九五 / 三五二	三九七 / 六五〇	二〇六 / 三六八	二四〇 / 三五二	四二九 / 七九四	— / —	一三七 / 二三六	一三三 / 二六三	一五 / 三〇	八三 / 二六	一四六 / 三一九	四六八 / 九六四	五〇二 / 一、三九一
一、七四九 / 四、〇九二	三八 / 八九	五八 / 九四	三七 / 八六	八四 / 一二五	七三 / 一六四	— / —	三六 / 九二	四〇 / 八七	一 / 二	一九 / 三一	八九 / 二八七	二一一 / 四二五	二三五 / 六六九
九九四 / 二、七四八	一九 / 三二	二九 / 八八	一一 / 二九	二四 / 六四	八三 / 一六二	— / —	一五 / 四三	一九 / 四二	一三 / 二	二三 / 五三	二四 / 八九	一三三 / 二七六	一二二 / 三六六
一、〇〇七 / 二、二九八	三八 / 七〇	三三 / 三九	一八 / 三二	三二 / 六九	六九 / 一三二	三 / 三	三 / 三	一四 / 二三	二 / 八	三 / 四	四〇 / 七七	七八 / 一七五	一〇二 / 二三三
一、〇〇三 / 二、七六〇	二六 / 一二五	三六 / 四七	二六 / 三七	一七 / 三七	五六 / 一〇二	三 / 二	一三 / 三二	二四 / 四七	三 / 五	三 / 七	三 / 七	九七 / 二三六	一〇〇 / 四〇七
七八二 / 一、九七八	二〇 / 二七	二四 / 二六	六 / 一三	八 / 九	二一 / 三二	— / —	五 / 一七	一七 / 二五	一 / 一	三 / 七	一三 / 二七	九九 / 二一八	八四 / 三一九
七七七 / 一、六七七	二 / 五六	一三 / 二五	二 / 三	七 / 一三	三四 / 四九	— / —	六 / 九	三一 / 一六	— / —	六 / 九	一二 / 一八	七〇 / 一二四	七三 / 一九二
五六八 / 一、四七四	一八 / 三三	五 / 二一	五 / 一四	六 / 二一	九 / 四七	三 / 四	五 / 一九	二一 / 三一	一 / 一	五 / 三	一六 / 三〇	六四 / 一二四	六二 / 一九〇
二九、三一二 / 六五、四七〇	二、五一六 / 五、二三二	二、六四四 / 四、四五九	一、〇五七 / 一、九四三	一、三六八 / 二、一五三	三、九八八 / 八、二九四	一八九	六〇五 / 一、三三七	七九五 / 一、六五五	一七四 / 八六	六〇二 / 一、三九〇	一、〇五八 / 二、四六二	二、一六六 / 四、七二四	二、一六九 / 六、〇三六

〔高雄〕

市郡名	市街庄名	祭祀公業	寺廟敷地	法人	共有	未決	相未	計
高雄市	高雄市	三〇七	一一四	五	八九	二	―	五一七
	計	―	―	―	―	―	―	―
岡山郡	岡山庄	八三五	一二七	六一	七二	六六	四	一、一六五
	楠梓庄	七八七	一二三	―	四一	二七	九	九八六
	燕巣庄	七六九	一一二	―	六七	―	三〇	九七八
	田寮庄	―	―	―	―	―	―	―
	阿蓮庄	四六二	一〇〇	二二	一八六	一〇	―	七八〇
	路竹庄	一、一六一	一六九	六	二四一	二	一	一、五八〇
	湖內庄	三七九	一〇七	五	一三七	一	三	六三二
	彌陀庄	一、九五九	一四〇	―	九九	一五	四	二、二一七
	左營庄	四一五	一〇九	一	一四二	一七	―	六八四
	計	六、七六七	九八六	九五	九八五	一三八	五一	九、〇二二
鳳山郡	鳳山街	三〇九	一五六	二	七〇	一	三二	五七〇
	小港庄	二九六	三七	―	二四	―	―	三五七
	林園庄	四四三	八八	―	七一	四	一九	六二五
	大寮庄	四七五	一〇五	一	七六	―	二二	六七九
	大樹庄	二五一	一一四	―	三〇	―	二三	四一八
	仁武庄	一、四二一	一七七	―	一〇三	三五	三	一、七三九
	鳥松庄	一二六	一八	一五	二六	―	一五	二〇〇
	計	三、三二一	六九五	一八	四〇〇	四〇	一一四	四、五八八
合計		一〇、三九五	一、七九五	一一八	一、四七四	一八〇	一六五	一四、一二七

（第三表）自明治四十四年至大正九年十ヶ年間祭祀公業以外の公業土地登記數調（宗教團體を除く）

廳別／公業名	基隆 件數	基隆 筆數	新竹 件數	新竹 筆數	宜蘭 件數	宜蘭 筆數	屏東 件數	屏東 筆數	計 件數	計 筆數	備考
育英社	一	二	—	—	—	—	—	—	一	二	
李源記	一	一			—	—			一	一	
義渡公業	—	—	一六（内保存五、未定二）	筆數不明	—	—	六	一八	二二	?	
蕃社公業	—	—	—	—	七	三〇	—	—	七	三〇	
修路會	—	—	—	—	—	—	一	一	一	一	
水埤公會	—	—	—	—	—	—	二	五	二	五	
科學會	—	—	—	—	—	—	二	三	二	三	
衛生組合	—	—	—	—			一	一	一	一	
父母會（葬祭組合）	—	—	—	—			一	一	一	一	
計	二	三	一六	?	七	三〇	一三	二九	三八	?	

（三）大正十二年の調査（共有地其他事務處理の件）

其後、大正十二年一月二十九日附總財第一回七號總務長官通達各州知事廳長宛、「共有地其他事務處理方ノ件」に基き各州より致せし回答のうちに、「祭祀公業と認めたる筆數」を見出し得る。

如何なる調査方法によつて此筆數を算出したるやは後に立論の上に重大であると思料するので玆に採錄する。

總財第一四七號　大正十二年一月二十九日　總務長官

（各州知事廳長宛）

共有地其他土地事務處理方の件

大正十一年勅令第四百七號の規定に依る共有地其他の土地事務別記各項に依り處理可相成、右依命通達す

記

一　土地臺帳に就き國庫州市街庄廳地方費（地方費區名、公學校名、罹災救助基金名のものを含む）農會、公共埤圳組合の如き公法人に屬する土地、相續未定地及質權者死亡し相續未定の土地以外の土地中所有者又は質權者に管理人の登錄あるもの又は管理人の登錄を要するものにして登錄未濟のものを調査し適宜一筆限調査書を作成すへし。

二　前項の調査書には左の標準に依り所有權質權別に其區分を記入すへし。

イ、祭祀公業に屬するもの

（註）一家（分房して數家となりたるものを含む）の祖先を祭祀する目的を以て有する所有權若は質權は祭祀公業に屬するものとす但し土地臺帳登錄後死亡に係る祖先名義のものは之を相續未定地又は質權相續未定の土地とす。

ロ、神社寺院祠宇（家廟にして祭祀公業に屬せざるもの、神明會及祖公會の如き宗教團體を含む）佛堂に屬するもの。

八、民法施行法第十九條第一項に依る法人に屬するもの。

（註）慈惠院、學校財團、市場、屠畜場、渡船場、衞生會其他イ號及ロ號に屬せざる團體にして民法第三十四條に揭ぐる目的を有するものの有する所有權又は質權

ニ、共有に屬するもの。

（註）前各號に屬せざるものは總て團體員の共有とす權利者が一人のもの亦同じ。

三、前項ハ號に該當するものは其代表者をして臺灣地租規則施行規則第五十一號の申告及民法施行法第十九條第二項の手續を爲さしめたる後土地臺帳に其の法人の住所を記入し管理人を削除すへし。

四、第二項ニ號に該當する土地は左記各號に依り共權利者を調查し整理すへし。

イ、團體員たることを證すへき市尹、街庄長の證明書又は其他の證憑及臺灣地租規則施行規則第五十一條の規定に依る申告書を携帶し一定の日時に一定場所（各街庄區役場其他適當の場所）に集合すへき旨を市尹、街庄長を經て從前の管理人其他の利害關係人に豫告すること。

ロ、前號に依り豫告したる期日に吏員を派し共權利者を調查すること。

ハ、前號の調查に依り完了せさるものは更に吏員を派し又は關係者を召喚し調查を完了すること。

ニ、團體員たることを證する證憑を提出せさるもの又は提出したる憑據に疑あるものに就ては當該地附近の住民、其他適當の者につき權利者を調查し調書を作成すること。

ホ、申告したる權利を是認し難きものは申告書中適當の個所に其旨を朱記し又申告地以外に權利を有する土地あるときは之を申告書に加記せしむること。

ヘ、前號後段以外に申告を爲ささる土地あるときは權利者を調查し調書を作成すること。

ト、前各號に依り權利者の調査を終了したるときは所有權又は質權移轉の例に依り土地臺帳を加除すへし但し所有者を加除する場合に於て未登記質權の登錄あるも之か消滅の整理を爲ささるは勿論とす。

五、前各項の事務は十一年度に於て其一半以上を處理し殘務は十二年前記分地租調定迄に終了すへし。

六、民法施行法第十九條第一項の規定に依り法人となりたるものに對しては其の代表者は利害關係人等を慫慂し民法施行法第二十條第一項及第二十一條の手續を爲さしむへし。終

調査員に對しては次の如き心得書を配付して注意を促し調査上遺憾なきを期した、適宜の處置と謂ふべきである。

共有地調査心得

第一條　本規定に於て共有地と稱するは大正十一年勅令第四百七號第十六號の規定に依る團體員の共有となるものを云ふ。

第二條　別冊管理付土地調査書に依り一筆毎に左の各房の何れに該當するや調査記入すへし。

一　祭祀公業地

二　相續未定地

三　祠廟及其所屬土地

四　公益を目的とする團體の土地

五　共有地

第三條　共有地とし整理を要すへきもの左の如し。

公業　從來公業と稱する中には事實祭祀公業に非すして祖先の名義を以て一種の公業地の如く土地臺帳に登錄せられたるものあり公業となるへきものは勅令第四〇七號の規定に依り祭祀公業のみか舊慣に基て存續するものなるを以て其の他の公業と稱したるものは此際凡て之を共有となすへきものに付共有として調査整理するものとす。

相續未定地　之は同整理規則に依り相續手續中のものなれば此儘相續未定地とし整理を要せさるものとす。

祠廟及其所屬土地　神社、寺院、祠宇、佛堂の所屬土地は州の社寺臺帳に依り調査したり然れとも事實之等の土地にして他の團體又は個人名義のものあるときは其所屬神社、寺院、祠宇、佛堂所屬地とし調査するものとす。

公益を目的とする團體　民法第三四條に揭けたる公益を目的とする團體は民法施行法第一九條の規定に依り主務官廳の設立許可を受けて法人となるものなるを以て之に對しては其公益を目的とするものなるや否やを調査し共有の整理を要せす。

共有地　從來屋號又は合股名等を以て業主若は典主として土地臺帳に登錄せられたるもの及祭祀公業地、相續未定地、神社、寺院、祠宇、佛堂及其所屬地並に公益を目的とする法人以外の土地にして管理人を付して土地臺帳に登錄せられたるものは凡て民法の規定に依り權利の主體たり得へからさる團體なるを以て勅令第四〇七號第一六條の規定に依り其團體員の共有として調査するものとす。

第四條　前二條の調査を終へたるときは別冊管理人附土地調査當該地番の上部欄外に祭祀公業は「祭祀公業」、相續未定地は「相續未定地」祠廟及其所屬土地は「祠廟」、公益法人となるべきものは「公益法人」、共有地は「共有地」の如く朱書すへし。

祠廟及其所屬土地は其所屬廟名及管理人名を公益法人となるへき土地は其の法人の目的、名稱、代表者、住所氏名等を管理人附土地調書摘要欄に記載するものとす。

第五條　共有地に對しては一地番毎に左の調査票を作成すへし但當該大字內に於て共有となりたる土地の來歷及共有者同一なる場合は各地番を連記することを得。

土地共有者調査票　　　役場

土地表示	土地の所在		地番 地目		元業主及管理人名
管理人共有者		に付調査要領	管理人共有者		に付調査要領
土地の來歷			土地の來歷		
共有者名			共有者名		
摘要			摘要		

調査したる證據書類の名稱　　　枚數

記載例

一、地番、地目欄には二五三田、三五〇畑、一、一五建の如く記載するものとす。

二、本県は管理人若は共有者中必す二人以上の者に就き調査し土地の來歷又は共有者の調査洩し若は事實に相違することなきや否やを確むるものとす。

三、土地の來歷欄には共有となりたる事實を記載するものにして例へば「本人の差出したる光緒何年中に締結せる合約字に依れは管理人（共有者）の祖父某外何人か製糖業經營中何某より買得したる土地調査の際此商號名を以て申告したるものにてその子孫として現存するもの左の通なり」の如く記載するものとす。

四、共有者名欄には元何某の子孫某、某元何某の子孫某、某元何某の子孫は凡そ何年前死亡絶戸となり現在何名なり」の如く記載するものとす。

五、管理人若は共有者の二人以上に付調査したる事實か最初某に付き調査したる事實と同様なるときは其旨當該欄の記載に止むるも妨けなし。

六、摘要欄には「本票の事實を隣地所有者又は總代、保正、甲長等に就き調査するにその事實なることを證明す」或は「本票の事實は共有者の申告洩れなりとの風說を耳にするを以て更に何某に就き調査を要す」等の如く記載し記事の末尾に調査擔當員認印すへし。

七、共同質權に付ては本例に準し之を調査すへし。

八、本票の調整を了へたるときは大字每に可成名寄をなし欄外頁字數欄に番號を附し假綴し置くものとす。

第六條　共有權者、共有質權者は其團體員たることを證すへき證明書類を添付し別記書式に依り之を申告せしむへし。

申告書には戸口調査簿の照合又は戸口調査簿抄本を添付せしむへし。

第七條　街庄役場に於て前條の申告書を受理したるときは第五條の土地共有調査票と對照し土地所轄街庄長之に連署し逐次州廳に進達すへし。

第八條　街庄長は其所轄內共有地の調査及共有地申告書の取纒を了したるときは管理人附土地調書及土地共有

調査県は之を州廳に返達すへし。

右通達に基き各州及廳に於て調査が開始されたのであるが、其調査方針並に分類について疑義百出したらしく、玆に於て、疑義を一掃する爲めに次に示すが如き「共有地調査に關する質疑」(隣頁版ズリ)なるものを配付して參考に供したほか、祭祀公業については特に財務局長より次の如き通牒を以て其調査上の注意を促した。其結果たる土地調査表をも次に掲げる。

共有地調査に關する質疑

第一問　三姓會　三姓者の數人共同して埤圳を開鑿し其の修繕費用に充つるものなり如何に整理するや。

答　法人とす。

第二問　科擧會　擧人の團體にしてその所有地の收益を以て秀才養成の費用に充てたるが領臺後は派下中に中等學校に入學するものあるときは其の入學費用又は入學祝として分配し居れり共有なりや。

答　所謂育才公業にして法人とす。

第三問　義渡會　渡船會の名を以て有する財産は如何。

答　通達の通り法人とす。

第四問　丁仔會　男子一人を一丁とし一地方の同姓者を以て組織し決算當時生存する男子を團員とし祖先の祭祀を行ひたる殘餘は分配するを普通とするものあり共有とすへきや。

答　祖公會の一種ならん神社寺院祠宇佛堂とす。

第五問　褒忠會、忠勇會、義民會、隘丁會　是等は出征中の費用戰死者の吊慰祭祀の財源なりしも現在にては稀に廟宇を有するものは格別多くは祭祀を中絕し居れり如何にすへきや右も共有とせば派下非常に多數にて困難なり。

答　總て、神社、寺院、祠宇、佛堂とす。

第六問　父母會、老人會　共同性質のものなり此種の團體は團員の葬儀費の財源として土地を有す而して子々孫々に及ふものと設定者たる團員の死亡により消滅するものとの二種あり性質如何。

答　設定者一代限のものは共有とし否らさるものは法人とす。

第七問　基督長老敎會の名を以て土地を有するものは如何に處理すへきや。

答　神社、寺院、祠宇、佛堂とす但し內地の敎會及將來設立のものに付ては別問題とす。

第八問　登記通知に公號又は公業とあるものは總て祭祀公業なりや。

答　祖先名のものに限り祭祀公業なりと推定す否らさるものは公益の目的を有するものは法人とし公益の目的を有せさるものは共有とす何れにせよ登記通知に右の記載あるものは相續未定地に非さるは勿論なり。

第九問　査定當時より管理人を付し祖先名を以て土地臺張に登錄しあるものは反證なき限り總て祭祀公業と推定すへきや。

答　然り而して祭祀公業に非さるものには所有者又は質權者名の右肩に「亡」字を朱記しある筈なるも之を洩せるものなきを保せす相續未定地たる證跡明なるものは明治四十四年十一月十八日付民財第六三八〇號通達（舊直稅法規三二頁）の趣旨に依り整理を要す。

第十問　死亡者の名を以て查定せられたる土地にして子孫なきものに付きては祖先を祭祀するものなしと思

料すへ如何に整理するや。

答　子孫の現在存せると否とは毫も性質に影響せす中途より子孫の絶へたるものも祭祀公業と推定す（戸口簿及土地臺帳に登録の姓を異にするも登録名義人の直系卑屬及其配偶者は子孫とす又其の者限にて絶戸となり事實子孫なき者は祭祀の資なるときは之を神社、寺院、祠宇、佛堂とし祭祠の目的を有せさるものは相續未定地とす。

總財第一、二二四號
財稅直第一四四號
大正十二年六月二十五日　財務局長
各州知事各廳長宛

共有地其他土地事務處理方に關する件

首題の件一月二十九日付總財第一四七號を以て通達せられ候處公業地中未登記のものにして土地臺帳登録（臺灣土地登記規則施行前取得のものを含む）當時より管理人を附し一家（分房して數家となりたるものを含む）の祖先名を以て登録しあるものの調査方は左の通區分相成可然存候。

一、土地臺帳登録後其土地の收益の大部分を毎年祖先の祭祀費に充當せる事實あるものは祭祀公業とす。

二、前項の事實明瞭ならさるもの又は之に該當せさるものは左の標準に依ること。

イ、囑書、鬮分字、其他設定行爲を證する書類に依り祖先の祭祀を目的とする財團なること明なるものは祭祀公業とす。

ロ、合約字其他の書類に依り祭祀公業に非ることを證し得るものは祭祀公業以外のものとす。

ハ、前各號に該當せるものは派下中祭祀公業なることを主張する者あるときは其の主張に付相當理由ありと認むるものに限り祭祀公業とし其の他は祭祀公業以外のものとす。

右経伺の上通牒す。　終り

追て税務出張所へは本件寫送付致置候

右の調査に基き祭祀公業は土地臺帳に登錄せられ、登錄せられたものは一定の肩書を朱記して一見他の祀廟等と區別し易からしむるに便とした。（大正十三年三月二十六日各州知事廳長宛）祭祀公業に關し土地臺帳記載方の件、土地臺帳に登錄せられたる祭祀公業名のものに付ては此の際其の右肩に「祭祀公業」と朱記し尙將來祭祀公業名の登錄を爲す場合に於ても亦同様處理可相成、右依命通達す、理由、十二年一月總財第一四七號通達に依り土地臺帳に登錄せられたる祭祀公業は之が調査を了したるに依り之を土地臺帳に表示し尙將來祭祀公業名の登錄を爲す場合は之を明にする方便宜と認めたるに依る。

有地地共の他土地調査簿數表　大正十二年末現在の調

州廳名	税務課 税務出張所別	共有となりたる筆數	法人有となりたる筆數	祭祀公業と認めたる筆數	神社寺院祠宇佛堂のものと認めたる筆數	相續未定地と認めたる筆數	合計	民施法第十九條第二項の手續未濟件數	同上手續完了見込月日	摘要
臺北	税務課	一、一一九	四六六	八、六五二	五、七四一	八五	一六、〇六二	七件	十三年一月三十一日	
	宜蘭出張所	二六〇	—	一、六三〇	三、〇八七	四五	五、〇二二	—	—	
新竹	税務課	一、八〇〇	一七六	一〇、二六九	五、三八四	七〇三	一八、三三二	—		
	桃園出張所	一七二	一三五	六、三七六	四、四〇九	—	一一、〇九一	二	十三年一月中	
臺中	税務課	三、九一四	四九二	一三、〇〇九	六、七七九	五、一五五	二九、三四九	一	同二月中	
	南投出張所	一二四	—	一、三六一	八〇八	四一九	二、七〇二	—	—	
臺南	税務課	一三、〇一六	四〇四	一八、七四七	二、六九七	—	三四、八六四	三	十四年四月中	
	嘉義出張所	三、三三〇	三六〇	一一、三四八	四、七〇九	一、三〇八	二〇、九五五	—	—	
高雄	税務課	一、一三〇	一一五	一〇、八二三	一、八五〇	一五七	一四、〇六五	—		
	屏東出張所	一、六〇一	二五二	一四、四九五	六、三三四	二三二	二三、九一三	七二	十三年二月末日	
	澎湖出張所	一八	—	一七九	二九六	三三	六六八	—	—	
臺東		三	—	一	四三	—	四七	—	—	
花蓮港		一	—	一四	五七	—	七二	—	—	
計		二五、五一七	二、四〇〇	九六、九〇三	四二、一九四	八、一一三	一七六、一四〇	八五	—	

△本表の明細表は筆者の怠慢の爲め全部掲載するに至らず、其一斑を次に掲げる。

祭祀公業調查　臺北州

（共有地調查明細表）

區分	第一次 件數	第一次 筆數	第二次 件數	第二次 筆數	第三次 件數	第三次 筆數	第四次 件數	第四次 筆數
臺北市	四二	四七〇	三九	一〇二	二四	七二	一七	三九
七星郡	三一四	一、三七四	三六	一四八	九	二五	七	二二
淡水郡	六六	五四一	六	三二	一	二三	一	二
基隆郡	一八〇	一、二三九	二九	一二〇	八	二七	一	一
文山郡	三〇六	一、四七七	二〇四	四九六	二四	六四	七	六
海山郡	三二三	一、六七八	三七	三九三	二	一六	｜	｜
新莊郡	四三	一七八	一三	九九	｜	｜	二	五
計	一、二七四	六、九五七	三六四	一、三九〇	六八	二三七	三五	七五

共有地調査　臺北州

區分	第一次調査 件數	第一次調査 筆數	第二次調査 件數	第二次調査 筆數	第三次調査 件數	第三次調査 筆數	第四次調査 件數	第四次調査 筆數	第五次調査 件數	第五次調査 筆數	第六次調査 件數	第六次調査 筆數
臺北市	四	八	—	—	一一	四四	六	三二	九	四六	四	二〇
七星郡	三	七	二	一〇	—	—	六	八	—	—	一	一九
基隆郡	一	七	一〇	五六	一一	四四	一〇	三四	—	—	四	一四
淡水郡	二五	二四七	四	二二	—	—	一	一	—	—	—	—
文山郡	一	二	一二	一九	二〇	一〇九	八	四三	二	一三	—	—
海山郡	一	四二	六	八	五	二四	一	三六	—	—	一	六
新莊郡	—	—	五	一八	三	五	—	—	一	二	一	一
計	三五	三一三	三九	一三三	五〇	二二六	三二	一五四	一二	六一	一一	六〇

備考　第一次は大正十二年三月二十七日、第二次は同年六月十日、調査完了。
第三次以下は不明。

市街庄＼種別	共有	法人	祭祀公業	相續未定地	神社	佛堂	祠宇	神明會	祖公會	家廟	寺院	合計
新竹市	一七六	一〇	六〇八	八〇	—	三	一四五	五九	一〇	一	一七	一、一二八
新竹市計	一七六	一〇	六〇八	八〇	—	三	一四五	五九	一〇	一	一七	一、一二八
舊港庄	一四四	一〇	三三八	一九	一四	五	二〇	七八	一	一	—	六三〇
紅毛庄	一八	—	一七六	—	—	—	七三	四四	—	—	—	三一一
湖口庄	二	二	三二一	一三	—	—	一八	二三	—	—	—	三八七
新埔庄	二八二	—	九四四	二九	二	八七	三二四	三四七	一二	—	四	二、〇三〇
關西庄	一三六	一	五〇八	三七	—	一〇	四八	一五二	三八	—	—	九二九
六家庄	九三	—	三四八	三四	—	—	二九	九〇	四五	—	—	六三九
香山庄	二一	—	四〇二	三六	二九	二	一五	三七	六	—	—	五四八
新竹郡計	七〇六	三	三、〇二六	一六八	四五	一〇四	四二七	七七〇	二〇二	一	四	五、四七四
竹東街	八五	—	一九二	二	—	六	九四	一〇四	一八	—	九	五〇九
峨眉庄	—	—	九〇	一	—	二四	九	一七七	—	—	一	三〇二
芎林庄	八	五	二六三	三	二四	—	三三	一四八	一九	—	—	五〇三
橫山庄	一七	七	一七四	一	—	七二	六八	六三	—	—	—	四〇〇
北埔庄	一八	—	二三〇	—	—	一	五三	九三	—	—	—	三九五
寶山庄	七四	—	四四七	二	—	八	一九	一一九	—	—	—	六六九
竹東郡計	二〇二	三	一、三九五	九	二四	一一〇	二七六	七〇三	三七	—	一〇	二、七七八
竹南庄	一四三	一〇	九九	三	—	六	六六	五七	八	—	二	三九四
頭分庄	六二	三	六四二	一四	—	四	六八	一五四	一三四	—	—	一、〇八〇
三灣庄	一四	五	一三七	二〇	—	六四	二〇	八一	八五	—	—	四二六
南庄	一八	四	一一〇	—	—	三二	五五	一九	三九	—	—	二七六
造橋庄	四二	—	二二二	五	—	—	四六	二	三	—	—	三二〇
後龍庄	一八四	—	二三〇	一〇九	—	—	四八	二七	—	—	—	五九八
竹南郡計	四四三	三	一、四四〇	一七〇	—	一〇五	三〇三	三四〇	二六九	—	二	三、〇九四
苗栗街	一五	七六	五五四	三二	—	二四	七三	一二五	—	—	六	八九四
頭屋庄	一九	一	三四八	九	—	—	四九	—	—	—	—	四二六
三叉庄	一七	—	八五	—	—	—	五	六一	—	—	—	一六八
苑裡庄	六	—	一〇七	三二	—	二	二三	四六	一七	—	—	二三三
公館庄	二二	七	四〇五	六六	—	二	五八	一八四	—	—	—	七四四
銅鑼庄	一〇	五	八二五	三四	—	二	六一	二六二	三二	—	—	一、二三一

竹南郡計	苗栗街	頭屋庄	三叉庄	苑裡庄	公館庄	銅鑼庄	通霄庄	四湖庄	苗栗郡計	六湖庄	獅潭庄	卓蘭庄	大湖郡計	全管計
四四三	一五	一九	一七	六	三三	一〇	一六	四八	二五三	四	—	一六	二〇	一、八〇〇
三	七六	一	—	—	七	五	—	三	一一〇	—	—	—	—	一七六
一、四四〇	五五四	三四八	八五	一〇七	四〇五	八二五	五九八	七七九	三、七〇二	二七	八	六四	九九	一〇、二六九
一七〇	三二	九	—	三一	六六	三四	六四	三九	二七四	—	—	二	二	七〇三
—	—	—	—	—	—	—	—	—	—	—	—	—	—	六九
一〇五	二四	—	—	二	二	二	二三	—	五三	—	—	—	—	三九四
三〇三	七三	四九	五	二三	五八	六二	八八	二九	四七六	四二	—	一六	五八	一、六八五
三四〇	一一五	—	六一	四六	一八四	二六二	一七	三	六九七	—	—	四二	四二	二、六二一
二六九	—	—	—	一七	—	三二	—	—	四九	—	—	一三	一三	五七九
—	—	—	—	—	—	—	—	—	—	—	—	—	—	二
二	六	—	—	—	—	—	—	—	六	五	—	—	五	四四
三、〇九四	八九四	四二六	一六八	二三二	七四四	一、二三二	九〇六	一、〇一八	五、六一九	七八	八	一五三	二三九	一八、三三[illegible]

神社、寺院、祠宇、佛堂地調査　臺北州

區分	第一次調査		第二次調査		第三次調査		第四次調査	
	件數	筆數	件數	筆數	件數	筆數	件數	筆數
臺北市	九四	二一七	四五	一一八	五	七	五	七
七星郡	二一一	六四五	三七	一〇三	八	二四	四	一二
淡水郡	八六	五七九	一六	九〇	—	—	三	二九
基隆郡	一四二	一、〇六六	三二	五四	六	二二	—	—
文山郡	二〇二	七〇〇	六八	一九一	三	五	一	一
海山郡	二四一	一、四五六	一一	二二	一	二一	—	—
新莊郡	一二一	三三〇	一三	三九	二	三	—	—
計	一、〇九七	四、九九三	二三二	六一七	二五	八二	一三	四九

備考　第一次は大正十二年三月二十七日、第二次は同年六月二十五日調査完了。
第三、四次は不明。

第一號樣式

番號	調査擔當者認印
862	㊞

共有地調査傳票㊞

所有者又は質權者	詹九公
管理人 住所	北勢子 詹欺炎
住所 氏名	〃 詹欺亮
區分	（イ）祭祀公業に屬するもの （ロ）神社寺院祠宇佛像に屬するもの （ハ）民法施行法第十九條第一項の法人、に屬するもの （ニ）共有に屬するもの
土地所在	市街庄　民雄 大字　新庄子 字
地番	登一五五
地目	田
甲數	甲

調査の顚末

詹九公は現管理人詹欺炎の第十八世の祖父なり正名は永耀にして別號は詹九公なり
設立者不明設定年月日土地調査査定前登記する祖先名詹永耀、明治四十五年七月二十五日受第一一、六三一號祭祀公業と登記申請せり
派下員三戸本件は詹欺炎に付き調査す
明治三十九年十月二十四日保存

共有地調査功程報告　（大正十二年　月　日）（臺中）

市郡	街庄	總數 筆數	總數 件數	祭祀公業 筆數	祭祀公業 件數	神佛 筆數	神佛 件數	共有 筆數	共有 件數	相續未定地 筆數	相續未定地 件數	法人 筆數	法人 件數	所有者生存 筆數	所有者生存 件數	所有者死亡不明 筆數	所有者死亡不明 件數	計 筆數	計 件數	調査未濟 筆數	調査未濟 件數
				調査濟																	
市	臺中	三九八	一〇二	八八	一三	一五二	三	一七	八	三四	二	—	—	—	—	—	—	二九一	六九	一〇七	三三
市	彰化	一、〇九〇	五〇七	三一八	九九	四六九	二三	六二	二二	一〇二	六七	八	四	—	—	—	—	九五八	四一四	一三二	九三
市	計	一、四八八	六〇九	四〇六	一一三	六二一	二九	七八	三〇	一三六	七八	八	四	—	—	—	—	一、二四九	四八三	二三九	一二六
大屯郡	大里	二三三	七〇	八五	三	七八	一三	一八	五	七	六	—	—	—	—	—	—	—	—	三四	一五
大屯郡	霧峯	五二八	四二	二六三	一四	二六	一〇	二一七	九	二	五	四	一	—	—	—	—	五一三	三九	五	三
大屯郡	大平	二七四	二六	二七	六	三三	二	二二五	三	—	—	—	—	—	—	—	—	二七四	二六	—	—
大屯郡	北屯	七二五	二〇七	二三八	七一	一七六	六四	一五一	二二	三四	二〇	四九	三	—	—	—	—	—	—	七七	二八
大屯郡	西屯	九二四	二四二	三五六	八八	二三五	五〇	二一九	三八	三三	一〇	—	—	—	—	—	—	—	—	八二	五五
大屯郡	南屯	五一九	二二六	一三三	八五	一三三	八八	一三	一〇	二	九	五	一	—	—	—	—	—	—	三七	二三
大屯郡	烏日	三一六	一一九	七四	二五	一〇九	四三	七三	二九	三四	一三	三	一	—	—	—	—	二九三	一一	二三	八
大屯郡	計	三、五〇八	九二三	一、一七五	三一〇	八六九	二八九	九一六	一三四	一三〇	六三	六一	六	—	—	—	—	一、〇九〇	一七八	二五七	一三三
豐原郡	豐原	一、一三六	三三五	二七二	六六	三一八	一〇九	三八〇	八七	八〇	三七	—	—	—	—	—	—	—	—	一七六	三六
豐原郡	內埔	七〇	二九	七	二	二五	一三	二	一	二九	八	—	—	—	—	—	—	—	—	七	五
豐原郡	神岡	五五四	一九一	九三	三五	五三	二六	一三三	二九	二四	一四	—	—	—	—	—	—	—	—	二六一	八七
豐原郡	大雅	三八五	一三	八四	三三	一二三	四八	一二六	一二	二六	八	—	—	—	—	—	—	—	—	三七	二二
豐原郡	潭子	五三〇	一五〇	二六二	六九	一五五	四八	四二	一四	三七	四	—	—	—	—	—	—	—	—	三四	一五
豐原郡	計	二、六六五	八二六	七一八	二〇五	六六三	二四四	六七三	一四二	一九六	七一	—	—	—	—	—	—	二、二五〇	六六二	四一五	一六四
東勢郡	東勢	九六九	三六〇	三〇九	九二	三四二	一五八	一六七	三一	一三六	六七	—	—	—	—	—	—	—	—	二五	三
東勢郡	石岡	七〇六	一九六	二九三	七〇	一二六	四七	一〇二	一七	一五二	五四	二〇	一	—	—	—	—	—	—	一四	七
東勢郡	新社	二八二	八六	八〇	一九	五九	二八	四七	一〇	八八	二六	—	—	—	—	—	—	—	—	七	三
東勢郡	計	一、九五六	六四二	六八二	一八一	五二七	二三三	三一五	五八	三六六	一四七	二〇	一	—	—	—	—	一、九一〇	六二〇	四六	一三
大甲郡	清水	一、三一四	三四八	五二〇	一四三	九一	四二	二五九	四七	一七六	三九	—	—	—	—	—	—	九四六	二七一	三六八	七七
大甲郡	梧棲	三五〇	一五四	二〇二	六三	二三	一八	五八	二六	四四	二九	—	—	—	—	—	—	三一七	一三六	三三	一八
大甲郡	大甲	二六六	八七	六八	一七	九二	五〇	七〇	八	二八	八	—	—	—	—	—	—	二五八	八三	八	四
大甲郡	外埔	四九	一六	八	三	一五	一〇	—	—	二	二	—	—	—	—	—	—	二五	一五	二四	一
大甲郡	大安	五九	二〇	三七	六	一九	一三	三	一	—	—	—	—	—	—	—	—	五九	二〇	—	—
大甲郡	沙鹿	二九八	一三五	八七	三〇	六三	三一	六九	二五	二五	一三	—	—	—	—	—	—	二四四	九九	五四	二六
大甲郡	龍井	三九二	一四九	二一四	五二	四二	三二	五九	三四	三六	一三	—	—	—	—	—	—	三五一	一三一	四一	一八
大甲郡	大肚	一九九	七三	二	九	一三六	四四	一	一	二三	二一	—	—	—	—	—	—	一八一	六五	一八	八
大甲郡	計	二、九二七	九七二	一、一五七	三三三	四八一	二三〇	五一九	一四二	三三四	一一五	—	—	—	—	—	—	二、三九一	八一〇	五三六	一六二

	北斗郡									員林郡										彰化郡							
總計	計	溪州	竹塘	大城	沙山	二林	埤頭	田尾	北斗	計	二水	田中	社頭	永靖	坡心	溪湖	埔鹽	大村	員林	計	芬園	花壇	秀水	福興	線西	和美	鹿港
二八、四五一	二、六四九	五五六	七八	八四	一五三	一五〇	四九四	七四〇	三九四	九、一六八	四二八	一、一五五	一、九八八	一、三三五	一、一七四	四九五	四一三	七五六	一、四二四	四、〇九〇	四二一	二六〇	四〇五	五四五	四四〇	九〇九	一、一一〇
一〇、六二九	一、一七三	二四〇	二二	二七	四七	五九	二九八	二九六	一八五	三、六九四	二一九	四一九	六八四	五九五	四九八	二〇八	一九六	二九二	五八三	一、七九〇	一七七	一三五	一七七	二四一	一七〇	三一五	五八五
一一、三八八	一、一七〇	三五五	一一	一三	三〇	二九	二六〇	三七〇	一〇三	四、七六〇	三二七	七四六	一、一五〇	六二一	六一四	二三八	一一六	四三五	六三三	一、三二〇	三二	八六	二〇七	二三三	一三五	一七七	三七一
三、八七三	五五二	一三八	三	六	一三	一四	一五四	一七七	五七	一、七三八	九九	二三八	三九八	二五二	二五六	八九	五四	一二一	二三一	四五三	一七	四四	五二	六八	五〇	六五	一五八
六、〇一八	五〇〇	六九	六三	五二	二〇	四三	七四	一二一	五八	一、九〇〇	五七	二五二	六二三	一九五	一九六	五八	二八	一三三	三六八	四五七	六二	五六	六〇	二〇	七六	五四	一二九
二、三八一	二〇八	三五	一五	一四	一二	二九	四六	三〇	二七	六七二	一八	七八	一七四	七八	八三	二八	一七	七二	一二五	二四六	二八	三三	三二	一二	二九	二九	八五
三、三二九	一八五	一	三	一一	九	五〇	七	二六	七八	一四五	四	九	七	二七	二九	一二	三	一二	三三	四九八	九六	三三	二五	九二	七	九六	一六一
七七七	四九	一	二	一	五	五	五	六	二四	七二	二	五	四	一三	一六	六	二	九	一四	一六一	三二	八	一四	二五	六	三六	四〇
四、一九九	二八一	六二	—	三	五	一三	六七	五三	七八	一、八四三	一二七	一三四	一一八	四三七	三〇七	一六七	二三三	一五〇	一九〇	一、〇二三	二二	一七	三七	一九〇	一七五	三三〇	一六三
二、〇三六	一四五	三八	—	一	三	六	三四	二三	四〇	九三三	八六	八五	七一	二一九	一三七	六九	一〇二	七五	一〇〇	四八四	八四	一二	一七	一三一	六二	七二	一〇六
九二	三	—	—	—	三	—	—	—	—	—	—	—	—	—	—	—	—	—	—	—	—	—	—	—	—	—	—
三	一	—	—	—	一	—	—	—	—	—	—	—	—	—	—	—	—	—	—	—	—	—	—	—	—	—	—
二六	八	—	—	—	三	—	四	—	一	一八	九	二	二	—	—	—	—	—	五	—	—	—	—	—	—	—	—
一五	七	—	—	—	二	—	四	—	一	八	三	一	二	—	—	—	—	—	二	—	—	—	—	—	—	—	—
二	一	—	—	—	—	—	—	一	—	一	一	—	—	—	—	—	—	—	—	—	—	—	—	—	—	—	—
二	一	—	—	—	—	—	—	一	—	一	一	—	—	—	—	—	—	—	—	—	—	—	—	—	—	—	—
╱	(三)二、一四五	四八七	七七	七八	(三)六七	一三五	四一三	五七一	三一八	八、六六七	四一五	一、一三三	一、九〇〇	一、二七〇	一、一四六	四七五	三八〇	七二九	一、二二九	三、一八八	四〇〇	一八一	三一九	五二四	三八三	五四七	八二四
╱	(一)九六一	二〇二	二〇	三	(一)三四	五四	二四三	二三七	一四九	三、四三三	二〇九	四〇七	六四九	五六二	四八二	一九一	一七五	二七六	四七二	一、三四四	一六一	九六	一三四	二三五	一四七	二〇二	三八九
三、三九九	五〇一	六九	一	六	八三	一五	八二	一六九	七六	五〇三	一三	二一	九〇	六五	二〇	二〇	三三	二七	二〇五	九〇二	二一	七九	七六	二一	五七	三六二	二八六
一、五三五	二〇二	三八	一	五	三	五	五五	五九	三六	二七二	一〇	一三	三六	三三	一六	一七	二二	一六	一二	四四六	一六	二九	五三	一六	二三	一二三	一九六

共有地其他調査票

土地所在	社頭庄崙雅	所有者	蕭志綉
住所		管理	蕭埤

地番	地目	地番	地目	地番	地目
一六二	田				

調査事項

祭祀公業、所有者は十代前の祖先にして其の祭祀の目的にて其の子十三人が鬮分抽出したるものにして毎年祭祀し來れるものなり。

臺中州の調査。（票實物大）

第一號樣式

調査擔當者認印	㊞

番號	910

共有地調査傳票㊞

區分	
	(イ)祭祀公業に屬するもの
	(ロ)神社寺院祠宇佛堂に屬するもの
	(ハ)民法施行法第十九條第一項の法人に屬するもの
	(ニ)共有に屬するもの

所有權又は質權者	管理人	住所	氏名
賴昌胤	嘉義郡溪口庄柳子溝 賴羅漢	〃 賴號	牛手山 賴盤

土地所在			地番	地目	甲數
市街庄	大字	字			
民雄	頂寮		四一八	田	甲

調査の顚末

一、賴昌胤なる祖先を祭祀する目的にて設立
二、設立月日約百五十年前
三、設立者不詳
四、派下約八十餘人あり
五、登記事項大正十年六漢二十一日第五五九二號祭祀公業
六、管理人賴羅月及賴號に付き調査

㊞

〔嘉義稅務出張所管內〕

郡	市庄名	祭祀公業に屬するもの	神社、祠宇、寺院、佛堂に屬するもの	民施法第一九條一項の法人に屬するもの	共有に屬するもの	相續未定地（質權相續未定を含む）	其他
嘉義	市	七七三	三八〇	四三	九八	一一七	—
嘉義郡	水上庄	五〇八	三四九	一	一二九	三九	—
	民雄庄	一、三七七	四二四	一〇	一二九	八三	—
	新巷庄	五六六	二四四	四〇	九四	五二	—
	溪口庄	七三九	一七八	一一	六三	四三	—
	大林庄	八四七	一八五	二四	七五	一四	—
	小梅庄	一二五	五三	—	二三	三一	—
	竹崎庄	八八六	一二七	四	一〇六	七六	—
	番路庄	五四	八二	—	八一	二三	—
	中埔庄	三七九	一一三	四七	九九	五〇	—
	大埔庄	二六	一〇	—	一	二	—
	計	五五〇七	一七六五	一三七	八〇〇	四一三	—
新營郡	鹽水街	二一三	九二	—	一五一	四九	—
	新營庄	四六八	五八	四	一〇四	三二	—
	柳營庄	五九二	九一	九	六六	二七	—
	後壁庄	六六七	一二六	四二	九三	二一	—
	白河庄	三六〇	二九四	一四	一一六	五	—
	番社庄	三八六	一二七	六九	一〇三	九	—
	計	二六八六	七八八	一三八	六三三	一四三	—
斗六郡	斗六街	二七五	一四六	一〇	三五	一一	—
	古坑庄	四三	八四	—	二二	九	—
	斗南庄	六〇	四四	五	四五	七	—
	大埤庄	一九七	一六	一	六九	一五	—
	莿桐庄	四七	四八	—	四四	四	—
	計	六二二	三三八	一六	二一五	四六	—

所管計	東石郡								北港郡						虎尾郡						
	計	義竹庄	太保庄	鹿草庄	布袋庄	東石庄	六脚庄	朴子街	計	水林庄	口湖庄	四湖庄	元長庄	北港街	計	土庫庄	海口庄	崙背庄	二崙庄	虎尾庄	西螺街
一、一三七八	一、一六二	二一一	九五	三三〇	八六	一五六	一三四	一五〇	二五三	八五	四三	四〇	四四	四一	三七五	三〇	一八	六一	一五三	三	一一〇
四、五七六	七四一	九八	一六四	二二〇	四七	一八	一〇五	八九	二一六	四三	三〇	一〇	七	一二六	三四八	二八	一〇	四	八二	二三	一六五
三六〇	二五	—	二五	—	—	—	—	—	一	一	—	—	—	—	—	—	—	—	—	—	—
三、二七五	五四〇	八二	四四	六〇	一三六	七七	七九	六二	五五二	二四六	一〇五	一二五	二七	四九	四一九	八三	四三	一〇八	三五	一一七	三三
一、三二八	二九三	一八	二四	一七	一四	九六	九一	三三	二二九	五七	六四	五六	二一	三一	八七	二三	一三	四	三二	一〇	五
一	—	—	—	—	—	—	—	—	—	—	—	—	—	—	—	—	—	—	—	—	—

管理人附土地調書（大正十二年三月二十三日照合完了）

（臺南州）

郡	市街庄名	共有地	整理濟	申告濟	調査未了	祭祀公業	祠廟	相續未定地	法人	紛爭
臺	南市	八四四	五四四	一三	二七〇	八八三	三七七	一一七	二	一七
新豐郡	龍崎庄	一三九	六七	｜	七二	四一	二	八	｜	｜
	永康庄	七二六	七二六	七二六	七二六	四二四	八三	二二	｜	｜
	安順庄	二八六	｜	一三〇	一五六	三〇七	三六	二	二	｜
	仁德庄	一、一七五	五六八	四五	五三八	六二一	四八	一三	五	二四
	歸仁庄	四〇六	二〇九	七五	一一六	二四二	一三九	三	｜	六
	關廟庄	一六六	六八	｜	九七	八八	五五	｜	｜	一
	計	二、八九八	一、六三八	九七六	一、七〇五	一、七二三	三六三	四七	七	三一
曾文郡	六甲庄	三〇九	二七五	｜	一六	七四七	一四九	三三	｜	一八
	官田庄	五九三	四六三	六一	五九	一、四三三	一七〇	｜	｜	一六
	大內庄	一一六	七一	六	三三	一、二六六	七七	｜	｜	｜
	麻豆街	一、二六〇	九四二	一〇九	一三四	二、二四一	七〇	｜	｜	七五
	下營庄	九二九	八五七	三九	三三	九三三	一四三	｜	｜	一一
	計	三、二〇七	二、六〇八	二一五	二六三	六、六一九	六〇九	三三	｜	一二〇
新化郡	玉井庄	七八	四五	八	二五	五九五	一一三	二	｜	｜
	楠西庄	八二	五一	一	三〇	五三三	二三	｜	｜	｜
	南化庄	九二	六三	二	二七	八七二	八七	六	｜	｜
	善化庄	二八三	一九八	二	八三	八六四	一六一	二	｜	｜
	山上庄	一四二	四二	四五	五五	六七六	一八九	二	｜	｜
	左鎭庄	一〇二	六〇	三二	一〇	一九六	一八	三	五	｜
	新化街	三二四	二〇二	二八	九四	四二四	一四〇	三	二	｜
	新市庄	一五六	八九	二四	四三	四二二	一五四	｜	一	｜
	安定庄	六六四	五五一	三六	七二	七四二	一二三	三	｜	五
	計	一、九二三	一、三〇一	一七八	四三九	五、三二四	一、〇〇七	二一	八	五
北門郡	將軍庄	一六七	八八	一	七八	一四二	六五	｜	｜	｜
	佳里庄	八一六	五八三	八九	一四四	七九四	一〇二	七	｜	一
	西港庄	三三四	二七	二一	一六	四四九	二三	｜	｜	三
	七股庄	三九〇	二二五	四	一六一	三〇七	一八	｜	｜	｜
	北門庄	一、〇七九	五九九	一二八	三五二	一六七	六	｜	｜	｜
	學甲庄	一、五一二	七四九	三九四	三六九	五六四	三六	｜	｜	｜
	計	四、二九八	二、二七一	六三七	一、一二〇	二、四二三	二四九	七	｜	四
（缺）	永寧庄	｜	｜	｜	｜	｜	｜	｜	｜	｜
	總計	一三、一七〇	八、三六二	三、〇一九	三、七九七	一六、九七二	三、六〇五	二二五	一七	一七七

共有地其他一筆限調書

	座落	地番	地目	納稅者	管理人 住所	管理人 氏名	備考
862	(檢)民雄庄 新庄子	登一五五	田	詹九公	北勢子(祭)	詹欺炎 外一人	北勢子 詹欺炎 〃 詹欺亮
910	(檢)〃 頂寮	登四一八	田	賴昌胤	溪口庄(祭) 柳子溝	賴羅漢 外二人	溪口庄柳子溝賴羅漢 〃 賴號 〃 賴盤

祭 673件
相 18件
法 12件
特 174件

公業地調　　屏東稅務出張所

街庄名	大字名	區分	田	畑	養魚地	建物敷地	原野	池沼	祠廟敷地	墳墓地	雜種地	計
屏東	屏東	祭祀公業	甲 3.1104	甲 9.8079		甲 2.3246	甲 .3014		甲 —	甲 —		甲 15.5443
		相續未定地	—	—		.0695	—		—	—		.0695
		法	—	—		.6798	—		—	—		.6798
		特法	1.9395	2.4573		4.5089	.0148		3.1275	.3951		12.7760
	頭前溪		14.8924	17.3520		11.1871	2.5694	.1459	—	.8757		47.0225
			.8657	.3504		—	.1609	—	—	—		1.3770
			.1795	.6785		—	—	—	—	—		.8580
			2.0663	1.8025		.0880	.2345	—	.3085	—		4.4998
	崇蘭		13.8222	6.7512		2.2711	.6210		—	.0430		23.5085
			—	—		—	—		—	—		—
			2.7290	—		—	—		—	—		2.7290
			4.1485	2.5810		—	.1210		.1210	—		6.9715
東	歸來		10.2712	19.4619	—	1.7026	.2758	.7720				32.4835
			—	—	—	—	—	—				—
			—	—	—	—	—	—				—
			12.9883	18.3400	3.0830	.2905	—	—				34.7018
	海豐		19.3450	6.9805		1.2334		—	—	.7456		28.3045
			—	.1265		.2810		—	—	—		.4075
			—	—		—		—	—	—		—
			6.5104	2.0150		.8400		.3481	.8450	.4640		11.0225
	公館		6.5215	7.9770		4.1176	.0891				.3895	19.0947
			—	—		—	—				—	—
			—	—		—	—				—	—
			2.1287	.6908		—	—				.2630	3.0825

公園 ・・・ 0.3329

祭 538件
相 2件
法 13件
特 55件

市	大湖		20.4213 1.4280 — 6.6251	4.0877 — — .3913		1.2898 .4235 — .1865				.1160 — — —		25.9148 1.8515 — 7.2029
	市計		88.3840 2.2937 2.9085 36.4068	72.4182 .4769 .6785 28.2779	— — — 3.0830	24.1262 .7740 .6798 5.9139	3.8567 .1609 — .3703	.9179 — — .3481	— — — 4.4020	1.7803 — — .8591	.3895 — — .2630	191.8728 3.7055 4.2668 80.2570
長興庄	長興		137.2923 — 5.3204 18.6060	18.8433 — 7.3434 —		9.4924 — — .3680	.8122 — — —		.0204 — — .2475	.3280 — — —		166.7886 — 12.6638 19.2215
	麟洛		110.1080 .6388 — 22.0350	8.8372 — — 1.9313		7.7876 .2905 — .0320	.0305 — — .0305	.1155 — — —	— — — .1875	.4520 — — —		127.3308 .9293 — 24.2163
	徳協		37.8289 — 4.6775 .5390	4.7682 — — —		6.4315 — — —			— — — .2190	.4960 — — —		49.5246 — 4.6775 .7580
	番子寮			3.3505 — — —		.1065 — — —	.5062 — — —		— — — .1630			3.9632 — — .1630
	計		285.2292 .6388 9.9979 41.1800	35.7992 — 7.3434 1.9313		23.8180 .2905 — .4000	1.3489 — — .0305	.1155 — — —	.0204 — — .8170	1.2760 — — —		347.6072 .9293 17.3413 44.3588

公園 …… 0.3329

237 件
6 件
68 件

鹽埔庄	鹽埔			123.8375 3.3555 — 13.2444		4.2843 — — .0534	.5485 — — .2635					128.6703 3.3555 — 13.5613
	新園			30.6505 1.4525 — 6.1785		6.6470 — — —	.2475 — — —		— — — .1650			37.5450 1.4525 — 6.3435
	彭厝		3.4750 — — 6.2391	13.3305 — — 1.0320		1.9318 — — .2542	.1080 — — —		— — — .2240			18.8453 — — 7·7493
	大路關			18.2794 — — 135.0219		1.1440 .5056 — —	— .0865 — 43.8630		— — — .6558			19.4234 .5921 — 179.5407
	計		3.4750 — — 6.2391	186.0979 4.8080 — 155.4768		14.0071 .5056 — .3076	.9040 .0865 — 44.1265		— — — 1.0448			204.4840 5.4001 — 207.1948
高	高樹		17.2542 — — 35.2299	.2088 — — 1.1335		.1637 .0125 — .2405	— — — .1444		— — — .0565			17.6267 .0125 — 36.8048
	舊寮		5.2187 — — 6.1766	.5807 — — 1.6795		.1839 — — .0566	1.2770 — — .7416		— — — .1948	.1675 — — —		7.4278 — — 8.8491

235 件
2 件
233 件

樹庄	阿拔泉		5.2150 — — 9.8321	8.8214 — — 2.7415		.0170 — — —						14.0534 — — 12.5736
	東振新		39.1881 — — 37.6787	.1086 — — .0808		1.6477 — — .1675	— — — .1740	— — — .7104	— — — .3936	.0900 — — —	.0103 — — —	41.0447 — — 39.2051
	加蚋埔		9.3345 — — —	19.8293 4.1989 — 21.6608		.3605 — — —	.2120 — — .7087					29.7363 4.1989 — 22.3695
	田子		— — — 3.6901	30.1077 .4925 — 2.5235		1.2410 — — .2115						31.3487 .4925 — 6.4251
	埔羌崙		14.5792 .5830 — 8.4643	8.9427 .4549 — 18.0946			.0903 — — —					23.6122 1.0379 — 26.5589
	計		90.7897 .5830 — 101.0717	68.5992 5.1463 — 47.9142		3.6138 .0125 — .6761	1.5793 — — 1.7687	— — — .7105	— — — .6449	.2575 — — —	.0103 — — —	164.8498 5.7418 — 152.7861
	里港		16.0672 — — 7.0051	11.2452 .2521 — .9308		2.1357 .0684 — .5818	.0695 — — —		— — — .4960	.1455 — — —		29.6631 .3205 — 9.0137

里港庄	搭樓		1.7069 — — .6557	9.8448 .4105 — 2.1453		3.4865 — — .0675			— — — .1872			15.0382 .4105 — 3.0557
	三張廍			.3505 — — —			.2865 — — —					.6370 — — —
	瀰力肚			.2560 — — .1466								.2560 — — .1466
	土庫					.6355 — — —						.6355 — — —
	武洛		29.4353 — — 3.7931	12.7497 .2395 — 21.4701		2.1198 — — .5163	— — — .1480		— — — .1501			44.3048 .2395 — 26.0776
	中崙		.3732 — — .5400	22.1593 — — 3.7100		.3250 — — .0055	1.2446 — — .5285		— — — .0690			24.1021 — — 4.8530
	計		47.5826 — — 11.9939	56.6055 .9021 — 28.4028		8.7025 .0684 — 1.1711	1.6006 — — .6765		— — — .9023	.1455 — — —		114.6367 .9705 — 43.1466

201件
5件
88件

九塊庄	九塊		1.1125 — — 6.0642	.8576 .4435 — 2.4985		1.7710 — — —			— — — .1210			3.7411 .4435 — 8.6837
	坑下冷水		.8122 — — —	.9583 — — —					— — — .0435			1.7705 — — .0435
	三塊厝		6.2213 — — 3.5570	1.7815 — — 5.1353		.1661 — — —						8.1689 — — 8.6923
	後庄		10.3523 — — 9.0806	9.7471 — — .5646		1.5834 — — .5871	.6721 — — —		— — — .1285	— — — .1850		22.3549 — — 10.5458
	東寧		1.0845 .6810 — 4.2902	1.3863 .3435 — —		— — — .4303						2.4708 1.0245 — 4.7205
	計		19.5828 .6810 — 22.9920	14.7308 .7870 — 8.1984		3.5205 — — 1.0174	.6721 — — —		— — — .2930	— — — .1850		38.5062 1.4680 — 32.6858
	屏東郡計		446.6593 1.9028 9.9979 183.4767	361.8326 11.6434 7.3434 241.9235		53.6619 .8770 — 3.5722	6.1049 .0865 — 46.6022	.1155 — — .7105	.0204 — — 3.7020	1.6790 — — .1850	.0103 — — —	870.0839 14.5097 17.3413 480.1721

祭 109件
相 6件
特 104件

郡計
祭 1320件
相 21件
法 13件
特 48件

旗山街	旗山		.4485 — — 2.0425	3.8267 1.8685 — 6.4493		1.5162 .1885 — .0719	— .6015 — .5045		— — — .3458			5.7914 2.6585 — 9.4140
	北勢		2.6094 — — —	6.1896 .1450 — 1.1644		4.9225 — — —	.0914 — — —					13.8129 .1450 — 1.1644
	圓潭子		6.5070 — — 10.1339	.5465 — — 1.4662		.6385 — — 1.1838	.5954 — — —		— — — .0540			8.2874 — — 12.8379
	溪州		4.2757 .0760 — 3.9884	23.1853 .7919 — 45.7334		13.2277 .2436 — .3640		.3091 — — —	— — — .2655			40.9978 1.1115 — 50.3513
	磅礴坑		6.3055 — — .7786	5.6624 .1455 — 3.1303		3.8082 .0935 — —	.0637 — — .2755	.1170 — — —	— — — .0755			15.9548 .2390 — 4.2599
	旗尾		19.3128 — — 6.9418	12.8052 — — 6.9298		.0181 — — .9584			— — — .1380			32.1361 — — 14.9680
	手巾寮			.7750 — — —								.7750 — — —

祭　402件
祖　18件
特　192件

祭 570件
相 2件
特 926件

	計		39.4569 .0760 — 23.8852	52.9907 2.9509 — 64.8734		24.1312 .5256 — 2.5781	.7505 .6015 — .7800	.4261 — — —	— — — .8788			117.7554 4.1540 — 92.9955
美濃庄	美濃		72.8069 .4825 — 144.4983	16.2408 — — 18.5176		2.1306 — — 1.4209	— — — .3195	— — — .2721	— — — .3232		— — — .2700	91.1783 .4825 — 165.6216
	中坛		33.9149 — — 75.5397	5.4742 — — 9.5024		1.9140 — — .4060	— — — .2138		— — — .3895	.2930 — — .1775		42.0086 — — 86.2289
	金瓜寮		.5606 — — .8572	2.5505 — — .1337		1.2170 — — .0463						4.3281 — — 1.0372
	吉洋											
	龍肚		66.2902 — — 50.2307	4.3310 — — 1.2278		.4513 — — .1150	.0055 — — .1352			1.1470 — — —		72.2250 — — 51.7522
	竹頭角		30.5786 — — 52.7072	16.8203 — — 11.9909		.8869 .0460 — .3042	.8477 — — .2458		— — — .0385	.0220 — — —		49.1555 .0460 — 65.2866

林 .4125
—
—
—

	計		204.1512 .4825 — 323.8331	45.4168 — — 41.3724		6.5998 .0460 — 21.2924	.8532 — — .9143	— — — .2721	— — — .7512	1.4620 — — .2210	— — — .2700	258.8955 .5285 — 369.9265
杉林庄	杉林		1.3390 — — 1.0080	1.2000 — — —		.7180 — — —			— — — .0315			3.1570 — — 1.0395
	茄苳湖		2.2160 — — —	.9785 — — —					— — — .0140			3.1945 — — .0140
	十張犁		4.7435 — — 1.6760	.7272 — — .6605		.6238 — — —	.0435 — — 6.4985					6.1380 — — 8.8350
	新庄		.7215 — — 17.0704	— — — .5864		— — — .1500						.7215 — — 17.8068
	月眉		15.3878 — — 62.8667	3 7632 — — 4.2219		3.2849 — — .2019	— — — 3.5551	.3020 — — .2120	— — — .0565			22.7379 — — 71.1141
	計		24.3078 — — 82.6211	6.6689 — — 5.4688		4.6267 — — .3519	.0435 — — 10.0536	.3020 — — .2120	— — — .1020			35.9489 — — 98.8094

祭 119件
特 136件

林 .4125
—
—

祭 14件
特 9件

甲	関東阿里		— — — .0930			— — — .0625						— — — .1555
仙	園東大邱		3.4925 — — 2.0020	1.1103 — — .8610		.3735 — — —	.2165 — — —					5.1928 — — 2.8630
庄	計		3.4925 — — 2.0950	1.1103 — — .8610		.3735 — — .0625	.2162 — — —					5.1928 — — 3.0185
内	観音亭		13.8112 — — 2.4733	2.2766 — — .3770		3.6493 — — .4854						19.7371 — — 3.3357
	中埔		25.1449 — — 1.6880	7.4457 — — .3125		9.6542 — — —	.2057 — — —	.4261 — — —	.0128 — — .0850	.0625 — — —		44.2774 — — 2.0855
	脚帛寮		13.2936 — — 2.0530	5.6685 — — —		2.3800 — — —	.1235 — — —		— — — .3684	.0280 — — —		21.4936 — — 2.4214
	東勢埔		11.4573 — — 1.7630	.7420 — — .5780		.5195 — — —		.0425 — — —				12.7613 — — 2.3410

林 1.3255 — — —

門	木柵		9.3230 — .2040	2.5888 — —		2.6447 — —	.0335 — —					14.5900 — .2040
	內埔		34.9006 — 3.6062	1.6313 — —		6.3973 — .4265	— — .1068	.3710 — —		.0360 — —		43.3362 — 4.1395
	萊子坑		1.8462 — 2.5133	3.5046 — 2.2813		.9748 — —	.0605 — —	.2140 — —				6.6001 — 4.7946
庄	溝坪		2.0105 — .2715	1.6811 — —		1.2848 — —	.0170 — —					4.9934 — .2715
	計		111.7873 — 14.5723	25.5386 — 3.5488		27.5046 — .9119	.4402 — .1068	1.0536 — —	.0128 — .4534	.1265 — —		167.7891 — 19.5932
六	六龜		1.4640 — —	.2225 — —								1.6865 — —
	新威		7.0188 2.4745 28.3006	.3960 — 2.3640		.1150 — .0086	.1890 .4750 1.1951		— — .0230			7.7188 2.9495 31.8913

林　1.3255
—
—

祭　764件
特　69件

祭 46件
祖 6件
特 107件

郡計
祭 1915件
祖 162件
法 ナシ
特 1303件

龜	土壠灣											
	老濃		.2140 — — 9.0148	— — — .1125		— — — .1515			— — — .0315			.2140 — — 9.3103
庄	新開											
	計		8.0968 2.4745 — 37.3154	.6185 — — 2.4765		.1150 — — .1601	.1890 .4750 — 1.1951		— — — .0545			9.6193 2.9195 — 41.2016
	計旗山郡		391.8925 3.0330 — 484.3221	132.3438 2.9509 — 118.6009		63.3508 .5716 — 6.3569	2.4929 1.0765 — 13.0498	1.7817 — — .4841	.0128 — — 2.2399	1.5885 — — .2210	— — — .2700	595.2010 7.6320 — 625.5447
潮	潮州		40.8253 — — 1.5997	2.8866 — — .6246		.8262 — — 1.8654	.2640 — — .5765		— — — .1342			44.8021 — — 6.1789
	崙子頂		17.1041 — — 5.2909	6.0474 — — 11.5280		.3680 — — .1530	— — — 5.2035		— — — .0750			23.5195 — — 22.2504

末 1.7380
—
—
—

														林
州	五魁寮		32.0332	9.0852		2.2371			—	.5360		43.8915	
			—	1.1838		—			—	—		1.1838	
			—	3.1600		—			—	—		3.1600	
			3.9365	8.1130		.3944			.8385	—		13.2824	
	八老爺		17.6435	11.2397		2.2920	.0470		—	.1525		31.3747	
			—	—		—	—		—	—		—	
			1.2285	—		—	—		—	—		1.2285	
			12.0275	11.0109		.2549	—		.0736	—		23.3669	
	檨子脚		26.0832	18.1853		.5450						44.8135	
			—	—		—						—	
			—	—		—						—	
			2.5760	1.8215		—						4.3975	
庄	四林		34.8166	25.0696		8.5037	2.3093	.2625	—			71.0072	.0455
			—	—		—	—	—	—			—	—
			—	—		—	—	—	—			—	—
			1.0738	2.3027		.2830	.3890	—	.3505			21.4335	17.0345
	許		168.5059	72.5138		14.7720	2.6203	.2625	—	.6885		259.4085	.0455
			—	1.1838		—	—	—	—	—		1.1838	—
			1.2285	3.1600		—	—	—	—	—		4.3885	—
			26.5044	34.4007		2.9507	6.1690	—	1.4718	—		90.9096	18.4130
萬	萬巒		280.7887	40.6772		10.9622	.7650	.1980	.1695	.1105	.0842	334.5038	.7485
			—	—		—	—	—	—	—	—	—	—
			6.8066	—		—	—	—	—	—	—	6.8066	—
			15.9245	9.0287		.2346	—	—	1.0891	—	—	26.2769	—
	四溝水		244.4066	8.3677		8.4187	6.5729		—	.1282		267.8941	
			—	—		—	—		—	—		—	
			—	—		—	—		—	—		—	
			25.8750	.3165		.5493	.3751		.2395	—		27.3554	

祭 309件
相 1件
法 2件
特 117件

祭 2.229件
法 10件
特 323件

	五溝水		270.0151 — .9707 83.8987	69.9352 — — 20.6576		12.3405 — — .6725	2.3620 — — .3895		— — — .5169	.6435 — — —	1.1090 — — —	556.4053 — .9707 106.1352
巒	佳佐		40.7325 — — 5.6805	79.0014 — — 15.7623		5.4061 — — .9958	.3428 — — 1.9440		— — — .4618	.0365 — — —		125.5193 — — 24.8444
	赤山		24.8762 — — 18.7274	29.0260 — — 2.9144		5.6704 — — .0681						59.5726 — — 21.7099
庄	新厝		2.9605 — — —	26.4099 — — 6.5319		4.9656 — — —	8.5086 — — —		— — — .3670	.5033 — — 5.9460		43.3479 — — 12.8449
	計		863.7796 — 7.7773 150.1061	253.4174 — — 55.2114		47.7635 — — 2.5203	18.5513 — — 2.7086	.1980 — — —	.1695 — — 2.6743	1.4220 — — 5.9460	1.1932 — — —	1187.2430 — 7.7773 219.1667
	内埔		135.0736 — 4.6198 94.1886	4.4860 — — 1.3800		14.7557 — .0300 .4535	.1615 — — .1920		— — — .4905	.1695 — — —		154.6463 — 4.6498 96.7040
	忠心崙		147.9314 — 15.6018 114.9906	7.9175 — .7224 3.2791		6.9363 — .4525 .3035	1.0215 — .4510 .3895	.9453 — — .0254	— — — .1014	.4205 — — .0869		165.1725 — 17.2277 119.1764

內埔庄	老東勢		146.7919	8.4354		11.0574	.1080		—	.0480		166.3507
			—	—		—	—		—	—		—
			10.4552	—		—	—		—	—		10.4552
			102.0459	.4765		.1530	—		.1389	—		102.8143
	犁頭鏢		11.3044	15.7706			1.3795					28.4545
			—	—			—					—
			—	—			—					—
			2.3930	19.8755			.3810					22.6495
	隘寮			21.9457		.0935	.4330					22.4722
				—		—	—					—
				—		—	—					—
				4.5445		—	—					4.5445
	新東勢		100.2825	50.3830		12.6015	7.4956		—			170.7626
			—	—		—	—		—			—
			.6157	—		—	—		—			.6157
			60.3889	1.4092		.2030	1.5412		.2023			66.7446
	新北勢		198.9192	18.7775		15.6447	6.7021	.2795	.4997			240.8227
			—	—		—	—	—	—			—
			.4309	1.0960		—	.1801	—	—			1.7070
			46.7676	7.4294		1.0579	3.2313	—	.0230			58.5092
	老北勢		146.4296	1.4422		8.7716	.2710	.0043		.0980		157.0167
			—	—		—	—	—		—		—
			11.2872	—		—	—	—		—		11.2872
			43.4333	.1155		.0590	—	—		—		43.6078
	老埤		16.6242	6.2165		4.1242	.2453		—			27.2102
			—	—		—	—		—			—
			1.3349	—		—	—		—			1.3349
			3.6870	7.7766		.2390	.3813		.2210			[illegible]

祭　2.908件
法　91件
特　1.020件

	番子厝		9.4493 — — 3.5350	26.9773 — — 2.8520		.8430 — — —	1.2052 — — —					38.4748 — — 6.3870
	計		912.8061 — 44.3455 471.4299	162.3517 — 1.8184 52.1383		74.8279 — .4825 2.4689	18.9327 — .6311 6.1163	1.2291 — — .0254	.4997 — — 1.1771	.7360 — — .0869		1.171.3832 — 47.2775 533.4428
竹田	竹田		125.6707 .1975 2.4821 87.8241	17.1702 — — 8.6106		11.7090 .0275 — .4639		— — — .6005	— — — .0925	.7533 — — —		155.3032 .2250 2.4821 97.5916
	二嵜		104.3862 — 1.1015 67.7939	5.5911 — — 1.5951		7.2059 — — .7193	— — — .0490	.3110 — — —	— — — .1960	.2785 — — .0160		117.7727 — 1.1015 70.3693
	南勢		170.8191 .1155 9.7779 79.5468	2.6779 — — —		15.5316 — — 1.0501	.3155 — — —		— — — .0175	.0720 — — —		189.4161 .1155 9.7779 80.6144
	西勢		171.5978 — — 65.2206	35.1553 — — 3.3261		11.3409 — — 2.7314	1.8475 — — —	.1635 — — —	— — — .2197	1.9739 — — .2540		222.0789 — — 71.7518
	溝子墘		42.9365 — 3.7208 8.5334	11.2006 — — 1.9115		2.9588 — — .1679	2.5969 — .0395 .1730			.1675 — — —		59.8603 — 3.7603 10.7858

祭　1.682件
相　4件
法　30件
特　543件

庄	鳳山厝		7.5498 — — .1974	13.9834 — — .1510		4.3876 — — .1515	5.7038 — — —			.2185 — — —		31.8431 — — .4999
	計		622.9601 .3130 17.0823 309.1162	85.7785 — — 15.5943		53.1338 .0275 — 5.2841	10.4637 — .0395 .2220	.4745 — — .6005	— — — .5257	3.4637 — — .2700		776.2743 .3405 17.1218 331.6128
新埤	新埤		42.2032 — 7.2085 44.4226	1.0040 — — 1.8570		3.2550 .0045 .1025 .2460	— — — .5535					46.4622 .0045 7.3110 47.0791
	建功		33.6282 — 5.8080 79.9137	14.5603 — .6020 11.5247		2.9553 — — .5065	.6689 — — 7.0623	— — — 14.9702	— — — .0385	.6470 — — —		52.9787 — 6.4100 114.0159
	打鐵		43.7527 2.4443 — 42.6559	1.9085 — — 2.4284		.7262 — — —			— — — .0920	.4050 — — —		46.7924 2.4443 — 45.1763
	南岸		31.3305 — 1.3760 32.2143	.9069 — .4340 1.2485		2.1335 — — .3570	.4196 — — .0405		— — — .1228	— — — .1048		34.7905 — 35.3797 34.0879
	餉潭		5.7815 — — .6035	4.3955 4.3965 — 3.3320		— .3280 — —						10.1770 4.7245 — 3.9355

林　.5190　—　—　—

林　—　—　33.5697　—

祭 392件
相 14件
法 43件
特 466件

													山林
庄	糞箕湖			.7530 — — —		.1115 — — —						.8645 — — —	
	計		156.6961 2.4443 14.3925 199.8100	23.5282 4.3965 1.0360 20.3906		9.1815 .3325 .1025 1.1095	1.0885 — — 7.6563	— — — 14.9702	— — — .2533	1.0520 — — .1048		192.0653 7.1733 49.1007 244.2947	.5190 — 33.5697 —
枋	枋寮		7.5449 4.9025 — 57.0152	4.4450 1.1878 — 1.7450		2.3244 .2500 — .1179	.0315 — — .3627	— .2900 — —	— — — .3140			15.2088 7.1643 — 60.0468	.8630 .5340 — .4920
	內寮			2.6885 1.3745 — 1.4095			.2190 — — —					2.9075 1.3745 — 1.4095	
	新開		3.7245 .9015 — 3.9131	— — — 2.7180			— — — .0140					3.7245 .9015 — 6.6451	
	水底寮		6.5485 — — 2.8696	1.5620 — — 9.6536		.9319 .0790 — .1717	— — — .2085		— — — .6989	— — — .5170		9.0424 .1870 — 14.2663	
寮	番子崙		11.8525 — — 9.6935	— .6240 — 2.5734		— .7350 — .0461	.0940 — — —		— — — .0695	— — — .0495		11.9465 1.3590 — 12.4320	

祭 212件
相 52件
特 252件

													山林	
庄	北旗尾		4.0415 .2775 — 7.1865	9.7460 — — 24.5116		.2825 — — —			— — — .2479			14.4535 .2775 — 31.9460	.3835 — — —	祭 212件 相 52件 特 252件
	大庄		6.9815 — — 5.5625									6.9815 — — 5.5625		
	大响營		6.0848 — — 2.5155	182.9453 .5285 — 21.4555						2.4825 — — —		191.5126 .5285 — 23.9710		
	計		46.7782 6.0815 — 88.7559	201,3868 3.7148 — 64.0666		3.5388 1.0640 — .3357	.3445 — — .5852	— .2900 — —	— — — 1.3303	2.4825 — — .5665		255.7773 11.7932 — 156.2792	山林 1.2465 .6429 — .6390	
枋	枋山		3.0400 — — —	1.0120 — — —		.2650 — — —						4.3170 — — —		祭 10件
	莿桐脚													
	南勢湖													

山庄				蕃地		
平埔	加祿堂	楓港	計	テツキン社	コワイ社	スボン社
			3.0400 ｜｜｜			
			1.0120 ｜｜｜			
			.2650 ｜｜｜			
			4.3170 ｜｜｜			

郡計
祭 7742件
相 71件
法 176件
特 2721件

	計											
	潮州郡計		2774.5660	799.9884		203.4825	52.0010	2.164	.6692	9.8447	1.1932	3846.4686
			8.8388	9.2951		1.4240	—	.2900	—	—	—	20.4908
			84.8261	6.0144		.5850	.6706	—	—	—	—	125.6658
			1245.7225	242.8019		14.6692	23.4574	15.5961	7.4325	6.9742	—	1575.7058
東港	東港			—		.0956	—	—	—	—		.0956
				—		.2278	—	—	—	—		.2278
				—		—	—	—	—	—		—
				.6360		.7461	7.1011	.2955	1.5074	.0605		10.3466
	新街		2.8078	4.2777		—			—	.3770		7.4625
			—	.3646		.0440			—	—		.4086
			—	—		—			—	—		—
			4.1275	.8984		.1935			.0903	—		5.3097
	內關帝		2.9977	—		.0765	.0885		.1510			3.3137
			1.5463	3.9141		—	—		—			5.4604
			—	—		—	—		—			—
			3.8585	.1265		—	—		—			3.9850
	大潭新		4.8666	.9974				—	—			5.8640
			.1355	—				—	—			.1355
			—	—				—	—			—
			.7015	.2810				.1445	.0950			1.2250
	南屏			.1190	—	.0200			—			.1390
				—	—	—			—			—
				—	253.6370	.0765			—			253.7135
				.2205	—	—			.8400			1.0605

林
2.5595
.6429
33.5697
19.0520

祭 57件
相 33件
法 5件
特 76件

街	下郎		1.6735 .0975 — .4950	2.1950 — — —			— .0760 — —					3.8685 .1735 — .4950
	三西和		1.6256 .7820 3.4475 .1245	1.1344 2.5235 — .3294		.1305 — — .1090	— .3760 — .0925	— — — .1925				2.8905 3.6845 3.4475 .8479
	計		13.9712 2.5613 3.4475 9.3100	8.7235 6.8022 — 2.4918	— — 253.6370 —	.3226 .2718 .0765 1.0486	.0885 .4550 — 7.1936	— — — .6325	.1510 — — 2.5327	.3770 — — .0605		23.6338 10.0903 257.1610 23.2697
新	新園			3.4356 — — 5.7418		— — — .6590			— — — .1150			3.4356 — — 6.5158
	五房洲					.1335 — — —	.9340 — — —					1.0675 — — —
	烏龍			1.3555 — — 28.4309		— — — 2.9328			— — — .2645			1.3555 — — 31.6282
	仙公廟		0.8800 — — 13.7136	2.8328 — — 6.5446		.1580 — — —			— — — .4760			3.8708 — — 20.7342

	田洋子		4.1480 3.7750	.1960 1.6752		.1260 —			— .1678			4.4700 5.6180
園	瓦磘子			2.5335 .8355								2.5335 .8355
	崁頂		14.5418 9.6665	21.4997 12.7621		1.7201 .4810	.8035 .2180					38.5651 23.1276
	力社		2.4439 2.4440	4.9053 6·0238		1.0670 .6155	.6205 .5280	.5345 —	— .4073	.0815 —		9.6527 9.8186
	洲子		10.2509 4.9635	10.5645 4.5407		3.0993 —	.7059 —					24.6206 9.5042
庄	過溪子		2.4370 1.6119	3.2038 —		1.7475 .0790	1.9695 —	.2840 —				9.6418 1.6909
	計		34.7016 35.9745	50.5267 66.5546		8.0514 4.7673	5.0331 .7460	.8185 —	— 1.4306	.0815 —		99.2131 109.1730

宗 201件
特 161件

萬			丹			
萬丹	頂林子	溫庄	下蚶	保長厝	新庄子	後庄子
1.3190 / 8.7285	1.9180 / 6.6675	— / 9.3787	2.9150 / 3.9931			
1.1600 / 5.5044	2.1270 / 6.4912	2.3685 / 4.2918	4.8686 / 2.5758	1.5610 / 5.0828	11.2513 / 6.8001	.8962 / 1.1235
1.1280 / .2242	.8820	.1735	3.2207 / .3852		1.7406	1.4502
	— / 1.8607	.2108			.1120 / .5560	.2000
				— / 1.6381	.1510 / 1.3576	
— / .1185				— / .3436		
					.1940	
3.6070 / 14.5756	4.9270 / 15.0194	2.7528 / 13.6705	11.0043 / 6.9541	1.5610 / 7.0645	13.4489 / 8.7137	2.5464 / 1.1235

祭　382件
法　1件
特　183件

庄											
興化廍		— — — .1260	3.6818 — — 6.7772		.4758 — — .2624			— — — .0170			4.1576 — — 7.1826
甘棠門			6.5069 .0935 — .4320					— — — .0435			6.5069 .0935 — .4755
社皮		42.4640 — 1.0270 7.8385	29.7490 — — —		17.0318 — — —	3.1984 — — —	.1031 — — —	— — — .4340	.3450 — — —		92.8913 — 1.0270 8.2725
計		48.6160 — 1.0270 36.7323	64.1703 .0935 — 39.0788		26.1026 — — .8718	3.7212 — — 2.4167	.2541 — — 2.9957	— — — .9566	.5390 — — —		143.4032 .0935 1.0270 83.0519
林邊		.9470 — — 2.7751	9.2165 .6460 — 10.6435		.9000 .0135 — .0815			— — — .1570			11.0635 .6595 — 13.6571
田墘厝		.1210 — — 1.2765	3.2160 — — —	— — 30.6800 —	.2890 — — —	.0850 — — —		— — — .1315			3.7110 — 30.6800 1.4080
磠子口		— 1.0286 — 4.7942	.4540 — — —		1.2064 — — —	.1100 — — —					1.7704 1.0286 — 4.7942

70件
祖 14件
特 67件

庄	部落												計
林邊	竹子脚		.8085 .3605 — 3.6141	1.0755 — — 2.1515		.1300 — — .0325	— — — 1.1150					2.0140 .3605 — 6.9931
	濫頭		2.0540 — .0067 2.9232	1.1625 .1025 — —					— — — 2.418			3.2165 .1025 .0067 3.1650
	牛埔		3.7947 — 1.1330 6.8455	.3125 .2775 — .1800		— .2645 — —						4.1072 .5420 1.1330 7.0255
	巷子內		— — — 2.0172	— — — 1.1385								— — — 3.1555
	溪州		1.6760 — — —	— .4705 — —		— .0680 — .2240	— .2980 — —					1.6760 .8365 — .2240
	車路墘		.9855 .5015 — .6790	1.4253 — — —		.3565 .5460 — —	1.3900 — — —					4.1573 1.0475 — .6790
	七塊厝		1.4470 — — .1685	.3005 — — 1.0696		.3290 .2110 — —	.0470 — — —					2.1235 .2110 — 1.2381

	計		11.8337 1.8906 1.1397 25.1731	17.1628 1.4965 — 15.1831	— — 30.6800 —	3.2109 1.1030 — .3380	1.6320 .2980 — 1.1150		— — — .5303			33.8394 4.7881 31.8197 42.3395
佳冬	佳冬		53.7857 1.4690 8.6378 76.7189	8.7014 — — .3260		1.5365 — .2555 .0857			— — — .4800	.1645 — — —		64.1881 1.4690 8.8933 77.6106
	葫蘆尾		.3695 — — 4.0700	.2315 — — —					— — — .1050			.6010 — — 4.1750
	塭仔		19.2675 .4430 .7725 18.1144	1.2090 — .6100 6.0342		2.0820 .1090 — —	.3410 — — 1.7534		— — — .9359	.0510 — — —		22.9505 .5520 1.3825 26.8379
	羌園		3.6875 5.9118 — 6.8776	— .4245 — .2400		— — — .3644	— — — .2635		— — — .0580			3.6875 6.3363 — 7.8035
	大武丁		2.1717 — — 10.7560	3.8551 — — 4.4075		.5450 — — .1635	.1815 — — —		— — — .0825			6.7533 — — 15.4095
	武丁潭		3.8065 — — 16.5539	1.0110 — — 8.1263		.0352 — — —	— — — 8.9039		— — — .0920			4.8527 — — 33.6761

庄	昌隆		21.7055 — — 50.7091	7.9609 — — 30.0078		.5200 — — .7716	.0855 — — 15.5032		— — — .1690		— — — .0668	30.2719 — — 97.2275		祭 610件 相 19件 法 43件 特 808件
	石光見		11.4481 .6065 2.6545 18.0071	38.8856 — — 5.2020		4.1518 — — 2.1243	— — — 1.4865		— — — .2090			54.4855 .6065 2.6545 27.0289	林	
	下埔頭		21.2883 — — 22.7264	2.3107 — — —		1.1105 — — —	.1660 — — —		— — — .0050			27.1352 — — 22.7314	1.2597 — — —	
	計		137.5303 8.4303 12.0648 224.5334	65.1652 .4245 .6100 54.3438		9.9810 .1090 .2555 3.5095	.7740 — — 2.79105		— — — 2.1564	.2155 — — —	— — — .0668	214.9257 8.9638 12.9303 312.5004	1.2597 — — —	
琉球嶼	琉球嶼		— .0840 — —	6.6620 2.0045 — .7416		.7485 — — .1845			— — — .7449			7.4105 2.0885 — 1.6710		祭 13件 相 9件 特 12件
	計													
	東港郡計		246.6528 12.9662 17.6790 331.7233	212.4105 10.8212 .6100 178.3937	— — 284.3170 —	48.4170 1.4838 .3320 10.7197	11.2491 .7530 — 39.3818	1.0726 — — 3.6282	.1510 — — 8.3315	1.2130 — — .0605	— — — .0668	522.4257 26.0242 302.9380 572.3055	林 1.2597 — — —	郡計 祭 1333件 相 75件 法 49件 特 1307件

恒春						
恒春	山脚	鼻子頭	網紗	虎頭山	猫子坑	龍泉水
	7.4670 — — —	11.5941 — — —	5.7870 — — —	20.0771 — — .6575	46.6602 — — —	3.1032 — — —
	2.9935 — — —	.3885 — — —	9.4942 — — —	6.1135 — — —	3.1662 — — 1.0930	3.7138 — — —
— — — .0290		.1395 — — —	1.3263 — — —	.1357 — — —	.1591 — — —	
					1.1980 — — .0910	
						4.8130 — — —
	— — — .0165					— — — .0075
					.1315 — — —	
— — — .0290	10.4605 — — .0165	12.1221 — — —	16.6075 — — —	26.3263 — — .6575	51.3150 — — 1.1840	12.4332 — — .0075

林　.8032 — — —

祭 251件
特 9件

													山林
庄	檳榔林		2.2515 — — —	14.6727 — — —		.4883 — — —	1.0075 — — —		— — — .3115			18.4200 — — .3115	
	大樹房		3.4348 — — —	8.9145 — — —		3.0472 — — —	1.6348 — — —					170.313 — — —	
	水泉		.3482 — — —	4.8070 — — —		1.1660 — — —						7.3860 — — —	1.0648 — — —
	大平頂		3.6365 — — —	5.5371 — — —		4.5050 — — —	3.4799 — — —			.2760 — — —		18.4675 — — —	1.0330 — — —
	鵞鑾鼻		.2000 — — —	1.3445 — — —			.0365 — — —		.0125 — — .0085			1.5935 — — .0085	
	計		104.5596 — — .6575	61.1455 — — 1.0930		10.9671 — — .0290	7.3567 — — .0910	4.8130 — — —	.0125 — — .3440	.4075 — — —		192.1629 — — 2.2145	2.9010 — — —
	車城		38.7020 — — —	7.4368 — — 7.3668		1.7790 — — .2615	— — — 57.6818		— — — .1205		— — — .1095	47.9178 — — 65.5401	

車	新街		7.1929	7.7173		.3727	.4942		—			15.7769
			.3865	.2145		.3165	.8788		.1380			1.9343
	田中央		6.4780	1.9487		1.0075	.0785			.0495		9.5622
			5.4417	15.4926		—	3.5516			—		24.4859
城	海口		1.9158	6.1168		.6717						8.7043
			—	—		—						—
	保力		36.7728	8.4235		1.4520	.5380		—			47.1863
			—	.4520		.0100	—		.2140			.6760
	射寮			1.0810		1.8854	.6120		6.1550	—		9.7334
				—		—	—		—	.0370		.0370
庄	四重溪		7.8388	6.4010		.3570	2.6453		—			17.2421
			—	1.1827		—	1.2228		.1635			2.5690
	計		98.9003	39.1251		7.5251	4.3680	6.1550	—	.0495	—	156.1230
			5.8282	24.7086		.5880	63.3350	—	.6730	—	.1095	95.2423

祭　346件
特　72件

祭 1件
相 6件
特 2件

満州庄						
満州	射麻裡	猪勝束	港口	响林	九個厝	九棚
				— .1285 — .2650		— .7561 — —
						— .6760 — —
			.0490 — — .0355			
			.0490 — — .0355	— .1285 — .2650		— 1.4321 — —

	地蕃					
計	牡丹灣	ナケシ社	クスクス社	チヨウカチライ社	パヨウ社	計
— .8846 — .2650						
— .6760 — —						
.0490 — — .0355						
.0490 1.5606 — .3005						

郡計
祭　598件
相　6件
特　83件
所管計
祭　13.581件
相　353件
法　250件
特　6.136件
計　20.320件

												林
恒春郡計		203.4599	100.2706		18.4922	11.7737	10.9680	.0125	.4570	—	348.3349	2.9010
		.8846	.6760		—	—	—	—	—	—	1.5606	—
		—	—		—	—	—	—	—	—	—	—
		6.7507	25.8016		.6170	33.4615	—	1.0170	—	.1095	97.7573	—
所管計		4.151.6145	1.679.2641	—	411.5306	87.4783	17.0198	.8659	16.5625	1.5930	6.374.3869	8.4582
		29.9191	35.8635	—	5.1304	2.0769	.2900	—	—	—	73.9228	.6429
		115.4115	14.6463	284.3170	1.5968	.6706	—	—	—	—	450.2119	33.5697
		2.288.4021	835.7995	3.0830	41.8489	186.3230	20.7670	27.1249	8.2998	.7093	3.431.7424	19.0520

公園
—
—
—
特　.3329

備　考

區分の內、相續未定地は未相續にして一時管理人を附せるもの

法は神明會

特法は祭祀公業及神明會の何れにも屬せさるものにして一種の公共的性質を有する團體なり（財團法人に準すへきもの）

(四)　大正十四年の調査

(五)　昭和三年の調査

法務關係に於ける右兩年度の調査によつて、祭祀公業の財産特に土地建物について其登記を了したるものについての詳細を知るの便を得た。其の調査は微細の點にまで注意の行屆いたものであることは、集計表の次に附したる一二の文書によつても了知せられ得ると思はれる、疑問の點を一々質して其の回答を求めて居るのを見ても其全班が知れやう。

昭和三年十一月　　各○○○○長宛　　△△課長

各祭祀公業の名稱及其所有に係はる土地、建物の箇數、甲數、坪數並に之が保存登記、課税標準價格に付登記官廳毎に御調査の上來る十一月二十日迄に當課到着の見込を以て御提出相成度右照會す。

追而本件は差懸りたる必要有之曩に大正十四年中本照會事項中の御調査を相煩はし候へども其後の異動も可有之且調査事項も幾分擴張致候間右御含の上特に大至急御願申上候

尚登記官廳別に集計を付せられ度申添候

かくの如き調査表によつて次表昭和三年十一月調は出來上つた。

祭祀公業調査書

△△△△△△××出張所

名稱	箇數 土地	箇數 建物	甲數（甲）	坪數（坪）	保存登記課税標準價格（圓）
殷鍾秀	畑三		一一二五		一二三
〃	建？		一一五五		一一六
殷笑	建一		四四四五		四四五
殷通	畑一		四九六○		四九六
呂茂德	田二		七○三○		九○○
呂君寧	建二		一○三四五		一、○三四
呂江生	田一三		六一○○○		六、七一○
〃	畑？		二二九三五		二、○六四
呂蟳	田一		一一四六○		一、○三○
呂早	畑一		一三五七○		九五○
盧玉	建二		一一三五		一○二
盧其爲	田三		六四二○		七○六
范芳	畑一		二二九五		一八四
白盒	建二		二九○五		二六一
〃	墳？		一二二五		｜
方光掌	建一		二四一五		二一七
方主	建一		五二○五		四六八
方志明	墳一		○三九五		｜
彭晩	建一		○七七五		六二
董阿杭	畑二		一八七八		一六七
〃	建？		五九三七		四七五
塗云	畑一		一二三三○		一、二三三

備考

課税標準取調に付大正六年以降は申請書類等により價格を記入し明治三十八年より大正五年に至る申請書其の他取調を要する書類存せざるを以て現今取扱つつある土地等則基準價格表等を參酌し課税標準價格を記入せり尙本祭祀公業所有不動產は全部田は甲當六百圓乃至千三百圓畑甲當六百圓乃至千二百圓建物敷地甲當七百圓乃至二千圓原野甲當百五十圓乃至三百圓山林甲當五十圓乃至三百圓池沼甲當百圓乃至三百圓養魚池甲當二百圓乃至五百圓雜種地甲當四百圓建物一坪十圓乃至三十五圓にして土地、建物個數、甲數、坪數課税標準價格は祭祀公業各自所有不動產の各地目甲數價格を合算したるものを更に合算したるものなり。

祭祀公業調

昭和三年十一月調

管轄地方法院	祭祀公業數	土地 登記箇數(筆)	土地 甲數	土地 價格	建物 登記箇數	建物 坪數	建物 價格
臺北	二、八二二	一八、六二九	甲 六、二八二弱	圓 一〇、八〇八、六五九	六一	坪 三、一三三	圓 三六、二六四
臺中	一、三五八	四、七五六	二、〇二九強	三、七二六、七七八	五七	一、二九六強	六五〇
臺南	七、三一二	二〇、七四二	九、五〇七弱	一〇、八八三、〇九二	六四六	一三、八七六弱	—
合計	一一、四九二	四四、一二七	一七、八一八	二五、四一八、五二九	七六四	一八、三〇五	三六、九一四

備考
一　價格中約二、三割は保存登記申請價格他は現今見込價格なり
二　土地及建物の價格にして地方法院より回答書に双方を合記しあるものは土地中に計上せり

右内譯を左に示すと、

祭祀公業調集計表

臺北地方法院

登記官廳	祭祀公業數	土地 登記箇數（筆）	土地 甲數	土地 保存登記課稅標準價格相當見込價格（圓）	建物 登記箇數	建物 坪數	建物 保存登記課稅標準價格相當見込價格（圓）	備考
臺北	三一五	一、五〇七	四六八 八八一四	二三九、二九七 〇〇	一〇	五六六	九、二三六 〇〇	
淡水	二二	四九〇	二三一 二七八三	二五三、七九八 〇〇	二	一三	一、二〇〇 〇〇	
基隆	四四	二九一	七五 七三一六	四七、六〇六 〇〇	—	—	—	
新店	一八六	一、〇〇〇	一八四 六八八四	一四九、九一三 〇〇	二六	一、一九七	三、五五〇 〇〇	
桃園	四七六	四、一七三	一、七二六 〇三九六	二三〇、二〇二 〇〇	二	一六七	二、八〇〇 〇〇	
中壢	二〇八	一、七〇四	七一九 三七一九	八五七、六三七 〇〇	七	四二三	六、四三八 〇〇	
新竹	六四八	四、六一九	一、一六九 八六九〇	三五四、九九九 〇〇	三	五八九	一一、七四〇 〇〇	
苗栗	五八一	三、三九四	一、一七七 一三二八	一三〇、九三〇 〇〇	二	六〇	一、三〇〇 〇〇	
宜蘭	二九八	一、四六五	五一三 三一五七	一三五二、四九二 〇〇	—	—	—	
花蓮港	二二	一三	四 五八九三	四、八〇八 〇〇	—	—	—	
玉里	—	—	—	—	—	—	—	
臺東	二二	一三	一〇 七七六五	六、九七七 〇〇	—	—	—	
計	二、八二二	一八、六六九	六、二八一 六六四五	一〇八〇八、六五九 〇〇	六二	三、一三三	三六、二六四 〇〇	

祭祀公業調集計表

臺中地方法院

登記官廳	祭祀公業數	土地 登記箇數(筆)	土地 甲數 (甲)	土地 保存登記課税標準價格相當見込價格 (圓)	建物 登記箇數	建物 坪數 (坪)	建物 保存登記課税標準價格相當見込價格 (圓)	備考 價格、保、相 (圓)
臺中	三二一	一、三〇九	六二三 九五四六	相一、三九三、一七四 〇〇	—	—	—	
大甲	一五	一六二	一〇二 九五九六	五六、二七二 〇〇	—	—	—	
東勢	一〇三	四二三	一〇八 六三二六	一三四、五七三 〇〇	二	三一、六二	六五〇 〇〇	
彰化	一三一	三六二	一三四 二三四六	八七、〇一四 〇〇	四〇	六九一	—	(二九八、五一六)
員林	二二五	三八〇	三八九 二七五四		二	三〇〇		(一七、九〇六 一、〇八六、一三一)
北斗	三六五	七七五	二三四 七五六八		三	四七、一〇		(四〇、六六四 三〇〇、〇八五)
南投	二二五	八三〇	三八九 二七五四		二	三〇		(二三八、〇二七)
埔里	三	一八	二二 二九七〇		三	一三九、二二		(二一、一七一 七、一〇五)
竹山	九	四九	三七 一〇六〇		五	五七、二四		(五六、一四〇)
計	一、三五八	四、七五六	二、〇二九 三八二〇	一三四、五七三 〇〇 一、五三六、四六〇 〇〇	五七	一、二九六、一七	六五〇 〇〇 —	相(三一七、七六八 保(一、七四七、九七七

祭祀公業調集計表

臺南地方法院

登記官廳	祭祀公業個數	個數 土地	個數 建物	甲數		坪數		價格		摘要
臺南	五三六	一、二六九	一三六	四三二甲	五〇五二	三、五三七坪	八一三	五九一、七四一円	〇〇	
嘉義	六五〇	一、五〇〇	五	七二八	五三二二	三四〇	八三五	八三七、四五四	〇〇	
斗六	九九	三六九	二	二六四	八七〇六	五〇	八一〇	三四八、七九九	〇〇	
虎尾	四七	一八四	—	一三九	二六一四	—	—	一八五、三〇〇	〇〇	
北港	九七	一三六	四	九九	一一三一	六六	四九〇	四八、八四〇	五七	
朴子	一一三	三〇九	二	一七一	〇三五五	一五二	四〇〇	一三、二八六	〇〇	
鹽水	七六一	一、八三三	一一	九二四	九四六一	三六三	六五〇	八八四、三五一	〇〇	
麻豆	一、三七二	二、九九三	九二	一、〇九四	五二六七	一、三二八	一三七	一三八、六七一	四二	
新化	八六六	三、六六六	三五	一、七九八	五七二九	一、一四九	二五七	一〇一九、〇四三	五〇	
岡山	一四	一六四	一	八〇	四一七三	四四	五五五	六九、〇六三	一一	
高雄	六六	一〇八	一一	三三二	六五四七	五一一	〇〇〇	九五、六二〇	〇〇	
鳳山	三七一	八五一	二八六	三五八	五七八一	三、三〇六	一一三	四三四、八七〇	九二	
東港	二九〇	七九〇	九	三三八	四四二六	一、四一六	〇三〇	三九八、三六八	〇〇	
恒春	一九三	六〇二	一四	四二二	〇四五三	三八〇	四七〇	三四一、一三一	〇〇	
屏東	一、七六五	五、六七九	三七	二、五三一	〇九八五	一、二六二	二九〇	四、一五八、一三〇	〇〇	
旗山	六三	二六八	—	九五	八五三五	—	—	一二六、七八九	三六	
馬公	九	二二	一	五	二六三〇	六六	〇〇〇	一、六三三	〇〇	
合計	七、三二二	二〇、七四二	六四六	九、五〇六	七〇四七	一三、八七五	八四九	一〇、八八三、〇九一	八八	

祭祀公業調兩年度比較

登記管廳	公業數 大正十四年調	公業數 昭和三年調	土地筆數 大正十四年調	土地筆數 昭和三年調	建物個數（登記） 大正十四年調	建物個數（登記） 昭和三年調	備考
臺北	二九五	三二五	一、六三二	一、五〇七	三	一〇	
淡水	二四	二二	四八四	四九〇	五	二	
基隆	三六	四四	三三四	二九一	—	—	
新店	二〇一	一八六	九四九	一、〇〇〇	六	二六	
桃園	四七九	四七六	四、三三五	四、一三三	二	二	
中壢	二八一	二〇八	二、一三五	一、七〇四	三	七	
新竹	六四九	六四八	四、六八八	四、六一九	一三	一三	
苗栗	五七二	五八一	三、四七二	三、三九四	一	二	
宜蘭	二三八	二九八	一、三三二	一、四六五	—	—	
花蓮港	一〇	三	二四	一三	—	—	
玉里	—	—	—	—	—	—	
臺東	三	三	九	一三	—	—	
計	二、七八八	二、七九四	一九、二六三	一八、六二九	三三	六二	
臺中	二七八	三二一	一、三七六	一、三〇九	—	—	
大甲	一五	一五	八〇	一六一	—	—	
東勢	一一八	一〇三	五一三	四二三	二	二	
彰化	一三三	一三二	三五六	三六一	二九	四〇	
員林	—	二二五	—	八三〇	—	二	

北斗	九〇	三六五	三六八	七七五	一	三
南投	八七	二一五	二三九	八三〇	—	二
埔里	一	二二	一	一八	一	三
竹山	六	九	三	四九	—	五
計	七二八	一、三五八	二、九六五	四、七五六	三三	五七
臺南	八〇五	五三六	一、八七二	一、二六九	三二	一三六
嘉義	一、一七五	六五〇	二、九四〇	一、五〇〇	—	五
斗六	二三二	九九	六九四	三六九	三九	二
虎尾	二二〇	四七	五八七	一八四	四	—
北港	四	九七	五	一三六	—	四
朴子	一二三	一一三	四二六	三〇九	五	二
鹽水	七一九	七六一	一、八七〇	一、八三三	一六	二
麻豆	一、七一七	一、三七二	四、二七四	二、九九三	九七	九二
新化	九六一	八六六	四、三〇一	三、六六六	三三	三五
岡山	△一、三一二	△一四	三、五三七	一六四	二四四	一
高雄	八五	六六	一五八	一〇八	三	二
鳳山	六〇九	三七一	一、五三三	八五一	九三	二八六
東港	五八一	二九〇	二、九二七	七九〇	四	九
恒春	四〇	一九三	一一七	六〇二	—	一四
屏東	一、五八九	一、七六五	八、三六七	五、六七九	一〇	三七
旗山	一八	六三	七二	二六八	—	—
馬公	六	九	一八	三	—	一

合計						
計	二、二〇六	、七、三三二	三三、六九六	二〇、七四二	八六九	六四六
計	四、七三三	二、四六四	五五、九二四	四、一三七	九三五	七六四

△岡山につきては次頁参照

昭和三年十一月廿六日　丁庚　殿　丙

先般祭祀公業に關する諸事項御調査相煩し候處左記の箇所は大正十四年と本年との兩調査間に差異不尠之は主として如何なる事由に基くものなりや再調御回示相成度右照會す。

左　記

	大正十四年	本年		大正十四年	本年
北斗	九〇	三六五	麻豆	一、七二七	一、三七二
南投	八七	二一五	岡山	一、三一二	一四
臺南	八〇五	五三六	鳳山	六〇九	三七一
嘉義	一、一七五	六五〇	東港	五八一	二九〇
斗六	二三二	九九	恒春	四〇	一九三
虎屋	二二〇	四七	屏東	二、五八九	一、七六五
北港	四	九七	旗山	一八	六三

昭和三年十一月廿六日　甲殿　乙

（省略）……岡山山張所にては登記簿上に祭祀公業と明記しある分のみに限定して調査を進め候結果大正十四年調書のものに比し非常の減數を示し候樣の次第に有之右は全く照會の趣旨を誤解したるものに付更に此際急速

調査せしむることに取計ひ置候間右御了承被成下度尚祭祀公業數に於て前回調書に比し概して減少を示したるは左の事由に基因するものに有之御參考迄に申添候

一、前回祭祀公業として調査したるもののうち神明會其他の共有關係に屬せるものあり今回は之を除外したること

一、前回調査の際相續未定地たりしものあり調査後相續登記を爲したるものあり

一、前回調査に公業名稱を重複記載したるものあり

一、前回調査後祭祀公業を解散したるものあり

一、祭祀公業の財産を他に賣渡したるものあり。　以上

昭和三年十一月二十七日　丙殿

本月二十六日付……號を以て御照會に係る祭祀公業調査に關する件左記の通り回答候也

記

一、祭祀公業個數の減少したる理由

（イ）前回祭祀公業として調出したるもののうち神明會其他の共有團體に屬せるものあり今回は之等は除外して調査したり

（ロ）前回調査の際相續未定地たりしものあり調査後相續登記を爲したるものあり

（ハ）前回調書に同一名稱を重複記載したるものあり

（ニ）前回調査後祭祀公業を解散し又は公業財産を他に賣却したるものあり

二、祭祀公業數の增加したる理由

（イ）前回調査に於ては死者名義に公業を冠しある分は除外したるも今回は之等祭祀公業に屬するものは悉く調出したり

（ロ）前回調査後に於て保存登記を爲したるものあり　以上

追而、岡山出張所分は調査の主旨を誤解せるものあるを發見したるに付き再調を命じおき候條調査次第追送可致候

昭和十三年十一月二十九日　丙殿　庚

本月二十六日附……號を以て祭祀公業に關する諸事項に付曩に調査したる南投及北斗出張所分大正十四年と本年との兩調査間に於ける差異に付御照會の趣き了承調査候處公業若くは祭祀公業とあるものの內、調査者に於て適宜考慮の上調査したるものに付調査者の調査方針の相違により自然差異を來したるものと思料せられ候右及回答候也

（六）昭和四年員林郡管內之調査

員林郡管內公業調査は昭和四年二月末現在に於て、桑原政夫氏（當時員林郡守）によつて爲されたものであり、精密なものである。次に示すが如き調査報告書を基礎としたものであつて茲にその一例を示す。（全部に渉つての調査報告書は十三行罫紙六十二枚に及ぶものであり、全島に渉りかくの如き方法を採るときは、正確なる描寫圖を得ることと思はれる）

調査報告書の一部

名稱	種別	所在地	管理人住所氏名	派下員數	公業財產	摘要
蕭滿太	祭祀	社頭庄石頭公	社頭庄石頭公二一〇 蕭城土	郡內 二七五 郡外 三	田 一九、八四六〇甲 畑 〇、〇七〇四 建 〇、二六三三 養 〇、一三六七 現金 四、〇〇〇圓	八十歳以上ノ者ニ年六圓宛、七十歳以上ノ者死亡時六圓宛送ル。島內中等學校在學者ニ年十二圓宛、同卒業ノ時六十圓宛及內地留學生ニ年二十圓宛送ル。
			同所 蕭倫順 死亡ニ付代表者 右蕭城土		建 〇、〇五三〇甲	
			同所 蕭三和 死亡ニ付代表者 右蕭城土		田 〇、一五六八甲 畑 〇、〇六〇四	
蕭神主座	祭祀	社頭庄石頭公	社頭庄石頭公二七七 蕭載福	郡內 一、二〇〇 郡外 二五〇 支那 三〇〇	田 五、〇九一五甲 畑 〇、二九五五 現金 五、〇〇〇圓	支那ニ在ル廟ノ維持及祭祀資トシテ年々若干宛送ル、訴訟中
張榕池	共有	社頭庄張厝	社頭庄張厝一七二 張義連	郡內 三〇	田 〇、四九六五	毎年配當
饒豐社	祭詞	員林一四九番	員林一四九 張鐘	郡下 一五	田 〇、三八九〇	年一回管理人ハ派下ヲ集メテ祭詞ヲ行フ（三山國王廟）
國聖會	祭祀	二水庄鼻子頭 二六五 二三三ノ一 二三一ノ一 二三一ノ二 二二七ノ一 二二七ノ二	二水庄鼻子頭二〇〇番地 鄭猛	郡內 七 郡外 ナシ	田 〇、二五〇〇 畑 〇、二七〇〇 事實ハ殆ンド畑トナリ居ル。其他ナシ。	同一ノ公業ガ領臺前紛爭ノタメニ分離シ二分サレ各々管理人ヲ定メ公業地ハ派下ノ者等分耕作シ居リ管理人ニ於テ收租、諸税諸費用淸算シ居リ目下ノ處問題ヲ見ズ。
		二水庄鼻子頭 二三〇 二二八ノ一 二二八ノ二	二水庄鼻子頭二九三 鄭貫世	郡內 四 郡外 ナシ	田 〇、一七〇〇 畑 〇、三六〇〇 其他ナシ	前記ノ分レニシテ公業地ハ派下ノ者等分シテ耕作シ居リ諸税諸費用ハ耕作者ガ耕作面積ニ應ジテ負擔シ居リ、現在ハ何等ノ問題ナク圓滿ナリ、訴訟提起セシコトナシ。
陳洗	祭祀	埔鹽庄 埔鹽 六八二	同上 陳却	郡下 一一	建物一棟（三〇〇圓） 田 一、一〇六〇甲 動產ナシ	派下ノ土地贌耕料收入一九八圓 公課 三〇圓 祭祀費一〇〇圓 墓地手入六八圓 }支出一九八圓 訴訟提起ナシ
江厚朴	祭祀	三塊厝	員林街三塊厝三四五 江南	五五	田 二、二〇〇〇甲	毎年收獲財物ハ全部分配ス。圓滿ニツキ問題ナシ。

員林郡管內公業調查書

昭和四年二月末調

家名	公業數	派下員數 郡內	派下員數 郡外	地積 田	地積 畑	地積 其他	地積 計
蕭家	一四七	二五、九七五	二、七二一（支那九〇）	甲五七二、四六八九	甲一七、八六二四	甲三三、四四四八	甲六二三、七七六一
劉家	八〇	一、九四〇	六七〇（支那一〇〇）	六〇、七六〇九	三、四八二四	五七、九五四九	一四〇、一九八二
張家	五五	一、三四七	—	一〇四、九四三七	六、〇八七九	四、五七五九	一一五、六〇六五
陳家	六四	八五九		八〇、一〇七四	二二、二七二八	二五、五三五六	一二七、九一五八
邱家	一九	一一〇		一三、八〇一〇	二、六六九五	三、二五三七	一九、七二四二
潘家	一四	二九		、三九四八	、二六二五	、五六六四	一、二二三七
輀家	八	六二〇		五一、九八〇〇	、三八二五	、三〇八〇	五二、六七〇五
趙家	二	七		一、一五一〇	、三一六六	一、一八二九	二、六五〇五
謝家	一	三		二、〇三四四	、六〇〇〇	、二〇〇〇	二、八三四四
呂家	二	一六		一、四六三五	—	、九〇九五	二、三七三一
翁家	一	九		—	—	一、四二一五	一、四二一五
吳家	七	五九		一三二、八二七四	八、六九〇一	一、六〇九六	一四三、一二七一
江家	一〇	五六三		二七、五〇三〇	二、二九八九	六、二七二八	三六、〇七四七
施家	七	一一六		一、二八二五	六、一五七五	一、三三三〇	八、七七三〇
黃家	一〇	三九五		二四、一〇五六	五、七〇八九	一、四六〇二	三一、二七四七
游家	九	二二〇		一三、二〇〇〇	—	—	一三、二〇〇〇
曹家	三	二四		—	—	山林 二、〇〇二五	二、〇〇二五
林家	七	七〇		一、五二三二	一、五〇〇七	〇、九六八一	三、九九二〇

詹家	一五	一五〇		三、一四六四	二、六〇七四	二、三五五二	一八、一〇九〇
姚家	四	三		一、六〇一〇	、〇九〇五	、四六四七	二、一五六二
揚家	二	二〇		三、一七五二	、四三四七	、三七三〇	三、九九二九
王家	二	二〇		、八一八〇	—	、〇九六五	、九一四五
許家	二	二九二		五、九一四〇	—	、二〇〇〇	六、一一四〇
巫家	一	一七		—	一、〇五〇〇	、七六〇〇	一、八一〇〇
胡家	三	四七		—	三、七二九〇	一、四二五〇	五、一四四〇
李家	一	一〇		〇、五〇三五	—	—	、五〇三五
周家	二	二〇		二、五八八〇	、八二四〇	、〇三七五	三、四四九五
高家	三	三〇		一、五四三五	三、五六二五	一、〇八三〇	六、一八九〇
鄭家	三	五七		—	一、四四三〇	、三八一五	一、八二四五
盧家	一	一〇		—	、七三〇〇	、二〇七〇	、九三七〇
郭家	一	一〇		、一七七五	、〇八六五	、一〇一五	、三六五五
朱家	一	一〇		—	、三三三五	、一〇七五	、四三一〇
何家	一	一〇		—	、八九四五	、三〇四五	一、一九九〇
除家	一	一〇		、〇三三四	、三三三〇	、二九二五	、六三八九
合計	四七九	三、三二六		一、一二八、〇三六八	一三、七四六三	一五二、一六八八	一、三八一、九四一九

備考（郡下、祭祀公業合計一、三八一甲九四一九（州ノ三割六分強ニ當ル）
　　（臺中州下　〃　合計三、七七三甲

（七）　昭和十年の調査

昭和十年の調査の結果を次表にて示す。

全島祭祀公業不動産登記調（昭和十年五月末日調）

登記所	祭祀公業數	登記個數		土地甲數	建物坪數	土地建物現在見込價格
		土地	建物			
臺北	三二一	一、七〇〇	一〇	四七三、六四〇七甲	五六六坪	一、五三二、二八一圓
新竹	四七二	三、八六四	一二	九三二、八八四〇	五九八	二、八五三、九三四
宜蘭	六五	四〇二	—	一八七、二〇四三	—	四二七、五九九
淡水	二〇	二〇二	五	九七、二八一九	一三二	八二、六四三
基隆	五四	三一七	一	九七、一一五一	六六	五七、五五八
新店	二〇九	一、〇三五	二七	一八一、三〇七〇	一、一三六	二〇四、四一七
羅東	三五	二八七	—	一四二、一一一六	—	三〇八、八三〇
桃園	四四九	三、九三五	二	一、六八三、二七六五	一六七	二、〇八一、二九〇
中壢	二一一	一、五七二	四	六五五、七一八〇	二四四	八五六、二六九
竹南	一八二	一、〇一五	—	六四九、六四〇一	—	四二八、三一四
苗栗	四六三	二、八一二	二五	一、四〇二、二〇〇〇	一、〇三八	一、三二六、二〇四
花蓮港	三	一〇	—	三、三九九三	—	四、七九九
玉里	—	—	—	—	—	—
臺東	三	一四	—	一〇、七七四五	—	一三、七〇五
計	二、四七八	一七、一七三	八六	六、五一六、五五三〇	四、〇四六	一〇、一七五、八四三
臺中	一八九	九五六	一	五二五、〇九二九	五七	一、一六五、九六三
大甲	二四	三七八	三	一八九、二六七三	五八〇	三八七、四七〇
豐原	八二	二九五	一	一三五、八五五九	六四	五八八、四七
東勢	一二四	五〇四	三	一二七、一三九六	五一	四五五、九七九
彰化	一三三	三七三	二九	一三七、三三〇九	三〇五	三二二、七三三
員林	三四〇	一、五九五	—	八〇七、三七〇八	—	二、八一三、四五四
北斗	二六〇	五四三	三	一五二、五六三一	四七	二八七、三七三
南投	二八一	九九三	一	三七二、二八七四	七八	六六一、二八二
埔里	五	一二	一	一五、五〇八七	七九	二七、一七〇
竹山	二五	一六五	—	八八、二七一五	—	一三〇、五九五
計	一、四五二	五、八二三	六二	二、五五〇、六七八一	一、二六一	六、八三〇、四八九

臺南	四二八	九三六	八〇	三四一、九九三二	二、二八五	四四三、三〇九
嘉義	五九〇	一、四五五	四	七〇〇、四八六	一四三	七九三、三〇〇
高雄	一	二	—	〇、〇二四六	—	二一〇
斗六	五三三	五〇九	一三	三三、〇二一三	四一五	三九六、六四八
虎尾	三九	一五三	—	一五、八九八一	—	一三六、〇七〇
北港	八九	一二六	四	九五、八九七五	六六	六一、四三七
朴子	二六五	五三三	五	二七九、二三四二	一八四	二一六、八四七
新營	八六八	二、三二四	五一	九九三、三二〇〇	七七二	九六二、三九二
麻豆	八二一	二、六六一	三三	一、三六四、〇八〇二	一、一九六	一、三六七、一六一
佳里	五二	九六	—	三〇、三〇八	—	三〇、〇二九
新化	六九二	三、三七九	一七	一、五九一、九六八四	一、〇六五	一、五九五、二五六
岡山	一、〇二六	二、一五三	一九三	八八八、一六八九	二、七〇二	八〇九、六八九
鳳山	三八九	九五二	一九	三六六、九八五五	三、四九二	五二〇、六〇七
東港	一〇一	一五九	九	一九八、一二四〇	一、六三二	二七七、七九五
春	三八	一〇三	—	九七、八六〇〇	—	四九、五一二
屏東	三三三	九八一	四	四八四、五三五八	七八	七九六、〇四〇
潮州	四八六	三、〇六九	一一	八六八、〇八三六	一、三四八	一、〇〇四、六四〇
旗山	一二	六六	—	一、二六四〇	—	二九八
馬公	六	一五	—	三、四八七〇	—	二、二三〇
計	八、七七七	一六、六六八	四八〇	八、六七二、一三五四	二四、三七五	九、四六四、〇七〇
合計	一〇、八六七	四一、八二五	六一〇	一七、七三九、三六六五	二九、六八三	二六、四七〇、四〇二

備考　持分に關する計數は幾分正確を缺くものなしとせずと思料す（卽登記所の回答を推して）

（八）昭和十一年花連港廳の回答

祭祀公業現況について照會したるところ昭和十一年五月二十八日左の如き回答を得た。

一、祭祀公業數　合計三

内譯　平野區十六股　一　平野區軍威　二

二、左表に依れば公業數は結局二である。

土地所在	地目	甲數	筆數	權利者	管理人住所氏名	備考
平野區十六股	田	二甲五四九五	七	祭祀公業黃江夏	新社區水璉尾、黃多追	軍威、黃江夏に同じ
平野區軍威	田	〇一二五三	一	右に同じ	右に同じ	
平野區軍威	田	〇七〇六五	三	祭祀公業黃德興	右に同じ	

附記　大正十三年迄、右の外に瑞穗區拔子に金和成祭祀業ありしが土地の所有權を悉く他に移轉し現在存否不明なり。

三、管理方法は管理人一任であつて派下輪流でない。

四、設定沿革　今を距る約百年前（記錄なく關係者の申立に依る）創設、當時派下は拾三人であつて歷代の祖先を享祀するは勿論既に絕房したる三十三人をも併せて祭祀する、黃江夏の江夏は黃と謂ふ姓の稱である。尙別個の黃德興は黃江夏とは同一體のものであつて祖先名を其儘につけたのである。

五、設定字はない

六、派下現在數は十九名である。

七、收入の處分方法　祭祀費に支出したる殘額の處分等は如何といふに、小作料として年に在來籾三十一俵及現金三十六圓の收入あり、公祖公課及祭祀の費用に充當して殘餘あるときは、管理人代理人(實際は、黃多追は新社區水璉尾の僻地に在りて常に代理人をして管理せしめて居る)の報酬、又は各派下に分配する

八、祭祀は年に七回之を營み、平均一回十圓として七十圓の費用を要するを通常とする。

九、派下に分配すべき場合は創設當時の十三人を標準として均分する

一〇、管理人の選任は選擧の方法を用ひ、其の報酬及び任期の定めはない。

以上

(九)　臺中州に於ける調査方法

臺中州に於ては昭和十年六月より左の如き調査カードを各街庄に配付し其記入を求め之を綴合して臺帳となし、祭祀公業調査資料と爲しつゝあるやに仄聞する。（美濃判大のカード也）

（表）

名稱	目的	設立月日	管理人					規約の有無	現在派下員數	備考
			住所	職業	氏名	就任年月日	報酬			
沿革										

（裏）

土地所在の					
地番					
地目					
等則					
甲數					
見積價格					
小作料又ハ貸付料					
備考					

祭祀公業の調査は行政官廳が職權調査を爲さねば駄目である。街庄の人たち

に委任したのでは夫々公業に種々の意味合に於て關係があるので、ともすれば正確を缺き易い。調査費用の一部は夫々の公業で負擔しても結構であるといふ派下の人達も相當にある。蓋し、總派下の探査の爲めに數年を要し、對岸の舊郷迄も調査した經驗を有つ眞面目な派下としては、さもあるべき言である。

（一〇）祭祀公業地小作慣行調査書

昭和四年員林郡營内調査に際して桑原政夫氏はまた小作慣行調査をも企圖せられてゐた、その項目を示すと、

調査者
調査地
調査期日
被調査者

第一、調査郡市ニ於ケル祭祀公業概況

（一）祭祀公業數　註（以上下欄ニ記入スベク三分ノ二ヲ空白トナシアレドモ玆ニハ項自ノミヲ揭グ）

一　祭祀公業數　一　福建種族ト廣東種族ト何レニ多キカ　一　右ノ割合

（二）祭祀公業地面積

一　祭祀公業地面積及全面積ニ對スル割合a田b畑c山林原野建物敷地　一　祭祀公業地ニシテ登記上私有

地トナレルモノナキヤa其原因b其面積

（三）祭祀公業の沿革趨勢

一 設定目的 一 設定者 一 設定方法（（五）ノ派下の資格參照） a鬮分ノ際抽出 b子孫私產設定 1出資方法 2出資額ト房份ノ關係 c寄附設定 1享祀者ト寄附者ノ關係 2派下ト寄附者ノ關係 d無嗣子又ハ嗣子無能力ノタメ 1享祀者自ヲ設定 2死後親族協議設定 e其他 一 最古ノモノノ設立年時 一 沿革 一 最近ノ趨勢

（四）最大ノ祭祀公業ノ例

一 名稱 一 所在地 一 派下數 一 財產 一 設立年時

（五）派下ノ權利義務

一 資格（（三）ノ設定方法參照） 一 權利 a種類 b性質 c讓渡要件 一 義務 a種類 b性質 c公業債務ト派下ノ責任 一 房份 a其地方ノ呼稱 b性質 一 大房ト小房 a大房小房ノ意義 b大房小房房份 一 脫退 a脫退ノ有無 b原因 c手續 d效果 一 派下名簿調製ノ有無

（六）派下總會

一 組織 一 權限 一 決議事項 一 決議方法 一 關係手續及成立要件 一 開催時及場所

（七）管理人

一 專任管理ト輪流管理ト何レガ多キヤ 一 右割合 一 專任管理人 a登錄管理人トノ關係 b專任管理人トナル事由 c選任解任手續 d權限 e義務 一 輪流管理人 a登錄管理人トノ關係 b輪流管理人トナル事由 c管理期間及交代時期 d交代ノ手續 e輪流順序 f權限 g義務 一 管理人ハ收支決算

報告ヲ爲ス事　一　管理人二人以上ナル場合ノ權利義務關係如何

（八）　祭祀ノ執行方法

一　祭祀ノ種類、度數　一　祭祀執行者　一　祭場　一　祭費　a額　b支出方法

（九）　財産ノ管理

一　財産ノ種目　一　財産目錄調製ノ有無　一　設定字中財産管理ニ關スル記載事項　一　實際ニ於ケル管理方法

（十）　財産ノ處分

一　設定字中財産處分ニ關スル記載事項　一　處分ノ有無　一　原因　一　方法　a出賣（一部又は全部）　b贈與　c交換　d分割　e出胎　f出典　g歸就（歸管）　一　手續　一　效果

（十一）　財産ノ使用及收益

一　使用財産ノ種類　a土地　b建物　c其他　一　使用方法（a共同使用をナスモノ　b分割使用ヲナスモノ）　一収益財産ノ種類（a土地　b建物　c其他）

一　收益方法　A共同經營　a實例アリヤ　b右ノ方法（1勞力經營費ノ支出方法　2收益ノ處分法　3其他）　B賃貸　a賃貸方法（1土地ノ場合（第二デ調査）　2建物ノ場合　3其他）　b賃貸料取立　C賃貸料處分（1祭祀費　2其他負擔）　3殘部ノ處分法（イ、公業ニ編入スルモノ　ロ、範理人收得スルモノ　ハ、派下ニ分配スルモノ　ニ、右ノ分配方法）

一　收益ガ祭祀費及其他ノ負擔ニ不足セル場合ノ處置

第貳、祭祀公業地ノ小作慣行（省略）

以上。

以上の案を參考にして筆者は次の如きカードを作製して見た。區分方法に於て當を得ぬところも多いと思ふが參考のために茲に示しておく、諸賢の叱正を乞ふ次第である。

（表）　適宜の箇所にカード番号を入れる

名稱	祭祀公業……
所在地	
目的	
調査年月	
調査員	

管理人

一 專任、輪流の別	二 選任解任の方法	三 權限	四 義務	五 輪流の順序	六 輪流交代方法	七 員數	八 氏名	九 住所

派下

房數			員數	各房房份
大房	小房	合計		

派下總會	使用收益權

公業財產

管理方法	處分方法	種類

祭祀

祭場	執行者	祭費	支出方法	忌祭種類

（裏）

沿革								
設定年月	設定目的	享祀者	設定者	設定方法				經過及現況
				鬮分	子孫私産	寄附	其他	
					出資額と房份との關係	寄附者と享祀者との關係		

小作關係														
小作人員數	資格	選定者	小作料	小作地轉貸	佃頭と公業の關係	小作契約								
						業主名	登記有無	締結時期	履行時期	更新	期間	保證		
	制限、無制限、優先	算理人、派下總會	額、種別									定頭金	磧地金	

註

第一　祭祀公業の意義及其範圍

（一）井出季和太氏、臺灣公業の起源（臺灣月報二十三卷十一號二頁）

（二）安藤靜氏、臺灣に於ける公業（臺灣慣習記事五卷八三四頁）

（三）井出氏、前掲

（四）典海三四六頁

（五）臨時臺灣舊慣調査會第一部調査第二回一卷七五五頁（略稱二ノ一ノ七五五頁、以下倣之）

（六）一ノ上ノ四六二頁

（七）二ノ一ノ七五五頁

（八）臺灣土地調査局、臺灣土地慣行一斑七〇頁

（九）二ノ一ノ七五六頁

（一〇）同旨、王藍玉氏——臺灣慣習記事五卷八三五頁（略稱以下倣之、慣習五ノ八三五）
同旨、安藤靜氏——慣習五ノ八三五、八三六頁

（一一）津田毅一氏——臺灣總督府第二回評議會議事錄（略稱評二回）

（一二）伴野喜四郎氏——公業廢止論（臺法月報一ノ九ノ二）

（一三）和田一次氏——（評四回一五頁、林熊徵氏の質問に對する答辯）

（一四）一戸次郎氏——（評五回一七頁）

（一五）一戸次郎氏——（評五回三九、四〇頁）同旨、李崇禮氏（評五回四二頁）

（一六）三ノ一ノ下、三五二、三五三頁
（一七）姉齒松平氏――祭祀公業論二七頁
（一八）和田一次氏（評四回一五頁）
（一九）三ノ一ノ下四〇五頁參照
（二〇）姉齒氏前揭二九頁
（二一）姉齒氏前揭一五七――一五九頁

第二　祭祀公業設定の原因と其方法

（一）臨時臺灣舊慣調查會第一部調查第三回報告書第一卷下三九八頁（略、三ノ一ノ下三九八以下倣之）
（二）二ノ一ノ七五八頁
（三）姉齒松平氏、祭祀公業論、二四頁
（四）上內恒三郎氏、月報二ノ一〇ノ三二頁
（五）河田嗣郎氏、家族制度研究二〇三、二〇四頁
（六）臺灣覆審法院判例、明治四二年控民四七〇號
（七）中野顧三郎氏、月報四ノ三ノ三三頁
（八）三ノ一ノ下附錄書三三六頁、祖父生存中鬮付字を以て三子に鬮分したるもの
（九）桑原政夫氏稿本より抄寫
（一〇）鐘郭朗氏藏より抄寫
（一一）三ノ一ノ下附錄書三五〇頁第二十一
（一二）三ノ一ノ下附錄書三七〇頁第四十一

（一三）（一〇）と同じ

（一四）三ノ一ノ下附三五四頁第二五

（一五）三ノ一ノ下附三五六頁第二七

（一六）三ノ一ノ下四〇九頁（附ニアラズ注意！）

（一七）三ノ一ノ下附、二九九頁

（一八）三ノ一ノ下附、三五七頁

（一九）姉歯氏、前掲六頁——十一頁

（二〇）杉本榮次氏、祭祀公業を廢止すべし、月報十五ノ一ノ二一頁

（二一）伴野喜四郎氏、祭祀公業廢止論、月報十五ノ九ノ二頁

（二二）穗積八束進講錄一九五頁、Fustel de Coulanges, La Cité, antique chap. IV La Religion Domestique. p. 34—35.

（二三）中樞院——譯文大典會通一九五頁以下

（二四）大正三年三月四日京城覆審法院民事第三部裁判長照會中樞院回答

（二五）穗積陳重氏、進講錄七一頁

（二六）二ノ一ノ七六四頁

（二七）三ノ一ノ上三九八頁

（二八）桑原政夫氏、蕭十一甲公業史稿中より

第三　祭祀公業の法律上の性質

（一）杉坂氏、評四回、大正十二年十一月

（二）和田參列員——評四回七頁以下四二頁、一戸參列員、五回八頁以下

相原祐彌氏、六四三頁以下

（三）姉齒氏、前掲四頁

（四）小島由道氏、月報五ノ五八頁、

（五）三ノ一ノ下四〇一頁――四〇三頁

（六）一ノ上ノ四六三頁以下

（七）守田次人氏、月報二三卷五號三三頁

（八）小島由道氏、公業の權利主體、月報五卷三號四九頁

（九）二ノ一ノ七五七頁

（一〇）上内恒三郎氏、支那法系の法制及慣習の認めたる財產制――慣習記事六卷一〇四、一〇七以下

（一一）安藤靜氏、前揭、記事七ノ八ノ七三八頁

（一二）二ノ二ノ上三九三頁

（一三）二ノ二ノ下三二五、三〇二頁、眇田熊右衞門、合爲關係と祭祀公業――月報四卷二三頁

（一四）筒井雪郎氏、家及承祧繼承（法曹雜誌三ノ四、六二九頁）

（一五）石田文次郎氏、合有論（法協四九ノ五八七頁）

（一六）三ノ一ノ下四〇三頁

（一七）和田一次氏、評二ノ八四頁

（一八）田村武七氏、評二ノ九八頁

（一九）赤石定藏氏、評二ノ五九頁

（二〇）一ノ一ノ四六五頁

（二一）姉齒氏、前揭三六頁――四〇頁
（二二）三ノ一ノ下四〇〇頁以下
（二三）安藤靜氏前揭、六ノ二ノ四頁
（二四）姉齒氏前揭七頁
（二五）姉齒氏前揭八頁
（二六）姉齒氏前揭四一頁
（二六A）昭和二、五、一三、高等法院上告部判決、判例集二八〇頁
（二七）姉齒氏前揭二七頁
（二八）二ノ二ノ上、三九二頁
（二九）谷野格氏評二
（三〇）高田富藏氏、藤井乾助氏、伊藤政重氏、質疑應答、慣習四ノ六九八頁
（三一）東海林稔氏、本島小作改善事業と祭祀公業（臺灣農事報別刷二五頁）
（三二）姉齒氏、前揭四〇頁
（三三）拙稿、法政公論第五號十二頁
（三四）臺南、許廷光氏談、潮州郡內埔、鍾郭郎氏談
（三五）黃純靑氏、評五、二〇頁
（三六）黃純靑氏評五、二一頁
（三七）三ノ一ノ下四三五頁
（三八）臺南、許廷光氏談

（三九）三ノ一ノ下附錄書四〇一頁第六八

（四〇）右ニ同ジ第六九

（四一）三ノ一ノ下附錄書第七〇及三ノ一ノ下、四四一頁

（四二）同旨、安藤氏、記事、五ノ九二四頁

（四三）三ノ一ノ下四三五頁

（四四）石田文次郎氏、法律學辭典一六七〇頁

（四五）石田文次郎氏、土地總有權史論一二五頁

（四六）Sohm, Die deutsche Genossenchaft. s. 31.

（四七）石田文次郎氏、前掲三七八頁

第四　我國體と祭祀公業

（一）穗積陳重氏、祭祀と法律十三頁——三七頁の抄錄

（二）天野德也氏、祖先崇拜と法制道德の淵源（法學新報四六卷二號四一頁）

（三）天野氏、前掲五三頁

（四）天野氏、前掲五四頁、五五頁

（五）穗積陳重氏、前掲一三九頁

（六）穗積陳重氏、前掲三五頁

（七）天野氏、祖先崇拜と我國體（中央大學五十周年記念論文集二〇一頁）

（八）穗積陳重氏、進講錄八三頁

（九）三浦周行氏、國民思想動搖期に於ける國體觀念の歷史的發達（遺稿）四頁

（一〇）天野氏、前掲中央論文集、二〇六頁

（一一）穂積八束氏、進講錄一九九頁

（一二）天野氏、前掲中央論文集二一七頁

（一三）瀬戸致格氏、神社の由來及び其法制の研究二六九頁

（一四）田村武七氏、評二

（一五）鄭沙棠氏、評五、三一、三二頁

（一六）同右三五頁

（一七）井出季和太氏、月報二三ノ一一ノ五頁

第五　祭祀公業存廢論

（一）新元鹿之助氏、評四、四一頁

（二）荒卷鐵之助氏、評五、四五頁

（三）津田毅一氏、評二、六八頁。知田參列員評四、同旨

（四）辜顯榮氏、評二

（五）赤石氏、評二、五五――六〇頁

（六）李延禧氏、評二

（七）末松偕一郎氏、辜顯榮氏、評二

（八）顏國年氏、評、三〇頁

（九）和田參列員、評四、七頁――四二頁、同旨相原祐彌氏、評六、三頁以下

（一〇）簡朗山氏、評四、二七頁、評五、二三頁

（一一）萬巒庄助役黃魁善氏、祭祀公業と市街庄行政三、四頁
（一二）黃欣氏、評二
（一三）和田氏、評四、八頁
（一四）黃純靑氏、評五、二〇、二一頁
（一五）鐘幹郞氏談
（一六）許廷光氏談
（一七）林態徵氏、評二
（一八）桑原政夫氏、草稿
（一八A）同　上
（一九）伊藤政重氏、月報一ノ四ノ一頁以下
（二〇）鄭沙棠氏、評五、三二頁
（二一）新元鹿之助氏、評四、四一頁
（二二）許廷光氏談
（二三）田村氏、評四、二四――二六頁
（二四）社頭庄長戶床氏談
（二五）石坂氏、月報、二ノ八ノ三三頁
（二六）伊藤政重氏一ノ四ノ四頁
（二七）高雄州潮州郡內埔庄、鐘謙堂氏

第八　祭祀公業の調査

（一）第四回評議會議事錄一七頁
（二）第二回評議會赤石定藏氏
（三）同、津田毅一氏

參考文獻

臺灣總督官房法務課員編纂　民法對照臺灣人事公業慣習研究昭和六年第四版)
臨時臺灣舊慣調査會第一回報告書上卷(明治三六年三月)
同　右　第二回報告書第一卷(明治三九年四月)
同　右　第二卷上(明治四〇年一月)
同　右　第二卷下(明治四〇年三月)
同　右　第三回報告書臺灣私法第一卷下(明治四三年三月)
臨時臺灣舊慣調査會　支那法制史論(大正四年三月)
同　右　契字及書簡文類集(大正五年三月)
臨時臺灣土地調査局　臺灣土地調査法規提要(明治三四年八月)
同　右　臺灣舊慣制度調査一班(明治三四年)
同　右　臺灣土地慣行一班明治三八年三月)
臺灣總督府評議會　會議錄第一回(大正十年六月)——第七回(昭和七年八月)
臺灣地方法院編　臺灣土地登記質疑類集(明治四一年三月)

臺灣慣習研究會　臺灣慣習記事　第四卷(明治三七年一月――十二月)
朝鮮總督府臨時土地調査局　朝鮮(土地制度地税制度)調査報告書(大正九年二月)
朝鮮總督府中樞院　譯文大典會通(大正十年三月)
同　右　民事慣習回答彙集(昭和九年)
朝鮮總督府法典調査局　慣習調査報告書(明治四三年十二月)
穗積陳重氏　祭祀及禮と法律(昭和三年七月)
穗重陳重、穗積八束氏　進講錄(昭和四年十一月)
石田文次郎氏　土地總有權史論(昭和二年九月)
淺見倫太郎氏　朝鮮法制史稿(大正十一年十一月)
河田嗣郎氏、家族制度研究(昭和二年三月十一版)
廣池千九郎氏　東洋法制史序論(明治三八年十二月)
同　氏　東洋法制史本論(大正四年三月)
手島兵次郎氏　臺灣慣習大要(大正二年)
杉本吉五郎氏　支那の法制(大正十二年三月)
東川徳治氏　典海(昭和五年三月)

同　　氏　支那法制史研究（大正十三年九月）
桑原政夫氏　公業整理大綱（原稿）
姉齒松平氏　祭祀公業並臺灣に於ける特殊法律の研究（昭和九年十月）
黄魁善氏　祭祀公業と市街庄行政（謄寫版）
同　　氏（萬巒庄）　祭祀公業に就て（昭和七年七月）
桑原政夫氏　祭祀公業と業佃事業（講演原稿昭和四年九月）
三浦周行氏　國民思想動搖期に於ける國體觀念の歷史的發達（遺草稿）
瀨戸致格氏　我國に於ける神社の由來及其法制の研究（司法研究十五輯の五）
石坂音四郎氏　公業に就て（法院月報二卷八號）
西岡英夫氏　公業の研究に就て（同右四卷二號）
中野顧三郎氏　公業設定の眞意義如何（同右四卷三號）
片岡巖氏　字組の解（同右四卷十號）
上内恒三郎氏　本島制度の大要（同右二卷十號）
野村方毅氏　近事稀有の民事調停（同右二卷一二號）
眇田熊右衞門氏　合有關係と祭祀公業（同右四卷一號）

上内恒三郎氏　支那法系の法制及慣習の認めたる財産制(臺灣慣習記事六卷二號)
安藤靜氏　臺灣に於ける公業(同右五卷十號、十一號、十二號)
同　　氏　臺灣に於ける共有舊慣(同右七卷七號、八號)
矢野猪之八氏　公業共業の管理につき地方行政當局に望む(同右四卷十二號)
小林里平氏　登記手續上に於ける二大疑義(同右五卷七號、八號)
伊藤政重氏　三大法規設定の急務(臺法月報一卷二號)
山本留藏氏　公業に對する觀念を表明せる契字(同右二卷一號)
小島由道氏　公業の權利主體(同右五卷三號)
守田次人氏　祭祀公業私論(同右二三卷五號)
姉齒松平氏　祭祀公業の意義及沿革(同右二五卷六號)
同　　氏　民法第五十六條を條理として祭祀公業に適用するについて(同右二七卷七號)
杉本榮次氏　祭祀公業を廢止すべし(同右十五卷一號)
伴野喜四郎氏　祭祀公業論(同右十五卷九號)
施炳訓氏　公業の本質と其派下總會召集手續との關係についての考察(法政公論

五號、六號、七號）
同　氏　公業廢止論（同右十五號）
小山隼太氏　派下全員證明に對する若干の疑問（祭祀公業法制定の急務）（同右十三號）
拙　稿　姉齒松平氏の祭祀公業論を讀む（同右五號、六號）
谷野格氏　新民事法（臺灣時報大正十二年一月號）
東海林稔氏　本島小作改善事業と祭祀公業（臺灣農事報二七五―二八三號）
中田薫氏　唐宋時代の家族共產制（國家學會雜誌四十卷七號）
筒井雪郎氏　家及び宗祧繼承（法曹雜誌三卷四號）
天野德也氏　祖先崇拜と我國體（中央大學五十周年紀念論文集）
Amira, Grundriss des Germanischen Rechts. (1913)
Engländer, Die regelmässige Rechtsgemeinschaft. (1914)
Gierke, Das deutsche Genossenschaftsrecht. Bd. 2. (1873)
〃 〃, Die Genossenschaftstheorie und die deutsche Rechtsprechung. (1887)
Heusler, Institutionen. Bd. I. (1885)

Maŭrer, Einleitung zur Geschichte der Mark-, Hof-, Dorf-und Stadtverfassung und der öffentlichen Gewalt. (1854).

〃 〃, Geschihite der Dorfverfassung in Deutschland. I. (1865) II. (1866)

Seeler, Das Miteigenthum nach dem bürgerl. Gesetzbuch für das deutsche Reich. (1899)

〃 〃, Die Lehre vom Miteigenthum nach römischem Recht. (1896)

Sohm, Die deutsche Genossenschaft. (1889)

Cohn, Gemeinderschaft und Hausgenossenschaft (Zeitschift für Vergl. Rechtswissenschaft. Bd. X.III)

昭和十一年十一月廿二日印刷
昭和十一年十一月廿五日發行

政學科研究年報〔第三輯〕
第一部 法律政治篇

編輯兼發行者　臺北帝國大學文政學部

東京市神田區錦町三丁目十一番地
印刷者　白井赫太郎

發賣所　東京市神田區神保町二丁目　巖松堂書店
電話九段(33)〔四一三五　四一三六　四一三七　四一三八〕
振替口座東京六五五六